Toyer

Direction éditoriale : Arnaud Hofmarcher

© **Gardner McKay, 1998**
Titre original : *Toyer*
Éditeur original : Little Brown and Company

© **le cherche midi, 2011**
23, rue du Cherche-Midi
75006 Paris
Vous pouvez consulter notre catalogue général
et l'annonce de nos prochaines parutions sur notre site :

www.cherche-midi.com

Gardner McKay

Toyer

TRADUIT DE L'ANGLAIS (ÉTATS-UNIS)
PAR **FABRICE POINTEAU**

COLLECTION **THRILLERS**

cherche
midi

À Madeleine

Le véritable crime n'est pas le crime.
Le véritable crime est que nous tournons la page.

Ne commandez jamais une margarita dans un
restaurant chinois.

PRÉLUDE
LOS ANGELES

La couleur primaire, gris perle, un ciel d'un bleu blanchâtre. Le soir, la toile pourpre de la ville, un crépuscule qui dure toute la nuit.

Ici, le vent ne souffle jamais, il ne pleut presque jamais. La pluie ne vient pas à Los Angeles; ses maisons de stuc changent de couleur comme un sweat-shirt de joggeur. Aucun bâtiment n'est décrépi, rien n'est patiné, il n'y a pas de rouille, pas de maisons délabrées, de cimetières oubliés.

Los Angeles n'a pas d'histoire, pas de monuments, pas de statues, pas de commentaire. Elle existe parce qu'elle a jadis volé l'eau du comté d'Inyo au nord.

Sa terre a été volée aux Indiens chumash par les Espagnols, puis volée aux Espagnols par les Américains. Aujourd'hui, les Indiens sont morts, les Espagnols sont repartis, et Los Angeles attend la revanche du comté ruiné au nord, le comté asséché qui est aujourd'hui mort. Le temps du châtiment est venu.

Il y a Beverly Hills. Ici tout est neuf. Voitures aussi fraîches que des œufs, consortiums constitués sur un coin de nappe, vêtements récents dessinés dans des villes antiques, peintures iridescentes presque sèches, chaussures à semelles gaufrées qui

ne foulent jamais le sol mais enfoncent des accélérateurs alle-
mands, cartes de crédit chic et colorées, coiffures jeunes. Tout ce
qui a été dit hier est oublié aujourd'hui. Seul le neuf est crédible,
admiré. Tout est, comme chacun le sait, temporaire. Hanté par
les fantômes des célébrités défuntes, celles qui sont montées en
standing, maison après maison, parfois simplement en louant,
puis qui sont mortes. Racines égalent stagnation. Usure égale
pauvreté. Agents immobiliers égalent beau monde. Les oranges
gisent dans le caniveau à côté de balles de tennis pelucheuses.
Il n'y a pas de pauvres.

Sunset Strip. Un hommage à la libre entreprise démo-
cratique, vu par un caricaturiste. Ses panneaux d'affichage
dressés au-dessus des bâtiments bas pour faire oublier le ciel,
l'air souillé, vendent des vanités. Les cafés en terrasse abondent
près des voitures hermétiquement fermées conduites avec colère.
Les flâneurs sont des intrus.

Hollywood. Les collines sont légalement vertes, d'un vert
sans mort. Couleurs du crépuscule vues dans le demi-jour de
midi. Palmiers en nature morte, des cendres de crématorium sur
leurs feuilles. Le paysage vieillit à la manière d'un canapé en
vinyle. Le silence est sinistre.

Il y a deux saisons, le jour et la nuit.

Centre-ville. Des caisses ici et là, à demi ouvertes ; une
grappe de bâtiments brillants qu'on ne laissera pas vieillir.

Los Angeles n'est pas une métropole, c'est une ville vaste. Une
ville dénuée d'histoire ; elle n'en veut pas. Elle est incomplète,

se cache peut-être. Elle est constituée de douzaines de districts, certains dotés de leur propre mairie, chacun avec son propre commissariat, sa propre suffisance, sa propre colère.

Elle n'a pas de mémoire, pas de centre. Elle attend de devenir. N'importe quoi. Née d'un vol d'eau. L'affaire est entendue.

Toyer. C'est un chef-d'œuvre. Une réponse naturelle à ce quartier. Il est parfait. La nouvelle malédiction. Il n'y a jamais rien eu comme lui mais, naturellement, c'est toujours pareil. Chaque fois, le criminel en série dernier cri a ce même aspect rafraîchissant; il est inimaginable.

Il a tout. Il porte en lui tous ceux qui l'ont précédé. Ted Bundy, parce qu'il a le charisme d'un aspirant député. Le Traqueur de la nuit, en Satan magnifique. L'inébranlable Étrangleur des collines, avec son expressionnisme lourd. Le pathétique Fils de Sam qui recevait ses ordres d'une voix de chien. Le Zodiaque fourvoyé. L'inexpressif Homme de glace.

Le domaine de Toyer, c'est Los Angeles. Et au nord, la vallée de San Fernando, une immense zone plate et aride qui aspire à devenir Los Angeles quand elle sera grande. Il se sert de la ville vaste avec insouciance, comme s'il jouait au tennis sur un court démesuré dont les lignes de fond seraient si loin qu'elles seraient invisibles. La carte de ses conquêtes laisse la police perplexe. Les enquêteurs relient les punaises colorées en espérant voir des pentagrammes, découvrir des constellations. Il ne leur donne aucun indice hormis deux choses : il est nouveau, et il est inimaginable.

LE COMMENCEMENT

LYDIA SNOW LAVIN

Mais le film était beaucoup plus long que Lydia ne le voulait. Lorsqu'elle se lève enfin, ça fait longtemps qu'il est fini pour elle. Une anecdote interminable. Les amants allaient-ils connaître une mort atroce ? Non, bien sûr que non, ça ne l'intéressait plus, elle avait vu la bande-annonce. Pourtant, elle a attendu jusqu'à l'explosion finale, patiemment.

L'agent du FBI qui les a forcés à faire équipe savait qu'ils se détestaient, ce qui signifie qu'ils allaient tomber amoureux. Mais quand ils sont tombés amoureux, Lydia a bien vu que les acteurs continuaient de se détester. *Des baisers horribles.*

Quand les lumières se rallument, rendant vaguement au cinéma sa splendeur fétide, elle remarque qu'elle est presque seule. Une demi-douzaine de couples se sont levés, s'époussetant. Elle ôte ses lunettes, les enfonce dans son sac à main. Un à un, elle se repasse tous les moments de la bande-annonce. *Il est clair que les réalisateurs de bandes-annonces ne sont pas ceux qui réalisent les films. Les bandes-annonces sont tellement mieux fichues, ce sont toujours de petits clips trépidants guidés par un baryton profond dont les premiers mots sont invariablement, «Dans un monde où…»*

On ne peut pas renvoyer un mauvais film. On peut renvoyer une robe, un steak, du vin, mais jamais un film. Hollywood vous a posé un lapin, et votre soirée est foutue en l'air. Pourquoi ne font-ils pas uniquement des films de deux minutes ?

En signe de protestation, elle laisse tomber son gobelet de Pepsi Light, qui produit un *clac* en heurtant le sol de ciment.

Six rangées plus loin, un homme se retourne vers elle, un homme brun portant une chemise blanche, les manches un peu retroussées, deux boutons ouverts, accompagné d'une fille beaucoup plus petite que lui. Il s'éloigne dans l'allée et regarde derrière lui, sourit discrètement à Lydia, hausse les épaules. À cause du film ? Elle baisse instinctivement les yeux. *Il pourrait travailler dans la vente, ou alors dans la pub.* Le rêve de Lydia : se faire entretenir par un cadre plein d'avenir qui, en allant au travail chaque matin, sentirait le savon, porterait des chaussures cirées.

La chaleur étouffante du parking lui enveloppe les oreilles et le cou. De l'air usagé. Elle suit l'homme brun et sa petite amie beaucoup plus petite, un couple qui n'a plus rien à se dire, tandis qu'ils passent d'une atmosphère à une autre : le hall du cinéma, puis la nuit, puis la voiture.

Mais la voiture de Lydia refuse de démarrer. Elle tourne la clé, enfonce l'accélérateur. Le moteur semble sur le point de se mettre en route, puis il cale. Et la climatisation ne fonctionne pas si le moteur ne tourne pas – elle se demande pourquoi. Elle voit son cadre aux cheveux bruns grimper dans une petite voiture neuve *avec sa petite amie miniature.* Maintenant ils s'engueulent. Bien sûr qu'ils s'engueulent, *ils sont si mal assortis.* Lydia lui fait un signe de la main. *Je parie qu'il saurait faire démarrer ma voiture.* Mais seule *la naine* voit son geste, le cadre plein d'avenir regarde dans la direction opposée, et ils s'éloignent.

Lydia essaye de démarrer une fois de plus. La batterie fonctionne, elle entend sous le capot un gémissement féroce, déterminé. Les phares s'allument, la radio marche. Mais pas la climatisation. *Bon sang, où est Rick ?*

Maintenant elle sent une odeur d'essence. *Le moteur est noyé.* D'après Rick, quand ça sent l'essence, c'est que le moteur est noyé.

Rick n'est pas disponible. S'il l'était, elle n'aurait pas besoin de l'appeler, il serait ici avec elle. Elle lui a téléphoné depuis le hall du cinéma, il n'a pas répondu. *Il est chez lui avec sa bimbo minable.* Elle a écouté une fois de plus son message de mâle chasseur-cueilleur : *Je-suis-absent-votre-coup-de-fil-est-important-pour-moi-peut-être.* Elle lui a laissé un message, gueulant tellement fort qu'ils l'ont tous les deux entendue depuis la chambre lui dire d'aller se faire foutre.

Elle regarde derrière elle en direction du cinéma, qui a probablement été construit dans les années 1940, un temple miteux bâti en l'honneur des mauvais films. La magie majestueuse qu'il a pu posséder a disparu. Elle patiente dix minutes dans la voiture comme Rick le lui a conseillé, attendant que se produise Dieu sait ce qui est censé se produire quand un moteur est noyé. *Qu'il s'assèche, je suppose.*

Lydia regarde fixement le capot. Les lumières de la marquise du cinéma s'éteignent soudain. Maintenant qu'elle est dans le noir, elle voit la lune se refléter faiblement sur le capot. Un jour quand elle avait 6 ans et quelques kilos en trop, elle a déclaré en classe qu'elle aimerait aller sur la lune mais qu'elle ne savait pas ce qu'elle pourrait bien manger là-bas. Même l'institutrice a ri. *Ce souvenir me revient aux moments les plus étranges.*

Lydia sort de la voiture, lève les yeux vers la lune, une petite pointe acérée, une lune hivernale par une nuit étouffante. *Peut-être que c'est l'hiver là-haut.* Un ciel étrangement dégagé. Jupiter et Orion et Mars. *Tout est à sa place. La vie continue. Sans Rick.*

Elle cogne à la porte vitrée du cinéma, la faisant vibrer. Le personnel est parti, seule la machine à pop-corn monte la garde, rougeoyante, pleine de grains de maïs gonflés pour les spectateurs de demain.

Elle retourne à sa voiture, la verrouille, tient le volant à deux mains, tête baissée, attendant que quelque chose se produise.

Un homme, âgé d'environ 25 ans, portant un blouson noir et des chaussures blanches à semelles de caoutchouc, utilise la cabine téléphonique qui est illuminée dans le coin du parking. Il est appuyé à une voiture couleur bronze grande comme un porte-avions. Une hanche rejetée sur le côté. Jean. Elle l'observe. *Quand il aura fini de parler, j'appellerai Rick pour m'excuser.*

Lorsqu'il raccroche, elle lui fait signe.

« Excusez-moi ? Monsieur ? »

Il monte dans sa voiture et roule jusqu'à elle.

Le capot de Lydia est ouvert. Il l'a soulevé sans effort, débloquant sans regarder le crochet qui le maintenait en place avec une adresse insolente. Il se tient entre leurs deux voitures, voûté, le visage songeur. *Jolie peau.* Il a à peu près le même âge qu'elle et elle n'arrive pas à voir à la lueur de la lune à quoi il ressemble, s'il est mignon ou non, mais il a l'air d'un type simple, affable. Timide. Son blouson est orné d'un grand H orange. *Je ne connais personne qui porte encore le blouson de son université.*

Il n'a pas coupé le moteur de sa voiture, qui continue de tourner à côté d'eux, le grondement sourd des carburateurs fiers déchirant la nuit. Des roues étincelantes, les volutes brillantes du capot, les deux extrémités surélevées d'une trentaine de centimètres. L'intérieur de sa voiture semble bien rangé, et elle songe qu'elle a de la chance.

Un type jeune, timide, amateur de voitures. Pourquoi ne pas lui demander de l'aide ? Elle s'est toujours bien entendue avec les hommes simples, et lui, c'est un homme simple. Et puis elle-même n'est pas trop compliquée, alors pourquoi ne s'entendrait-elle pas avec lui ? Il porte le blouson de son université et appelle sa transmission une *trans*, et elle trouve ça mignon.

Il branche une lampe à sa batterie et la suspend au capot de Lydia. Elle va chercher un cintre sur la banquette arrière et il le transforme en une longue tige avec une boucle à chaque extrémité, qu'il installe sous le capot. Elle le remercie avant qu'il ait réparé sa voiture, pendant qu'il la répare, et lorsqu'il l'a réparée. Elle démarre. Un type bien. *Tout le monde passe son temps à vous mettre en garde.*

Sur le chemin du retour. Même de nuit, alors qu'elles sont à peine visibles, les grandes rues désertes de la vallée sont irrécupérables. Au-dessus des boutiques fermées, sur les enseignes cinglantes, les supplications des commerçants : « Soldes » ! Quelqu'un qui visiterait la vallée de San Fernando percevrait une peur générale de la faillite. *Vendre. Vendre.* Il n'y a pas de retenue. Les décimales «,99» apparaissent sous toutes les formes, un tribut insistant à la futilité des acheteurs.

Dans son rétroviseur, Lydia regarde la voiture de l'homme qui la suit à bonne distance. Il roule sur la voie de droite pour ne pas l'aveugler avec ses phares. Il a proposé de la suivre jusqu'à chez elle afin de s'assurer que le cintre resterait en place.

Les boulevards plats bordés de panneaux d'affichage commencent désormais à sinuer, grimpant doucement vers les collines. La vallée change à mesure qu'elle roule, les façades de boutiques criardes laissant place à de solides habitations de la Nouvelle-Angleterre, à des haciendas espagnoles. Des rues étroites baptisées par des agents immobiliers, leur nom finissant en *dale* ou en *crest* ou en *view*. Ils franchissent Multiview Drive. Ils traversent une zone nommée Warren Oak Crest, éclairée par quelques rares réverbères.

Ils s'enfoncent dans les collines, les montagnes Santa Monica, qui longent la vallée sur leur largeur au sud. Des amas faits de granite en décomposition qui s'élèvent à peut-être soixante-quinze mètres. Des maisons qui ressemblent à des Lego accrochés à des parcelles miniatures en pente où aucune maison n'a sa place et dont seuls les animaux peuvent arpenter les versants abrupts. Certaines sont faites d'air, perchées sur des pilotis. En dessous, les pentes sont couvertes d'arbustes de sauge et de sumac, déjà asséchés par l'été, prêts à brûler.

Il continue de rouler derrière elle à la même distance respectueuse. *Les types bien. D'où viennent-ils ? Où vont-ils ?*

Il se gare brusquement un demi-bloc derrière elle dans la rue en pente. *Si ça se trouve il n'a jamais achevé ses études, et il est plus gentil que presque tout le monde au boulot.*

La lumière extérieure est allumée, grouillante d'essaims de papillons de nuit qui croient avoir trouvé le soleil. Une lueur faible éclaire la véranda près de la porte, juste assez grande pour accueillir un banc de bois.

Le cottage a été bâti dans la tradition des équipements qui ne sont pas censés durer plus longtemps que leur garantie, peut-être cinquante ans plus tôt, dans les années 1940, personne ne sait exactement quand. Mais il a duré et, dans les années 1960, une buanderie a été ajoutée à la cuisine et, plus tard, une place de parking sous un auvent. La petite maison ne porte pas les traces de vieillissement habituelles car il n'y a pas ici de réelles intempéries, juste un air infectieux. Elle semble desséchée.

Il se tient dans l'entrebâillement de la porte. Lydia n'a jamais vraiment attaché d'importance à l'éclairage du salon. Il y a le plafonnier original, qui confère à la pièce une atmosphère masculine. Plus deux petites lampes, achetées d'occasion, l'une avec un abat-jour ambré, l'autre avec un abat-jour rouge. Il y a un ensemble de meubles en osier blanc et un canapé vaincu. Aux murs sont suspendues des affiches encadrées. La porte de la salle de bains est ouverte, laissant apercevoir des bouteilles en plastique sombres.

«Des pinces?» demande-t-il en ouvrant et fermant la main. *Comme si j'étais sourde.* «Vous avez des pinces, mademoiselle?»

Mademoiselle? Il a oublié mon nom.

«Oui. Je vais les chercher.»

Rick en a laissé une paire.

«J'aimerais achever la réparation pour que vous puissiez aller au travail demain, et un tournevis, s'il vous plaît. Et un chiffon.»

Elle trouve un chiffon, mais pas de tournevis, et lui tend une cuiller à thé glacé volée dans un café.

«Vous aimez les voitures, n'est-ce pas?

– Je suppose.»

Lorsqu'elle lui tend la cuiller, il sourit presque.

«Ça, c'est une cuiller.»

Elle veut rire.

«C'est la chose la plus proche d'un tournevis que je possède.

– Pas de problème.»

Elle le voit maintenant, un bon samaritain. Pas vilain. Plus grand qu'elle. Légèrement plus âgé. Pourtant, il semble insouciant, et elle sait qu'elle ne s'intéressera jamais à un homme insouciant, aussi bon soit-il. Peut-être qu'il passe ses journées à réparer des voitures, qu'il regarde le base-ball le soir à la télé et aspire à jouer au golf. *Comme papa.*

Son porte-avions couleur bronze est garé un peu plus loin au bord du trottoir. Il coupe le puissant moteur grondant, rendant le silence à la nuit. Bientôt, ils entendent les bruits délicats d'insectes agités.

Elle lui porte une tasse de café.

«Je ne bois pas de café, mais merci, mademoiselle.

– Oh! entrez.» Elle a oublié son nom, pour autant qu'elle l'ait jamais su. «Je ne vais pas vous manger.»

Elle voudrait le faire parler, peut-être en apprendre un peu plus sur les causes de la panne.

Lorsqu'il réapparaît à la porte, elle fait infuser des sachets de thé dans une théière en porcelaine blanche dont s'échappe de la vapeur.

«Elle est réparée, annonce-t-il, avec un grand sourire.

– Génial.»

Tous les gens que je connais sont tellement compliqués. Malgré sa liberté, Lydia n'est pas libre.

«Bon, faut que je rentre à Northridge.»

Les types bien vivent à Northridge.

«Entrez une minute. J'aimerais pouvoir vous dédommager, mais je sais que vous n'accepteriez pas. Après tout, vous êtes arrivé tel un chevalier blanc et vous m'avez sauvée.»

Il ne saisit pas l'allusion au chevalier blanc.

«Je viens de préparer du thé.

– Du thé chaud ?

– Oui, croyez-le ou non, ça fait du bien par cette chaleur.

– Quelle heure est-il ?»

Il n'a même pas de montre. Tout le monde a une montre.

«Eh bien, voyons voir, à quelle heure a commencé le film ? 8 h 20 ?

– Oui, donc il doit être...»

Il tape inconsciemment du doigt sur sa cuisse tout en comptant.

«Probablement 11 heures et demie ou dans ces eaux-là. Je ferais mieux d'y aller.

– Oh ! buvez un thé. Il vaut mieux boire du thé chaud que du thé glacé les soirs d'été, ça réchauffe à l'intérieur, ça évite de transpirer.

– Ah oui ?»

Il s'assied lourdement sur le canapé.

«Bon film, hein ?

– Vous l'avez vu ? »

Il était là ?

«Je ne savais pas que vous l'aviez vu.

– Oui, en grande partie. Chouette crash d'avion. »

Où était-il assis ?

«J'ai détesté, en toute honnêteté. »

Et l'homme de mes rêves aussi a détesté. Elle lui tend une tasse et une soucoupe.

«Vous avez vraiment trouvé que les deux personnages étaient faits l'un pour l'autre ?

– Oui, pourquoi pas ? »

Bon Dieu, c'est un cas.

«Je ne sais pas, juste deux acteurs. L'amour est... »

Elle s'interrompt, trop personnel.

«Il n'y a pas de règles, je suppose. »

Pas de règles ? Où il est allé chercher ça ?

«Non, peut-être que non. » *Pas de règles en amour.* «Vous avez peut-être raison. Peut-être que tout le monde peut vivre avec n'importe qui. »

Était-ce lui qui était assis au fond ? Quelqu'un est arrivé en retard.

Il parcourt la pièce du regard.

«Jolie maison que vous avez là. »

Bon, il n'est pas architecte.

«Très calme.

– Parfois un peu trop à mon goût, pour être franche. »

Pensée profonde.

«Oui. Je suppose. »

Mon chevalier blanc, tombé de son cheval, est vraiment ennuyeux.

Il repose la tasse, embarrassé.

«Hé! je suis désolé. C'est trop chaud pour moi.

– C'est aussi bien comme ça. Nous devons nous lever tôt.

– Qui ça, nous?

– Eh bien, vous savez, j'ai... une colocataire qui va rentrer d'une minute à l'autre.» *Pourquoi est-ce que j'ai dit ça?* «D'ailleurs, elle dort exactement à l'endroit où vous êtes assis, c'est un canapé-lit.»

Je n'ai pas de colocataire qui va rentrer à la maison et ce n'est pas un canapé-lit. Pourquoi est-ce que je mens?

Il se lève à demi. Se rassied. Se relève. Peut-être embarrassé qu'elle ait si clairement fixé les limites de la soirée. *Maman m'a dit qu'il ne fallait jamais avouer à un homme qu'on vivait seule à moins d'être prête à passer la nuit avec lui.*

Ils détournent les yeux en silence, écoutant l'absence absolue de bruit. Lydia n'a pas entendu la moindre voiture passer depuis dix minutes. Le fossé de silence s'élargit. Il n'a plus rien à dire. Elle non plus.

«Lydia...»

Il s'interrompt. Quelque chose cloche, il a prononcé son nom trop assurément, trop familièrement. *Il sait en fait comment je m'appelle.* Son prénom flotte dans la pièce comme une accusation.

«Votre colocataire ne va pas rentrer à la maison. Je ne crois pas, déclare-t-il simplement, comme pour mettre les choses au clair.

– Comment ça ?

– Elle a déménagé. Carol », ajoute-t-il, comme s'il aimait ce prénom.

Il sait comment nous nous appelons. Il sait qu'elle a logé ici le mois dernier.

« Je suis venu ici plus tôt, reprend-il.

– Que voulez-vous dire ? »

Elle a la tête qui tourne.

« Ici. » Ses yeux balaient la pièce au hasard. « J'ai coupé le câble du téléphone. » Il pointe le doigt en direction de la fenêtre. « Dehors. »

Il est assis sur le canapé, les bras écartés sur le dossier.

Elle l'entend à peine, et lorsqu'elle l'entend, quand ses paroles résonnent dans son esprit, elle n'est pas sûre d'avoir bien entendu. Elle veut lui demander comment il connaît le nom de Carol mais n'arrive pas à former les mots.

« Allons, ne m'en veuillez pas.

– Je ne vous en veux pas. »

La première vague de peur. *Oh ! doux Jésus, qu'est-ce qui se passe ? Reste calme.* « C'est juste qu'il est tard. Je vais me resservir du thé. »

Il pousse vers elle sa tasse intacte sans se lever et la regarde avec une expression étonnamment lasse.

« Buvez le mien, je vous en prie. Votre gorge est un peu sèche, n'est-ce pas ? »

Elle est sèche. Lydia regarde ses mains qui s'approchent de la tasse, elles semblent minuscules et pâles.

Il se tient au-dessus d'elle.

« Mon petit ami...

– Rick ? »

Bon sang.

« Vous ne sortez plus avec Rick. »

Condoléances.

Tout cela est trop étrange.

« J'ai écouté vos messages téléphoniques ces derniers temps. »

Non non non non non non. Arrivera-t-elle à courir jusqu'à la porte ? À sauter par la fenêtre ? Elle n'est pas certaine que ses jambes la porteront.

« Pourquoi ? » Sa voix est trop faible pour qu'il l'entende. Elle redresse la tête, lève les yeux jusqu'au niveau de sa taille. « Pourquoi moi ? Pourquoi m'avez-vous choisie ? »

Elle s'avance jusqu'au bord du fauteuil en osier, les jambes pliées sous elle comme des leviers à ressorts, tentant de se tenir prête.

Il est venu ici plus tôt. Il a vu que je vivais seule. Il m'a suivie jusqu'au cinéma. Il est revenu ici. Il a coupé la ligne téléphonique. Il a trafiqué ma voiture. Il a vu une partie du film. Il m'attendait sur le parking. Pourquoi suis-je restée jusqu'à la fin de ce film idiot ?

Il se rassied, la regarde. Pâle, sûr, simple, il la regarde tendrement, tel un prétendant venu les bras chargés de fleurs. Lorsqu'il parle, c'est d'une voix douce.

« Je vous aime », dit-il.

Ces mots lui font l'effet d'une gifle. Des mots de tous les jours, tout simples, des mots de carte de vœux. Elle le scrute, cherchant sur son visage une indication, quelque chose qui l'aiderait, qui lui dirait, *« Je voulais seulement que vous sachiez que je vous aime. Je ne vais pas vous faire de mal. Je ne suis vraiment pas un fou furieux. »* Mais son visage ne dit rien de tel.

Elle s'aperçoit qu'elle a la bouche ouverte. Il tourne un instant la tête vers la cuisine. *Lève-toi et cours. Cours. Cours. Porte.* Elle est debout, court vers la porte. *Porte. Porte. Porte. Je t'en supplie, sois ouverte.* Elle tend le bras vers la poignée. Il est là, debout entre elle et la porte. Il l'attend. Elle ne l'a même pas entendu bouger. *Il est liquide.*

Il la ramène à son fauteuil, lui serrant la nuque entre le pouce et l'index. Si elle résiste, la douleur devient insoutenable.

«Ne faites pas ça, s'il vous plaît», murmure-t-il. Sa voix, lasse mais toujours douce. Comme s'il s'excusait. «Je suis si rapide.» Puis, comme s'il s'extasiait d'un don inné : «Bon sang, ce que je suis rapide.» Comme s'il possédait une force terrible qu'il comprend à peine. «N'ayez pas peur, Lydia.»

Mais elle a peur, très peur. Elle commence à entendre un vaste vide résonner dans ses oreilles, puis une cacophonie de voix par-dessus laquelle elle doit parler fort pour se faire entendre.

«Je n'ai pas peur de vous.»

Sa voix flotte vers le plafond, plus légère que l'air épais.

Et s'il m'aimait vraiment ? Alors il ne me fera pas de mal. Il ne va pas me violer, si ? Les violeurs sont violents et lui est si timide et calme. Je dois lui faire savoir, lui dire que c'est d'accord, si c'est ce qu'il veut, je me donnerai à lui. Il est mignon. Je ne veux pas qu'il me viole. Il n'aura pas à le faire. Il doit savoir ce que je suis prête à faire sinon il va prendre peur et il va me faire du mal. Ses doigts sont trop puissants.

Lydia flanche, elle se sent aussi vulnérable qu'une enfant, mais elle sait que ce qui se passe en ce moment sera bientôt terminé, que tout va bien se passer, que Rick va comprendre son erreur, être rongé par le remords, venir la chercher, faire irruption d'une seconde à l'autre.

Mais il n'y a plus de Rick. Je lui ai dit d'aller se faire foutre et tout le monde dort et je suis seule au monde.

Il s'approche d'elle. Sans la toucher. Il se tient là. Comme à la dérive.

Il ne partira pas tant qu'il n'aura pas eu ce qu'il veut.

« Que voulez-vous que je fasse ?

– Ne pleurez pas.

– D'accord. »

Je veux que tout ça finisse. Je veux être dans une heure, je veux être demain matin.

« Vous ne savez pas ce qui se passe, n'est-ce pas ? »

Lydia retient son souffle.

« Pouvez-vous s'il vous plaît me dire ce que vous voulez ? »

J'entends mon corps trembler.

« Ne savez-vous pas qui je suis ? »

Je vous en prie, non.

« Vous avez dû entendre parler de moi. » Il parle si doucement. *C'est lui.* « N'est-ce pas ? Savez-vous à quel point je suis célèbre ? »

Elle ne sent plus son visage. Elle a l'impression que ses entrailles ne sont plus là et que le reste de son corps se liquéfie devant elle.

6 ans. Prise à faire les poches des manteaux dans la salle des casiers. Épingles à cheveux. Petite monnaie. Voleuse. Attendant le principal. Assise dans le grand fauteuil collant, ma culotte adhérant au cuir. Coup de fil à maman. L'horloge électrique, 10 h 10. Neige. Toute l'école est au courant. Mise à la porte. Renvoyée à la maison. Punition. Le monde entier est au courant.

Pendant quelques instants, Lydia ne saurait dire combien de temps exactement, elle s'élève au-dessus de la pièce avec ses stupides lampes de brocante qu'elle a toujours détestées et elle observe la scène depuis un endroit plein de lumière. Il parle, elle écoute. Elle entend le mot *lune* une première fois, puis une seconde. Elle s'aperçoit vaguement qu'il a cessé de parler et qu'il l'observe, attendant quelque chose, peut-être qu'elle parle à son tour. Il a dit quelque chose à propos de la lune et ses paroles lui reviennent, comme quand on entend les cloches d'une église dans son sommeil et qu'on sait exactement l'heure qu'il est.

« La nuit est un souvenir de nuit. Personne ne connaît plus la nuit. Personne ne regarde le ciel. Personne ne sait que chercher. La lumière est trop importante. »

Voilà ce qu'il a dit.

« Avez-vous déjà regardé la lune ?

– Bien sûr, oui, j'adore la lune. »

Que veut-il dire ?

« Quand j'étais petite, je voulais y aller. »

Il est fou.

« Mort comme la lune. Les mots les plus tristes que j'aie jamais entendus. » Il la regarde fixement, d'un air implorant. « La lune est morte mais elle continue d'être belle, n'est-ce pas ? De se lever et de se coucher, et ainsi de suite. »

C'est donc à ça qu'il ressemble. Toyer. J'ai lu tout ce qui a été écrit à son sujet. Tout le monde a tout lu. Les femmes sont toujours droguées.

«Est-ce que vous m'avez droguée?»

Il acquiesce une fois.

Le thé. Oui.

«Rendez-vous compte, vous ne verrez pas demain, et moi, si.»

Dehors, la vallée dort. De l'autre côté du vaste bassin, les mouvements brusques de télévisions énervées illuminent les plafonds.

S'il vous plaît, violez-moi. Allez-y. Mais n'allez pas plus loin. Il est assis, penché en avant, soucieux.

«Que comptiez-vous faire demain?»

Je vais courir et sauter à travers la fenêtre. Je vais me couper. Je me couvrirai le visage. Maintenant. À travers la fenêtre. Dehors.

Ses jambes se tendent et elle bondit vers la fenêtre. Il lui attrape le bras. Elle tombe contre lui et s'écarte brutalement, battant des poings vers lui avec l'impression de ne jamais l'atteindre. Elle hurle, ou croit hurler. Peut-être qu'elle l'a frappé une douzaine de fois, elle tente de le mordre. Elle s'arrête.

Vidée, elle se laisse retomber mollement dans le fauteuil en osier blanc. Elle se rappelle les motifs décoratifs des barreaux de protection dehors. *Il n'y a jamais une foutue fenêtre ouverte dans une maison de femme.*

Il se tient une fois de plus au-dessus d'elle, respirant régulièrement.

«Ne criez plus», ordonne-t-il sur un ton qu'il n'a jamais utilisé jusqu'alors, parfaitement sec, autoritaire. Puis il la relance, comme s'il avait besoin de connaître ses projets.

«Que comptiez-vous faire demain?

– Travail. Déjeuner avec une amie...

– Qui ?

– Katrina. » *Pourquoi veut-il connaître son nom ?* « Elle est suédoise. Elle va se marier. Déposer mon salaire à la banque. Payer une robe. »

Elle attrape le coussin derrière son dos et y enfonce le visage, suffoquant, mordant dedans, sanglotant désespérément et sans force. Elle ne sait plus où elle est, a l'impression de tomber en chute libre, d'être morte, elle a un pied hors du monde, ce monde qu'elle a jadis connu, ce monde dont elle ne sait plus comment elle y est arrivée ni pourquoi elle le quitte. Il semble déçu par elle, comme s'il avait compté sur elle et qu'elle l'avait trahi.

Les visages bons sont insondables. Ils sont jolis, agréables. Il y a en Lydia un déséquilibre entre la vivacité des yeux, une légèreté, une malveillance espiègle, et la largeur de la bouche, une bouche sérieuse. Ses yeux, même en ce moment, semblent optimistes, alors que sa bouche est assombrie par la peur, comme si elle méritait la douleur.

Voilà à quoi ressemble la mort. Mais il ne va pas me tuer. Il ne le fait jamais. Toutes ces filles, clouées dans des fauteuils roulants, poussées par d'autres. Qui me poussera ? Je serai de nouveau en Pennsylvanie avec ma famille. Ils s'occuperont de moi. Ils me feront la lecture. Je regarderai la télévision. Les gens m'aimeront. Ils seront tristes pour moi. Ils adorent les victimes. Je le verrai sur leur visage. Dieu merci j'ai une grande famille.

Il parle, d'un ton parfaitement posé.

« Peut-être que je n'arrêterai jamais. Mais allez savoir. Si les choses tournent mal, je pense qu'ils s'occuperont bien de moi, qu'ils feront tout leur possible. »

Toyer qui me décrit son avenir.

«Écoutez-moi.»

Elle ne l'entend pas. Les sons glissent sans pénétrer ses oreilles. Elle le sent qui lui touche l'épaule et s'écarte vivement, serrant le coussin contre son visage comme s'il pouvait la protéger.

«Écoutez-moi. Vous m'entendez? J'ai un cadeau pour vous. Vous allez faire ce que vous aviez prévu demain. Tout ira bien.»

Lydia lui lance un coup d'œil par-dessus le coussin. Il se tient au milieu de la pièce. Il sourit.

«J'habite dans la rue. Je vous vois passer en voiture chaque jour. Je vous ai juste suivie jusqu'au cinéma.»

Il parle à Lydia comme s'il parlait à une perruche.

Répétez ça.

«Tout va bien. Écoutez-moi, je ne voulais pas aller si loin. Je suis désolé. Je ne voulais pas vous effrayer.»

Quoi?

Il ôte ses mains de derrière sa tête et se penche vers elle. Il attend qu'elle rouvre les yeux. Il est si proche que son visage est complètement flou. Puis il déclare, d'une voix décontractée, entraînée :

«Je suis acteur.»

Il parle avec une telle décontraction, une telle sincérité, qu'il pourrait être un prince lui tendant sa carte de visite ornée de ses armoiries.

«Acteur?»

Bon Dieu, je hais les acteurs.

«Enfin, un acteur sans emploi.» Il tire un peigne noir de sa poche revolver. «Je n'ai pas eu un seul bon rôle depuis que je suis arrivé ici. Du moins pas dans cette ville.» Il laisse passer un moment. «Sauf celui-ci. Je jouais un rôle, vous comprenez? Je voulais juste qu'un parfait inconnu me croie. J'essaie de construire un personnage, et quand je pense le tenir, je...» Il s'interrompt pour se peigner. «Alors je vais à l'essentiel, j'essaie de le faire fonctionner.»

Elle voit qu'il est content de lui, que ça a fonctionné pour lui.

Il sourit et se redresse, remplit un verre d'eau, boit. Il sourit pour lui-même, se redresse pour produire son effet. Elle l'observe attentivement. Pas son visage mais ses bras et ses épaules, qui dessinent une forme floue et plaisante. Il ouvre la porte et laisse entrer un peu d'air, la referme avant que les moustiques ne s'engouffrent à l'intérieur. Elle a cru qu'il avait le même âge qu'elle, mais maintenant il semble plus jeune. Il a posé son blouson sur le dossier du canapé.

De sa poche il tire deux pages, agrafées, pliées deux fois. Des notes. La scène qu'il vient d'interpréter s'est trouvée dans sa poche toute la soirée. Il les étale sur la table basse entre eux. En haut est inscrit le mot *Toyer* puis, *deux personnages*, comme s'il s'agissait d'une pièce de théâtre.

Lydia sent ses yeux qui la brûlent, elle se couvre le visage une fois de plus et, se sentant de nouveau sombrer, se serre les tempes et s'efforce de détourner le regard, le fixant sur une affiche qui représente une femme des années 1900 trop habillée, grimpée sur une bicyclette et brandissant une pancarte.

«Je peux me servir un verre?»

Elle ne répond pas. Il vient d'en vider un. Lorsqu'il revient de la cuisine il lui tend un verre d'eau glacée.

Elle ôte ses mains de ses tempes, voit qu'elles tremblent.

«Qu'est-ce que vous voulez dire, vous avez tout inventé ? Pourquoi faites-vous ça ? »

Ne le traite pas de fou. Ils n'aiment pas qu'on les traite de fous quand ils le sont, et il l'est probablement. Mais elle s'en moque. Tout ce qui compte pour elle, c'est qu'il n'est pas celui qu'il a prétendu être. Elle n'a qu'une seule hâte, qu'il s'en aille.

« Pourquoi faire semblant d'être... »

Mais elle ne parvient pas à prononcer le nom *Toyer*.

« C'est important pour moi. Pour mon développement. De choisir un personnage et de faire en sorte que quelqu'un croie à mon personnage. »

Sa voix décontractée la rend malade.

« Est-ce que vous pourriez arrêter de parler, s'il vous plaît ? Merci. »

Mais bon, la vie est de nouveau belle. Je m'apitoyais sur mon sort sous prétexte que j'avais perdu Rick. Si je ne peux pas trouver mieux que Rick, je mérite de mourir. Mais tu parles d'une façon de le découvrir ! Elle songe soudain que ses parents ne verront pas sa photo dans le journal et éclate de rire.

« Je ne comprends pas qu'on puisse vouloir faire ce que vous venez de faire. Je ne sais même pas qui vous êtes. »

Il rit gentiment pour la première fois de la soirée.

« Eh bien, je ne sais pas non plus qui vous êtes.

– Bien sûr que si.

– Non, je n'en sais rien. Quel est votre nom ?

– Je vous l'ai dit, Lydia.

– Non, votre nom de famille. »

Il se tient dans l'entrebâillement de la porte.

« Vous ne le savez vraiment pas ?

– Non. Je le jure.

– Eh bien, vous ne le saurez jamais. Je ne vous le dirai jamais. Restons-en là. Mais je suis curieuse, comment vous avez su que Carol ne vit pas ici ?

– Quand je réparais votre voiture j'ai vu que son nom avait été gratté sur votre boîte aux lettres. Carol... fait-il comme s'il avait un trou de mémoire.

– Miller.

– C'est ça.

– Et Rick ?

– Je connais Rick.

– Il ne m'a jamais parlé de vous.

– Je plaisante. Je vous ai entendue lui dire d'aller se faire foutre. J'étais là en train d'écouter près des toilettes.

– Est-ce que vous m'avez droguée ?

– *Non.* » Il sourit. « Dites à quelqu'un que vous l'avez drogué, et il aura l'impression d'être drogué. »

Mais j'ai vraiment l'impression d'être droguée.

« Partez.

– Je m'en vais, je m'en vais, mais pour vous rassurer je veux vous prouver que je suis bien acteur et votre voisin. Mes papiers sont dans ma voiture. Je vais les chercher. Excusez-moi. »

Il ouvre la porte, se glisse dehors, la referme derrière lui. Il est parti.

La porte se rouvre alors et il se penche à l'intérieur.

« Vous avez oublié votre téléphone. Je vous ai dit que j'avais coupé la ligne, vous vous souvenez ? Essayez-le. Voyez s'il fonctionne. »

Il s'éclipse une fois de plus, descendant lourdement les trois marches en bois. Un courant d'air nocturne fait tourner la fleur en papier qui est suspendue par un fil au plafond, d'abord d'un côté, puis de l'autre.

Lydia jette un coup d'œil en direction du téléphone, l'objet le plus sombre de la pièce. *Pourquoi ai-je acheté un téléphone noir ?* Il est posé sur une table de brocante, un téléphone excentrique sur une table des années 1920.

Elle le regarde fixement. *Je suis sûre qu'il fonctionne. Je ne peux pas l'essayer devant lui. Ça voudrait dire que j'ai peur.* Plusieurs secondes s'écoulent. *Je dois essayer.* Elle traverse la pièce rapidement et porte le combiné à son oreille.

Elle attend la tonalité, un vaste vide résonnant de nouveau dans ses oreilles. *Rien.* Elle raccroche vivement. Un deux trois quatre. Rien. Un deux trois quatre. Rien. Rien. Rien. Rien. Rien. Mort comme la lune.

Elle regarde fixement le téléphone jusqu'à ce qu'il devienne flou. Ses entrailles se liquéfient. *Il l'observe depuis la porte.* Elle ne se retourne pas, laissant durer le moment. *Je sais qu'il est là.*

Elle se retourne.

Il est là.

Juste devant la porte. Souriant. La tête inclinée. Un sourire d'enfant pris la main dans le sac. Lèvres serrées. Il acquiesce une fois, deux fois. Gentil. Désolé. Il tient derrière sa jambe un objet brillant qu'elle ne distingue pas bien.

Il parle. Si doucement qu'elle l'entend à peine. Elle regarde ses lèvres bouger. Une troisième vague de sommeil, plus profonde que les précédentes, déferle sur le rivage de sa nuit narcotique, elle sent ses jambes qui l'abandonnent, entraînées par le reflux vers le large.

« Je vous aime », dit-il.

MAUDE GARANCE

La nuit. Une petite maison dans un canyon au-dessus de Los Angeles. Une femme entre. Son nom est Maude Garance. Elle a 36 ans. Ce soir sa peau est parcheminée, son visage, compliqué par l'entrelacs de cicatrices creusées par la fatigue. Elles font ressortir ses yeux, des yeux intelligents assombris par l'épreuve qu'elle vit à l'hôpital depuis près d'un an. Les infirmières qui la suivent durant ses visites l'observent attentivement, elles s'inquiètent pour elle, la considèrent comme une créature mythique ; certaines l'imitent. Elle considère la plupart d'entre elles comme des incompétentes.

Maude Garance vit désormais seule, dans cette maison de location qui n'a jamais été climatisée. Peut-être que si elle en était la propriétaire, elle le serait, mais de telles nuits étouffantes sont rares sur les hauteurs de Tigertail Road. Et ce soir, la chaleur de la journée s'accroche aux branches d'arbres, aux murs des pièces. Pendant peut-être un mois chaque année, la fournaise s'élève depuis le bassin de Los Angeles jusqu'à l'enchevêtrement d'arroyos, et à des kilomètres de là, dans le centre-ville, des réverbères illuminent Silverlake Park, où les familles qui ont trop chaud pour rester à l'intérieur s'assoient sur les bancs en attendant que la nuit rafraîchisse les trottoirs.

C'est le 30 avril, une nuit étouffante, trop tôt, même sur les hauteurs qui dominent Los Angeles.

Il est près de 22 heures. Le répondeur clignote une fois. Un message. Elle le passe, écoute le silence doux de la ligne téléphonique. Une voix d'homme, Ed Tredescant, dénuée d'ironie, calme, paternelle.

« Inutile de vous en vouloir ni de m'en vouloir, Maude, nous ne sommes ni l'un ni l'autre parfaits. Nous ne savons pas pourquoi ces choses se produisent. Elles se produisent, un point c'est tout.

– Mouais, fait-elle. Ça, c'est sûr, docteur T. »

Elle se le représente à l'autre bout du fil. Il est assis dans un fauteuil de bureau légèrement trop petit pour lui, ses grosses chaussures cirées posées côte à côte. Il porte un costume en tweed rêche, dans les tons ocrés, on dirait une étoffe tissée à partir de céréales. Son chef de service au Kipness, maladroit, loyal. Amoureux de Maude, mais toujours pas déclaré.

« Notre tâche a toujours été de soigner, n'est-ce pas ?

– Mouais, dit Maude à l'intention de la voix enregistrée. Pour autant que je sache. »

Elle se lève, contourne le bar jusqu'à la cuisine, et pose une bouilloire sur la cuisinière.

« Et à défaut de soigner, d'aider. Nous ne pouvons rien faire, les dégâts sont tout simplement irréversibles.

– Mouais.

– ... votre tâche est désormais de les préparer à leur nouvelle vie, aux nombreuses années qui les attendent...

– Elles sont trop jeunes.

– ... mais, je vous en prie, ne laissez pas la colère troubler votre jugement. » Elle l'entend prendre une inspiration. «Je suis désolé que ceci vous arrive. Mais vous savez que vous pouvez prendre un congé à tout moment...»

Si la tension devient insupportable. La cassette tourne en silence.

Il tousse.

«S'il vous plaît, venez me voir avant mes visites. Vous me trouverez au sixième.» Il marque une pause. «Bonne nuit, Maude, essayez de dormir.»

Tonalité. Il est incapable de dire à Maude qu'il l'aime. Elle laisse tomber sa jupe autour de ses chevilles. Déboutonne son chemisier de soie. Maude est rentrée à la maison vaincue; elle est en train de perdre Karen Beck après un mois de soins. Karen, sa patiente, continuera de vivre telle une fleur, une jolie fleur pâle, à jamais.

Elle tire sur l'anneau métallique d'une boîte de nourriture pour chat, et un chat roux apparaît sur le rebord de la fenêtre derrière un rideau. C'est Jimmy G.

Un bruit, qui n'est pas celui d'un grillon, retentit de l'autre côté de la fenêtre, derrière le canapé. Un petit bruit humain – un raclement? – dans les buissons. Maude, en slip et chemisier de soie verte, se tient immobile. Elle écoute le bourdonnement blanc de la ville à des kilomètres de là monter par les canyons.

Elle écoute la colline noire. Le silence. Le glapissement lointain d'un jeune chien ou peut-être d'un coyote. L'oreille droite de Jimmy G s'agite, irritée. Il a peur des coyotes, de leurs cris étranges.

Maude ouvre le réfrigérateur, s'accroupit avec aisance, attrape trois glaçons dans la paume de sa main, traverse la pièce et enfonce la touche lecture de son lecteur CD.

Elle s'assied dans son fauteuil, jambes écartées. Pour se rafraîchir, elle se passe les glaçons sur la nuque, sur les bras et les épaules, entre les genoux, partout où son corps en a besoin, sentant la glace fondue couler sur ses membres. Jimmy G s'aplatit sur le flanc juste sous ses doigts. Le disque tourne, des voix d'hommes chantant bien trop fort ; elle ne cherche pas à baisser le son, elle l'absorbe. Leur force réaffirme quelque chose qu'elle a besoin d'entendre. Le duo des *Pêcheurs de perles*, deux frères amoureux de la même femme qui se demandent quoi faire et décident d'abandonner la femme. *Stupide.* Maude s'installe confortablement et se soumet, tentant de se laisser pénétrer par la musique, de pénétrer la musique. Avant la fin du duo, elle dort.

Le *pip-pip-pip* du pager de Maude réveille Jimmy G. Il lève la tête, la regarde saisir le téléphone et composer le numéro de l'hôpital. Les yeux plissés, presque clos, il repose la tête sur sa patte. C'est Ed Tredescant qui décroche.

«Encore moi, dit-il.

– Oui, Elias ? »

Maude est la seule personne à l'appeler par son deuxième prénom.

«Maude, ça m'ennuie terriblement de vous demander ça, déclare la voix paternelle, mais est-ce que vous pourriez venir ici ? »

Pas une véritable question.

«Que puis-je faire pour vous ce soir, Elias ? »

Elle connaît la réponse avant qu'il la lui donne.

«Une *invalide*, Maude. Elle vient d'arriver. »

Il utilise uniquement le mot *invalide* pour décrire les patientes de Maude. Les victimes.

«Quel âge a-t-elle, Elias?»

Elle ne sait pas pourquoi elle demande ça.

«Jeune, je ne sais pas, Maude.

– Qu'est-ce que vous en pensez?»

Y a-t-il le moindre espoir pour elle?

Ils ont déjà eu cette conversation. Il laisse passer un temps.

«Je ne sais pas, docteur.»

Il m'appelle docteur quand il a besoin de moi.

«Empêchez quiconque de l'examiner avant mon arrivée.»

Le docteur Tredescant prend également soin de ne pas prononcer le nom *Toyer* quand il s'adresse à Maude. Ni lui ni aucune des infirmières. Interdiction absolue. Ils se rappellent sa rage lorsqu'elle a examiné sa première patiente, Virginia Sapen. Une infirmière, Chleo, affirme que Maude était quasiment dingue, mais elle ne le lui a jamais dit en face.

«Quel est son nom, Elias?»

Elle l'entend tourner une feuille de papier.

«Lydia Snow Lavin.

– Demandez à Chleo de la préparer pour une IRM. Je pars dans cinq minutes.»

Ce soir, la neuvième de Toyer, la neuvième de Maude.

LYDIA

Centre de recherche neurologique Kipness Memorial, tel un paquebot sous une lune romantique.

Maude gravit une pente puis se gare dans le rectangle peint qui porte son nom. La plupart des lumières des étages supérieurs sont éteintes. Le Kipness, sur les hauteurs de Malibu, est bâti sur un terrain de cinq hectares. Il surplombe l'océan Pacifique depuis une éminence protégée des séismes.

Maude voit le docteur Tredescant qui l'attend dans la pièce climatisée derrière la porte des urgences. Il tient deux gobelets en plastique remplis de café noir, un pour elle. *Drainage des caniveaux des abattoirs.*

Ils sont cinq en mouvement, marchant vers les ascenseurs. Maude est talonnée par un petit essaim respectueux. Maude est une victime notoire, une veuve récente.

Une nouvelle infirmière déclare :

« Taux de sodium extrêmement bas, docteur. »

Maude acquiesce. *Évidemment.*

« Il va falloir dix jours complets pour le faire remonter, observe l'infirmière Chleo.

– Elle les a, les dix jours, Chleo », réplique Maude.

Des jours, elle en a mille.

« Je ne trouve pas son dossier médical, annonce une femme mince que Maude n'a jamais vue.

– Pas de carte ?

– Rien. Est-ce que je l'impute au fonds criminel ? »

Maude est brièvement déconcertée, la facturation ne relève pas de sa compétence.

« Eh bien, si elle ne peut pas payer... »

Il faudrait qu'elle soit héritière pour pouvoir s'offrir ces soins.

« Allez-y, Andrea, intervient le docteur Tredescant, facturez la police pour le moment. »

Tout le monde acquiesce légèrement. *Tout à fait.* La femme préoccupée par ces questions de facturation s'éclipse.

« Avez-vous contrôlé sa respiration ? demande Maude.

– Oui, elle est encombrée, répond Chleo. »

Pas étonnant.

Lydia Snow Lavin porte une grande tunique d'hôpital. Encore une jolie fleur pâle. Un pansement couleur peau est centré en travers de sa nuque. De la gaze blanche couvre les abrasions sur deux de ses doigts. Peut-être qu'elle est tombée. Ou qu'elle s'est débattue.

Trois personnes en blanc la regardent sans rien dire : le docteur T, Maude, la nouvelle infirmière, suffisamment nouvelle pour être horrifiée. Maria.

Maude :

« Est-ce qu'elle a été droguée ?

– Comme à chaque fois », répond Ed.

Droguée à la Xylazine, le tranquillisant utilisé par les vétérinaires.

« Elle semble stable.

– Elle l'est.

– Oui. Quand... ?

– Il y a presque cinq heures. »

Maude acquiesce d'un air absent. Le docteur Soong, un chirurgien du centre-ville, vient de les rejoindre et se tient contre le mur.

« Apportez-moi le CD, s'il vous plaît, infirmière », demande Maude.

La nouvelle infirmière reste plantée là, immobile.

« Infirmière. Le CD, s'il vous plaît. »

L'infirmière acquiesce et s'en va.

« Commençons l'examen, dit Maude à l'assistance, détournant les yeux de la patiente. Préparez le matériel pour un test calorique. »

Chleo s'active.

« Je veux un échantillon de sang, ajoute-t-elle.

– Hum... fait le docteur Tredescant.

– Je veux un test VIH, Elias.

– Pourquoi ?

– Pourquoi pas ? Ce type est un sociopathe, peut-être qu'il veut partager.

– Est-ce qu'il y a des signes de viol ?

– Faisons comme s'il y en avait. *Du sang*, d'accord ? Merci. »

Chleo s'éloigne.

Maude agite des sels sous le nez de la patiente. Encore une fois. Rien. Elle produit vivement une petite lampe torche, soulève une paupière, illumine la pupille. Pas de réaction.

La nouvelle infirmière revient avec un petit lecteur CD. Maude le pose près de Lydia, l'allume. Une femme se met à chanter.

« Prête pour le test calorique, docteur. »

Lydia Snow Lavin a le visage sans tache d'une fillette de 12 ans ; peau pâle, sourcils légers, adorable. Aussi blonde que des champs de paille au soleil. Les yeux sont pâles et ne montrent absolument aucune réaction à la musique. Elle a manifestement subi une cordotomie spinale.

Chleo lui tourne la tête sur l'oreiller, l'enveloppe dans une serviette. Au moyen d'une seringue, elle lui injecte de petites doses d'eau glacée dans l'oreille. Les yeux de Lydia n'indiquent aucune réaction.

« C'est bon, Chleo. »

Chleo essuie la joue de Lydia, lui redresse la tête sur l'oreiller, lui ferme les yeux.

Maude observe sa nouvelle patiente. Elle reste parfaitement immobile un peu trop longtemps. Elle a la nausée, l'estomac retourné. C'était déjà comme ça avec la patiente précédente. Elle sent que ses forces la quittent mais ne doit pas le montrer. Le docteur Tredescant lui touche l'épaule.

« Laissez tomber », dit Maude.

Oubliez le test. L'infirmière Maria croise les bras, regarde au loin, dans le vide.

« Vous voulez que j'installe l'écran de Bjerrum ? » demande Chleo.

Maude fait non de la tête.

« Vous voulez une échelle de Glasgow ?

– Préparez-la pour une angiographie dans cinq minutes. »

Dans le silence qui suit, Lydia Snow Lavin voit : *Des lignes blanches. De plus en plus blanches. Formant progressivement un périmètre brumeux. Une pièce floue trop blanche.*

Des silhouettes qui se déplacent dans des bancs de nuage, des voix inconnues, altérées. Des formes vagues vêtues de blanc, bougeant par à-coups. Une réalité intouchable. De nouveaux sons vifs... une cacophonie dénuée de sens. L'espace redevient silencieux. Une voix de femme qui chante. Reste une silhouette solitaire vêtue de blanc. Une sensation de fraîcheur. De l'eau tombant brusquement sur des rochers, s'écoulant en aval, sensuelle.

Le Chant du berger d'Auvergne. Un air populaire. La beauté superbe de la riche voix soprano, suprêmement féminine. Dès que possible, Maude se procurera les derniers disques et cassettes que Lydia a écoutés dans sa voiture et chez elle.

Yeux. Cheveux. Visage, un visage de femme, pâle, proche, avec des yeux jeunes. Il se matérialise dans une lumière blanche aveuglante, formant petit à petit des traits exacts. *Svelte, cheveux courts, jolie, la trentaine, sérieuse.*

Maude est tout près, cherchant une lueur dans les yeux de Lydia, un signe. Elle déplace un vase. *Des fleurs simples, de jolies fleurs.* Des fleurs sauvages bleu pâle et lavande, à la tige fine.

« Va-t-elle retrouver ses fonctions de base, docteur ? »

La nouvelle infirmière est revenue. Maude ne lui répond pas. À ce stade, elle pense qu'il est possible de récupérer certaines fonctions neurologiques.

La soprano se lance dans un enchaînement de notes passionnées qui sont presque des cris. L'infirmière écarquille les yeux, elle semble irritée. Ceux de Lydia demeurent fixes.

La soprano continue de chanter l'air du berger. Maude murmure à Lydia, à elle-même, « S'il te plaît. S'il te plaît. Lydia. S'il te plaît. Essaie. Tu dois essayer. Nous allons essayer ensemble. »

Des paroles floues. Maude implore calmement une réponse. Elle l'observe attentivement, œil pour œil. Le banc de brouillard noir glisse vers Lydia et l'enveloppe.

Personne n'est plus proche de ces étranges victimes que Maude Garance. C'est elle qu'on appelle pour examiner chacune d'entre elles et établir un diagnostic préliminaire. C'est-à-dire pour découvrir s'il y a une lueur dans leurs yeux qui pourrait indiquer la possibilité d'une guérison partielle. Elle est physiatre.

Tout a commencé de façon fortuite. Dès le début, quand la première victime de Toyer a été admise au Kipness pour une série d'examens sous la supervision de Maude Garance, il s'agissait de déterminer si une guérison était envisageable. Comme toujours, la police espérait que la victime récupérerait suffisamment pour pouvoir fournir une description de son agresseur.

Maude reste longuement assise, observant Lydia. *Rien*. Le chant des bergers ne suscite aucune réaction dans ses yeux morts. Maude voit en Lydia un univers parfait d'atomes et de molécules s'agitant ensemble sans espoir. *Comme les nôtres*, songe-t-elle, *mais dans une asymétrie parfaite*. Elle réessaiera demain.

Elle coupe la musique d'un geste brutal, envoyant par terre et le lecteur et le CD. La nouvelle infirmière se baisse pour récupérer les piles qui roulent à travers la pièce.

Gêne. Impuissance. Comportement irrationnel. Elle vient de casser le lecteur CD. Le docteur T est-il troublé par ce geste d'humeur ?

Maude détourne le regard en direction de la fenêtre noire de nuit, contient sa rage. Elle attrape le dossier de la patiente, note ses commentaires et l'heure, le tend à l'infirmière et sort.

Une femme que personne ne connaît se tient dans le couloir, à l'extérieur de la chambre, faisant mine d'être occupée. Elle a une trentaine d'années mais possède un visage étonnamment jeune, alerte, et semble avoir été protégée des soucis de tous les jours.

« Docteur Garance, je suis une de vos admiratrices.

– Qui êtes-vous ? »

Ce n'est vraiment pas le moment de faire de nouvelles rencontres. La femme déplaît à Maude au premier coup d'œil, elle ne sait pas pourquoi.

« Sara Smith. »

Sara Smith. Maude connaît ce nom.

« De l'*Herald* ? »

Il y a un mois, Sara Smith a écrit un article décrivant Maude telle une noble héroïne magnifiquement compétente, mais qui, en tant que simple physiatre, est incapable de guérir ces patientes. Elle a interviewé des infirmières du Kipness à l'insu de Maude. Celle-ci a été consternée.

« Comment êtes-vous entrée ? »

Sara Smith, professionnelle, laisse passer un instant. Après tout, elle est journaliste.

« Un appel de la police est arrivé sur mon pager.

– Eh bien, vous pouvez foutre le camp, vous et votre putain de pager. »

Un juron sorti de la bouche de Maude. Sara Smith est sidérée. *On ne m'a jamais parlé comme ça.* Elle cherche du regard le soutien de Luis Alvarez, un agent de sécurité qui s'est doucement approché. Mais Luis semble d'accord avec la suggestion de Maude, il s'amuse.

« Docteur, s'il vous plaît, accordez-moi cinq minutes. J'écris une histoire.

– Nous ne sommes pas une histoire.

– C'est très important.

– Les histoires sont de la fiction.

– Eh bien, c'est ainsi que nous appelons nos reportages.

– Peut-être que vous avez tort, les histoires sont pour les livres. Peut-être que vous racontez des histoires. Mais ça, c'est réel, ça se passe vraiment. »

Maude ouvre la porte de la chambre de Lydia. La journaliste hésite révérencieusement. Son visage est blanc, vide.

« Vous voyez l'histoire de la jeune fille dans le coma ? »

Lydia Snow Lavin est endormie à jamais.

MAUDE

Elle retourne chez elle, déverrouille la porte de sa maison en bois de Randall Canyon. L'obscurité se dissipe, il commence à faire clair, 1er mai, déjà chaud.

Elle aussi a été purgée. Elle vient d'être présentée à Lydia Snow Lavin. Rage, frustration.

Un message téléphonique. Elle déclenche le répondeur, s'assied, écoute la cassette se rembobiner, joint les mains, elles tremblent. Étonnamment, c'est un message de Sara Smith, la journaliste de l'*Herald*. Elle efface tous les numéros de téléphone laissés par celle-ci, quatre en tout, compose les sept chiffres d'un numéro familier, attend trois sonneries. La voix calme du répondeur. Elle attend, se met à parler avant que le long biiip ne se soit achevé.

« J'ai peur, Elias. Est-ce que je suis en train de devenir dingue ? J'ai regardé dans les yeux d'une nouvelle morte ce soir. Sauf qu'elle est vivante. Sans l'être. Comment quelqu'un peut-il faire une telle saloperie ? Et recommencer encore et encore ? Je devrais le savoir à ce stade, mais je ne le sais pas. *Ça fait chier.* »

Si le docteur T avait été chez lui, il l'aurait interrompue, lui aurait dit que son langage des rues ne sied pas à sa position.

« Ce soir j'ai rencontré une journaliste qui trouve que c'est une histoire parfaite. » *Donnez-moi une histoire.* « Je l'ai foutue à la porte. Mais vous savez quoi ? Elle a beau être abjecte, c'est la seule personne qui semble comprendre un tant soit peu ce qui se passe. La police est complètement à côté de la plaque, vous savez ? Personne ne fait *rien.* »

La cassette du répondeur du docteur T défile, enregistrant le silence.

« Peut-être que je vais faire quelque chose. »

Elle attend qu'il proteste.

« Je n'ai aucun droit de vous appeler si tard. Désolée... Oh ! mon Dieu, je deviens pleurnicharde. Merci de m'avoir écoutée. »

Soixante secondes plus tard, un nouveau biiip interrompt la communication. Elle pousse un bref soupir. Elle voulait ajouter : « Inutile de répondre à ce coup de fil. »

Maude s'agenouille, regarde le fond de la baignoire vide, intriguée par sa profondeur en apparence infinie. Elle tourne les deux robinets trois fois vers la gauche, à fond, plongeant le regard dans l'eau plate jusqu'à sentir la vapeur s'élever, plus chaude que l'air.

Elle ouvre le lecteur CD, insère un disque. *Les Pêcheurs de perles.* Elle s'assied dans le profond fauteuil Timmons et se passe un glaçon sur la nuque et les épaules en attendant que la baignoire se remplisse. Quelques instants plus tard, l'ouverture de l'opéra l'a engloutie.

Le père de Maude aussi adorait l'opéra, il en écoutait un chaque week-end à la radio. Cet homme brutal et rude qui, à force d'acharnement, était devenu un des rois de la fonderie à Elcott, Pennsylvanie, pleurait quand il entendait *Core n'gao*. Sa mère espérait sa mort tandis qu'il écoutait *E lucevan le stelle* à la radio. Lui croyait à sa propre invincibilité, c'était un mégalomane, un tyran qui se prenait pour le plus grand des hommes. James Garance.

Maintenant sa fille laisse la virilité grandiose des voix l'envelopper, pénétrer ses pores, la remplir d'un vibrato mâle, la beauté humaine de son sexe, sa chanson intérieure, sa culture. Depuis le sol, la musique l'envahit comme un sang neuf, s'écoulant dans ses bras jusqu'au bout de ses doigts inertes, noyant le murmure de sa voix intérieure.

James Garance n'a jamais cessé de rêver. *Un jour nous déménagerons en Californie*, qu'il disait à sa mère, alors qu'il savait depuis longtemps que c'était impossible. Ils s'étaient rencontrés chez Madigan's, un pub dublinois, alors qu'il n'était encore qu'un jeune homme inexpérimenté de 22 ans, et elle, une étudiante venue du Maine. Ils s'étaient mariés et elle l'avait ramené au pays avec elle. Toute sa vie il avait refusé de devenir citoyen américain et, malgré ses rêves de grandeur, il n'avait jamais compris l'Amérique et était mort plein de questions. Maude se rappelle le pouvoir explicite de ses habitudes hors d'âge. La grossièreté de ses manières ancestrales.

Il a été hospitalisé pour une rotule cassée, est mort de complications, caillot de sang au cœur. James Garance, seul dans sa chambre, écoutant la radio à l'hôpital, une retransmission spéciale de Rome. Il ne s'attendait pas à mourir. La mère de Maude espère qu'il a été surpris par la mort en écoutant une voix plus grandiose que la sienne. C'est en tout cas ce qu'elle aime croire, pour lui. *Toutes nos pérégrinations s'achèvent au lit.*

Jimmy G a fini de manger, il s'approche doucement d'elle, queue dressée. Il touche avec son front arrondi les doigts inertes de Maude qui dépassent du fauteuil. *Merci, madame.* Il ne voit aucune raison de s'en faire et a probablement raison. Jimmy G, carré sur ses pattes, lève les yeux vers elle. Maude n'a jamais vu un autre chat faire ça, se tenir comme une petite table à fourrure et, le cou replié en arrière, regarder vers le haut, lui présentant son visage plat. C'est le chat le plus calme qu'elle ait jamais connu, d'un orange pâle, très pâle, avec d'infimes rayures, un chat svelte qui ronronne dès qu'il la voit. Qui ne sort presque jamais les griffes, qui ne sait pas être furtif, qui réveille Maude chaque matin à la même heure en piétinant de long en large le drap qui la recouvre, pour lui éviter d'être brutalement tirée de son sommeil par le réveil.

Chaque fois qu'elle rentre aussi tard, après une dure journée à l'hôpital, elle a la nuque et le bas du corps raides. Maintenant qu'il n'y a plus de mari, plus de Mason pour la masser, elle a pris l'habitude de se tenir debout au milieu du salon et d'effectuer quelques petits mouvements de yoga pour se détendre le bas du dos et les jambes. Chaque matin, elle sent son corps s'épanouir, mais vers midi son déclin commence, et le soir il est douloureux, elle a mal au creux des reins, quelles que soient les chaussures qu'elle porte. Faire des étirements l'aide à trouver le sommeil.

Elle laisse tomber sa jupe autour de ses chevilles et se tient dans son cercle froissé au milieu du salon. Elle commence par étirer les muscles délicats de ses mollets.

L'année dernière, Maude a présenté ses excuses à Jimmy G avant de l'emmener chez le vétérinaire pour le faire castrer. *Peut-être qu'il me pardonnera, peut-être qu'il se dira que l'émasculation est un acte naturel pour les humains.* Depuis, Jimmy G est resté le même ; réservé, mature, comme avant. Jeune et calme, atypique à tous égards. Il est heureux de rester avec elle, ne cherche jamais à explorer le voisinage, peut-être par peur des coyotes.

Elle le regarde en ce moment. *L'émasculation est peut-être un acte normal pour les humains, mais pas la cordotomie spinale.*

Dans la salle de bains, elle ôte son slip, le laisse tomber dans le panier à linge sale. Son préféré ; *Mason*, des temps plus heureux. Beige. Sa teinte a été baptisée *Champagne*, même si le champagne, quand il a viré au beige, a tourné.

SARA SMITH

Le matin. *Los Angeles Herald*, bas de la page 3, Informations locales, mardi 1er mai :

Neuvième victime similaire aux huit premières
Le mode opératoire ne laisse aucun doute :
encore Toyer

Lydia Snow Lavin est la neuvième victime de Toyer. Âgée de 26 ans, elle travaillait jusqu'à hier chez Boeing Aircraft à Santa Monica en tant qu'assistante de recherche. Aujourd'hui, Mlle Lavin est dans le coma au Centre neurologique Kipness Memorial, dans le service du docteur Maude Garance, physiatre résidente.

Extrait d'un autre article, également en page 3 :

La cicatrice est à peine visible, et le résultat est comme toujours le même. La victime était intelligente et jolie. Bien que la police se refuse à faire le moindre commentaire, nous avons appris que des indices découverts dans l'appartement de Mlle Lavin indiquent qu'elle a passé une partie de la soirée avec son visiteur, partagé un verre ou une tasse de thé

avec lui, peut-être joué au backgammon, son jeu de prédilection. Le docteur Garance m'a révélé qu'elle ne communiquerait aucune information sur l'état de la victime tant que les examens n'auront pas été achevés. «À ce stade, c'est une affaire privée qui ne regarde que ma patiente et sa famille», m'a-t-elle précisé hier soir au Kipness.
Sara Smith

Le *Los Angeles Herald* est le deuxième principal journal de la ville. Léger et racoleur. Sara Smith aime travailler pour l'*Herald*, ses articles sont d'une brièveté rafraîchissante, comme des petites claques amicales. Elle n'aime pas le *Los Angeles Times*. Elle affirme qu'il a l'incontinence des personnes âgées et que, incapable de se contrôler, il se répand encore et encore, jusqu'à ce que tout le monde ait quitté la pièce.

MAUDE

Mardi. Il est 11 heures. La chaleur est déjà accablante. Sara Smith se tient devant la porte de Maude. Les gardénias sont secs, ils ont besoin d'eau. Sara s'arme de courage, frappe, toc-toc-toc, réveillant aussitôt Jimmy G. Maude jette un coup d'œil entre les rideaux de la chambre, reconnaît la journaliste. *Comment s'est-elle procuré mon adresse ?* Elle lance à travers la porte d'entrée :

« Vous ! Foutez-moi la paix ! »

La journaliste tient bon.

« C'est Sara Smith. Docteur, je pense pouvoir vous aider.

– C'est vous qui avez besoin d'aide.

– Je suis désolée, docteur, est-ce que je vais trop loin en venant frapper à votre porte ?

– C'est le moins qu'on puisse dire.

– S'il vous plaît, je suis désolée. Et pour l'autre soir aussi. »

Silence.

« Vous ne pensez qu'à votre *histoire*. Et vous voulez que j'y joue un rôle, celui de l'héroïne impuissante mais noble.

– Je ne suis pas venue pour écrire une histoire. »

Silence.

« Ça vous ennuie que j'arrose les plantes ? demande la journaliste.

– Si ça vous amuse. »

Sara regagne sa voiture, en tire une bouteille d'eau en plastique importée de France. Maude retourne dans sa chambre.

« Docteur, je crois qu'à nous deux nous pouvons faire arrêter Toyer. »

Elle est encore là ?

« Allez-vous-en.

– J'ai une idée.

– Vraiment ?

– S'il vous plaît, écoutez-moi, et dites-moi si elle est mauvaise. C'est vous qui déciderez. »

Bravo.

« Si je pouvais simplement entrer deux minutes.

– J'ai un problème avec vous.

– Comment ça ?

– Je n'arrive pas à savoir si vous voulez m'aider, vous excuser ou me soutirer un nouvel article. Pourquoi ne me dites-vous pas ce que vous voulez ?

– Je n'aime pas parler à une porte.

– Moi, si. Allez-vous-en. »

Sara est stupéfaite. *Je peux accepter ça.*

Elle s'en va.

M. ET Mme LAVIN

Mercredi. C'est toujours pareil.

Ils sont là, Maude les repère immédiatement, M. et Mme Lavin, les parents de Lydia, ils ne pourraient être personne d'autre.

L'horloge derrière eux indique 10 h 06. Ils sont assis dans la salle d'attente située au rez-de-chaussée du Kipness, attendant Maude qui a six minutes de retard. Une petite valise posée entre eux. Elle les observe longuement avant d'aller les saluer. Ils ont l'air ahuris, comme des chiens dans des manteaux. Lorsqu'elle leur sourit, ils se lèvent, l'homme est plus grand que la femme. Comme les victimes sont toutes jeunes, leurs parents ne sont jamais vieux, même si l'étrangeté de leur chagrin les fait paraître plus âgés. Ils n'attendent rien, sont prêts à être reconnaissants.

Maude est la maîtresse de maison, ce sont ses invités. Elle les connaît, c'est toujours pareil : ils ont pris un avion en pleine nuit, abandonnant leur maison avec le lit défait. Ils seront révérencieux. L'un d'eux dira : « Dites-moi, docteur... », avant de poser une question à laquelle il est impossible de répondre. Ils seront abasourdis, profondément blessés.

Le pire, c'est que dehors, de l'autre côté des immenses vitres Art déco, c'est une matinée superbe, un ciel lumineux et parfait, quelques nuages qui filent au loin.

«Vous voulez monter?»

Maude entend sa voix, elle a un ton idiot, optimiste.

Tous les trois dans l'ascenseur, qui monte beaucoup trop lentement. Les Lavin sont plongés dans un bref coma. On ne peut pas parler dans un ascenseur. Finalement, le troisième étage.

La porte est entrouverte, une infirmière sort, Lydia a été pomponnée, elle est jolie. L'horreur réside dans son immobilité.

En la voyant ils perdent toute retenue. «Qui a fait du mal à mon bébé? Qui a fait du mal à mon bébé?» hurle la femme. Quant à M. Lavin, il ne parvient qu'à gémir, «Mon Dieu, mon Dieu, mon Dieu...» Ils s'accrochent l'un à l'autre, se soutiennent, solidement campés sur leurs quatre jambes.

Êtes-vous croyants? C'est la question que Maude pose toujours à cet instant précis. Ce n'est pas un endroit pour les agnostiques. Lorsqu'ils répondent qu'ils sont tous deux catholiques, elle éprouve un certain soulagement. Un catholique trouvera toujours le moyen de s'occuper dans les jours et les semaines à venir.

Combien de temps resteront-ils avec leur fille? Les parents de Virginia refusaient de partir, ils ne pouvaient pas abandonner leur fille et ont passé la nuit dans le deuxième lit. Maude l'a fait ôter la nuit où la deuxième victime, Gwyneth Freeman, a été amenée.

Maude s'excuse, part faire ses visites. À son retour, ils sont assis. Mme Lavin a trouvé le moyen de se jucher sur le lit de Lydia, la pointe de ses chaussures flottant trente centimètres au-dessus du sol.

Quels qu'aient été leurs rapports avec leur fille, leurs éventuelles divergences sont désormais oubliées. Maude les prévient que, même s'il est encore trop tôt pour l'affirmer avec certitude, Lydia finira sans doute par les entendre. Cette faculté se développera probablement, explique-t-elle.

«Ça m'ennuie de vous demander ça, docteur, mais mamie, sa grand-mère, voudrait une photo. Est-ce que j'ai le droit d'en prendre juste une?» demande l'homme.

Dans sa main, un banal appareil à flash qui redonnerait des couleurs à n'importe qui.

Maude acquiesce.

«Bien sûr, monsieur Lavin.»

Prenez une nature morte de votre fille.

Mme Lavin est une petite femme, et Maude l'entend à peine demander:

«Croyez-vous qu'ils l'attraperont un jour, docteur?

– Oh! oui, madame Lavin.»

Maude n'en a jamais douté. Soudain elle comprend à quel point c'est étrange.

«Quand ils l'arrêteront, reprend la femme d'une voix faible, au cas où sa fille écouterait, qu'est-ce qu'ils lui feront? à ce... cette créature?»

Allait-elle dire: « Ce démon »?

«Je l'ignore, madame Lavin.

– Eh bien, ils devraient lui faire ce qu'il a fait à Lydia.»

Œil pour œil. Bien joué, Mme Lavin.

Ce sont les personnes que ses victimes abandonnent derrière elles qui sont emprisonnées.

«Oh! ils ne feront pas ça, madame Lavin, c'est un psychopathe. Mais ils le puniront certainement.»

Elle s'entend, bridée par son professionnalisme. *Mais que feront-ils?* Bizarrement, personne ne lui a jamais posé cette question.

M. et Mme Lavin observent Lydia. Ils vont la ramener à Whites Valley, en Pennsylvanie. Ils pourront lui parler, ce qui sera toujours mieux qu'aller sur sa tombe, mais Maude n'a jamais dit à aucun d'entre eux – mère, père, amant, frère, sœur –: «Estimez-vous heureux qu'elle soit toujours en vie.»

MASON

Un jour, après une cérémonie professionnelle et impersonnelle, Maude est restée
des heures assise, passant ses doigts à travers les cendres
de son mari. Mason. Elle était assise seule dans une
pièce qu'ils avaient conçue, peinte et tapissée ensemble,
sur la banquette située devant la large fenêtre en arc
de cercle qui donnait autrefois sur l'océan Pacifique,
avant qu'un hôtel ne soit érigé. Elle passait ses doigts à
travers les cendres, sentant leur poids abject, cherchant
à s'imprégner une dernière fois de la force de Mason
en prévision des années à venir. Sans lui, elle aussi était
morte. Elle attendait un signe au bout de ses doigts, mais
aucun signe ne venant, elle a fini par porter l'urne en
cuivre dans un sac à provisions marron jusqu'à la plage
plate et ocre quelques rues plus loin, puis elle a attendu
sous un ciel gazeux que les derniers baigneurs transis
s'en aillent, attendu d'être seule, attendu qu'une brise
charrie ses cendres jusqu'à la mer. Une fin d'après-midi
sans temps, le ciel bordé de blanc comme parfois les
pupilles des personnes âgées.

Elle a laissé ses chaussures sur le sable, s'est avancée
sur le sol dur dans l'eau peu profonde, et a dispersé ses
cendres comme si elle semait des graines d'herbe dans
la mer. Elle a regardé les cendres grises flotter, puis

s'assombrir et sombrer. Le vent s'est levé et a emporté le reste.

Beaucoup plus tard, en se déshabillant, elle a retrouvé des poussières dans son soutien-gorge et elle lui a souri.

Ils avaient été bien ensemble, et maintenant il n'était plus là. Tout ce qui lui avait appartenu était vide : ses chaussures, son fauteuil, son pantalon, sa tasse à café, son chapeau. Le lit. Alors elle a déménagé à Randall Canyon, tenté de revenir à la vie.

Elle est veuve. Veuve alors qu'elle était au zénith d'un mariage jeune. Elle et Mason vivaient dans un autre pays avec son propre climat, ses propres règles, ses propres valeurs, ses propres vérités.

Maude porte une noirceur en elle. Ses rêves sont importants, ils sont son horoscope. Des désirs purs à l'état brut, le squelette fragile de la réalité. Si seulement Mason et elle pouvaient quitter l'hôpital juste une fois, franchir à toute vitesse des tunnels d'arbres, s'arrêter dans une auberge et, après un déjeuner tardif, monter à l'étage, rester au lit des jours durant, jusqu'à ce qu'on signale sa disparition, alors tout serait de nouveau parfait. Rien qu'une fois.

Elle a appris à rester seule. *Nous finissons tous dans des petites pièces, seuls.* Au début, sa féminité a affecté son travail à l'hôpital, ses jambes fermes, puissantes, son nez bien dessiné, son front fin, la flamboyance de ses cheveux comparables à une robe d'alezan. Elle attirait des hommes qui étaient attirés par les femmes solides aux longues jambes et aux longs cheveux. Alors elle s'est mise à porter des pantalons, s'est coupé les cheveux à ras, comme les plumes sur la tête d'un pigeon.

Elle a commencé à comprendre qu'elle était destinée à vivre seule, qu'elle allait devoir faire quelque chose du temps qui lui restait. Mais dès la première nuit, elle a compris que travailler avec les victimes de Toyer, sans pouvoir les guérir de quelque manière que ce soit, puis regagner sa petite maison au sommet de Randall Canyon, serait une épreuve qu'elle ne tarderait pas à appréhender.

Emménager à Randall Canyon a été une petite aventure pour Maude, Tigertail Road possédait encore des tronçons non pavés, pas de trottoirs. Elle y réside depuis un an, suffisamment longtemps pour identifier les bruits d'animaux qu'elle entend dehors, bruits dont ses invités occasionnels n'ont pas conscience.

Presque chaque soir, lorsque Maude rentre chez elle, ses phares illuminent le trot dansant d'un coyote qui, la queue basse, l'arrière-train arrondi, s'enfonce dans une allée en quête de poubelles ou peut-être d'un chat. Elle est toujours surprise par les coyotes. Elle voit un juste équilibre dans le fait qu'une ville aussi vulgaire et vaste que Los Angeles puisse être un sanctuaire pour les opossums, les biches, les ratons laveurs, les renards, les faucons, les coyotes. Et qu'ils puissent vivre en paix au bon gré des habitants. Ils ne sont pas des concurrents.

La nuit dernière, elle a entendu son rossignol pour la première fois du printemps, et ce soir elle est honorée de voir qu'il est revenu et a repris position sur la même branche de l'olivier devant la fenêtre de sa chambre. Elle est heureuse de lui faire don d'un peu de son sommeil. Elle détecte une solitude effrénée dans la beauté des trilles et des mélodies qu'il prodigue au ciel nocturne dans l'espoir de trouver un rossignol aussi seul que lui. Maude entend dans son chant la frustration habituelle. Elle placera un magnétophone sur le rebord de la fenêtre et enregistrera ses ariettes pour qu'il continue de la bercer longtemps après qu'il se sera trouvé un compagnon.

Un matin de bonne heure, alors qu'elle venait d'emménager dans Tigertail Road, un chat au regard franc, peut-être effrayé, est apparu à la fenêtre. Il avait une sérieuse blessure sur le haut de la tête, peut-être une morsure de coyote. Il était d'un roux pâle, humble, et ç'a été le coup de foudre. Lorsqu'elle lui a ouvert la porte, il est entré chez elle, sa queue effleurant avec détermination le genou de Maude. Voyant en lui un sauveur en habit de chat, elle l'a aussitôt baptisé Jimmy G, sans savoir pourquoi. Il n'est jamais reparti.

MAUDE

Un jeudi matin blanc, l'autoroute de Santa Monica, 9 heures. La circulation est fluide, Maude a conduit les Lavin à un motel de Santa Monica, et maintenant elle rentre chez elle, tenant un gobelet de café, l'*Herald* posé sur le siège à côté d'elle.

Sans savoir qu'elle pleure, elle sent les larmes couler sur ses joues, gouttant dans son gobelet. Elle ralentit, cherche une sortie, jette son gobelet par la fenêtre, s'engage sur la rampe, continue de rouler jusqu'à ne plus y voir clair et se gare. La tête appuyée sur le volant, elle sanglote sans trouver de réconfort à l'angle d'une rue fréquentée, jusqu'à ce qu'une femme tape à sa vitre. Maude sourit, lui fait signe de s'en aller. La femme acquiesce d'un air ahuri et, avec une expression de sourde-muette, s'éloigne.

Les voitures luisent dans la rue. Elle abaisse le pare-soleil, se voit dans le petit miroir. Son chemisier est taché, il manque un bouton, ses cheveux sont cassants, crasseux, son visage est marbré, humide. Fut un temps où elle faisait interner les femmes qui ressemblaient à ça.

Personne ne cherche à l'arrêter. Personne ne fait rien. Sauf elle et cette journaliste je-sais-tout.

Elle fait demi-tour et reprend le chemin de la maison, agrippant le volant beaucoup trop fort.

Maude voit depuis la porte d'entrée que l'œil rouge du répondeur clignote, trois coups de fil, dont un message de Sara Smith. «S'il vous plaît, appelez-moi, docteur, j'ai besoin de vous parler.» Deux appels sans message, probablement eux aussi de Smith.

Maude s'étend sur son lit, prend son pouls. Il est rapide. *Un signe de dépression.* Elle tente de respirer, lentement, vingt inspirations par minute, puis quinze. Elle reste allongée avec Jimmy G à côté d'elle jusqu'à atteindre les dix inspirations par minute.

Après une heure, calme, elle appelle l'*Herald* et demande à parler à Sara Smith. Elle attend. Que va-t-elle dire? Lorsque la journaliste prend la communication, Maude a raccroché.

Elle appelle le docteur T, lui laisse un message. «J'appelle le procureur. Je vais aller le voir demain.»

Essayez de m'en empêcher. Elle l'imagine s'opposant à elle.

Elle appelle l'hôtel de ville.

«Pouvez-vous me passer le bureau de Ray Yellen, s'il vous plaît?»

Aucun commentaire de la part de la standardiste. Clic, sonnerie. Une voix de secrétaire.

«Bureau du procureur Yellen.

– Je suis le docteur Garance du Kipness. J'ai une question concernant une sentence.

– Pourriez-vous être plus précise? Je dois orienter votre appel.

– Il s'agit de la personne que la presse appelle Toyer.

– Il n'a pas été arrêté, n'est-ce pas?

– Non.

– Je vous passe le procureur adjoint Meyerson.»

Clic. Sonnerie.

« Bureau du procureur adjoint Meyerson. »

Elle demande à la secrétaire si elle peut se renseigner sur la sentence dont écopera Toyer après son arrestation.

« Qui ? » fait la secrétaire.

Maude décrit Toyer.

« Je l'ignore.

– Vous ignorez quoi ? Sa sentence, ou si vous pouvez obtenir le renseignement ?

– Je vous l'ai dit, mademoiselle, je l'ignore.

– Pourrais-je parler à M. Meyerson ?

– Il est en conférence.

– Pouvez-vous lui poser la question ?

– Il vous répondra la même chose que moi.

– Pourrais-je avoir un rendez-vous avec lui ?

– Je crains que cela soit impossible, mademoiselle.

– Docteur.

– Docteur. »

Clic.

Maude entend quasiment la femme la traiter de *cinglée*.

BOB MEYERSON

Jour. Bureau du procureur adjoint Bob Meyerson, au vingt-sixième étage. Par la fenêtre, le vaste panorama urbain. Maude entre, suivie de près par une secrétaire d'une cinquantaine d'années.

Meyerson se lève.

« C'est bon, Ciel. »

Maude ignore la chaise qu'il désigne face à son bureau, traverse la pièce jusqu'à la fenêtre. Un homme qui ressemble à un videur de boîte de nuit se tient derrière le bureau de Meyerson, yeux exorbités, jambes écartées, mains jointes sur son entrejambe qu'il tend en avant.

Meyerson répond à son interphone, écoute, raccroche, lève les yeux vers l'intruse. Tous deux échangent un sourire sans charme. *Jolie toubib, effrontée.* L'assistant a un visage sans expression, il serre les lèvres.

Le bureau est quelconque, comparé à la vue splendide qu'offre la vaste fenêtre : de lointaines collines urbaines souillées par l'air qui les entoure. Une récompense est posée sur la table à côté d'une minuscule statue métallique qui représente un homme braquant un pistolet. Il y a des photos dans des cadres bon marché, des souvenirs de femmes et d'enfants laissés à la maison.

« Sérieusement, docteur, que pouvons-nous faire pour vous ? » demande Meyerson du ton de l'homme qui a été élu par le peuple.

Elle reste à la fenêtre. *Vous pouvez arrêter Toyer.*

«Eh bien, je m'inquiète de la sentence dans cette affaire.

– Et vous êtes... ?

– Je suis le médecin qui évalue et traite ses victimes.

– Toyer.

– Oui. Je l'ai dit à votre réceptionniste.

– Oui. S'il est appréhendé.»

Ils acquiescent. Ils sont en accord. Le procureur adjoint n'est plus intéressé. Il sourit, en terrain connu, se tourne vers son assistant.

«Vous pouvez m'attraper ces directives, Carl?»

Carl tire un livre à couverture souple d'une étagère couverte d'ouvrages peu appétissants.

«Quelle sentence demanderons-nous?» Il brise le cachet, ouvre le livre pour la première fois, le feuillette.

«Je suppose qu'il n'y a aucune preuve de pénétration, exact?

– Seulement du tronc cérébral.

– Soit. Mais ce que je veux dire, c'est... quelque chose de nature sexuelle.»

Il continue de feuilleter l'index, comme si ce qu'elle disait avait la moindre importance.

«Mon Dieu, non, monsieur Meyerson!»

Physiquement mortes pour le restant de leurs jours, monsieur, mais nous ne pouvons pas prouver qu'il y ait eu rapport sexuel. L'assistant n'est pas absolument sûr que Maude se montre irrespectueuse. Elle semble à cran, sur le point de craquer.

«OK, nous y sommes.» Meyerson trouve la page, le paragraphe. Il lit pompeusement. «Toute personne qui prive par malveillance une autre personne de l'usage de son corps, la rend infirme ou la défigure, est coupable de mutilation. »

Maude répète doucement le mot.

« Oui, mutilation. Un terme inhabituel.

– Fascinant. Quelle est la peine ?

– La sentence pour mutilation est... de deux à huit ans, dans une prison d'État.

– Ça ne paraît pas énorme.

– Nous demanderions le maximum.

– Quelle est la peine pour le vol d'une voiture neuve ?

– Neuve ou ancienne, même peine. »

Il tourne les pages.

« Voici. Vol de voiture. Un peu moins, de deux à cinq ans. Bizarre.

– Bizarre ?

– Je veux dire que c'est bizarre que les deux peines soient relativement similaires.

– On parle d'une voiture, monsieur Meyerson.

– Oui, je sais.

– Et si ça se trouve, elle roule mal. »

L'assistant s'agite, regarde la poitrine de Maude.

« Ces femmes sont mes patientes, elles étaient en parfaite santé avant qu'il s'en prenne à elles. Vous protégez vos voitures mieux que ces femmes.

– Nous traitons ces crimes selon la loi. Nous ne pouvons pas faire autrement tant que la loi n'aura pas changé.

– S'il est appréhendé et jugé par un jury de vos pairs pour mutilation et qu'il écope d'une peine légère, il y aura une réaction publique qui pourra mettre un terme à votre carrière. »

Meyerson cligne rapidement des yeux à plusieurs reprises.

« Vous êtes psychiatre, n'est-ce pas ?

– *Phy*siatre, oui.

– Eh bien, vous semblez sacrément jeune pour farcir votre jolie tête avec tout ce stress. Puis-je vous appeler Maude ?

– Je ne préfère pas. De fait, je suis tout à fait capable de farcir ma jolie tête avec tout ce stress, monsieur Meyerson. Quand j'ai eu mon diplôme de médecine, j'ai réussi à y faire entrer quatre années de psychopathologie, puis je me suis arrangée pour y ajouter un internat en psychiatrie, puis cinq années de neuropsychologie, tout en pratiquant la rééducation neurologique, et maintenant la psychothérapie. Je ne sais pas comment ma jolie tête a réussi tout ça. Et je me retrouve, Dieu sait pourquoi, assise dans votre bureau à vous poser des questions simples et à recevoir des réponses idiotes. »

Meyerson est bouche bée. Il a l'air d'avoir été gavé d'antiémétiques contre le mal de mer. Il appellera Mme Kipness dans l'après-midi.

« Eh bien, docteur, je ne suis qu'un simple procureur adjoint du comté de Los Angeles, me pardonnerez-vous donc ma stupidité ?

– Non. »

L'assistant est désormais certain que Maude a insulté Meyerson. Il a marché jusqu'à la porte, tourné la poignée, et il la fixe désormais d'un air idiot. Sa bouche forme un *O*. Meyerson s'est levé.

« Pouvons-nous faire quoi que ce soit pour vous ?

– Attraper Toyer, monsieur Meyerson. »

Meyerson consulte sa montre.

« Nous faisons tous les efforts possibles.

– Ce qui a l'air de bien amuser Toyer.

– Faites-moi confiance, docteur Garance. »

Il sourit chaleureusement.

« Quand quelqu'un me dit "faites-moi confiance", j'appelle généralement les flics. Mais, bon, je n'ai pas le choix.

– Je suis en retard, docteur, je vous appellerai dès que j'aurai du neuf. Carl ? »

Carl ouvre la porte. Meyerson sort, souriant toujours chaleureusement. Il a décidé d'envoyer un fax à Mme Kipness. Elle doit être prévenue que ce médecin a de toute évidence pété les plombs.

« Pourquoi ne nous laissez-vous pas simplement faire notre travail ? demande-t-il.

– Parce que vous ne le faites pas ? » suggère Maude.

Meyerson se fige, se tient dans l'entrebâillement de la porte. Il prend une inspiration. Il doit se présenter à sa réélection dans quatre mois.

« Quand nous appréhenderons cet individu, docteur, nous nous sentirons tous beaucoup mieux, nous serons aussi heureux que vous quand vous soignez une de ses victimes.

– Vous ne saisissez pas, n'est-ce pas ? Je ne les soigne pas. J'essaie simplement de rendre le reste de leur vie plus confortable. »

Meyerson s'échappe.

L'assistant, Carl, continue de tenir la porte. Il est désormais convaincu que Maude a perdu la tête, qu'elle doit avoir ses règles.

DOCTEUR TREDESCANT

Ce soir-là, Maude est assise dans le noir, seule dans son bureau sans fenêtre, tête baissée, au téléphone. Ed Tredescant ouvre la porte, la voit, s'apprête à s'éclipser poliment, mais elle lui fait signe d'entrer. Elle allume une lampe de bureau. Des dossiers empilés dans des cartons recouverts d'inscriptions. Tredescant attend d'un air emprunté, c'est un gentleman. Ses mains sont trop grosses, ses chaussures marron ont l'air cloutées. Tête baissée, elle continue d'écouter la voix dans le combiné. Son interlocuteur, un psychiatre en Armani, vient de lui dire qu'il lui manque la passion nécessaire.

« La passion ? Je n'ai pas besoin de coucher avec vous pour me définir », réplique-t-elle dans le combiné. Puis elle écoute brièvement. « Je peux toujours faire effectuer votre spermogramme par une de mes infirmières. Vous pouvez me faire parvenir un échantillon dans la matinée ? »

Elle raccroche sans un au revoir. Époussette sur son bureau des miettes invisibles.

« Elias », dit-elle en souriant et en se levant.

Elias hésite.

« Toujours envie de *fetuccini vongole* ? demande-t-il.

– Pourquoi pas ? Des *fetuccini vongole* me feraient le plus grand plaisir. »

Il pointe le doigt en direction du téléphone.

«Oh! ça.» Maude hausse les épaules. «Un psy play-boy a une suggestion pour libérer mon ça. Son corps moite et poilu.»

Plus tard, après qu'ils ont bu deux verres de chianti reserva et commandé leur dîner, Tredescant annonce:

«Maude, j'ai reçu un coup de fil de la Patronne aujourd'hui.»

La Patronne est Mme Kipness, présidente du conseil d'administration du Centre neurologique Kipness Memorial.

«Oh?

– Maude, vous ne pouvez pas vous permettre de faire irruption dans le bureau du procureur pour lui dire qu'il ne fait pas son boulot.

– Vraiment?

– C'est de la folie, ajoute-t-il gentiment. Il lui a envoyé ceci.»

Il produit un fax sur papier à en-tête du bureau du procureur adjoint. Maude le lit attentivement. Le document décrit le comportement fantasque qu'elle a eu ce matin dans son bureau.

«Est-ce que c'est trop vous demander? C'est mauvais pour le Kipness.

– Un psychopathe anéantit les plus belles femmes de la ville, mes magnifiques patientes, et le procureur envoie à la Patronne mon bulletin scolaire avec un zéro de conduite?

– L'emportement est un signe de stupidité.

– Peut-être. Mais la patience n'est assurément pas une marque de sagesse.

– Peut-être, mais elle est furieuse, Maude. C'est un hôpital du comté, nous dépendons de l'argent du comté, et l'hôtel de ville peut demander votre mise à pied, croyez-le ou non. »

Il marque une pause.

« Qu'importe la qualité de votre travail.

– Vous êtes d'accord ? »

C'est le chef de service, son supérieur, il l'admire. Plus que ça, il rêve d'elle.

« Non, bien sûr que non, mais, Maude, êtes-vous une sorte de terroriste ? Non, vous êtes physiatre.

– Je commençais à oublier.

– Tout cela ne me plaît pas.

– Bon sang, je ne sais pas, Elias. »

Elle pose mollement une main sur son bras, il la couvre vivement de sa propre main.

« Ce coup-ci, je ne vais pas tourner la page, vous comprenez ce que je veux dire ?

– Que nous ne pouvons pas *assumer* ces crimes. »

Maude acquiesce.

« Vous avez déjà ressenti ça ? » demande-t-elle.

Soudain ils sont proches. Il est plus âgé, plus posé, certes. Il flotte autour d'elle, l'effleurant à peine, mais voudrait l'envahir. Il observe l'âme de Maude comme on observe un vase fêlé, avec inquiétude, comme si celui-ci risquait de tomber et de se briser en mille morceaux.

« Mais nous guérissons des patients, Maude, nous ne refaisons pas le monde. »

C'est son nez. Un nez qui est signe de richesse, d'intelligence, un nez splendide. C'est la première chose qu'on remarque quand on rencontre cet homme. Un nez formel, permanent. Un nez en forme d'aileron de requin, de bec d'ara, mais en plus convenable. Maude a décidé que c'était un héritage familial, sans toutefois lui avoir posé la question. Un jour. Les gens écoutent un homme doté d'un tel nez. Il est la preuve que ce qu'il dit est juste, il ouvre des portes. Il n'y a pas de discussion, les tables se libèrent dans les restaurants bondés, les taxis attendent.

« Vous n'éprouvez jamais l'envie de suivre le trocart jusqu'à sa source ?

– Laissez ça à la police.

– Si jamais ils le retrouvent, grâce à une carte grise périmée ou je ne sais quoi, il obtiendra un témoignage d'expert, plaidera la folie et se prélassera dans un hôpital psychiatrique jusqu'à ce qu'il se sente assez bien pour se chercher un appartement et retrouver sa vie d'avant. »

Il voudrait vraiment la sauver. Elle est la femme qu'il ne pourra jamais avoir, elle est la réponse. Il y a quelque chose de féroce dissimulé en elle, une compréhension parfois trop vive des choses. Il sent un vague danger.

Tout en lui tenant la main, il pose son autre main sur son genou nu, l'agrippant doucement. Ce n'est pas un geste paternel, il a besoin de sentir le muscle lisse de sa cuisse, sa chaleur, de poser la main à proximité de son vagin.

« Je n'ai aucune réponse, mais je vous en prie, prenez soin de vous.

– C'est ce que tout le monde fait, prendre soin de soi. Mais ce soir il court toujours. Et il n'est pas lassé de ce qu'il fait, et il le fait merveilleusement bien. Il s'améliore même. J'observe ses progrès. Il est ce que j'appelle en pleine floraison... il s'exprime pleinement. Il le sait, tout le monde le sait.

– Elle veut que vous preniez une ou deux semaines de repos. Elle estime que c'est généreux de sa part.

– Je démissionnerai quand il démissionnera.

– Faites-lui plaisir, Maude. »

Il a conscience de ses propres défauts, tout ce qu'il peut faire, c'est l'aimer.

MEYERSON

Il y a une grande enveloppe posée sur son bureau, pas d'adresse d'expéditeur. Il l'ouvre comme si c'était une lettre piégée. À l'intérieur se trouvent de grandes photos sur papier brillant.

«Qu'est-ce que c'est que ça?»

Neuf photos noir et blanc, des portraits de femmes pâles, similaires à bien des égards, toutes jolies et toutes apparemment plongées dans un profond sommeil.

«Il y a une note à votre attention dans l'enveloppe, monsieur», déclare Ciel.

Une note rédigée à la main:

Bob Meyerson
Procureur adjoint
Comté de Los Angeles

Cher Monsieur Meyerson,

J'ai décidé de partager avec vous quelques photos que j'ai prises au cours de l'année passée. Ces femmes sont mes patientes. Elles ne sont pas mortes, Monsieur Meyerson, elles ont simplement l'air mortes. Vous voyez, la personne qui leur fait ça évite la peine que vous réservez aux meurtriers et ne risque pas plus qu'un voleur de voitures. Enfin, pour autant qu'il se fasse arrêter un jour. Il s'en est bien tiré jusqu'à présent, ne trouvez-vous pas ?

Docteur Maude Garance
Physiatre résidente
Hôpital Kipness Memorial

Il cache ces photos, les replace dans l'enveloppe.

« Il s'agit de cette physiatre qui était ici l'autre jour, n'est-ce pas ? Je crois qu'elle est à moitié dingue, Ciel, qu'est-ce que vous en dites ? »

Ciel regarde par la fenêtre, elle n'a pas d'avis définitif sur la question. En cas de doute, elle a tendance à être d'accord avec son patron.

TOYER

Qui est cette femme magnifique ?
La personnalité de ce médecin l'excite depuis que Sara Smith a pour la première fois évoqué son nom dans un article de l'*Herald. On dirait que Sara Smith lui en veut. Elle est tellement protectrice envers mes filles.*

Maude Garance. *Le nom. À quoi ressemble-t-elle ? A-t-elle 50 ans ? Est-elle grande ? Grosse ? Jolie ? Mariée ? Dégage-t-elle une forte sexualité ? Est-elle asexuée ? Lesbienne ?* Il décide qu'il doit se rendre au Kipness. Il a besoin de voir son visage, de voir son corps, ses bras. De voir pourquoi Sara Smith lui en veut.

C'est l'après-midi, le milieu de semaine, après la chaleur de la journée. Il roule jusqu'à Malibu, jusqu'au Kipness. Celui-ci est bâti en hauteur à l'intérieur des terres, parmi des bosquets d'eucalyptus, et au-delà des arbres, la mer. Il se gare dans le «parking des visiteurs», traverse à pied le «parking du personnel», une zone couverte.

Elle est proche. Une voiture anonyme est garée sur un emplacement au nom de «Garance». Il pénètre dans l'hôpital par une porte latérale à côté des «Urgences».

L'hôpital grouille d'activité, c'est la fin de la journée, le changement de service, il traverse à la hâte les urgences ; des serviettes sont empilées, des brancards alignés, on prépare les lieux pour l'équipe du soir. Il porte une blouse blanche couverte de légères éclaboussures, tient un écritoire à pince, un stylo et un stéthoscope, salue de la tête les visiteurs, prend l'ascenseur jusqu'au sixième étage.

Il longe le couloir, lit les plaques sur les portes, passe devant la chambre de Paula, celles de Gwyneth, Lydia, jette un coup d'œil dans cette dernière sans entrer, attend que le docteur Garance arrive. Elle ne vient pas. Il se renseigne sur ses heures auprès d'un homme équipé d'un balai. Elle est quelque part dans les parages.

Il pénètre dans la chambre de Lydia. Il y a deux lits, dont un vide. Une petite lampe de lecture éteinte. Il observe Lydia, inchangée, calme, les yeux presque clos, la bouche triste. Il s'assied sur une chaise derrière le lit vide, dans l'obscurité.

Cinq minutes s'écoulent. Il est assis dans le coin, appuyé contre un mur. Une femme presque aussi grande que lui entre rapidement, tire une chaise auprès du lit. Une odeur de savon à la rose flotte dans son sillage. *C'est elle.* Peut-être dix ans de plus que lui. Elle porte un chemisier blanc ouvert, un pantalon brun clair. Elle ne le remarque pas, ou alors elle se moque de sa présence. Elle s'assied, lui tournant le dos. Il fait sombre. Il est surpris par la sévérité de ses cheveux, par sa jeunesse. Sa journée est rythmée du matin au soir par la mort.

Il est venu pour la voir. Elle a une posture élégante, elle est grande, inaltérée, disponible, décontractée. Il n'y a rien de terne en elle. Elle n'affiche aucune autorité, mais il sent qu'elle contrôle les choses, qu'elle pourrait se retourner et le punir.

Son visage l'électrise. Elle a une aura. Il l'aperçoit, son front, son nez fin. Sa beauté provient de sa contenance, pas d'une lumière intérieure, comme si elle était en désaccord avec, comme si c'était un accident.

Elle lui tourne le dos, concentrée, murmurant peut-être. Il veut entendre ses paroles, il veut lui parler. Il n'a besoin que de quelques minutes.

Il observe les deux femmes, Lydia et Maude, victime et guérisseuse. Direct, concentré. Il est responsable, c'est lui qui a donné Lydia à Maude.

Il se lève, le moment est venu de partir.

Elle n'est pas mariée, a peut-être un chat. Il ne peut s'imaginer ses amis. *Pas de maquillage. Ses cheveux sont plaqués sur son crâne, séparés par une raie comme ceux d'un petit garçon. Elle semble desséchée. Elle aurait un rire magnifique si elle avait une raison de rire. Peut-être dort-elle mal.* C'est le genre de personne dont on recherche l'approbation.

A-t-elle un deuxième prénom ? Est-elle encore capable de sourire ?

Il se tient près de la porte. Il se sent très jeune, a l'impression d'avoir peut-être 14 ans. Où la toucherait-il en premier ? Il a l'envie soudaine de manipuler son cou, son dos, ses fesses, de s'étendre auprès d'elle dans le noir, près d'une fenêtre ouverte, d'aspirer la vie qu'elle a en elle. Un jour.

VIRGINIA SAPEN

Il y a un an, personne ne savait, personne n'avait jamais rien entendu de tel. Au début, tout cela n'avait aucun sens.

Quand Virginia Sapen a été amenée au Kipness, c'était simplement parce qu'elle avait été découverte dans un appartement de Malibu. Le Kipness était l'hôpital le plus proche et il s'avérait que Maude était de service. Un accident, le bon endroit au bon moment.

Un inspecteur de la criminelle accompagnait la victime. Il avait découvert un point d'entrée de balle, soupçonné une tentative de meurtre. Il n'arrêtait pas de demander des informations sur la balle pour pouvoir déterminer quelle arme avait été utilisée.

On lui avait dit d'attendre.

« On dirait une blessure infligée par une arme de petit calibre. Possible paralysie. Base du tronc cérébral. Arrêt neurologique. Traumatisme cérébral. »

Jusque-là, tout allait bien.

Mais la patiente ne montrait aucune réaction, Maude n'y comprenait rien. Au bout de deux heures, Chleo, l'infirmière de service, était venue voir Maude et l'avait trouvée, blême, regardant fixement la patiente.

« Docteur, cet inspecteur de la criminelle n'arrête pas de demander s'il y a une balle.

– Dites-lui que nous y travaillons. »

Mais à 2 heures du matin, tout ce que Maude avait pu dire à l'inspecteur, c'était : « Point d'entrée trouvé. Pas de point de sortie. Pas de balle dans le crâne. L'arme n'est pas un pistolet. Allez-vous-en, nous risquons d'en avoir pour un moment. »

Elle avait découvert des traces de tranquillisant pour animaux dans le sang de la victime et appris que ses effets n'étaient pas à long terme.

Pouls, pression sanguine, respiration, tout est normal. La patiente demeurait dans un état stable. Maude, épuisée, s'était allongée sur un lit pliant à côté de celui de la victime et s'était endormie.

Le lendemain matin, elle avait fixé quatre scans très colorés du cerveau de Virginia sur une boîte lumineuse et les étudiait, à travers des lunettes grossissantes, en sirotant un café. Et c'est alors qu'elle avait aperçu les traînées pourpres et ondulées, presque invisibles. Elle avait réexaminé la blessure à la base du crâne de Virginia Sapen. La perforation avait pu être effectuée par une aiguille de tapissier.

« Ah ! bon Dieu. Doux Jésus.

– Qu'est-ce qu'il y a, docteur ? avait demandé Chleo, qui somnolait sur une chaise.

– Où est le docteur Tredescant ?

– Ça fait des heures qu'il est rentré chez lui.

– Appelez-le. »

Chleo avait composé le numéro, attendu.

« Docteur Tredescant, avait répondu la voix chaude d'un homme qui était au lit mais ne dormait pas.

– Elias, vous n'allez pas le croire. Virginia Sapen. Ses fibres arquées ont été sectionnées.

– Pardon ?

– Toutes les fibres nerveuses ont été coupées. Par une main d'expert, précise. C'est un travail parfait.

– Maude, vous me surprenez. La lobotomie est obsolète depuis les années 1930.

– Pas totalement.

– Apparemment. Si vous dites vrai, Maude, c'est une exception, vous ne reverrez plus jamais une lobotomie de votre vie.

– Il ne s'agit pas d'une lobotomie, Elias, il s'agit d'une cordotomie spinale. On lui a fait une cordotomie de la moelle épinière. »

Maude se rappelle encore qu'elle n'avait pas prononcé ces mots depuis la fac de médecine, et que ça ne lui avait pas du tout plu. Elle avait écouté le silence de la ligne téléphonique pendant qu'ils s'imaginaient cette femme, à qui quelqu'un avait fait subir une perforation au-dessus du tronc cervical, la privant des fonctions de son cerveau supérieur.

« Est-ce qu'elle respire normalement ?

– Oui. Pouls, pression sanguine, tout est normal.

– Alors je ne suis pas d'accord, docteur, avait-il dit prudemment. Il ne s'agit pas d'une cordotomie de la moelle épinière, je crois que ce que nous avons, c'est peut-être une déconnexion chirurgicale, ce qu'on appelle une cingulotomie postérieure. Celui qui a fait ça s'est arrangé pour ne pas toucher à la moelle épinière. »

Elle était restée là, téléphone en main, en attente.

« J'arrive.

« – Non. Merci, Elias, mais il n'y a rien à faire. Retournez vous coucher. Elle est stable. »

La conversation était terminée, Chleo lui avait pris le téléphone des mains.

« Est-ce que je peux vous poser une question, docteur ? »

Maude n'avait rien répondu.

« Si ce n'est ni un viol, ni un vol, ni une histoire de drogue, de quoi s'agit-il ? Qui ferait une telle saloperie ?

– Peut-être un chirurgien. »

Maude n'avait plus les idées claires.

« Il devait sacrément lui en vouloir, pas vrai ?

– Allez me chercher un trocart, infirmière.

– Un quoi ?

– T-r-o-c-a-r-t, avait épelé Maude. Demandez à Willis. »

Seule avec la victime, Virginia, dans le silence. Maude lui avait murmuré doucement à l'oreille :

« Il ne s'agissait pas d'une colère ordinaire, n'est-ce pas, Virginia ? Il s'agissait d'un comportement psychotique hautement contrôlé. Vous le connaissiez. Vous aviez joué au gin-rami avec lui. C'était une affaire personnelle. »

Une autre infirmière, Paula, avait apporté le trocart enveloppé dans un linge et l'avait tendu à Maude. Elle l'avait sorti du linge. Un cylindre étincelant à trois arêtes, long de quinze centimètres. De quelque manière qu'elle le tienne, ses facettes chromées piégeaient la lumière. Comme s'il voulait qu'on le voie.

« Est-ce que c'est un cas isolé ? avait demandé Paula, sidérée.

– Un sur un milliard. Faites revenir l'inspecteur et dites-lui que nous avons l'arme. »

De nouveau seule, Maude avait regardé la victime, lui avait parlé dans le silence profond, sans espoir de réponse.

« Dis-moi qui s'est donné tant de mal pour ne pas te tuer, Virginia. Je t'en supplie. » Maude avait saisi entre les siennes la main inerte de la jeune femme. Elle était comme du verre. « Qui voulait te maintenir en vie ? »

MAUDE

Maude n'arrive pas à dormir. Elle attend. Ce soir, ça fait un an et une semaine qu'elle a vu pour la première fois Virginia Sapen.

Elle est allongée dans l'obscurité, les yeux ouverts, les pupilles noires, écoutant la nuit, les bruits des petits animaux qu'elle a appris à reconnaître, le cri de bébé d'un rossignol, un raton laveur creusant sous la maison, le glapissement d'un jeune coyote peut-être occupé à faire tomber par terre un sac poubelle en plastique, le gémissement d'un coyote mâle qui fait semblant d'être blessé pour attirer un chien et lui faire quitter la sécurité de son jardin. Si près de la ville.

1 h 20. Elle est hantée par les marionnettes sans fils qu'elle examine chaque jour. Elle les voit derrière sa fenêtre en ce moment même, leur visage calme. Elle sait qu'on lui amènera une nouvelle victime sur un brancard. Elle attend. Elle a l'impression de ne plus avoir de squelette, a perdu tout espoir d'aider sa prochaine patiente. La nuit sera très longue. Elle s'efforce de penser à autre chose.

Elle se souvient. Il y a plus de dix ans, durant un examen de pathologie en vue d'une procédure chirurgicale, elle a accidentellement percé le gros intestin d'un cadavre. Le gaz qui s'est échappé a produit un sifflement si strident que les autres étudiants ont cru à un ballon de baudruche crevé, et le cadavre lui-même a semblé revenir à la vie pour un ultime pas de claquettes. Maude a poursuivi l'examen sans lever la tête, mais les étudiants qui l'observaient ont réagi bêtement, éclatant de rire, faisant les clowns, éructant avec application.

Le médecin qui surveillait l'examen, impressionné par la concentration froide de Maude, lui a donné une bonne note. Pourtant, aucun des cadavres qu'elle a ouverts, aucun des patients tailladés et mourants qu'elle a impudemment tenté de sauver aux urgences, rien de ce qu'elle a vécu au cours de sa carrière ne l'a préparée à ce que Toyer fait à ses victimes.

Elle se redresse en sursaut. Anxiété noire. Son esprit bouillonne. La nuit est paisible. Elle attend. Elle cherche à percevoir le soupir permanent de Los Angeles, comme la mer, voudrait l'entendre mais n'y parvient pas. Elle ressent l'anxiété sans fond de l'attente.

Il y aura une autre victime. Mais entre son désir de voir la victime guérir et la guérison de celle-ci se dresse un mur si haut qu'il est infranchissable. Maude partage avec ses patientes une douleur profonde, même si elle sait que la douleur que lui inspire la mort de Mason n'appartient qu'à elle.

Elle allume la lumière, se rend soudain compte qu'elle attend que le téléphone sonne. Jimmy G se réveille, en équilibre sur le rebord de la fenêtre, bondit sur le lit. Avec raideur. *Ronronnement ?* Il lui donne un petit coup de tête sur le menton, heureux de la présence de Maude dans sa nuit.

« Oh ! Jimmy G, je t'adore ! »

Elle fait courir ses ongles à travers sa fourrure en des endroits qu'il ne peut atteindre. C'est le meilleur calmant qui soit. Ils ronronnent ensemble.

Elle se lève, traverse le salon obscur en direction du réfrigérateur, partage un verre de lait avec Jimmy G. Elle ne supporte plus de dormir dans sa chambre avec les mortes vivantes qu'on lui a laissées sur les bras. Leurs visages exsangues défilent devant sa fenêtre, pénètrent dans sa chambre, dorment sur son oreiller à côté d'elle.

Le téléphone sonne.

MARLA

Une fille beaucoup trop jeune, une adolescente, déchirée, est poussée sur un brancard à dix kilomètres-heure dans un couloir vivement éclairé. Coupures au visage, lacérations, cheveux noirs en bataille pleins de sang. Il est trop tôt, il est trop tôt.

Personnel médical au petit trot, visages sérieux, le docteur Tredescant hirsute et débraillé, un agent de police hispanique tenant un bloc-notes en aluminium, un interniste venu de Rome, bien mis. Maude marche avec une vigueur surprenante, la main sur le brancard. Personne ne parle. Ils pénètrent dans l'ascenseur.

«Comment s'appelle-t-elle ? Ah ! voici, Marla. Nom de famille ?

– Nous ne savons pas encore, répond l'agent de police.

– Elle a perdu un litre et demi de sang, docteur, mais elle est stable.

– C'est un vrai massacre, Ed, l'œuvre d'un fou furieux.»
Chleo la regarde.

«Je vous demande pardon ?

– Comportement impulsif.»

Sara Smith, qui se tient juste à l'écart du groupe, note «comportement impulsif» dans son long carnet de reporter. Elle arbore sa carte de presse de l'*Herald* comme si c'était une broche en saphir. C'est pour ça qu'elle est journaliste. *L'audace, le défi.* Elle rôde, faisant mine de ne pas être là, attendant le bon moment pour aborder Maude. D'une voix qui est à peine plus qu'un murmure, Sara demande à l'agent de sécurité, Alvarez, « Quel âge... ? » Elle désigne Marla de la tête.

« Aucune idée, mademoiselle, très jeune, 14 ans.

– 14 ans, mon Dieu.

– Peut-être moins. Elles grandissent si vite de nos jours que c'est difficile à dire. »

Alvarez est le père de trois filles.

Dans la région d'où je viens, elle n'aurait pas eu le droit de sortir.

Le brancard de Marla décrit un virage fluide tandis qu'il est poussé dans une salle de réanimation d'une blancheur immaculée. La pièce qui a accueilli Gwyneth Freeman, Karen Beck.

Seul le visage de Marla dépasse du drap marqué du mot *Hôpital.* Ses traits purs sont apaisés, on la croirait endormie dans un hamac. C'est un joli visage interrompu par de minuscules anneaux de métal jaune, un à travers la lèvre supérieure, l'autre en travers d'un sourcil.

Maude examine ses pupilles avec une lampe, tente de la faire réagir avec des sels, lui tient la main. Elle est née l'année où Maude est entrée en fac de médecine.

« Marla ? »

Elle n'a plus de culotte. Il y a des signes d'acte sexuel. Saignement anal. Rage.

« Je veux un test calorique à l'eau froide et un écran de Bjerrum. »

La bouche de Marla refuse de rester fermée. Possible dysphasie expressive.

Il y a des coupures nettes sur les os fins juste au-dessus de ses yeux. Des crevasses si fines qu'elles auraient pu être creusées avec un stylet.

« Qu'est-ce que vous en dites, docteur T ? »

Ed Tredescant sourit, hausse les épaules : *Tous ces tests ne donneront rien.*

« Il a toujours procédé de façon si... contrôlée. Il n'a jamais jusqu'alors découpé de tissu musculaire. »

L'interniste romain, pâle, acquiesce.

Les mots *lobotomie transorbitale* résonnent encore et encore dans l'esprit de Maude. Elle refuse de les prononcer à haute voix. Pas encore. *Pas possible.*

« Faites une prise de sang, recherchez de la Xylazine, effectuez un test de séropositivité, faites un prélèvement anal et vaginal.

– Vous voulez que je la prépare pour une angiographie, docteur ?

– Non, non. Je veux la voir en soins intensifs dans cinq minutes. Déplacez-la avec la plus grande prudence. »

Elle se lave les mains.

« Est-ce qu'on lui ôte ses anneaux, docteur ? »

Maude jette un coup d'œil en direction des anneaux de métal qui ponctuent le visage de Marla.

« Mon Dieu, non, elle y tient trop. »

Sara Smith, alerte, précoce, attend dans le couloir. Ancienne stagiaire chez Time Inc. Toujours vêtue comme le jour de son entrée à l'école de jeunes filles Ethel Walker, à l'âge de 12 ans. Cheveux naturellement ocre, comme son père, bien peignés. Les principes d'une étudiante de la côte est. Possède un cheval, Cricket, dans un club équestre. Une histoire, quelle qu'elle soit, est toujours un don de Dieu. Ce soir, Dieu lui en a offert une, et elle est la seule journaliste sur terre à le savoir.

L'agent de police hispanique remarque Sara, s'approche d'elle. Chacun lit le badge de l'autre, elle note le nom de l'homme, M. Alvarez.

« Vous allez devoir attendre un moment, mademoiselle Smith, avant que le docteur sorte.

– Toyer, n'est-ce pas ? »

Il acquiesce férocement, avec importance.

« Quel est le nom de la victime, monsieur l'agent ? »

Personne sauf moi n'est au courant. Elle en frissonne presque.

« Marla.

– Marla quoi ?

– C'est tout ce que nous savons.

– Est-elle noire ?

– Oui, noire. »

Brun Sahara. Sara Smith l'a vue quand on l'a poussée devant elle à dix kilomètres-heure. Couleur café au lait. *Noire ? Fondamentalement noire, si vous voulez.*

Soudain, Sara Smith se tient devant Maude.

« Docteur Garance, je suis de l'*Herald* : Sara Smith. » *Trop faible.* Elle fait la moue. « Vous m'avez dit d'aller... me faire foutre ? »

La semaine dernière. Maude se souvient d'elle.

« Et comment c'était ? »

Sara rougit, esquisse un sourire raide. Maude voit ce qui lui a déplu chez la journaliste. C'est une débutante de la côte est déguisée en féministe dans un monde d'hommes, rien de plus.

«N'avez-vous pas un bon lit qui vous attend chez vous ? Ou peut-être que vous êtes sans abri ?»

Dans le silence qui s'ensuit, Sara Smith, piquée par les insultes, entend un klaxon de voiture si faible, si lointain, qu'on dirait le cri d'un idiot.

«Docteur Garance, vous méritez qu'on écrive sur vous. Sur vous et votre hôpital. Le meilleur centre de traumatologie neurologique à l'ouest de Chicago.

– À l'ouest de New York.»

Le public n'a-t-il pas le droit de savoir ? Ne suis-je pas sa messagère ?

«Je n'ai pas beaucoup de temps. Nous allons imprimer. J'aimerais avoir vos commentaires.»

Elle tient son bloc-notes de journaliste comme un carnet de bal. *Une histoire ! Une histoire !*

«Quand vous publiez quelque chose sur mes patientes, vous allez à l'encontre de mes principes. Vous faites de lui une star, ne le voyez-vous pas ? C'est ce qu'il veut, lire des articles sur lui et sur ce qu'il a fait.»

Elle commence à s'éloigner, Sara Smith se campe fermement sur ses deux pieds.

«J'ai besoin de votre avis pour notre première édition.

– Vous ne voudriez pas l'imprimer.

– Vous avez déjà été trop généreuse, docteur Garance, vous m'avez donné plus que ce dont j'ai besoin.»

Futée, pense Maude, *peut-être qu'il y a quelque chose en elle.* Elle fait un geste de tête en direction de l'agent Alvarez.

«Monsieur l'agent, s'il vous plaît, escortez mademoiselle Smith jusqu'à sa voiture dans le parking.» Smith s'éloigne, devancée par l'agent. Maude se retourne. «Et assurez-vous que vous la voyez bien partir.»

SARA

M ardi. Sara se tient devant la porte de la maison de Maude, arrosant les gardénias beiges avec une bouteille d'eau de source du Colorado.

Maude est chez elle, au lit. Elle a accepté la suggestion du docteur T, quinze jours de congé. Sara frappe à la porte.

« C'est Sara Smith de l'*Herald*, vous êtes occupée ? »

Oui, j'étudie les horreurs de la télévision du matin. Maude jette un coup d'œil entre les rideaux de la chambre, voit la jeune femme qui arrose une plante morte. Elle sent les larmes lui monter. Elle marche jusqu'à la porte d'entrée. Parle à travers.

« Qu'est-ce que vous voulez ?

– Je suis désolée pour hier soir. S'il vous plaît, docteur, pouvons-nous parler ?

– Vous avez dit que vous aviez une idée, un moyen d'appréhender Toyer ? De quoi s'agit-il ?

– À travers la porte ?

– Je vous entends parfaitement, mademoiselle Smith, quelle est votre idée ? »

Une pause.

« Docteur. Je veux que vous analysiez Toyer.

– C'est *ça*, votre idée ?

– Oui. »

Que Dieu nous préserve des amateurs.

« Il manquerait son premier rendez-vous. »

Sara sourit, le docteur Garance a plaisanté.

« Non, docteur, vous l'analyseriez pour l'*Herald*.

– Dans votre journal ?

– Oui, dans la tribune.

– Qu'est-ce que c'est que ça ?

– En regard de la page éditoriale. La tribune.

– Je n'ai qu'une chose à dire : c'est contraire à l'éthique. »

Sara a prévu le coup.

« Y a-t-il quoi que ce soit d'éthique dans tout ça ? Pour-quoi ne pas oublier ce mot, docteur ? Lui, il l'a oublié.

– Non, l'éthique demeure, mademoiselle Smith, on ne fait pas n'importe quoi sous prétexte qu'on traite un psychopathe.

– S'il vous plaît, docteur, réfléchissez. Je crois qu'il serait sensible à votre influence. Vous avez dit vous-même qu'il aimait lire des articles à son sujet, peut-être qu'il se soucie de votre opinion. »

Maude réfléchit un instant.

« Désolée, non.

– N'avez-vous pas de temps libre en ce moment ? »

Une simple supposition.

« Comment savez-vous que je suis en congé ? »

J'ai entendu parler de mise à pied.

« Ne pensez-vous pas que nous devons tout essayer même si c'est un peu tiré par les cheveux ? Ne pouvez-vous pas envisager la question ? »

Silence à l'intérieur.

« Je pense sincèrement que vous êtes la seule à pou-voir l'atteindre, docteur. »

Sara attend.

Je pourrais peut-être arroser Mlle Smith au jet d'eau.
À travers la porte :

« *Primo* : je ne veux pas être radiée de l'ordre des médecins.

– Quelqu'un doit faire quelque chose.

– Je vous l'accorde.

– Vous êtes allée voir Bob Meyerson.

– Oui, et c'est lui le problème.

– Un véritable clown. »

Elles sont d'accord au sujet de Meyerson. Sara sourit.

« Au fait, il n'a même pas mis d'inspecteur sur l'affaire.

– Mademoiselle Smith, je ne peux tout simplement pas pratiquer la thérapie par correspondance.

– Ce ne sera pas une thérapie, docteur, considérez ça comme une série d'articles éducatifs imprimés chaque lundi matin. »

Silence.

« Nous pouvons vous offrir un forum. »

Un forum ? Maude ne répond rien.

« Reparlons-en plus tard. »

La souffrance de Maude est réelle. Elle va bientôt recevoir le onzième coup de fil du Kipness. Elle n'a aucun espoir que Toyer s'arrêtera à la dixième victime. Ce forum que Sara Smith lui demande de créer semble plausible, qui sait ? Ça pourrait être un moyen de faire pression sur Meyerson.

« Est-ce que je peux vous donner ma carte ?

– S'il vous plaît, glissez-la sous la porte. »

Sara obéit.

Elle est blindée.

Ce matin-là, au bas de la page 3 du *Los Angeles Herald* :

Dixième victime dans un état critique
Nouveau mode opératoire
Par Sara Smith

Au cours de sa dixième agression violente, Toyer a rendu invalide une jeune femme dont seul le prénom, Marla, est pour le moment connu. Cette agression est très différente des neuf premières. Tout d'abord, Marla est jeune, peut-être seulement âgée de 14 ans ; toutes ses victimes précédentes avaient une vingtaine d'années. Marla est noire ; ses précédentes victimes étaient toutes blanches. Marla a peut-être été violée et sauvagement agressée, peut-être mortellement. À en croire une infirmière proche de la patiente, « Elle est entre la vie et la mort. » Aujourd'hui, elle est toujours hospitalisée dans un état critique au service des soins intensifs du Kipness Memorial, où elle a été admise hier soir peu après minuit.

L'étendue de ses blessures demeure un mystère. Le docteur Maude Garance, physiatre de l'hôpital, a refusé de faire le moindre commentaire et de divulguer la moindre information concernant l'état de Marla ou les circonstances précises de son agression. De fait, depuis deux mois, le docteur Garance protège de plus en plus l'intimité des patientes, tenant fermement la presse à l'écart. Hier soir, au cours d'un bref entretien, le docteur Garance a été jusqu'à laisser entendre que le public n'avait pas le droit de savoir. L'*Herald* ne voit pas les choses ainsi.

Nous estimons que le public est parfaitement en droit de savoir et nous continuerons de communiquer à nos lecteurs toutes les nouvelles informations sur cette affaire.

TOYER

La nuit. C'est elle. Il aperçoit Maude quittant le Kipness, traversant le parking. Grande, ce soir elle porte une ample robe en coton. Le front, la mâchoire, le long nez droit. Cheveux coupés à ras.

Il la suit jusqu'à chez elle, le trajet est long. Il la suit pendant vingt-sept kilomètres, à bonne distance, parfois tous phares éteints.

Tigertail Road. Une route goudronnée bordée d'herbe, il n'y a pas de trottoirs pavés dans Randall Canyon. Il se gare, parcourt à pied les dernières centaines de mètres qui le séparent de la maison.

Il porte une tenue de joggeur, le comble de l'innocence, un chronomètre suspendu au cou, il peut aller n'importe où affublé de la sorte.

Il y a peu de maisons dans Tigertail Road, aucune d'entre elles n'est grande. Portant bien son nom, la route sinue et n'a rien à voir avec les rues brusques en contrebas, où les lumières de la ville brillent toute la nuit telles des lanternes chinoises.

Il repère la voiture du docteur Garance grâce à sa plaque d'immatriculation, pâle et carrée, une voiture comme une autre. Elle est garée sous un abri grêle conçu pour la protéger du soleil. Il aime que sa voiture ne lui ressemble pas.

Il observe la maison pendant plusieurs minutes : un cottage, un seul niveau, peut-être gris, toit en composite ininflammable. Une ferme minuscule sans champs ni animaux. Il semble y avoir une demi-douzaine de manières d'y entrer sans clé.

Il se tient immobile, appuyé contre un mince eucalyptus. Au bout de dix minutes, les bruits de la nuit reprennent, le rossignol se détend et recommence à chanter. À l'intérieur, le docteur Garance, le son d'un opéra, un duo entre deux hommes qui se répète encore et encore. *Est-elle seule ?*

Pas à pas, au ralenti, il se dirige vers la maison, attendant une demi-minute entre chaque pas, foulant fermement les feuilles bruissantes. Finalement il se penche en avant par-dessus un buisson mort, jette un coup d'œil dans le salon. Il ne la voit tout d'abord pas, elle est allongée sur le sol. Un bras surgit. Elle est là, désormais assise par terre en tailleur, les bras levés au-dessus de la tête. Elle porte un soutien-gorge couleur chair et un slip assorti, l'étoffe est invisible. Son corps est pâle, souple, sa poitrine de taille raisonnable, sa taille fine, définie par les hanches légèrement évasées. Elle est leste.

Elle se lève, sa posture est droite, il pourrait la regarder marcher pendant des heures. Il la regarde passer plusieurs fois de la cuisine à la chambre avec un bol, un verre, un livre, ses petites fesses galbées, sa culotte trop haute. Elle se déplace à travers la maison telle une femme qui vit seule.

Au bout d'un moment, elle va se coucher.

MAUDE

Des matins pâles, secs. Maude continue de somnoler longtemps après s'être réveillée, tentant de ne pas rêver, allongée dans son lit, ahurie par les émissions de télé du matin, tous ces gens qui se délectent de leurs bizarreries, s'exposant avec jubilation, partageant leurs traumatismes avec Maude en échange d'un billet d'avion pour New York, un morceau de viande chez Kelly's Beef Factory, une chambre à l'Essex House. *Et si on parlait des physiatres psychotiques ?*

Elle a été mise à pied, deux semaines de vacances, foutue à la porte. Il y a une pile de livres de bibliothèque qu'elle compte lire mais ne finira pas. Jean Rhys, Isak Dinesen, Edna O'Brien. Elle lit *La Ferme africaine* pour la première fois. Elle en a mémorisé la première phrase : « J'avais une ferme en Afrique, au pied des collines du Ngong. »

Midi. Elle n'arrive pas à fonctionner loin de sa maison. Au Food King Market elle s'appuie sur le caddie vide sous l'éclairage de supermarché, regardant des formations militaires de fruits et légumes au garde-à-vous. Chaque décision d'acheter un article est prise lentement.

Chaque jour elle téléphone au Kipness à son réveil, cherchant des indices, des raisons, elle parle dans un murmure à Chleo, retrouve le docteur T pour déjeuner, parfois pour dîner. Ses patientes sont toujours telles qu'elle les a laissées, profondément inertes. Elle ne doit de comptes à personne, sauf à elles.

Un message clignote sur le répondeur. Encore Sara Smith. *Cette femme n'a honte de rien.* Elle laisse ses quatre numéros de téléphone. *Ne comprend-elle pas quand on l'envoie promener ? Elle rendra éternellement hommage à Toyer si personne ne l'arrête.*

TOYER

Il a choisi la fenêtre de la salle de bains.
La pièce est blanche, immaculée, l'armoire
à pharmacie en ordre, le lavabo étincelant, on pourrait
y effectuer une opération chirurgicale. C'est un matin
lumineux et immobile, il ne fait pas encore chaud. Il l'a
vue partir en voiture.

Dans le salon, il y a une fenêtre pleine de soleil. Il est
impressionné par l'invention du verre, de la pierre,
du chrome. Des lignes verticales et horizontales, pas
de désordre, un intérieur plutôt spartiate. Une croix
du Nouveau-Mexique, piquetée par le vent, prélevée
sur la tombe de quelqu'un. Un croquis architectural du
Louvre. Comme neuf. La conscience de soi brutale
du Parisien. La fraîcheur du lieu. L'effet est certainement
plus masculin que féminin.

Il cherche du regard les téléphones, il y en a deux.
*Rien. Si le numéro n'est pas sur le téléphone, il n'est nulle
part.* Il enfonce deux fois le 0. Après un message de
remerciement préenregistré par une voix entraînée, une
opératrice en chair et en os répond.

«Pacific Bell, que puis-je pour vous?»

Il parle d'une voix ravagée par l'âge, dans un murmure éraillé à peine audible, on dirait une femme au
seuil de la mort:

« Comment vous appelez-vous, ma chère ?

– Tricia.

– Tricia, pourriez-vous s'il vous plaît me dire... quel est mon numéro de téléphone ? Je... Je ne m'en souviens plus.

– Bien sûr, madame. »

Il note le numéro sur le calepin posé à côté du téléphone, arrache la page.

Que voir ? L'armoire à pharmacie, bien sûr. Les secrets abondent. Les placards, les chemisiers, les jupes, les pantalons, les colliers dans les tiroirs de la commode, les bracelets, encore des chemisiers. Ses sous-vêtements sont de qualité, ils dégagent une odeur féminine, des effluves presque invisibles. Son intimité. Y a-t-il une trousse à pharmacie ?

Sur un meuble du salon se trouvent des photos encadrées, dont une dans un cadre argenté portant la mention « À toi, Mason ». Un homme fait de bois et de roc avec plus de cheveux qu'elle, légèrement barbu, le pantalon retroussé, pieds nus sur une plage, debout dans le vent marin. Si Maude Garance est un sloop, Mason est une goélette. Il ne trouve aucun autre signe de lui dans la maison, se demande où il est.

Dans la cuisine, à un anneau suspendu à un crochet près du réfrigérateur, il trouve une clé qui ouvre la porte de derrière. Il l'ôte de l'anneau, auquel sont suspendues d'autres clés.

Des coups hésitants retentissent. Il y a quelqu'un à la porte. Il se fige, se tient immobile.

« Maude ? Vous êtes là ? »

Une voix de femme jeune.

Après une minute ou deux, un mot est glissé sous la porte. Il reste sans bouger jusqu'à entendre une voiture s'éloigner.

Maude, je dois vous parler de T. S'il vous plaît, appelez-moi.
Urgent

C'est signé Sara.

Il retourne dans la chambre, s'étend sur le lit sauvagement défait et, parmi ses livres et ses sous-vêtements, l'imagine endormie.

JIM O'LAND

Une obscurité vétuste, le bureau du rédacteur en chef du *Los Angeles Herald.* Pas de
vue, du moins pas depuis sa fenêtre au deuxième étage,
dont la vitre demeure en partie obscurcie par d'antiques
vestiges d'incendie, de grèves, de malveillance urbaine.
Sur la table, deux cendriers de verre, l'un posé à
l'envers sur l'autre, l'ensemble ressemblant à un affreux
coquillage.

Le dégingandé Jim O'Land, la référence, l'éditeur de
presse blasé. Il dégage une impression de force tandis
que, grimaçant par-dessus la cigarette pincée entre ses
lèvres, il corrige des épreuves au crayon de couleur. C'est
un cliché de sa propre époque. Toujours l'air amusé,
prêt à jouer des poings en rigolant ; logiquement supérieur aux idiots de passage, obligeamment grossier, à la
limite de la pédanterie. Il insiste pour être appelé Jim,
même par Sara, que cette familiarité met mal à l'aise.
C'est un homme facile à suivre, il a le visage bien fait, les
cheveux couleur acier, est en permanence voûté suite à
un accident d'avion. Ses années passées à enquêter sur le
terrain pour le *Boston Globe* et le *Baltimore Sun* ont laissé
des fissures sur sa façade, telles les craquelures presque
invisibles sur une belle porcelaine ancienne, fissures que
Sara Smith n'a pas encore remarquées.

Elle se tient, face à lui, de l'autre côté de la table en bois dotée d'un plateau de verre. Il ne le voit pas, mais les genoux de Sara tremblent. Elle tient à la main une lettre.

À ses yeux, Sara Smith est un faire-valoir, une fille intelligente, mais une journaliste enthousiaste aux sources invérifiées. Il la taquine à cause de ses barrettes, de ses chaussures sages, de ses manières d'écolière de la côte est.

Il décide d'interrompre ses corrections histoire de jouer avec elle. Il attrape son café au lait sinistre, trop allongé dans son gobelet de polystyrène.

« Qu'avez-vous ici, Sara Smith ? »

Elle lui tend la page dactylographiée, tentant de ne pas paraître troublée par ses retombées éventuelles.

« C'est une lettre de cette personne qui attaque toutes ces femmes. »

Elle dit ça doucement pour ne pas buter sur les mots, l'excitation lui glace les entrailles.

O'Land masque gracieusement son incrédulité.

« Vous parlez de Toyer, n'est-ce pas, Sara ? »

Elle acquiesce.

« Appelez-le "Toyer", Sara. "Pas la personne qui attaque toutes ces femmes".

– Toyer, monsieur O'Land, Jim. D'accord ? Je déteste ce nom. Je ne l'ai jamais aimé.

– C'est vous qui l'avez trouvé.

– Mais il n'est pas approprié.

– Il est parfait pour les gros titres. »

Elle s'agite.

« Enfin, bref, cette lettre est de lui, reprend-elle d'un ton ferme.

– Bien. Je suis ravi qu'il vous ait écrit, je me demandais quand il le ferait.

– N'êtes-vous jamais surpris par rien, Jim ?

– Surpris ? Eh bien, non. Alors, qu'est-ce qu'il veut ? »

Elle soupire. Elle refuse de jouer.

« Il prétend simplement qu'il n'est pas responsable pour Marla Booth. Il a écrit ici, directement à l'*Herald*, à mon attention. »

Elle lui tend la lettre. Jim O'Land ne s'en empare pas, il sirote son café au lait. Il la laisse plantée devant lui, dégoulinante, un peu plus longtemps.

« Cette lettre n'est pas de Toyer, Sara. Elle est de quelqu'un d'autre, quelqu'un qui dort au pied du lit de sa mère, quelqu'un qui se tape des poupées gonflables, vous savez, un cinglé.

– Cette fois vous vous trompez complètement, *monsieur* O'Land, c'est bien lui. »

Elle fronce les sourcils, soupire.

« *Monsieur O'Land ?* »

Il est heureux de la voir en rogne. Il se fend d'un grand sourire.

« Sara, il y a plus de cinglés à Los Angeles que de bulles dans votre bain moussant.

– Je le sais. Et pour votre gouverne, je prends des douches. »

Pendant un instant il la voit nue, svelte, trempée. Elle gagne.

« Bon, si j'imaginais une seconde que vous vous douchiez, entièrement nue, votre réflexion pourrait me rapporter une jolie indemnisation pour harcèlement sexuel. Notre syndicat se montrerait très généreux à mon

égard. » Il sourit, laisse tomber son gobelet en polystyrène, toujours plein de café, dans la corbeille, retourne
à la photocopie grandeur nature de la une du journal.
« Maintenant, s'il vous plaît, partez. »

Sara ne bouge pas. Elle tient la lettre à bout de bras,
dans sa direction, comme si la page allait atteindre son
point d'ignition, s'enflammer soudain.

« Il a lu mon article, il exige une rétractation. »

O'Land est toujours amusé, mais il ne lui accordera
qu'une minute de plus.

« Une rétractation pour quoi ?

– Pour Marla Booth. Ce n'est pas lui qui l'a agressée.
Ça s'est passé différemment. Écoutez, j'étais à l'hôpital.
J'ai entendu tout un tas de choses confidentielles. Ils se
comportaient tous bizarrement.

– Alors il vous écrit une lettre pour tirer les choses
au clair.

– *Oui.*

– Attention à ce que vous dites, Sara : les criminels
en cavale n'envoient pas des lettres aux journaux pour
exiger des rétractations. C'est un fait que j'ai pu constater
au cours de ma longue carrière aussi bien à Washington
qu'à Boston, Londres et maintenant ici. Partez. »

Il lui tourne le dos et soulève son crayon, lui signifiant
sans détour qu'elle ferait mieux de s'en aller.

« *Lui*, si. Il m'a écrit. »

Silence glacial. *La plaisanterie a assez duré.* O'Land se
retourne, lève les yeux vers elle, sans colère.

« Non, il ne vous a pas écrit. »

Elle est soudain furieuse.

« Vous n'avez putain même pas lu la lettre. »

Il reste bouche bée, elle voit le reflet de ses dents en or. Il ne l'a jamais entendue dire *putain*.

«Sara, pour votre gouverne, on ne dit jamais "putain même pas"; c'est soit, "putain, vous n'avez même pas", soit "la putain de lettre", mais jamais "putain même pas".»

Il est sur le point de se lever.

Sara sent son corps qui la brûle, elle a l'impression d'être nue. Elle voudrait s'excuser.

«Il prouve qu'il est bien Toyer. Il savait que l'authenticité de sa lettre serait mise en doute, alors il dit...» Elle lit:

«*Je laisse toujours l'empreinte de ma main sur les lieux.*

– L'empreinte de sa main? Génial. Comment se fait-il que personne ne l'ait jamais trouvée?»

Elle continue de lire:

«*Elle se trouve toujours à l'endroit le plus élevé de la pièce, au-dessus d'une fenêtre, là où personne ne songerait à chercher des empreintes. Vous pouvez vérifier.*»

O'Land se lève, parle prudemment:

«Est-ce qu'il a fait ça avec toutes ses victimes?

– Oui, et cette Marla Booth l'embarrasse. Alors ce qu'il dit...

– C'est que ce coup-ci il n'a pas laissé d'empreinte.» O'Land sent comme une petite explosion en lui. «Qu'est-ce qu'on cherche?»

Elle serre le poing, appuie la zone située entre son petit doigt et son poignet sur la table, et fait rouler sa main, laissant une empreinte sur le plateau de verre.

«Voici l'empreinte qu'il laisse.»

Elle l'entend pousser un soupir.

« Donc il nous dit que cette Marla n'est pas sa victime. Qu'elle est celle du premier imitateur de Toyer. »

Sara acquiesce. Elle a conscience que cet instant est une photographie noir et blanc dont elle se souviendra à jamais.

Il s'assied, précautionneusement. *Si c'est vrai, si Toyer a écrit à nous et pas au* Times, *notre première édition de demain dépassera le million d'exemplaires. Quatre tirages.*

« Si cette information s'avère, lui dit-il, si je peux avoir la confirmation pour une seule scène de crime, je publie ça dans la première édition. » Il compose le numéro du procureur sur son téléphone. « Écrivez-moi mille cinq cents mots. » Il tient la lettre comme s'il s'agissait d'un croquis anatomique au crayon et à l'encre sur parchemin de Michel-Ange. « Souvenez-vous, en niant l'agression sur Marla Booth, il avoue les neuf autres. Content de travailler avec vous, Sara Smith, vous allez avoir votre nom en une. Quels sont vos projets d'avenir ? »

Elle sourit, telle une gamine. *Papa, j'ai grillé le* Times *sur un scoop.*

Comme elle sort de son bureau, O'Land, tout sourire, attend de parler au procureur. Elle se retourne. Leurs regards se croisent, proprement.

« Vous imaginez un tel égocentrique », murmure-t-elle.

RAY YELLEN

Le procureur Ray Yellen rappelle Jim O'Land à 18 heures le soir même. Oui, leur criminologue a découvert que les fenêtres de l'appartement de Paula Straub ont été nettoyées mais qu'il restait le fantôme d'une empreinte de poing. Malgré le coup de chiffon, elle est toujours bien là. Dans l'appartement de Gwyneth Freeman et la maison de Lydia Lavin, *idem*, le labo de la criminelle a découvert des empreintes pâles, isolées et nettes, sur les vitres, près du plafond, exactement à l'endroit indiqué par Toyer. La lettre de Sara est authentique.

Yellen demande à O'Land d'être prudent, de bien vouloir rester en contact avec le procureur adjoint, Bob Meyerson. Ce dernier pourra se montrer utile, ajoute-t-il.

Pendant qu'il attendait l'appel de Yellen, O'Land a demandé à Sara d'appeler Maude Garance pour apprendre ce qu'elle pensait de la lettre de Toyer, de sa signification, des indices qu'elle contenait, de son authenticité, de ce qu'elle révélait de la personnalité de Toyer. Sara a appelé Maude chez elle, lui a lu la lettre. Maude a été atterrée, a demandé à Sara de ne pas la publier.

Lorsque Sara rappelle O'Land pour lui faire part de la réaction de Maude, il l'informe que l'authenticité de la lettre vient d'être confirmée par le bureau du procureur et que l'*Herald* n'aura d'autre choix que de la publier demain.

Il lui demande de déplacer une information locale et de placer l'article sur Toyer en une, sous le pli, avec le titre :

Toyer disculpé

Un sous-titre pour les lecteurs de l'*Herald* qui ne savent pas ce que *disculpé* signifie.

Non coupable de la mort de Marla

Jim veut écrire « Toyer blanchi » ; Sara insiste pour « Non coupable ». C'est elle qui gagne. Dans un cas comme dans l'autre, le *Times* a encore une fois un jour de retard et un demi-million de lecteurs en moins. Dans un cas comme dans l'autre, Toyer, accusé à tort, est innocenté.

TOYER

Le lendemain matin, un mercredi, la partie inférieure de la une de l'*Herald* est une explosion de Toyer. « C'est irrésistible, commente O'Land. Parfait pour les lecteurs. » Le nom de Toyer a brisé toutes les frontières, sociales, raciales, économiques, culturelles, tout le monde le connaît. Le contenu de sa lettre : il est embarrassé par son imitateur, présente ses excuses à la victime. Une lettre d'une humanité glaciale. *Magie journalistique.*

TOYER PARLE
LA DIXIÈME VICTIME DANS UN ÉTAT CRITIQUE
NE SERAIT PAS LIÉE AUX NEUF PREMIÈRES

————

Mais le Kipness se montre prudent
après les examens préliminaires

Le texte de la lettre de Toyer :

Chère Sara Smith,

Je n'ai pas tué Marla Booth. Impossible. Et je vais vous dire pourquoi : je ne tue pas. Je ne peux pas.

J'espère que l'assassin de Marla sera retrouvé. Ce n'est pas moi. Tuer est le pire de tous les péchés.

J'ai lu la Bible. Je suis désolé pour cette pauvre jeune femme, et aussi pour la personne qui a pu lui faire ça. Pénétration anale, coups de couteau au visage, la laisser se vider de son sang sans appeler les secours. Tous ceux qui me connaissent vous diront que ce n'est pas ma manière de faire. Je suis peut-être capable de bien des choses, mais pas de commettre un meurtre.

La lettre est signée « Toyer ».

C'est un document saisissant. O'Land affirme que c'est un événement sans précédent dans l'histoire du journalisme. Une première. Des semaines durant, à travers les États-Unis, la lettre de Toyer sera accrochée aux réfrigérateurs au moyen d'aimants pour que les visiteurs puissent s'extasier devant, conservée pour les générations futures. Comme l'espérait O'Land, l'*Herald* écoule quatre tirages, soit un total d'un million cent quinze mille cinq cents exemplaires, et dépasse le *Times* pour la première fois depuis la réélection de Franklin Roosevelt, en novembre 1936. C'est un succès. Une victoire.

« Sara, allez demander au docteur Garance si elle souhaite désormais faire un commentaire. Dites-lui que le journal imprimera tout ce qu'elle sera disposée à écrire sur Toyer. »

Une fois de plus, Maude refuse de lui parler.

Sara en fait part à O'Land, expliquant que Maude prétend que la publication de la lettre va réactiver la psychose de Toyer, que les psychotiques deviennent plus dangereux à mesure qu'ils deviennent moins confus, qu'ils sont renforcés dans leurs convictions. Elle a dit à

Sara que, en transformant l'*Herald* en une tribune pour Toyer, ils ne feraient que le rendre plus actif. Qu'ils le béatifieraient. O'Land sourit en entendant ce mot.

«Ce sont les risques du métier», réplique-t-il.

Jusqu'à présent, les journaux responsables – ceux qui publient le prix de l'or, des critiques de pièces de théâtre, qui ont des agences de presse, des prévisions météo à cinq jours – n'ont rapporté que des informations effroyables sur les activités de Toyer.

Désormais, le *Los Angeles Times*, un journal responsable, ne peut ignorer la lettre publiée dans l'*Herald* du matin. Il doit en imprimer le texte, citer Sara Smith, rendre hommage à l'*Herald* tout en continuant d'être son concurrent.

Les publications moins responsables à travers le pays reproduisent sans permission la lettre de l'*Herald*. L'un d'eux est *Hell Magazine* (quatre cents exemplaires payants), publié dans l'East Village, New York. Des reproductions pirates. Dans sa colonne cabotine, *Observation de Toyer*, le magazine encourage les lecteurs à dire où ils ont vu Toyer, à décrire ce qu'il portait et ce qu'il faisait, quel genre de contact ils ont eu avec lui. Une rubrique marrante. Un lecteur l'a élu meilleur artiste du pays, haut la main. Toyer a prouvé qu'il savait voler, qu'il savait vendre. Il est inégalable.

«Espérons que Toyer restera en contact avec vous, dit Jim à Sara. Votre carrière en dépend.»

Et si c'était vrai ? S'il ne m'écrivait plus jamais ?

Jeudi matin, O'Land passe devant le bureau de Sara, s'arrête.

« Au fait, mademoiselle Smith, j'ai besoin de mille cinq cents mots sur Toyer pour demain et d'un article de fond sur lui pour dimanche. »

Comme elle n'a plus rien à dire sur le sujet, elle est forcée d'adopter un style plus dramatique mais sans matière que les lecteurs apprendront à apprécier. Il est plein d'un émerveillement enfantin.

Dans le théâtre intime de notre esprit, nous l'avons imaginé, nous avons lu ses mots, il arpente notre scène. Il est réel. Il a une personnalité. Que mange-t-il ? Quel genre de chaussettes porte-t-il ? Nous voulons le savoir et nous n'éclaircirons peut-être jamais ces mystères, mais nous savons que si Toyer n'a pas de visage, il a désormais une voix. Il se soucie de ce que nous pensons. Nous n'aurions jamais imaginé ça. Nous sommes des croyants.

« Plus légers que la gravité, plus rapides que la vitesse du son, plus idiots que des ânes », déclare Jim O'Land.

Les quatre réseaux de télévision, deux sociétés de production de télé câblée, deux studios et sept réalisateurs indépendants annoncent avoir des projets liés à Toyer. Sara n'en revient pas. C'est elle qui lui a donné une vie. Mange-t-il chinois ? Thaï ? Italien ? Boit-il de la bière, de la vodka, du Coca Light ? Fume-t-il des Winston, de l'herbe ? Consomme-t-il de la cocaïne ? De l'héroïne ? Est-il progressiste ? Conservateur ? Plutôt chiens ou plutôt chats ?

Le Toyer de Sara suscite un déchaînement à la fois horrifié et jubilatoire ; les nouvelles sont mauvaises, le spectacle est bon. C'est une histoire familière, il faut qu'elle soit familière pour que le public marche. Elle le sait depuis le début.

Un certain nombre de ces projets cinématographiques capoteront, naturellement, étouffés par la concurrence, mais cet emballement spontané surprend même Jim O'Land.

Elle lui demande pourquoi son article est enterré en troisième page au lieu de figurer en une. Il lui répond qu'il veut que les lecteurs achètent le journal et qu'ils l'ouvrent au lieu de se contenter de lire la première page au kiosque.

«Ça devait mijoter depuis longtemps», dit-il à Sara.

Il se réjouit de cet intérêt, cet engouement est le bienvenu, Sara commence à voir les fines fissures de sa porcelaine.

MEYERSON

« Oh ! bonjour, Jim, Bob Meyerson à l'appareil.

– Oui, bonjour, monsieur Meyerson.

– Non, Jim, appelez-moi Bob, nous nous connaissons.

– Nous nous connaissons ?

– Nous nous sommes rencontrés aux Folies d'Alzheimer, une grande réception de bienfaisance. »

O'Land songe à *La Folie d'Almayer*.

« Je vous ai rencontrés, vous et Mme O'Land. »

L'ex-Mme O'Land. Ça fait plus d'un an.

« Oui, d'accord, je me souviens, Bob.

– Je déteste ces soirées, mais vous savez, elles doivent servir à quelque chose une fois les frais déduits, je suppose.

– Oui. »

Aucune idée.

« Enfin, bref, Ray Yellen m'a demandé d'entrer en contact avec vous. Je suis son procureur adjoint. »

Le voile se lève.

« Vous avez une élection qui approche.

– Ne m'en parlez pas. Je lèche des culs de tous les côtés. »

Jim produit un son agréable.

« Jim, je me demandais si vous accepteriez de déjeuner aux frais de la municipalité aujourd'hui. »

Et maintenant, mon cul.

« Désolé, Bob, je mange toujours ici à mon bureau, sauf quand je vire quelqu'un.

– C'est à ce moment que vous invitez vos employés à déjeuner ?

– Une sorte de tradition. Je les emmène au Lion's Head. »

Un rédacteur est entré dans son bureau, s'est planté devant son bureau d'un air emprunté.

« Il s'agit de l'élection ?

– Certainement pas ! » Il lâche un petit éclat de rire, mais il s'agit *bien* de l'élection. « Il s'agit de ce papier sur Toyer dans le journal d'hier. »

O'Land est toujours sur son petit nuage, il n'a reçu que des compliments. David contre Goliath. Les chiffres sont encore tout chauds ; l'*Herald* a battu le *Times*, qu'il a baptisé « le journal creux le plus lourd de la terre ». C'est une victoire agréable. De l'autre côté de la ville mais à moins d'un kilomètre et demi, les bureaux du *Times* sont intégralement recouverts de moquette. Le moindre centimètre carré, moquette de Bruxelles trois fils, couleur taupe. O'Land a travaillé toute sa vie dans le journalisme, et il n'a jamais rien vu de tel.

Bob parle :

« Ça a chiffonné Ray toute la matinée. Il me l'a dit, il m'a demandé de vous appeler pour vous dire que ce genre de battage médiatique ne va servir personne ici. On se casse déjà le cul. »

Ce mot, encore.

« Nous avons affaire à une ordure, Bob.

– Je le *sais*, Jim, Ray le sait aussi, évidemment que c'est une ordure, mais j'ai reçu une visite d'une psychiatre cinglée qui m'a causé tout un tas d'ennuis. Laissez-moi vous dire ce qu'en pense Ray.

– Vous pouvez attendre une minute, j'ai quelqu'un dans mon bureau. »

Meyerson entend O'Land dire à Rick de filer sur-le-champ à Burbank pour l'incendie du lycée et de trouver Tracy pour l'informer qu'elle doit être à UCLA avant midi si elle veut obtenir quelque chose. Puis O'Land reprend la conversation :

« Oui, Bob.

– D'accord. Donc nous sommes d'accord que c'est un sale type et tout et tout, mais est-ce que je peux vous lire quelque chose que Ray m'a envoyé et qui provient du chef de la police ?

– Je vous en prie. »

Bruits de papier.

« Hum. OK, voici. Quatorze homicides, un tueur en série, un violeur en série, Dieu sait combien d'autres violeurs...

– Nous avons les mêmes chiffres.

– Ce sont ceux de ce matin, Jim.

– Je le sais, Bob, je comprends.

– Donc je ne peux pas faire grand-chose pour votre Toyer. Hé, je voudrais en faire plus, mais j'ai un nombre restreint d'enquêteurs, et même si ce qu'il fait est moche, votre type n'est qu'un criminel de classe C.

– Merci de me le préciser.

– Vous êtes certain que vous ne voulez pas prendre une pause et déjeuner aux frais de la municipalité ? »

Petit silence.

«Heu, non, merci.

– En tout cas, Jim, merci de m'avoir écouté. Je vous le dis, Ray n'est pas content et il voulait que je vous fasse passer le message. Il a laissé entendre que vous en faisiez peut-être un peu trop sur ce type et que vous commenciez à nous faire passer pour des charlots.

– Hum, hum.

– Et lui pour un type bien.

– Hum, hum. »

Impossible d'insulter un politicien.

«On se reparlera.»

Clic.

MAUDE

Elle a conscience de ses dents. Dans son rêve elle essaie de distinguer son visage, mais il est informe. Il est tout d'abord Mason, puis son visage se dissout, il se fond en une autre créature. Il n'a pas de traits ou, s'il en a, ceux-ci s'effacent constamment.

C'est un immeuble hors d'âge sans ascenseur, un taudis habité par des femmes calmes qui ne parlent jamais. Maude y vient à la recherche de Mason. Quelqu'un a dit qu'il y vivait désormais. Mais elle se tient près de l'autre homme dans le couloir étroit. Les murs fins murmurent, comme si les fondations sur lesquelles ils se tiennent n'approuvaient pas leur présence. Tout n'est que pauvreté. Les pièces sont obscures. L'effroyable pension se dresse seule, près d'un marécage, étrange pour une ville. Il est le propriétaire. Il est charmant.

Il lui chuchote à l'oreille. Que dit-il ? À force de se tenir trop près de lui elle sent la sueur lui couler à l'intérieur des bras. Il veut qu'elle loue un logement ici. Qu'elle soit l'une de ses femmes. Elle essaie de l'entraîner dehors où elle pourra lui parler autrement que dans un murmure, faire affaire. Il la coince entre ses bras, sa robe s'évapore. Il la plaque contre le mur. Il lui soulève les cuisses, elle a les pieds posés sur la rampe d'escalier. Ce qu'il lui fait est précis, saisissant.

Après un rapport sexuel profondément satisfaisant, tandis qu'ils descendent l'escalier étroit, elle le taillade par-derrière à coups de scalpel. Elle le tue aisément, sans se presser, avec finesse, comme si c'était prévu. Sans laisser de trace.

Toyer est dans la chambre de Maude, il se tient au pied du lit et la regarde rêver. Il est *là*. Il a ralenti son souffle pour le faire coïncider avec celui de Maude. Il se sent parfaitement à l'aise tandis qu'il l'observe.

Dehors, le jour se lève. Elle n'a pas pu bouger, voit le sang de l'homme sur sa chemise de nuit. Elle ressent un *frisson*. Elle ouvre les yeux, écœurée. Elle a toujours la chair de poule, comme la fois où elle a croisé le regard d'un tigre sibérien dans un zoo.

Quand elle se réveille, il n'est plus dans la chambre. Parti. Elle s'aperçoit qu'elle a rêvé qu'elle le tuait au lieu de le guérir. Elle l'a tué avec un scalpel. Elle se réveille crispée, agitée, en sueur. Elle sent sa présence. C'est son eau de Cologne à elle qu'elle sent, mais portée sur son corps à lui.

Le téléphone ne sonne pas, elle entend le clic-clic du répondeur. Elle a coupé la sonnerie. Dans son demi-sommeil elle entend la voix. C'est Sara Smith, à bout de souffle, comme si elle venait de dégoter une robe magnifique à moitié prix pour le bal de son country club.

« Docteur Garance, Sara Smith à l'appareil, il faut *vraiment* que je vous parle, c'est important... S'il vous plaît, décrochez. »

Une fois encore elle laisse quatre numéros de téléphone. Il n'est pas un moment du jour ou de la nuit où il n'est pas possible d'importuner Sara Smith.

Les yeux clos, Maude tend le bras et appuie sur le bouton «Effacer». Lorsqu'elle les rouvre, elle voit le réveil numérique, 07 : 01. *Inhabituel.*

Étendue à demi éveillée, elle tente de se souvenir du visage de l'homme, mais Sara Smith l'a fait disparaître. Elle a toujours conscience de ses dents, de sa voix calme, de son charme troublant. Et du fait qu'il tenait un instrument argenté dans sa main droite, une tige luisante contre sa cuisse, aussi brillante que de la glace.

SARA

Samedi après-midi. Sara est quasiment seule dans la vaste salle de rédaction au deuxième étage de l'*Herald*. Hormis le sport, il n'y a pas d'informations le samedi car les pages du dimanche ne traitent que de géologie, d'événements historiques, de notables, d'accès à l'eau, de la vie des stars, plus quelques brèves d'agences. Des articles de fond.

Silence. Un bourdonnement de la force d'un murmure émane de la climatisation, des télex, des écrans de télé, du sang dans les veines. L'atmosphère sans cloisons d'un journal métropolitain, l'*Herald*, «le deuxième journal du matin de L.A.». Celui qui ne mâche pas ses mots, qui parle comme vous, celui qui a les meilleures pages sportives, le journal pas trop épais, *celui qui est sympa à lire*.

Le bureau de Sara Smith est l'un des vingt qui constituent la salle de rédaction, disposés comme du carrelage, par paires ou par quatre, jamais un bureau seul. À l'autre bout de la pièce elle voit Kit Menninger, le rédacteur de la rubrique gastronomie, occupé à décrire son dîner de la veille. Un peu plus près, derrière une cloison basse, se trouve Irv Kupchak, le rédacteur sportif, prix Pulitzer. Il est énorme, regarde simultanément plusieurs matchs de base-ball sur des écrans de télé. *Comment arrive-t-il à les différencier ?* Sara sourit, elle trouve qu'Irv ressemble à une balle de tennis chevelue avec une tête et des bras. Il est tellement le contraire d'un athlète, alors que Kit est si athlétique. *Pourquoi n'échangent-ils pas leurs postes ?* Voilà ce qu'elle s'imagine tandis qu'elle s'efforce de rédiger péniblement un autre paragraphe sur Toyer. C'est comme si elle était contractuellement liée à lui, pas une idée plaisante.

Tous les bureaux sont ouverts, un tiroir fermé à clé dans chacun. Mais sa base de données est absolument privée. Chaque reporter possède son propre mot de passe secret, que seul lui et le rédacteur en chef connaissent.

Sara saisit *C-R-I-C-K-E-T*, le nom de son alezan adoré, un cadeau d'anniversaire, qui est en garde à l'écurie Wee Burn, à Darien, Connecticut, sous la surveillance de Keene, sa petite sœur. Son téléphone sonne. *Pourvu que ce soit le docteur Garance.* Elle décroche.

«Sara Smith.»

Elle tente de paraître plus âgée, occupée, au comble de l'ennui, mais n'y parvient pas. Elle n'a pas ça en elle. Pendant quelques instants elle entend en fond sonore la voix d'une présentatrice de journal. C'est une radio, pas la télévision. Sara répète son nom. Puis, comme pour tester sa patience, la voix demande :

«Êtes-vous Sara Smith ?»

Elle a dit son nom deux fois, clairement. C'est le moment de se montrer sarcastique. Mais soudain elle se retient, et répète :

«Sara Smith à l'appareil.»

D'une voix claire et contrôlée. Il y a un silence, comme si son interlocuteur était timide.

« Merci, Sara Smith », déclare la voix.

Après un moment, tandis qu'elle entend toujours en fond sonore les informations à la radio, il raccroche. Fini. Elle tient le téléphone, regarde en direction de l'homme en forme de balle de tennis, impassiblement assis devant ses écrans, jusqu'à ce que lui aussi devienne flou. *C'était sa voix.*

Doux Jésus. Il m'a remerciée. D'avoir dit à un million de personnes au niveau local, et Dieu sait combien au niveau national, qu'il n'avait rien fait à Marla Booth. Il ne veut pas qu'on dise n'importe quoi à son sujet. Elle se sent singulière, seule au monde, spéciale, elle voudrait que ses parents soient là, debout à côté de son bureau. *Papa, je suis la seule journaliste au monde à avoir eu un contact avec ce monstre diabolique.* La police a entendu sa voix, bien sûr, mais absolument personne ne l'a jamais entendue aussi *intimement.* Ses bras ne lui appartiennent plus. Elle repose le combiné très loin d'elle.

Il lui faut un témoin. Pas la balle de tennis avec une tête, ni Kit Menninger. Elle regarde autour d'elle pour voir qui est présent. Il n'y a pas de témoins. L'assistant de rédaction du service informations, *un gamin de 20 ans avec une peau affreuse*, est dans le couloir, près des ascenseurs, en train de fumer une cigarette. Elle songe à Francesca Jackson, la stagiaire qu'elle forme ces temps-ci. *Pourquoi Franny n'est-elle pas là aujourd'hui ?*

Ce que Sara a autorisé Toyer à dire à ses lecteurs, c'est qu'il y a une bonne et une mauvaise manière de foutre la vie d'une fille en l'air. Il le fait de la bonne manière. Ce qui compte, c'est la *manière* dont vous foutez une vie en l'air, pas le *fait* que vous la foutiez en l'air. Il s'est salement servi d'elle, elle ne s'en était pas rendu compte.

Toyer m'a téléphoné, il m'a appelée par mon prénom, nous nous connaissons.

Plus tard il la suivra jusqu'à chez elle.

Le parking de l'*Herald*. La porte d'acier est ouverte par le garde, voici Sara, qui se dirige vers sa voiture. Elle a une démarche plaisante, des jambes joliment en biseau, les cheveux séparés par une raie. Son enveloppe en papier kraft tombe sur l'asphalte sinistre, des papiers s'éparpillent, elle s'accroupit comme un oiseau, un genou plus bas que l'autre. Il avance dans sa direction, veut l'aider. Mais elle est trop loin, il n'arrivera pas à temps à moins de se mettre à courir. *Ç'aurait été parfait, une rencontre adorable.* Il connaît sa voiture, la regarde grimper dedans depuis l'endroit idéal.

Il attend depuis 17 heures, la regarde s'éloigner. Quelques instants plus tard, il roule derrière elle, puis devant elle. Un jeu d'enfant, il connaît l'adresse de Sara. Il est déjà allé chez elle, il sait comment entrer.

Il aime son appartement, il est clair, simple, propre, chichement meublé. Une chambre, un salon, un coin cuisine, une terrasse avec une porte-fenêtre qui peut être ouverte de l'extérieur avec une bonne lame. À l'intérieur, un paravent italien, quelques chaises, une causeuse, une table de salle à manger. La scène idéale pour une farce. Le meuble principal est un bureau ministre, posé tel un hippopotame au centre de la pièce, un cadeau de son père. Une fois par mois, Sara s'y assoit et travaille jusque tard dans la nuit, vidant ses compartiments des papiers qu'ils contiennent. Il est plus important à ses yeux que le lit.

C'est le début de soirée, il fait encore jour, le long crépuscule de l'été. Lorsqu'elle pénètre dans son appartement, il est derrière le paravent italien. Il a verrouillé la porte-fenêtre. Elle ferme à clé la porte d'entrée, il l'entend placer la chaînette de sûreté censée la protéger des visiteurs indésirables.

Elle nous a enfermés ensemble.

Le sac est au-dessus de sa tête, pas trop serré, un sac de magicien doux au toucher conçu pour renfermer des colombes blanches. Le ruban adhésif est sur sa bouche. Elle bat des poings. Elle donne des coups de pied comme une petite fille, mais il fait trop noir, elle est écrasée par sa précision, son assurance. Elle est sur la moquette, il lui ligote les mains derrière le dos.

« Vous pouvez respirer ? »

Elle acquiesce, liquéfiée par la terreur.

« Si vous voulez vous battre contre moi, allez-y, mais je ne vous le recommande pas. »

Elle secoue la tête. *Il a un accent. Lequel ?*

« Vous allez coopérer ou vous voulez que j'utilise la force ? À vous de voir. »

Sara croit acquiescer. Elle flotte. Elle sent que le fait qu'elle tremble l'excite.

Il lui détache les chevilles. Elle va se faire violer. Il l'entraîne par le bras. Le parfum de sa propre chambre l'entoure.

« Bougez pas. »

Elle obéit. Il doit être assis sur le lit, soit devant elle, soit derrière. Elle sent ses mains grimper sous sa jupe, sent qu'il abaisse son slip le long de ses jambes. Sans réfléchir, elle lève les pieds pour l'ôter. Elle s'aperçoit qu'elle coopère. Ses mains sont douces, il porte peut-être des gants de chirurgien aussi fins que des préservatifs.

Elle essaie de dire quelque chose à travers le ruban adhésif.

« Oui ? »

Elle réessaie. Tshet. Elle cherche à dire le mot *toilettes*. Elle a besoin de faire pipi.

Il parvient à comprendre ce qu'elle dit, la mène à la salle de bains, elle s'appuie contre le lavabo, se positionne, il soulève sa jupe, la fait asseoir sur les toilettes. Elle le sent au-dessus d'elle, menaçant. Une minute passe, une autre. Elle l'entend qui quitte la salle de bains. Il l'observe. Elle fait pipi. Il revient. Elle se lève, il l'essuie, tire la chasse d'eau, la ramène dans la chambre. Le viol peut commencer.

« Bougez pas. »

Elle perçoit une odeur qui ne provient pas d'ici, du cuir.

Il lui pousse les épaules, elle tombe en arrière en pliant les genoux, le lit la rattrape. Il n'est pas brutal. Il n'a pas touché sa poitrine. Elle sent sa robe qui se soulève de nouveau. Tout ce qu'elle peut faire, c'est se tortiller, mais ça ne suffit pas.

Il lui écarte les jambes, elle n'a pas le choix. Elle est allongée sur le dos, exposée au soir. Elle se force à se soumettre sans capituler. Elle pense à ses parents, à Cricket. Elle attend. Les jambes écartées sans secrets. Le téléphone sonne. Personne. Elle voudrait que le matelas se replie autour d'elle, l'enferme dans un cocon où personne ne la retrouvera. Elle attend, attend. Elle l'entend plusieurs fois prononcer le nom *Elaine*.

Cinq minutes s'écoulent. Elle est étendue, nue des pieds à la taille, jambes écartées. Il l'a abandonnée, est allé dans le salon. À cause du sac en velours qui lui recouvre la tête, la sueur coule depuis ses cheveux sur ses joues, jusqu'à sa nuque.

Il en a fini avec elle, elle sent que c'est terminé.

La porte du réfrigérateur s'ouvre et se referme. Il n'y a rien pour lui dedans, melon, endives, asperges, eau pétillante, crème fraîche, champagne.

Elle entend la porte d'entrée se refermer. C'est fini.

Sara n'a aucun moyen d'en être sûre, mais elle suppose qu'elle met une heure à libérer son poignet droit qui était attaché au montant du lit, sous les ressorts. Il fait nuit lorsqu'elle ôte la capuche, un morceau de toile opaque agrafé à l'intérieur d'un sac de magicien.

Elle n'appellera pas la police, elle n'en parlera pas à Jim O'Land, ni n'en fera état dans l'*Herald*. Elle n'a personne à qui raconter ce qui s'est passé. Elle appelle Maude :

«J'arrive, docteur, vous devez me laisser entrer.»

Il y a de l'insistance et de la peur dans sa voix. Elle raccroche.

Elle roule jusqu'à chez Maude, sanglotant à l'idée qu'elle a été si proche de la mort. Humiliée de la sorte. Elle est anéantie, confuse, exulte en songeant à son infecte survie, au fait qu'elle n'a pas été violée, ni mutilée, qu'elle a été touchée par Toyer. Elle est dégoûtée par son pouvoir. Par la manière dont il s'est apprêté à la violer avant de décider de l'épargner.

Maude ouvre la porte, laisse entrer Sara sans lui poser de question. Elle sent que c'est sérieux. Sara pénètre dans la petite maison, tremblante, elle s'assied dans le fauteuil sans dire un mot. Maude lui apporte un verre à pied fin rempli de vin, un pinot noir. Elle sent qu'il s'est peut-être approché d'elle.

« Ne dites rien tant que vous n'aurez pas bu une bonne rasade, puis racontez-moi tout depuis le début. »

Sara s'enfonce dans le fauteuil, boit une gorgée, l'avale, ferme les yeux, boit une autre gorgée.

« Est-ce que ça a quelque chose à voir avec Toyer ? » Sara ne peut pas parler. « Qu'est-ce qu'il vous a fait ?

– *Pourquoi ?* »

Sara, exaspérée, renverse son vin.

« Pourquoi faire ça ?

– Toyer ? »

Sara acquiesce.

« Il venait de m'appeler une heure plus tôt pour me remercier, bon sang, de lui avoir rendu service.

– Qu'est-ce qu'il a fait ?

– Tout. Rien. Il a commencé à... » Maude parvient à peine à l'entendre. « Il ne m'a pas violée. » Les yeux toujours clos, Sara décrit la soirée en détail, le pouvoir de Toyer, sa finesse, sa précision, sa retenue. « Je ne l'ai même pas vu. » Maude écoute, regardant la bouche de Sara. « Pourquoi ?

– C'est ce qu'il fait, Sara. Toutes ces filles croyaient qu'il était leur meilleur ami.

– Mais il ne m'a pas violée. Il m'a tout fait sauf ça.

– C'est parce qu'il vous aime bien. »

Maude essuie avec un torchon le vin que Sara a renversé.

« Pas de police ?

– J'y ai songé, mais à quoi bon ? Je suis sûre qu'il portait des gants en latex, tout ce que ça me rapporterait, ce serait un papier dans le *Star*.

– Et votre propre journal ? »

Sara secoue la tête, agite la main.

« C'est ce qu'il veut.

– Vous avez besoin de vous étendre ? »

Sara fait signe que non.

« Est-ce que ça ne montre pas l'étendue de son pouvoir ? Me faire allonger, me ligoter, m'écarter les jambes, m'écarteler littéralement, puis ne pas me violer ?

– Qu'est-ce que vous pensez, au fond de vous ? C'était lui ?

– C'est lui. La coïncidence serait trop énorme. *Primo*, aucun psychopathe ne m'a jamais ligotée à mon lit, et *secundo*, un psychopathe m'avait téléphoné deux heures plus tôt. Je crois qu'il m'a attendue pendant tout ce temps. C'est lui, il joue avec moi. Je suis bien placée pour le savoir, c'est moi qui lui ai donné son nom, Toyer, le Joueur.

– C'est vous ? »

Maude l'ignorait.

« C'est l'*Herald* qui a lancé ce nom ?

– Oui. Après avoir découvert qu'il avait battu Gwyneth Freeman au backgammon. Dieu sait quel était l'enjeu de la partie.

– Ce nom m'a toujours déplu.

– À moi aussi. Mais il lui va bien. »

Maude acquiesce.

« Souvenez-vous, ce n'était peut-être même pas lui, Sara.

– Je me demande s'il est noir, Maude. »

Maude est surprise. La question de la race, de la nationalité, ne lui est jamais venue à l'esprit. Elle n'a jamais songé que Toyer pouvait être italien, juif, mexicain. Pour elle, il a toujours été blanc, issu de la classe moyenne, avec un niveau d'études supérieures, prépa médecine.

« Toujours une lointaine possibilité. Sa psychose est si unique qu'il pourrait être n'importe qui. »

Au lieu de leur resservir du pinot ou de leur préparer à dîner, Maude leur concocte deux boissons sérieuses, deux doubles gins avec une petite dose de tonic et de bitter.

Sara s'est légèrement détendue. Quand elle est entrée, elle a choisi de s'installer dans le profond fauteuil Timmons. Elle se sent ingénue, fragile. Elle arrive à regarder autour d'elle, à voir où elle est. Curieusement, à ses yeux, c'est un intérieur moderne et froid, noir et gris, de pierre et de verre, qui ne ressemble en rien à l'extérieur détrempé de la maison.

Le fauteuil profond, le gin. Sara essaie de contenir ses tremblements, surtout quand Maude la regarde, elle a honte de sa faiblesse. Elle a été humiliée, se sent désormais absurdement jeune. Maude perçoit un choc traumatique en Sara. Elle ne peut pas la mettre à la porte, la renvoyer chez elle, Sara n'a nulle part où aller. Maude lui demande de rester pour la nuit.

Jimmy G observe Sara, repoussant le moment de prendre une décision. Elle est légèrement ivre. Maude sent qu'elles ne pourront jamais être amies, que leurs valeurs sont aux antipodes. Si elle se sent proche d'elle ce soir, c'est uniquement à cause de Toyer.

Pendant la nuit, Sara essaie de dormir sur le divan de Maude, le silence profond du canyon rugissant dans ses oreilles. Elle ne parvient pas à s'ôter son supplice de la tête. L'exposition totale, l'asservissement, l'humiliation, ce moment où tout aurait pu se produire mais où il ne s'est rien passé. Des cicatrices imaginaires la font physiquement souffrir. Mais au fil de la nuit, sa peur se transforme en rage, en une haine personnelle féroce envers Toyer, similaire à celle qu'elle a perçue en Maude sans la comprendre. Ce sentiment est encore trop puissant pour que Sara le saisisse, trop inhabituel.

Le lendemain matin elle se souvient qu'il l'a appelée par un nom qui n'est pas le sien : Elaine.

« Est-ce que vous croyez que je suis arrivée alors qu'il était en train de cambrioler le mauvais appartement ? demande-t-elle à Maude.

– Non, répond celle-ci, il voulait être là et il voulait vous appeler Elaine. »

Sara appelle un serrurier, retourne à son appartement. Le serrurier change les serrures de la porte d'entrée, installe un verrou, il ne change pas le loquet de la porte-fenêtre que Toyer a crocheté pour entrer.

MAUDE

La nuit suivante, Maude rêve de nouveau. Elle a conscience de ses dents, comme d'habitude. Il n'y a plus d'immeuble affreux, plus de femmes silencieuses. Il n'y a plus de Mason. Ils sont désormais dehors, se tiennent à l'écart l'un de l'autre. Il est seul, nu, lui fait face depuis le côté opposé d'un champ d'herbes hautes. Jonquilles, jacinthes, primevères. Il marche vers elle. Il est grand, mince, sa peau et ses cheveux sont clairs. Ses mouvements sont vagues. Il marche vers elle à travers l'herbe qui lui monte jusqu'à la taille. Peut-être a-t-il une érection. Elle se réveille au bord de l'orgasme, avec un sentiment d'écœurement. Elle est horrifiée par ce qu'elle voit en elle, se sent contaminée par un poison qu'elle ne parvient pas à isoler.

Une fois éveillée, elle n'arrive pas à se souvenir de son visage. Elle n'a jamais vu ce champ, un champ d'herbes hautes qui n'est plus là, près de Dublin, dont sa mère lui a parlé de nombreuses fois. Un champ d'herbes hautes avec, chaque mois de mai, des soucis et des narcisses, un champ qui a désormais disparu, recouvert de maisons aux toits identiques. Elle ne se rappelle que sa voix, sa virilité. Elle sent qu'elle glisse sur une mauvaise pente, elle ne peut s'empêcher de se demander ce que ça fait d'être bâillonnée et séduite.

Son téléphone sonne. Les images de Maude sont corrompues. À demi assoupie, elle soulève le combiné. Elle a laissé la sonnerie au cas où Sara chercherait à l'appeler. C'est une voix d'homme, sonore.

« Elle vous a dit ce qui s'était passé ? demande la voix, qui semble faire partie de son rêve.

– Qui est à l'appareil ?

– Elle vous l'a dit ? »

Est-ce lui ? Elle retrouve soudain tous ses esprits. Essaie de s'éclaircir la voix.

« Il ne s'est rien passé. »

Il est toujours dans son rêve.

« Faux, docteur, je lui ai sorti le grand jeu. »

Elle tente de lui dire qu'elle veut le rencontrer, mais n'arrive pas à parler. Dehors, il fait nuit.

« J'ai été un bon garçon, vous ne trouvez pas, docteur ? »

Dans le silence engourdissant Maude entend des bruits de circulation en fond sonore. Il raccroche sans un bruit, avec son doigt, laissant place à la tonalité. « Oui », dit-elle.

Elle s'assied au bord du lit, les pieds posés sur le sol, aussi abasourdie qu'un oiseau happé par un boa constrictor juste avant que celui-ci ne le broie. Le réveil indique 03 : 01.

La maison est silencieuse. Elle est à moitié endormie. Elle a bu trois gin tonics, chargés. Les murs hurlent de voix qui cherchent à en sortir. Elle se sent comme l'une de ses patientes.

Changer de numéro. Maude est désormais pleinement éveillée, elle tient le téléphone en l'air entre le support et son oreille. *Je dois changer de numéro.* Elle compose le 00. Attend.

« Que puis-je pour vous ? »

L'opératrice a l'air alerte, Maude a l'air malade.

« Hum. J'aimerais changer de numéro dès que possible, quelqu'un me harcèle au téléphone.

– Je suis vraiment désolée. Appelez-vous depuis votre ligne ?

– Oui. »

Elle confirme le numéro. L'opératrice le répète. Soudain, Maude se ressaisit, prend conscience d'une chose. *C'est mon seul lien avec lui. Je ne peux pas le couper, il croira que je l'ai rejeté.*

« Je suis désolée, j'ai oublié quelque chose, est-ce que je peux vous rappeler demain ? Je vous dirai ce qu'il en est.

– Je note votre numéro et je le transmettrai à notre service clientèle, un de nos représentants vous appellera dans la matinée.

– Non, non, s'il vous plaît, je me suis trompée, j'ai oublié, quelqu'un doit m'appeler à ce numéro, quelqu'un que je ne peux pas joindre, merci tout de même.

– Si c'est urgent, poursuit l'opératrice, composez le 611 après 8 heures du matin et on vous affectera un nouveau numéro. Tout ce que je peux faire pour le moment, c'est vous suggérer de débrancher votre téléphone et d'essayer de dormir.

– Merci beaucoup pour votre gentillesse », marmonne Maude, et elle raccroche.

Elle se lève, prend une longue douche, d'abord trop chaude, puis trop froide.

Maintenant la partie commence. C'est ce que j'attendais. Si je n'arrive à rien avec lui, personne n'arrivera à rien.

SARA

Ça fait trois jours que Toyer n'a pas violé Sara.

Elle continue d'être en colère, prend des tranquillisants sur ordonnance pour maîtriser ses tremblements qui surviennent sans prévenir, elle n'en a parlé à personne, ni à son médecin, ni à Jim O'Land, seulement à Maude, et Maude s'aperçoit qu'elle aurait voulu que ça lui arrive à elle. Même Maude ignore que ce qu'il a fait à Sara, il l'a fait pour l'intriguer elle.

Sara n'en revient pas, mais Toyer lui a de nouveau écrit. Il a utilisé l'enveloppe rose d'une carte d'anniversaire, mais ce n'est pas son anniversaire. Tenant l'enveloppe rose, Sara traverse en courant la salle de rédaction jusqu'au bureau de Jim, lui fait signe alors qu'il est en pleine réunion avec deux journalistes. Lorsqu'elle lui lit la lettre, il est sidéré, plus qu'elle ne l'aurait imaginé, elle ne l'a jamais vu aussi heureux.

Comme pour se racheter, Toyer écrit à Sara qu'il lui enverra par courrier le récit de chacune de ses rencontres avec ses victimes, en commençant par Lydia Snow Lavin, la neuvième, puis en remontant jusqu'à Virginia Sapen, la première. Au passage il mentionne Maude.

Debout devant O'Land, après lui avoir lu la lettre, Sara a l'impression d'être nue et ligotée. Elle s'assied vivement. Il est trop tôt. Toyer l'a forcée à se déshabiller devant lui, il lui a écarté les jambes en grand, et maintenant il lui envoie une lettre personnelle dans une enveloppe rose.

« Pourquoi ne souriez-vous pas, Sara Smith ?

– Je suis un peu fatiguée. »

Elle ne pourra jamais lui dire.

Bien sûr que Toyer la manipule, elle le sait, c'est comme s'il la ligotait une fois de plus. Mais si elle n'accepte pas, qui d'autre le fera ? *Je ne peux pas le laisser écrire pour le* Times. *Non, c'est mon histoire. N'importe quel journaliste tuerait pour ça, et ça m'appartient.* Elle se sent malade.

« Excusez-moi, Jim, je reviens tout de suite. »

Elle file aux toilettes, essaie de vomir, en vain.

Lorsqu'elle revient, elle dit à Jim qu'elle espère que Toyer donnera sans s'en rendre compte des indices dans ses comptes-rendus. Il y a tant de lecteurs avides, peut-être que certains d'entre eux seront suffisamment intrigués pour jouer les détectives et proposer des solutions.

O'Land est d'accord.

« Si l'un de nos lecteurs résout cette affaire, Bob et Ray vont péter les plombs.

– Qui ça ? demande Sara avec un haussement d'épaules.

– Bob Meyerson et Ray Yellen. »

De retour à son bureau, elle téléphone à Maude. Pas de réponse.

Ça recommence, Maude. J'écris un nouvel article sur ce connard et j'inclus sa lettre. Est-ce que je l'immortalise ? Bien sûr. Donc vous avez raison, Maude, nous l'encourageons à

continuer, mais je crois que c'est son amour-propre qui parle,
et son amour-propre est la seule chose qui entraînera sa perte.
Mais je veux plus que jamais sa tête sur un plateau. Et, oui,
*l'*Herald *va vendre plus de papier.*

Une fois son article rédigé, alors qu'elle s'apprête
à partir, elle appelle une fois de plus Maude. Pas de
réponse.

MASON

Aujourd'hui Maude ne répond pas au téléphone.

Elle essaie de se rappeler Mason, mais n'y parvient pas. Elle croit qu'il la stabilisera. Elle essaie de retrouver le goût de leurs deux années passées ensemble. Quand tout allait bien, ils se purgeaient mutuellement et sortaient du lit purifiés, inodores. La nuit elle essaie de rêver de Mason, mais rêve de Toyer à la place. Elle plonge le regard dans les photos de Mason. Elle se souvient à peine de cette époque. Des jours isolés où il n'avait pas de travail et où elle s'apprêtait à changer de job. Une époque prodigue où ils restaient à la maison, libres de faire l'amour sans se presser. Ils avaient économisé un peu d'argent et l'avaient placé sur un compte épargne, «le joufflu», qu'ils l'appelaient, et ils pouvaient vivre dessus en cas de besoin pendant des mois. Du temps vide à combler tandis que le téléphone gisait à l'envers sous les coussins, le réveil perdu par terre, quand ils ne connaissaient plus personne et pouvaient rester indéfiniment ensemble, se réveillant les yeux rougis d'avoir tant fait l'amour, dans un lit si vaste que Mason avait délimité un territoire nord-est et un territoire sud-ouest. Les draps frais avaient l'odeur framboisée du printemps. Et dans ces souvenirs, des rideaux de coton blanc se gonflent sans cesse.

Elle se souvient.

Un jour. Un après-midi d'été. Mason humide après la douche, nu comme un ver, debout dans l'entrebâillement de la porte de la salle de bains. Il la regarde se déshabiller. C'est un spectacle toujours nouveau pour lui. Elle laisse tomber sa jupe en cercle sur le sol, la ramasse et la pose sur son pénis, puis son chemisier, puis son soutien-gorge, puis son slip, jusqu'à ce que tout, sauf son chapeau de paille, soit accroché à son sexe. Finalement, le chapeau de paille. La fois suivante où il était ressorti de la douche avec une érection, elle avait attrapé le tabouret d'osier. Il était tombé par terre, riant aux éclats.

Elle ne s'est jamais sentie si belle qu'avec Mason, si profondément belle. Si parfaitement nue.

Elle se souvient aussi de ceci.

Mason gisant dans un cercueil laqué, embaumé. *Mason est mort. Mason le mort.* Étrange. Une galerie inconnue pleine de musique surannée, de la musique pour le repos des morts. Les morts exposés aux vivants affairés. Ils défilent un à un. Leurs sanglots plus vrais que leurs sourires. La dernière impression que Maude a de Mason, si farouchement différente de la première.

Une vision noir et blanc de Mason gisant au garde-à-vous dans cette stupide boîte, les jambes jointes, ses chaussures cirées, son plus beau smoking, les joues couvertes d'un maquillage discret, les lèvres poudrées pincées, une grimace que je ne l'ai jamais vu faire. Des lèvres que je n'ai jamais embrassées. Son pénis est-il dur ? Oh ! pourquoi ne le laissent-ils pas reposer sur le flanc, en chien de fusil, comme il avait l'habitude de dormir dans son vieux pantalon de pyjama, un bras sous la tête, la tête sur l'oreiller ? Qui veut affronter l'éternité au garde-à-vous ?

Y a-t-il des embaumeurs avec le sens de l'humour ? L'embau-mement est-il plus important que la personne qu'on embaume ? Est-ce un art interprétatif qui me dit : « Voici à quoi Mason devrait ressembler » ?

Pour rêver de Mason, pour se souvenir des après-midi et des soirs agités par la brise, de leur adoration, de leur légèreté d'être, Maude doit tuer la vision surréaliste que le protocole la force à traîner partout avec elle pour le restant de ses jours. Son vampire pâle gisant dans cette pièce exsangue.

MAUDE

Il est tard ce soir-là, minuit passé, peut-être 1 heure passée. Maude a quitté le Kipness au nord de Malibu et roule vers le siège de l'*Herald* dans le centre de Los Angeles, quarante-huit kilomètres, la longueur et la largeur de la ville. Le siège de l'*Herald*; elle ne s'attendait pas à voir un large bâtiment de deux étages, un gâteau de mariage de 1900. Il est vide, partiellement éclairé, silencieux. Elle sonne fort à une porte d'acier cabossée, l'entrée de derrière qui ouvre sur le parking. Le gardien, qui lui évoque du chocolat poisseux, est surpris de voir un visiteur, surtout Maude, essayer d'entrer dans le bâtiment à une heure aussi tardive.

Il explique qu'il croit que M. O'Land est sur le point de partir, qu'il va descendre d'un moment à l'autre.

«Laissez-moi appeler son bureau, mademoiselle.»

Il enfonce une touche sur son téléphone. Elle attend. Elle l'entend qui répète son nom.

«Il dit que vous pouvez monter.»

Il s'excuse avant de passer une baguette d'aluminium – un détecteur de métal qui bipe au niveau de son sac à main – le long de son corps comme s'il s'agissait d'un *sex toy*. Elle ne porte aucune arme de destruction sous sa robe d'été.

«Prenez l'escalier, c'est au second.»

Elle gravit les marches de marbre usé, dont seules les plus abîmées ont été remplacées. Le gardien la regarde par-derrière tandis qu'elle monte pas à pas, comme s'ils venaient de faire l'amour. Elle sent qu'il s'imagine que si elle vient voir Jim O'Land en pleine nuit, c'est qu'elle a une liaison avec le chef.

Elle reconnaît aussitôt O'Land. Qui d'autre pourrait-il être ? L'autorité inconsciente. Il est légèrement plus grand qu'elle ne l'imaginait, avec une bonne tête, des sourcils épais. Il se tient, voûté, devant la longue salle de rédaction presque vide, près de l'ascenseur. Il l'attend, comme s'il revenait d'une bataille au cours de laquelle un ami a été tué. Il a les mains vides.

Ils se saluent de la tête comme s'ils se connaissaient.

« Monsieur O'Land ? Je suis le docteur Garance du Kipness. J'ai téléphoné.

– Merci d'être venue, docteur, j'étais sur le point de partir. »

Fier de ses longues heures.

Il règne dans la salle de rédaction une atmosphère lasse, vieille, plus proche de la mort que de la naissance.

« Monsieur O'Land, votre journaliste Sara Smith m'a informée que vous aviez l'intention de publier le journal de Toyer.

– C'est exact, docteur. Et nous souhaitions aussi publier vos commentaires, mais elle m'a dit que vous n'étiez pas disponible.

– Si, je suis disponible. Mais j'aimerais vous supplier de ne pas les imprimer.

– Il me semble que le public est en droit de savoir ce qu'il a à dire.

– Pourquoi ? Pourquoi le public aurait-il le droit de découvrir le fonctionnement de son esprit ? Ça fait cinquante ans que le public n'est pas sorti de sa léthargie. »

O'Land pousse un petit gloussement appréciateur.

« Je suis forcé d'être d'accord avec vous, docteur, vous avez parfaitement raison. Depuis la Seconde Guerre mondiale, pour être exact.

– Alors, pourquoi ?

– Le public a le droit.

– Même s'il est idiot ?

– Oui. Il est aux premières loges.

– Aux premières loges ? C'est un spectacle ?

– Plus ou moins.

– Alors publiez son journal dans vos pages cinéma. »

O'Land est las, peut-être pas disposé à se battre. Il se tourne vers l'escalier, proposant son bras à Maude. *Allons faire un tour et discutons.* Elle opte pour la rampe d'acier.

« À cause de vous il va se prendre pour une star, ne le voyez-vous pas ? Vous lui donnez une crédibilité. Vous ne pouvez pas faire ça.

– Pourquoi pas ? demande-t-il avec sincérité.

– Pour commencer, il a un *ça.* »

Elle tend les mains et forme un grand cercle.

« Pardon ?

– Un *ça*, des pulsions incontrôlées et inconscientes.

– D'accord. »

O'Land boite légèrement.

« Le pire que nous puissions faire, c'est prendre au sérieux les actes d'un psychotique. Nous renforçons son comportement, il se dira que ce qu'il fait est acceptable. »

Maude se sent épuisée, elle a l'impression que perdre cette bataille l'abîmera à jamais.

« Les mauvaises nouvelles font vendre, n'est-ce pas ?

– Certainement. »

Maude se fige sur les marches. O'Land se retourne et l'attend, levant les yeux vers elle.

« Écoutez, docteur, vous êtes habilitée à parler. Si vous acceptez de le conseiller d'une manière ou d'une autre, je vous accorde sept cents mots dans la tribune de demain.

– Le conseiller ?

– Tout ce que vous aimeriez écrire qui pourrait le pousser à faire une connerie. Vous devez pouvoir faire quelque chose pour entraver sa marche.

– Vous semblez sérieux.

– Je le suis. »

O'Land pourrait faire du cinéma, mais ce n'est probablement pas le cas.

« Je peux vous réserver autant d'espace que vous en aurez besoin.

– Il semble avoir une sorte d'éthique, et ça m'inquiète. Il semble réellement se soucier de ce qui arrive à ses victimes.

– Pourquoi est-ce que ça devrait vous inquiéter ?

– Parce que, dans ce cas, ce qu'il fait, il le fait en bonne conscience.

– Eh bien, si vous parvenez à l'analyser, peut-être que nous aurons sa peau. J'aimerais réellement le voir derrière les barreaux.

– La psychiatrie est un processus progressif.

– L'*Herald* sera là pour vous au cas où vous changeriez d'avis. Quel que soit le jour que vous choisirez, j'imprimerai exactement ce que vous direz, sans modifications. Une discussion animée entre vous deux ne pourrait être que positive.

– Pour votre tirage.

– Tentez le coup, docteur, votre style me plaît déjà. »

Ils sont sur le parking.

« Allez vous faire foutre, monsieur O'Land. »

Il glousse une fois de plus, avec ravissement.

« La dernière fois qu'une femme m'a dit ça, je l'ai épousée.

– Essayez de tenir vos névroses à l'écart de tout ça.

– Ah ! ah ! »

O'Land rit en direction de la lune qui illumine le parking.

« Les femmes sont fougueuses, que voulez-vous.

– Je vous en prie, ce sont les chevaux qui sont fougueux.

– D'accord, les femmes sont obstinées. » Il rit de nouveau, ne la voit pas sourire. « J'irai encore plus loin, docteur, je vous embaucherai pour rédiger des analyses de ses crimes, quoi qu'il fasse. Peut-être que vous pourrez le mettre à genoux, qui sait ? Je peux vous offrir trois cents dollars par article. C'est moins que ce que gagne un médecin, mais c'est Hollywood dans le milieu de la presse. Nous pouvons publier votre article hebdomadaire après le week-end, disons lundi matin. »

Il est ravi.

« Je vous le redemande, n'imprimez pas cette lettre. »

Une série de gémissements souterrains s'élève, se transforme en un puissant grondement régulier, un vacarme surnaturel. O'Land consulte sa montre.

« Vous entendez ce bruit ? Je suis désolé, docteur, la lettre va paraître, les rotatives sont lancées. »

O'LAND

Cette fois Jim O'Land a imprimé un encadré en première page :

LA NEUVIÈME VICTIME DE TOYER
SA VERSION DES FAITS

Los Angeles. 23 mai. Exclusivité du *Los Angeles Herald.* Le document suivant reproduit le texte intégral d'une lettre reçue à l'*Herald* hier, lettre écrite par le criminel toujours non appréhendé connu sous le nom de Toyer.

Il s'agit de son propre compte-rendu de la soirée qu'il a passée avec Lydia Snow Lavin le 30 avril. Lavin a été retrouvée dans son appartement de Los Angeles tôt le jeudi matin, après un bref coup de fil de Toyer à la police de Los Angeles. Elle est sa neuvième victime et, tout comme les huit premières, a subi une cordotomie cervicale.

Puis, en page 3 :

MA PROPRE VERSION DES FAITS
Toyer

Dès l'instant où Lydia m'a ouvert la porte, je me suis senti chez moi. Sa petite maison est un mélange éclectique de tout ce qu'elle aime et j'ai aussitôt su que nous nous entendrions. Elle me *plaisait* déjà. Une vache en papier était suspendue au plafond au moyen d'une ficelle. Ça m'a fait rire. Je lui ai demandé où elle l'avait trouvée, et elle m'a répondu à Tijuana. Des objets personnels étaient partout bien visibles. Je crois qu'elle cherchait à dévoiler sa personnalité à ses visiteurs. Son appartement était vraiment propre mais elle avait un côté négligé qui me plaisait. Bref, elle m'a préparé une tasse de thé chaud, puis nous nous sommes assis autour de sa table basse et avons discuté. Elle était si jolie. Et elle l'est toujours. Très pâle, ce qui est inhabituel à Los Angeles. Elle m'a dit qu'elle ne voulait pas être bronzée. Jolie, pâle et *intelligente*, non qu'il soit nécessaire d'être intelligent pour me battre au backgammon. Mais nous n'avons pas joué. Le procureur s'est trompé. J'ai posé les pions sur le tablier après coup. Il était près de minuit quand je me suis levé et ai annoncé que je devais y aller. Elle a semblé surprise. Les femmes sont toujours surprises quand vous ne vous jetez pas sur elles, tête la première. Elles *s'attendent* à devoir offrir un peu de résistance, elles aiment qu'on les force à se retrouver en position de dire très clairement non. Si vous ne leur donnez pas cette chance, elles se disent qu'elles ont un problème et courent s'acheter du maquillage le lendemain. Plus tard, quand Lydia a compris ce qui se passait et qui j'étais, etc., elle a parlé de sa photo. Elle m'a dit que sa meilleure photo était en train d'être agrandie et m'a supplié de ne pas laisser les journaux publier la photo de son annuaire d'école. Elle a noté le nom du labo photo sur un papier et l'a laissé en évidence pour la police, mais ils ont tout de même utilisé la photo qu'elle n'aimait pas. Lydia m'a parlé de ses parents en Pennsylvanie, du fait qu'elle leur manquait, donc je sais qu'on s'occupera bien d'elle. Ce qui change tout. Je crains en effet que tout le monde n'ait pas des parents gentils comme les siens. Nous nous sommes plus ou moins dit au revoir. Lydia est différente. Il y a en elle des traits singuliers qu'on ne voit pas tous les jours.

Le récit est signé « Toyer ».

Il n'y a rien là-dedans, c'est un sac vide. Mais à en juger par les réactions du lendemain, Toyer a tout d'une star. Les lecteurs qui cherchent à voir le bien en autrui ont été touchés par sa franchise, les avis sont à soixante-quinze pour cent favorables, aussi bien par téléphone que par courrier.

Quand O'Land annonce ce chiffre à Sara, il est fou de joie, surpris qu'elle ne le soit pas. Elle perçoit pour la première fois ce que Maude lui a déjà dit, qu'ils ont créé un héros fantoche, et que grâce à l'*Herald* celui-ci est désormais l'animateur volubile de son propre talk-show. C'est Sara qui est à l'origine de tout ce tapage. Et elle s'en veut.

MAUDE

Maude n'a pas pris rendez-vous pour voir le procureur adjoint Meyerson. Elle a juste fait irruption, la réceptionniste tentant de la retenir, appelant aussitôt Meyerson.

« C'est bon, Ciel, laissez-la entrer », répond-il d'une voix lasse à l'interphone.

Les taureaux sont lâchés.

Maude a retrouvé le tailleur sombre qu'elle a porté pour la dernière fois lors de l'enterrement de Mason et qui n'a pas été nettoyé depuis. Elle a oublié de se regarder dans le miroir, oublié de se laver, de se coiffer, les signes annonciateurs de la folie.

« Je suis à votre disposition, docteur Garance.

– Ne dites pas ça, monsieur Meyerson, je pourrais.

– Vous pourriez quoi ?

– Disposer de vous. »

Elle jette un coup d'œil en direction de la fenêtre. *Trop tôt pour l'humour.*

Il n'est pas seul, une femme est avec lui, debout près de son bureau, en train de regarder par-dessus son épaule. *Qu'est-ce qu'elle porte en bandoulière, un sac ou un castor mort ?*

« Excusez-moi de faire irruption, monsieur Meyerson, mais ce psychopathe qui court toujours a dorénavant une colonne dans un journal. NBC et Fox prévoient aussi de tourner des films à son sujet.

– Je ne contrôle pas l'industrie du spectacle, docteur.

– Ça, on peut dire qu'il amuse la galerie, n'est-ce pas ? Oh ! et au fait, vous l'amusez aussi. Que faut-il pour que vous soyez embarrassé ?

– Croyez-moi, je suis embarrassé. Oh ! je vous présente mon associée du service des relations publiques, Ruth Sakamoto. »

Son nom de femme mariée, de toute évidence. C'est une rousse robuste. Elle gratifie Maude d'un sourire caustique. Maude n'a pas l'air dans son assiette.

« Pourquoi les flics de la criminelle ne l'arrêtent-ils pas ? Avec tous les indices qu'il laisse ? »

Maude se tient près de la fenêtre.

« Vous ne comparez pas ces méfaits à des meurtres, si, docteur ? »

La femme tout sourire est étonnamment abrupte pour quelqu'un qui travaille dans les relations publiques.

« Si, répond Maude.

– Eh bien, vous ne devriez pas, docteur. Il y a une distinction subtile, déclare Bob Meyerson.

– Notre mission est de poursuivre ceux qui ôtent la vie », ajoute Ruth Sakamoto.

Maude perçoit une formalité diabolique dans sa voix.

« La vie, c'est l'âme, n'est-ce pas ? réplique-t-elle. On a chirurgicalement ôté leur âme à ces filles. »

Un peu pompeux, mais assez proche de la réalité. Meyerson est interloqué. Ruth Sakamoto, debout derrière lui, parle à sa place.

«Ses méfaits sont peut-être diaboliques, docteur, mais ce ne sont tout simplement pas des meurtres.»

Maude sent que la tête commence à lui tourner, elle ne veut pas pleurer.

«C'est un fait, il leur ôte la vie.»

Ruth Sakamoto pose la main sur l'épaule de Meyerson.

«Combien de meurtres la semaine dernière, Bob? Est-ce que c'était vingt?

– Presque.

– Et une seule cordotomie, c'est ce que vous voulez dire?

– Désolée, docteur, dit la femme d'un ton apaisant, les meurtres sont ce qu'il y a de pire.

– Oui, intervient Meyerson, qu'est-ce qui est pire que mourir?

– Se réveiller.

– N'importe quelle vie vaut mieux que pas de vie du tout, docteur, je suis surprise que vous ne le sachiez pas.»

La pièce tourne désormais à toute vitesse autour de Maude. Hier soir elle a avalé deux cents milligrammes de Mépéridine pour dormir. Elle perd pied.

Elle voit la petite statuette en cuivre qui représente un homme tenant un minuscule pistolet. *Premier prix au concours de celui qui pisse le plus droit.*

«Comment vous avez remporté ça, Meyerson?

– Armes petits calibres, tir sur cible.

– J'ai vu ce genre de camelote dans des magasins de farces et attrapes.»

Elle saisit la statuette. La femme lève le menton, *en garde.*

«Attrapez.»

La femme se fige.

Maude lance le trophée à bout portant en direction de Meyerson, faisant voler en éclats la carafe de verre qui est posée derrière lui. Meyerson et la femme se baissent. Lorsqu'ils rouvrent les yeux, ils sont de nouveau seuls.

Meyerson appelle le Kipness, parle à Mme Kipness en personne.

«Je viens d'être victime d'une attaque à main armée de la part de votre docteur Garance. Je porte plainte si jamais je revois cette personne dans mon bureau.»

Mme Kipness, impératrice douairière de la fondation de feu son mari, le Centre neurologique Kipness Memorial pour la recherche avancée, téléphone personnellement à son chef de service, le docteur Edward Tredescant. Il est en salle d'opération. Elle laisse un message sur son répondeur, chose qu'elle ne fait d'ordinaire pas. Elle répète ce que Meyerson lui a dit, puis ajoute: «Ed, renvoyez-la temporairement.»

DOCTEUR T

Ils sont en voiture, cherchent le restaurant Che Italia. Le docteur T a été incapable d'informer Maude qu'elle était renvoyée pour six semaines de plus.

L'année qui vient de s'écouler a provoqué en elle des dégâts invisibles. Ses collègues observent le changement, mais ils ne savent que penser et, ne sachant que penser, s'imaginent des choses. Aucun d'eux ne voit, sauf moi, probablement, que c'est plus sérieux que ça, qu'elle est au bord de la dépression.

« Où est ce restaurant ?

– Qu'avez-vous jeté ?

– Une espèce de jouet.

– L'avez-vous jeté gentiment ou violemment ?

– Qu'est-ce que vous croyez ? À bout portant. Je n'y vais pas de main morte.

– Il menace de vous poursuivre pour attaque à main armée. La Patronne est folle de rage.

– Où est ce restaurant ?

– C'est tout ce qui vous préoccupe, les pâtes au pesto ?

– Non, il y a aussi le pollaio alla saltimboca.

– Maude, qu'est-ce qui s'est passé ? »

Elle change de voie, conduit mal.

« Vous y êtes retournée. Je vous avais mise en garde.

– Le procureur est désolé, mais avec eux, si vous n'êtes pas mort, personne ne fait attention à vous.

– Arrêtez, arrêtez. Tournez ici. »

Après avoir trouvé le restaurant, un établissement fatigué pour toutes les bonnes raisons, ils dînent superbement bien, dans une atmosphère étonnamment détendue.

« La Patronne veut que vous preniez un congé sabbatique, annonce-t-il. Que vous restiez chez vous, que vous laissiez tomber. Je ne peux pas dire que je ne sois pas d'accord.

– Est-ce que vous me mettez à pied, Elias ?

– Bien sûr que non. »

Maude comprend, ce qu'elle ne dit pas, c'est qu'elle est d'accord.

Il a toujours conscience de ses propres défauts. Il a été marié trop longtemps à une femme qui ne lui convenait pas. Tout ce qu'il peut faire, c'est aimer Maude, sans jamais le dire.

C'est un dîner long et lent, plein de saveurs hardies, de vin sombre, ce sont de vieux amis. Les assiettes et les couverts s'entrechoquent derrière eux. Ils se sourient par-dessus leur fourchette, elle lui saisit la main, la tient sans la serrer. Il voudrait que les choses aillent plus loin.

Lorsqu'ils sortent, le mur de chaleur nocturne les percute de plein fouet, en pleine face. L'air épais semble sur le point de donner de la pluie, mais il ne pleuvra pas ce soir.

« Mes filles me manquent, Elias, est-ce que je peux passer les voir ?

– Après les heures de visite. Baissez la tête et portez un casque. »

Elle se reposera lourdement sur lui, tout se passera bien. *Je suis le seul homme de sa vie.* Il lui sourit et, avant de filer, lui souhaite une bonne nuit en l'embrassant doucement, sur la bouche. Ce sont de vieux amis.

MAUDE

La première page de l'*Herald* est étalée sur le siège passager de la voiture de Maude. Après être rentrée de l'hôpital, elle essaie d'appeler Sara à ses divers numéros, la trouve chez elle à la deuxième tentative. Elle n'a rien contre Sara Smith. Elles ne deviendront sans doute jamais amies, ce qui n'a aucune importance, et pourtant elle s'en fait pour elle. Sara est toujours traumatisée par son expérience avec Toyer. Il est beaucoup trop tard pour téléphoner.

Elle entend la voix de Sara émerger d'un sommeil profond. Il est ridiculement tard, peut-être 3 heures du matin, elle n'a pas vérifié.

« Bonsoir, est-ce que je vous réveille ? »

Bien sûr que je la réveille.

« Oui, qui est à l'appareil ?

– Maude. Je suis désolée, Sara, j'ai perdu la notion du temps. Est-ce que vous allez mieux ?

– Je le saurai quand je serai réveillée. Quelle heure est-il ?

– Je vous rappellerai dans la matinée.

– Non, non. Qu'est-ce qui se passe, Maude ?

– Aviez-vous l'intention de passer me voir demain et de me demander d'écrire des articles pour votre journal ?

– Oui.

– Pas la peine. J'accepte. Je sais que ça va lui faire un plaisir fou. Mais en même temps ça mettra le bureau du procureur dans l'embarras, et ça les forcera à faire quelque chose. *Capisce*, Sara ?

– *Capisce.* »

Elle est désormais complètement réveillée, ravie. Il est 2 h 10.

« Je sais que nous avons un sacré dilemme, Maude, nous allons probablement le rendre encore plus célèbre avant de lui mettre la main dessus. Je parie que *Time Magazine* va faire sa couverture avec un visage marqué d'un point d'interrogation et le nom Toyer. Mais essayons tout ce que nous pouvons, je veux la même chose que vous sauf que ça m'est égal qu'il soit vivant ou mort, d'ailleurs je préférerais la dernière solution.

– Je suis presque d'accord.

– Vous pouvez venir au journal demain ? Pour rencontrer Jim O'Land, mon patron ?

– C'est déjà fait.

– Marrant, il a oublié de m'en parler. »

Sara est une fille persévérante. Maude éprouve un vague respect pour elle. *Bien qu'il ait posé les mains sur elle et qu'il l'ait humiliée et qu'elle s'en soit sortie indemne, elle a toujours la même foutue persévérance acharnée, même quand je l'envoie promener. C'est une qualité que je n'ai pas. Je perds peut-être un peu la boule, mais je ne peux pas m'empêcher de tout analyser.*

Elle comprend la colère de Sara. Bien sûr qu'elle la comprend, elle a elle-même du mal à dissiper sa propre rage au quotidien. Elle sait que rédiger publiquement des évaluations psychiatriques sur un patient qu'elle n'a jamais rencontré va à l'encontre de l'éthique. Elle comprend que Sara fasse ce qu'elle fait en tant que jour-naliste, comprend pourquoi les gens lui demandent de le faire. Le public ne peut pas apprécier Peter Pan s'il ne voit pas les ficelles reliées au plafond qui lui permettent de voler. Le public a besoin de voir comment Toyer joue.

SARA

Le lendemain, au bas de la tribune, juste au-dessus du courrier des lecteurs, Sara insère un encadré :

Le docteur Maude Garance, physiatre en congé de l'hôpital Kipness Memorial, sondera le psychisme de Toyer dans une série d'articles hebdomadaires qui débutera lundi matin prochain en section A.

C'est tout ce que Maude peut faire.

Sara a vieilli de plusieurs années au cours de ce dernier mois, elle sent que tout ça, c'est plus qu'un scoop, plus qu'une histoire, plus qu'une exclusivité, plus que de l'acceptation. *Mais qu'est-ce que c'est ?* Pour la première fois elle sent quelque chose de fort et profond couler en elle, une frénésie contrôlée, quelque chose de dangereux. Dans sa brève expérience de la vie, elle peut comparer ça à la différence qu'il y a entre recevoir une bise sur la joue à la porte de la maison de son père à Greenwich et se faire baiser par le matelot suédois à bord du yacht Winslow dans le détroit de Long Island.

MAUDE

Elles sont assises sur le divan. Sara Smith a apporté le dîner, du poulet vapeur à la sauce au soja avec du gingembre et des oignons. Elles boivent un excellent thé noir. Maude n'a pas bu un verre de toute la soirée. Elle lit ses notes à haute voix sans conviction.

« *Vous êtes un psychopathe. Un sociopathe. Vous ne créez que de la douleur.*

– Et vous faites chier, ajoute Sara.

– Je sens votre colère, Sara.

– Oh ? »

Elle éclate de rire. C'est la première fois qu'elle se laisse aller. Maude l'apprécie un peu plus à chaque fois qu'elle vient la voir.

« *Peut-être avez-vous un sens moral ; vous prétendez ne pas pouvoir tuer. Ou peut-être avez-vous simplement peur de la condamnation à mort que le meurtre entraîne.* »

Sara ne dit rien.

« *Vous êtes un acteur, un imitateur. Vous utilisez votre talent comme un instrument de destruction. La proximité de la dualité est nécessaire, mais vous n'êtes qu'un joueur dans une ville de joueurs, le type de joueur que cette ville plus que toute autre s'efforce de créer et de rendre parfait. Vous ne souffrez pas. Vous vous en prenez aux autres pour apaiser votre douleur.*

Ça fonctionne peut-être, mais ça ne durera pas longtemps. Je vous plains.»

Elle repose la page.

«C'est un début, déclare Sara, tentant de se montrer diplomate.

– Vous croyez qu'il le lira?

– Oui, Maude, je suis sûre qu'il essaiera d'aller jusqu'au bout. En revanche, je ne suis pas certaine pour ce qui est de nos autres lecteurs. Ça les endormira peut-être.

– Sérieusement?

– Sérieusement, Jim ne va pas publier ça, c'est juste une description de son état. Continuez de travailler, vous trouverez votre voie. Concentrez-vous simplement sur ce qu'il a fait à vos patientes. Ou sur ce qu'il m'a fait à moi. Et essayez de changer sa vie, de faire en sorte qu'il se voie comme nous le voyons. Ne serait-ce pas formidable si grâce à vous il se contentait de dix victimes? S'il arrêtait demain?

– Ce serait un problème.

– Pourquoi? Il serait guéri.

– Oui, et il disparaîtrait. Il irait s'enterrer au Mexique ou au Canada et nous n'entendrions plus jamais parler de lui.

– Et nous fêterions ça.

– Non.

– Vous voulez sa tête?

– Ça m'a traversé l'esprit.

– Et ses couilles.»

Plus tard, après le départ de Sara, Maude se lève, débarrasse la table. Seule, elle s'assied devant la page blanche.

Comment puis-je traiter un patient qui n'est pas venu me demander de traitement ? Elias T me dira que c'est une pose, que je suis une diseuse de bonne aventure avec un rideau orné de perles. Dieu sait ce que pensera Toyer.

Jimmy G est éveillé, figé à la fenêtre, regardant dehors les petits fantômes de la nuit. Elle commence, d'une jolie écriture, au stylo-bille noir : « Cher Toyer ». Elle raye le « Cher ».

Quand arrive l'aube, alors que Jimmy G est doucement endormi sur ses pages, Maude pose son stylo et s'étire les doigts. Le rossignol est parti se coucher. Elle lit ses notes, les plie. Elle appelle Sara Smith chez elle, la réveillant une fois de plus. C'est dimanche.

SARA

Sara est ravie, elle dit à Maude que son texte est parfait, bref, simple, que tout le monde peut le comprendre, et qu'il a ce charme fondamentalement humain dont les rédacteurs de presse raffolent. Sara roule jusqu'à chez Maude plus tard dans la matinée, récupère le document dans la boîte à lettres, là où Maude l'a laissé à son intention. Ce soir il ira sous presse.

Los Angeles. 4 juin. Exclusivité du *Los Angeles Herald*. À partir d'aujourd'hui, Maude Garance, docteur en médecine, physiatre à l'hôpital Kipness Memorial, écrira une colonne hebdomadaire dans laquelle elle exprimera dans le détail ses inquiétudes concernant le criminel toujours non appréhendé connu sous le nom de Toyer.

Toyer,
Nous avons les psychotiques que nous méritons. N'en a-t-il pas toujours été ainsi ? Nous vous avons voulu. Ironiquement, vous remplissez un vide dans l'équilibre de la nature.
Quant à vos possibles motivations, je suis naturellement dans l'incapacité de les deviner. Mais j'avancerais l'hypothèse que vous avez peut-être vécu

une expérience tellement effroyable que vous estimez devoir vous venger.

Chacun de nous a, à quelque moment de sa vie, été profondément bouleversé par la tragédie. Mais nous avons diverses manières d'apaiser la douleur.

Ne sentez-vous pas périodiquement la rage familière monter en vous tandis que vous vous efforcez de réparer le tort qui vous a été fait ? En choisissant la vengeance pour rétablir l'équilibre vous ne ferez qu'aggraver les choses, vous ne trouverez jamais la satisfaction. À chaque victime, c'est votre douleur que vous attaquez. Votre douleur s'évanouit, et s'ensuit une sensation de bien-être. Hélas, le soulagement est de courte durée.

Convenez-vous que vous venger sur des innocentes est pire que ce qui vous pousse à vous venger ?

La catharsis est hors de portée. Vous souffrez d'une compulsion de répétition. Vous êtes devenu un acteur dans votre propre psychodrame ; adopter une deuxième identité exige une psychose modérée, comme un caméléon qui change de couleur en fonction de la feuille sur laquelle il se trouve.

Docteur Maude Garance

Physiatre résidente

Hôpital Kipness Memorial

L'article possède un certain charme à dimension humaine que les lecteurs recherchent. Tout au long du mardi, c'est une avalanche de coups de fil au journal.

Un professeur de sciences appelle pour plaider la cause des caméléons, soulignant leur élégance, leur histoire fantastique, leur origine ancestrale. Ils ont été utilisés à mauvais escient par le docteur Garance.

Le président de la guilde des acteurs de cinéma prévient qu'il va écrire une lettre au nom de tous les acteurs, exigeant une rétractation, affirmant qu'en comparant Toyer à un acteur le docteur Garance a calomnié une profession aussi importante que la sienne. Cent vingt-six coups de fil, des pour et des contre, pour la plupart difficiles à comprendre, arrivent au standard de l'*Herald.* Parmi les appels en défense de Toyer, il y en a un qui provient peut-être de lui.

TOYER

Trois jours plus tard, vendredi 8 juin, O'Land imprime la réponse de Toyer à la première analyse de Maude. Tout le monde est excité, même Maude est surprise, elle ne pensait pas qu'il écrirait.

O'Land dit sentencieusement à Sara :

« C'est sans précédent dans les annales du journalisme.

– Jim, calmez-vous. »

La lettre de Toyer est brève et pittoresque :

Los Angeles. 8 juin. Exclusivité du *Los Angeles Herald*. Le document suivant est le texte intégral d'une lettre reçue à l'*Herald* aujourd'hui, lettre écrite par le criminel toujours non appréhendé connu sous le nom de Toyer. Il s'agit de sa réponse à la lettre publiée lundi dernier dans l'*Herald* par le docteur Maude Garance, physiatre résidente à l'hôpital Kipness Memorial de Los Angeles.

Cher docteur Garance,

Vous me traitez de caméléon dans le journal de lundi ? Désolé, doc, vous avez tout faux. Les caméléons sont des bestioles barbantes et laides qui se traînent au ralenti. Ils gobent des mouches – beurk. J'ai appris

ça à l'école. Voici la grande différence entre un
caméléon et moi. Un caméléon change de couleur en
fonction de la couleur de la feuille sur laquelle il se
trouve, d'accord? Alors que moi, je change la couleur
de la feuille sur laquelle je me trouve pour qu'elle
corresponde à ma couleur.

Comme à chaque fois, c'est signé «Toyer».

Sara trouve Jim O'Land à son bureau, en train de
ricaner.

«Grâce à nous maintenant ils s'écrivent.»

DOCTEUR T

Il fait presque jour. 5 h 45. Maude est rentrée tard de l'hôpital, où elle a passé les dernières heures de la nuit avec Gwyneth et Lydia. Seule l'infirmière de nuit, Chleo, l'a vue aller de chambre en chambre. Elle a bu un verre d'excellent gin et s'est couchée.

Toyer, j'ai rêvé de vous. Je vous ai tué en rêve. Le violeur qui viole les esprits et abandonne les corps. Je vais encore rêver de vous ce soir.

Le téléphone sonne, la faisant sursauter. Elle hésite.

« Vous ne dormez pas ? »

C'est le docteur T.

« Non, Elias. C'est bon.

– Est-ce que je peux venir ?

– Quel est le problème ?

– Il n'y a aucun problème à l'hôpital, mais il faut que je vous parle.

– L'*Herald*.

– Maude, c'est du suicide.

– Vraiment ?

– J'en suis convaincu.

– Je dois le faire, Elias.

– Vous allez foutre votre carrière en l'air.

– Je peux le battre.

– Ce n'est pas à vous de le battre, vous violez l'éthique de manière flagrante.

– Peut-être que c'est plus fort que moi.

– Est-ce que je peux venir ?

– Non, Elias, merci, je suis épuisée.

– Allez-vous recommencer ?

– C'est nécessaire.

– Si j'étais vous, je ne le ferais pas. Une fois, c'était déjà très risqué, mais deux, ce serait de la folie. Je ne serai peut-être pas en mesure de vous sauver.

– Me sauver ?

– Votre licence.

– C'est si sérieux que ça ?

– Oui. S'il vous plaît, utilisez votre jolie petite tête, comme dirait le procureur. »

Il rit faiblement, elle aime son rire.

« Est-ce que je peux passer boire un café ? Je vais à l'hôpital de bonne heure ce matin.

– Oui, venez. »

Elias tient vraiment à moi.

Elle se glisse hors de son lit, va s'asseoir. L'intuition du docteur T est exacte, elle va tout perdre. Maude regarde dans le vide sans retrouver le sommeil. Le jour s'est levé, mais il est toujours trop tôt pour boire un café. Elle parviendra peut-être à se rendormir quand il sera reparti.

À son arrivée il est impeccable, prêt pour la journée. C'est un homme imposant qui porte de grosses chaussures étincelantes en cuir de Cordoue. Le docteur T n'a personne. Maude non plus. Est-il *nécessaire* d'avoir quelqu'un ?

Maude n'a jamais vu l'intérieur de l'appartement d'Elias et Elias espère qu'elle ne le verra jamais. Il vit dans un musée rempli de souvenirs vétustes d'un mariage mort ; depuis longtemps mort.

Il a toujours essayé de considérer Maude comme une nièce talentueuse plutôt que comme une femme, et le fait qu'il ait envie de lui faire l'amour a un doux parfum d'inceste. *Bien sûr qu'elle le sait, n'est-ce pas un secret de Polichinelle ?*

Elle porte toujours son peignoir, debout dans le coin cuisine, entourée de café, de tasses, de filtres. Maude le voit à la porte tel un homme venu faire sa cour. Elle comprend. Un frémissement la traverse.

Elle voudrait laisser son peignoir s'entrouvrir, juste une fois, pour qu'il puisse la voir. Elle voudrait qu'il ôte ses chaussures énormes, qu'il enfonce son grand nez dans son cou et sa poitrine. Elle voudrait qu'il la rejoigne au lit ce matin, maintenant, même si elle sait que ce serait un transfert de ses rêves érotiques, ses rêves effroyables. Mais elle ne peut pas laisser son peignoir s'entrouvrir. Elle a d'autres préoccupations.

Il s'assied dans le coin cuisine. Pendant que l'eau du café chauffe, elle file dans sa chambre pour s'habiller et se coiffer, un signe clair qu'ils ne feront que boire du café ce matin.

Elle a commencé à travailler à l'hôpital un mois après la mort de Mason. Ses yeux étaient morts de chagrin, elle effectuait des horaires de suppléante, n'avait nulle part où aller. Le docteur T a dès le début senti que ses yeux ne retrouvaient pas pleinement la lueur qu'ils avaient dû avoir avant.

Le café est parfumé, brûlant, elle a versé de l'eau presque bouillante sur les gros grains de café torréfiés à la française, l'a fait infuser à travers du papier essuie-tout. Il boit une gorgée puis demande du lait. Il sent quelque chose d'extraordinaire dans l'air, un parfum qui émane d'elle.

« Où en êtes-vous, Maude ? »

Il ne l'interroge pas sur sa santé mentale ni physique. Elle le sait. Elle est veuve.

« À propos de Mason ?

– Eh bien, oui. »

Il ne semble pas surpris, il s'attend à ce qu'elle lise ses pensées. Il est temps de demander.

« Que voulez-vous savoir sur Mason, Elias ?

– Avez-vous commencé à tourner la page ?

– Tourner la page ?

– Oui.

– Je n'aime pas cette expression, Elias, je ne l'utilise jamais avec mes patients. Elle signifie laisser les choses derrière soi, passer à autre chose. Sortir avec des hommes, trouver un autre grand amour. C'est une façon d'accélérer le deuil. »

Il regrette d'avoir utilisé cette expression et n'aborde pas le réel motif de sa venue : la convaincre de cesser d'analyser Toyer dans l'*Herald*. Il fait jour dehors lorsqu'il l'aide à se lever pour lui dire au revoir. Elle répond pleinement. Leurs bouches se joignent parfaitement. Lorsqu'ils rompent leur étreinte, c'est lui, pas elle, qui s'écarte. Elle se rend dans la chambre, ferme la porte sans la claquer. Il s'assied, termine son café, quitte la maison tout habillé, chaussures lacées, à 36 ans, comme s'il vivait là. Il sent monter en lui quelque chose qu'il n'a pas ressenti depuis des années, quelque chose de suffisamment fort pour le pousser jusqu'à l'hôpital, et bien plus loin.

NINA VOELKER

Nina Voelker, agent de police au commissariat de West Hollywood, a des prémonitions. Chaque année depuis qu'elle a 14 ans, elle se fait lire l'avenir le jour de son anniversaire. Elle croit aux prophéties. Elle croit qu'elle rencontrera un jour Toyer, qu'elle sera celle qui le traînera devant la justice. Sa mission spéciale secrète est une mission personnelle ; chercher des indices vingt-quatre heures sur vingt-quatre. N'importe quel indice, le dénicher, le vérifier, tout ce qui peut être suspect. Il y a trois semaines, le jour de son vingt-sixième anniversaire, une diseuse de bonne aventure mexicaine lui a dit qu'elle rencontrerait un homme absolument diabolique et que sa vie s'améliorerait spectaculairement. Ça ne peut signifier qu'une seule chose. Promotion, respect, peut-être amour. Elle ressent chaque jour cette prophétie.

Son commissariat est en état d'alerte, comme la plupart des commissariats de Los Angeles et de la vallée. Nina a parlé à d'autres agents de ses théories, de ses développements, de psychologie, d'indices. Ça fait neuf mois que ça dure. Mais pourtant elle ne connaît, personne ne connaît, ni la race de Toyer, ni son âge, ni sa taille, ni son poids. On suppose simplement que Toyer a couché avec ses victimes, aucune trace de sperme n'a été détectée, aucun préservatif n'a été retrouvé. Certains débattent encore de son sexe.

Pour Nina, c'est une affaire personnelle. Plus qu'une prophétie désormais, une vendetta. À l'automne dernier, elle a été invitée un dimanche après-midi à célébrer la naissance du bébé d'une amie. Une certaine Luisa Cooke était également invitée, mais elle n'est jamais venue car elle est devenue la nuit précédente la troisième victime de Toyer. Nina n'a jamais rencontré Luisa Cooke. C'était il y a neuf mois, mais le souvenir est toujours vif. Elle *sait* qu'elle sera celle qui fera arrêter Toyer.

Elle l'imagine. Elle imagine son physique, son absence de visage. Elle a entendu les enregistrements de sa voix. Elle s'imagine passant à l'attaque, rendant coup pour coup, prenant le dessus, jusqu'à sa castration finale. Elle imagine sa citation, sa promotion. Finalement, elle rêve d'une photo flatteuse avec ses cheveux détachés engloutissant son visage, en première page, au-dessus du pli, du *Los Angeles Herald*. Elle a toujours un couteau de vitrier sur elle, contre sa peau, maintenu en place par la lanière de son soutien-gorge.

Elle est persuadée qu'elle se retrouvera seule dans une pièce avec lui. Elle a parlé à sa mère de sa prémonition, du couteau aiguisé, du fait qu'elle garde ses cheveux longs pour cette photo en une de l'*Herald*, de l'article qu'écrira sur elle Sara Smith, de l'inévitable voyage à New York, du passage à *Good Morning America*, du reportage illustré dans le magazine *People*, peut-être même de la couverture. Elle sait qu'elle sera celle qui l'appréhendera et entraînera sa perte.

Nina fait la grasse matinée le dimanche matin, c'est son petit plaisir. Elle effectue le troisième service et va toujours boire un café après minuit. Chez Sizzler's, pendant son petit déjeuner dominical, elle repère une petite annonce dans le *L.A. Weekly*.

AU SECOURS! Nouveau venu en ville. Homme blanc mince célibataire hétéro approchant la trentaine cherche amour et plus avec brunette du même âge jolie et intelligente. L'amour est roi. Obèses s'abstenir absolument. Mark. Contact 88970.

Nina sourit, elle n'est assurément pas obèse, du moins elle ne l'est plus, pas depuis son entrée dans la police. Elle lit l'annonce encore et encore, éprouvant à chaque fois un frisson. Elle entend dans sa tête une musique chorale imaginaire, reconnaît la mélodie d'*Unchained Melody*. C'est bon signe.

MEYERSON

« Bonjour, Jim, je crois qu'il est temps de déjeuner, non ?

– Je suis en train de déjeuner.

– Jim, s'il vous plaît. Nous devrions déjeuner ensemble. Nous devons discuter de ce docteur Garance. C'est la cinglée qui m'a rendu visite. Elle m'a dit d'aller me faire foutre. »

Et vous l'avez fait ?

« Devant ma secrétaire, vous le croyez, ça ? J'en ai rendu compte à sa patronne à l'hôpital.

– En quoi puis-je vous aider ?

– C'est vous qui lui avez demandé d'écrire à ce type. Allez, Jim, c'est très mauvais pour nous.

– Comment ça ?

– Ça nuit à notre bureau, Jim, c'est le bazar ici. Elle joue les justicières du dimanche.

– Je ne peux pas supprimer sa colonne, Bob, elle a un contrat hebdomadaire.

– Un contrat écrit ? »

Jim ne répond pas, il attend. *Les procureurs sont des avocats.*

« Vous voulez que je vous dise ce que j'en pense vraiment ? Je pense qu'elle fait plus de mal que de bien.

– Moi, je pense qu'elle fait un sacré boulot et, à en juger par son premier article, je dirais qu'elle va vous faire plus de bien que de mal. »

Sara, qui se tient à proximité, écoute. Lorsqu'elle regagne son bureau, elle appelle Maude.

MARK TAYLOR

Un matin flamboyant, le 10 juin, West Hollywood.

Leanna Esteban pénètre chez Ruben's à 9 h 50, parcourt la pièce du regard tel un agent des services d'immigration, opte pour un box près de la caisse. Sur la table devant elle, le *L.A. Weekly* est ouvert à la page des petites annonces. L'une d'entre elles commence par « AU SECOURS ! Nouveau venu en ville ». La mention « homme blanc mince célibataire hétéro » est entourée. Un clair appel du mâle. Leanna Esteban est nerveuse, commande un café, ouvre son roman sur une femme perdue en Californie qui parvient à rencontrer et à épouser une star du cinéma. Mark Taylor, qui était assis dans un box au fond, sort.

Plus loin dans Melrose Avenue, moins de cinq minutes plus tard, Mark entre dans le Bell Coffee Shop, se trompe de table, se présente à la fille qui est assise là. Son petit ami arrive et lui tape sur l'épaule. Mark sort.

À 10 h 10, Lynne Trainer entre chez Tops Pizza, croise le regard de Mark tandis qu'elle traverse le restaurant en direction des toilettes, lissant les plis de sa robe autour de sa taille et de ses hanches. Lorsqu'elle en ressort, Mark est parti.

À 10 h 20, à cinq rues à l'est de Tops Pizza, Nina Voelker pénètre dans le Camelia Street Cafe avec le

L.A. Weekly dans son sac à main, s'installe à un box près de la vitre. Mark Taylor se tient dehors, sur le trottoir opposé, regardant à l'intérieur du café. Elle est poignardée par un rayon de soleil diagonal qui traverse la vitre, son image est rendue floue par le verre opaque, la lumière fait briller ses cheveux ambrés. Elle est immobile, renfermée, fixant le trottoir d'un regard vide telle une photographie usée. Elle touche une corde sensible que Mark ne parvient pas à identifier. Il traverse la rue.

Tandis qu'il bondit sur le trottoir, il croise son regard à travers la vitre et sourit. Elle a un mouvement de recul et tourne la tête, à la recherche d'une serveuse. C'est une première pour Nina.

« Je ne voulais pas vous effrayer, dit Mark.

– Vous ne m'avez pas effrayée. »

Puis :

« Oh ! ne vous préoccupez pas de moi, je ne suis pas encore réveillée. Vous êtes Mark, n'est-ce pas ? »

Ils se présentent.

Ils échangent par-dessus la table une petite poignée de main ferme. Mark Taylor, Nina Voelker.

« C'est la première fois que je fais ça, dit-elle.

– Moi aussi, Nina.

– Votre nom vous va bien », ajoute-t-elle.

Il est plus beau que ne le laissait entendre l'annonce.

Ils parlent de leurs métiers, Mark déteste le sien, il explique qu'il est enseignant. Nina adore le sien, refuse de lui dire ce qu'elle fait. Le *base-ball*, elle adore, pas lui. La *musique*, il aime les morceaux classiques un peu destructurés et l'opéra, elle n'a jamais vraiment clairement entendu d'opéra jusqu'au bout, mais elle aime plusieurs opéras rock. Les *voitures*, elle adore, pas lui. Les *vêtements*, elle estime qu'ils sont essentiels à la personnalité, à la confiance et au sex-appeal d'un homme. Mark lui réplique qu'un homme peut vivre avec un seul costume en lin, quatre chaussures et quatre T-shirts. *Toyer*, c'est un cinglé diabolique qui devrait être pendu par la langue à un arbre en flammes. Ils sont enfin d'accord.

Ni l'un ni l'autre ne parviennent à expliquer de façon satisfaisante le besoin qu'a eu Mark de placer une petite annonce ni le besoin qu'a eu Nina d'y répondre – deux appels à l'aide si flagrants. Ils affirment simplement l'un comme l'autre qu'ils en avaient assez des gens qu'ils connaissaient et voulaient essayer quelque chose de radicalement différent.

Brunch ? Ils décident que oui. Ils sont bien ensemble. Il est tôt. Mark a le temps. Un dimanche matin d'été. Ils sont tous deux adultes, assez grands pour prendre des décisions, mener leur barque. Il n'y a aucune raison de s'inquiéter. Mark aime être Mark.

Nina s'aperçoit qu'elle s'est trompée au sujet de la petite annonce, que Mark ne peut pas être Toyer. Comment le sait-elle ? Mark est un type mignon, paisible et privilégié qui ne connaît simplement pas la ville ; *fin de l'histoire*. Pourquoi serait-il Toyer ? Il ne correspond à aucun profil criminel connu. On cherche des types à problèmes : drogue, pauvreté, peurs, tensions, maladie mentale. *Pas de problèmes*. La rage nécessaire pour être Toyer ne pourrait pas naître dans une personne aussi équilibrée, attirante et manifestement décontractée que Mark. Quoi qu'il en soit, il lui plaît, et elle se demande ce que ça ferait de presser sa poitrine contre les poils de son torse.

Elle est flic, déclare-t-elle. De but en blanc. *Un peu intime*. Mark rit. *Je me demande à quoi ça ressemble de coucher avec un flic*. Mais il ne le dit pas. Il lui demande si elle travaille aujourd'hui, à quelle heure elle finit.

Elle prend le troisième service, répond-elle. Elle finit à minuit.

«Qu'est-ce qu'il y a d'ouvert à minuit? demande-t-il, puis il sourit. Moi?»

Elle lui plaît. *Pourquoi pas? Je n'ai rien contre elle*. Même s'il ne peut pas savoir avec certitude ce qu'il éprouvera pour elle ce soir, ou cette nuit, quand Nina aura fini son service.

Elle ne lui a pas parlé de sa prémonition récurrente, du fait qu'elle voit sa photo en une de l'*Herald* juste en dessous du titre «Une policière appréhende Toyer».

Elle lui en parlera plus tard, au lit.

TOYER

Le prénom *Nina* lui évoque du papier de soie.

Son appartement est étonnamment féminin. Surtout pour une femme flic, songe-t-il. *À quoi je m'attendais ?* Tout un tas de fanfreluches, des petites poupées chinoises, un sucrier et un pot à crème en porcelaine. Des tableaux à l'acrylique représentant tout un tas de paysages paradisiaques. Elle partage son appartement avec sa *maman*, qui est absente pour la semaine.

Pendant qu'elle se change dans la chambre, Mark feuillette une anthologie littéraire Norton de mille pages à couverture souple qu'il a trouvée sur l'étagère. Elle passe la tête par la porte, le regarde fouiner.

« Ça remonte au lycée. »

Les pages portent toujours des notes au stylo-bille vert, rédigées d'une écriture ramassée d'écolière. Au-dessus de *La Ficelle* figure la mention « compassion pour la Vie ». Dans la marge d'*Un Arbre de nuit* elle a écrit « symbolisme ». Le mot « métaphore » apparaît aussi. Près du titre du *Prufrock* de T. S. Eliot elle a écrit « images de la mort et des mourants ».

Comme ça.

Dans un sac en plastique, il a apporté une bouteille fraîche de vin doux pétillant. Il remplit à ras bord deux coupes à sorbet, ajoute une légère dose de Seconal dans celle de Nina pour qu'elle soit détendue durant les heures à venir.

Assis sur le lit, ils discutent. Il la caresse des doigts comme avec des fleurs. Il l'étend sur le dos.

« Non. »

Il lui murmure à l'oreille :

« Nina, nous sommes de pauvres gens, à nous deux nous avons deux esprits, deux corps, deux bouches, deux poitrines.

– Non. Arrête. »

Elle glousse, le mousseux bon marché et le Seconal la font planer.

Les doigts de Mark s'approchent de son entrejambe.

« Profitons au mieux du peu que nous possédons, à nous deux nous avons un pénis, un vagin. »

Les mots-clés. Elle glousse de nouveau, rougissant. Pénis, vagin ; aucun homme ne lui a jamais dit ces mots à ce stade, le moment est grave. Elle ressent une bouffée de chaleur, une agréable impuissance. Elle est prête. Il soulève sa jupe et effleure légèrement l'intérieur de ses cuisses avec sa langue. Ça aussi, c'est une première pour elle.

Pourtant, elle le repousse, fait la timide, lui enveloppe la taille avec ses jambes et dit :

« S'il te plaît, ne me fais pas l'amour, Mark.

– D'accord. »

Il est fort mais n'abuse pas de sa force. Une force de prisonnier. Il la cloue sur place comme un insecte, ôte les vêtements dont il n'a pas besoin, la pénètre avec sa langue. Elle répond avec un soulagement manifeste, c'est ce qu'elle veut au bout du compte. Elle étire son dos et ses jambes, les replie et bat même des pieds, cambrant le dos, s'ouvrant totalement à Mark. Ce n'est qu'alors qu'elle s'abandonne librement à lui. Lorsqu'elle jouit, elle dit «Bingo».

Bien plus tard, après ce qui semble des heures, l'entendant gémir d'une voix d'enfant, il lui dit des mièvreries qui pourraient l'embarrasser au petit déjeuner, mais le fait qu'elle les trouve magnifiques l'excite. Et il est impatient de l'entendre redire «Bingo».

Ils se réveillent assoiffés. Ils terminent la bouteille de faux champagne, frais, éventé. Il veut lui dire qu'il improvise une scène, qu'il tente de jouer Toyer, mais n'y parvient pas. À la place, il lui parle de son hobby, et d'un exercice d'acteur qu'il a récemment effectué. Il se sent d'humeur bavarde.

Elle lui parle d'un homme avec qui elle est sortie pendant des mois. Il voulait qu'elle fasse mine de l'arrêter, qu'elle le menotte, puis qu'elle le force à lui faire l'amour tandis qu'elle portait son uniforme.

«Avec ton arme et ton holster? demande-t-il.

– Marrant, c'est ce qu'il m'a demandé. Il voulait transformer l'acte sexuel en crime.»

Lorsqu'il ressort de la cuisine, il lui demande si elle a porté son arme et son holster pour l'homme en question. Elle explique qu'elle s'est moquée de lui et a refusé de le faire.

Il ne lui demande pas pourquoi, mais déclare à la place, d'un ton solennel:

«Je serais embarrassé de te demander une telle chose.

– Je ferais n'importe quoi avec quelqu'un dont je serais réellement amoureuse. »

Ses seins sont pâles, inaltérés, délicats.

Elle l'a arrêté, fouillé, menotté, l'a braqué avec son arme jusqu'à ce qu'il bande puis elle l'a forcé à la baiser, et ils ont tous les deux pris leur pied.

Elle le laisse manipuler son revolver de service. Elle n'a jamais laissé personne faire ça non plus, dit-elle. « C'est ce que tu dis à tous les hommes », réplique-t-il. « Non, ce n'est pas vrai. » Elle est au bord des larmes. « Je te crois », dit-il. Il la croit. Puis elle nettoie méticuleusement l'arme, comme un pénis qui viendrait de servir. Dans l'allée sous la fenêtre de la cuisine, deux femmes se disputent, peut-être à cause d'une voiture.

Allongé sur le dos sur les draps propres, il lui raconte finalement son plan, dit qu'il a passé l'annonce pour rencontrer une « victime » pour son improvisation. Elle est intriguée, incertaine. Il lui explique qu'il a besoin de se faire passer pour Toyer, que c'est un stupide exercice d'acteur, un jeu. Les petites annonces sont gratuites dans le *Weekly*, alors pourquoi pas ?

Elle est stupéfaite. Elle dit : « Bizarre. » Elle a eu une prémonition en lisant l'annonce, a ressenti un frisson, elle *savait*. Elle savait qu'il était Toyer quand elle l'a lue, et quand elle l'a rencontré, elle a su qu'elle s'était trompée. Elle a froid dans le dos rien que d'y penser. Elle frissonne. « Touche mon bras », dit-elle. *Chair de poule.* Mark la touche, c'est vrai, sa peau est délicatement hérissée le long de son avant-bras.

« Pourquoi lisais-tu les petites annonces ?

– Pour mon travail », répond-elle sèchement.

Ils parlent de Toyer à voix basse, tels des joueurs. Elle lui reparle de sa prophétie. Des chances d'attraper Toyer cette année, des risques qu'il prend, du fait qu'il va y avoir à coup sûr une autre victime. C'est un grand solitaire, un héros d'horreur du folklore américain. C'est un sport, un jeu. Tout le monde peut jouer.

Depuis le lit, il observe les petites photos posées sur l'étagère et la commode. Chaque visage lui retourne son regard avec une extase illuminée au flash, personne ne détourne les yeux.

Il se lève, tient son pénis comme un revolver et place Nina en état d'arrestation.

« Qu'est-ce que tu ferais si tu l'avais dans ta ligne de mire – tu le descendrais ou tu l'arrêterais ?

– Impossible de répondre, dit-elle. Il faudrait que je l'aie en face de moi.

– Tu l'as, dit-il, *là*. »

Il place son pénis entre les doigts de Nina. Elle adore ça, elle tremble, ça l'excite de jouer au gendarme et à Toyer au lit. C'est trop bon.

Le mobilier vire au gris lorsque Nina ferme les yeux pour la dernière fois et s'enfonce à travers le matelas, tournoyant dans un univers sans étoiles, une galaxie d'astres depuis longtemps morts, le sommeil le plus noir qu'elle ait jamais connu.

NINA

L'infect relent du café nocturne. Des taches de café sur les parois internes des gobelets en papier, des touillettes en bois plates. Des doughnuts brillants qui moisissent. L'opératrice qui reçoit les appels du matin vient de s'asseoir à son bureau. Il est presque 8 heures dans le commissariat de Nina Voelker, le deuxième tour de garde de la journée commence.

Le téléphone sonne une fois. L'opératrice décroche, «Commissariat de West Hollywood.» Il y a un moment de silence. Avant qu'elle puisse ajouter quoi que ce soit, elle devine. C'est Toyer. L'appel est authentique, elle le sait; il commence par épeler son nom en utilisant l'alphabet international des télécommunications: «Tango, Oscar, Yankee, Echo, Romeo.» Il parle d'une voix étonnamment intime, claire. Elle a été formée à écouter, au cas où il appellerait. «Il y a une femme pour vous.» Après quoi il donne la date et le lieu de naissance de la victime. La routine. Ensuite, son adresse. Au commissariat, c'est ce qu'on appelle «l'appel de courtoisie» de Toyer.

Enfin, il épelle le nom de la victime. L'opératrice renverse son café en l'entendant. Elle connaît Nina de vue.

Elle enfreint les règles, lamentablement, trop tard. «Va te faire foutre, enculé!» lance-t-elle à Toyer, qui a déjà raccroché. Tous ses appels sont automatiquement enregistrés, et personne n'a réussi à le retenir en ligne plus de vingt-cinq secondes.

L'opératrice appelle le capitaine de garde. Une routine stricte est mise en branle. L'ambulance la plus proche est envoyée à l'adresse qu'il a donnée au téléphone. Le docteur Soong, un chirurgien du centre médical municipal, est averti. Le docteur Tredescant au Kipness. Deux inspecteurs dans une voiture banalisée.

Lorsqu'ils trouvent Nina Voelker, celle-ci gît nue sur son lit immense, écartelée telle une rose des vents, ses pieds et ses mains pointés vers les quatre coins du matelas. Le lit est méticuleusement fait, le drap autour d'elle est blanc, lisse, propre. Un petit pansement couleur chair a été soigneusement placé sur sa nuque. Il n'y a pas de taches. Son revolver de service parfaitement astiqué est rangé dans son holster, qui est suspendu à la poignée de la porte de la chambre.

Aucune des cinq personnes autorisées à voir son corps avant qu'il soit recouvert ne décrira la scène comme horrible. On dirait plutôt une représentation de l'Épiphanie que le Greco n'aurait jamais imaginée.

MAUDE

*I*l est aussi méticuleux qu'une jeune mariée.
Il laisse derrière lui des pièces bien rangées, des serviettes pliées, des lits bien faits, des jeunes femmes confortablement installées, au repos. Pas de gribouillis sur les miroirs. Pas de coiffeuses désordonnées, de verres brisés dans les éviers. Il a de l'amour-propre, il veut mon approbation. Il en a besoin. Elle fonce sur des autoroutes, toujours sur la voie rapide.

Il est encore tôt, 3 heures du matin passées. *C'est pour aujourd'hui, je le sais.* Elle pénètre dans la petite maison. Le répondeur clignote : cinq messages.

Elle se sert un verre, éteint la lumière, s'étend sur le divan. Elle reste immobile, pleurant, tremblante, une voix à l'intérieur des murs lui parle en chuchotant. En chemise de nuit, elle s'assied sur son lit et boit dans le noir.

Soudain la sonnerie du téléphone rugit. Elle n'y voit rien, se précipite en direction du téléphone de la cuisine, heurte un verre qui se trouvait sur la table, traverse la pièce, tend le bras vers une lampe, l'allume brièvement, la renverse, la lampe tombe, explose au sol dans un jet d'éclairs. Le téléphone n'a pas cessé de sonner. La porte de la salle de bains est ouverte, la joue de Maude en percute le bord coupant, elle s'écroule, une entaille s'ouvre sous son œil.

Elle atteint le téléphone de la chambre. Le Kipness. Chleo.

«Je savais que vous étiez là, docteur Garance. Nous avons une invalide, elle est arrivée hier soir. Est-ce que vous pouvez venir ?»

J'ai été mise à pied.

«Le docteur Tredescant est-il au courant ?

– Oui, il est au courant. Et il dit que vous devriez vous acheter un téléphone portable comme tout le monde.»

Le sang qui coule de sa blessure a goutté sur sa robe de chambre, sur le bout de ses orteils.

NINA

L'article sur Nina Voelker est publié de justesse dans la dernière édition de l'*Herald*, dans un encadré en première page, ce qui suffit à faire vendre chaque exemplaire. Le lendemain matin dans la première édition, l'*Herald* publie un article plus complet de Sara Smith avec une photo vague de Nina au-dessus du pli, les ventes explosent. Une petite photo triste, Nina semble regarder quelqu'un qui ne l'aime pas. Ses cheveux ne sont pas longs, loin d'être aussi longs que maintenant, pas aussi longs qu'elle aurait souhaité qu'ils soient à son heure de gloire. La photo a été prise il y a trois ans pendant la remise de diplôme de l'école de police. Nina n'aurait pas été du tout heureuse de la voir publiée.

MAUDE

5 heures du matin, sur le chemin du retour. Elle est restée auprès de Nina Voelker puis a décidé de rentrer. Une douleur s'est logée dans les os de son visage, elle y voit à peine assez clair pour conduire. Le docteur T lui a recousu la pommette, quatre points de suture. *Sa première pénétration.* Ça ne laissera peut-être pas de cicatrice. Elle quitte l'autoroute et s'arrête, secouée par des sanglots. Lorsqu'elle n'arrive plus à pleurer, demeure la tristesse éreintante. Elle attend d'y voir de nouveau clair et se remet en route. Une fois chez elle, elle boit plusieurs verres de gin avec des glaçons et tombe dans un profond sommeil sur le divan.

Le téléphone sonne.

« Vous allez bien ? »

Sara. Il fait jour dehors. Elle est étendue sur le divan.

« Je ne sais pas, vraiment pas. »

Elle sent qu'elle se remet à pleurer, qu'elle s'enfonce dans un abîme sans soleil, un lieu sans vie, sans air, et elle ne sait pas quoi faire pour l'empêcher.

« J'ai été gracieusement autorisée par le docteur Tredescant à passer deux heures à l'hôpital la nuit dernière, pour essayer d'entrer en contact avec la victime.

– Est-ce que c'est... »

Sara bafouille, se reprend.

« Sans espoir ?

– Oui, répond Maude. Pour le moment, son cas est assurément sans espoir. »

Elle n'abandonnera jamais.

« Je suis tellement désolée.

– Merci d'avoir appelé, Sara. »

Y a-t-il quoi que ce soit à ajouter ?

« Au fait, reprend Maude, la police prend cette victime très au sérieux. L'agent Voelker est, après tout, une des leurs.

– Tant mieux.

– Mais Meyerson refuse de me parler.

– C'est un début. »

O'LAND

Première page. O'Land griffonne le gros titre, Sara écrit l'article qui ira en dessous.

TOYER S'EN PREND À UNE POLICIÈRE
Le commissariat de West Hollywood sous le choc
«Sans vergogne... Incroyable»
Une gifle pour la police de L.A. et le procureur
Par Sara Smith

Los Angeles. 11 juin. Comme elle rentrait chez elle mardi soir tard, après son service au commissariat de police de West Hollywood, l'agent Nina Voelker a traversé la rue et est entrée dans son deux pièces immaculé de Fountain Avenue. Il est presque certain qu'elle n'aura plus jamais l'occasion d'effectuer cet acte simple...

Dans le même numéro, page 15, Maude écrit, entre autres :

Ce ne sont pas simplement vos victimes que vous anéantissez, ce sont leurs familles et leurs amis, tous ceux que vous abandonnez dans votre sillage sans une pensée à leur égard. Vous tuez tout un quartier pour détruire une seule personne. Votre vengeance est bancale.

Si vous avez besoin d'aide psychologique, je suis disponible. J'attends votre réponse et vous aiderai de la manière qui convient. Nos entretiens seront confidentiels, protégés par la loi. Appelez-moi au Kipness.

Maude Garance, docteur en médecine
Physiatre résidente
Centre neurologique Kipness Memorial

Elle ne s'attend à aucun changement, il continuera encore et encore. Elle lui écrira de nouveau, s'attendant à un échec, sans se douter qu'il a fait d'elle son bourreau.

MEYERSON

Une enveloppe grand format sur son bureau, pas d'adresse d'expéditeur. Il l'ouvre. Le visage d'une femme pâle endormie. C'est Nina Voelker. Un mot écrit au stylo au dos :

> Bob,
> Voici un portrait à accrocher au mur de votre bureau. C'est une photo récente de Nina Voelker, l'une de vos anciennes employées. Elle est toujours en vie, bien entendu – pas de meurtre –, donc je suppose que vous pourriez dire qu'elle est en congé.
> Si cela vous inspire quoi que ce soit, n'hésitez pas à m'appeler.
> Docteur Maude Garance

Il s'exclame à haute voix : « C'est bel et bien du harcèlement, je dois régler son compte à cette bonne femme ! »

Il lance par la porte ouverte : « Ciel, sortez-moi la fiche de cette cinglée de toubib, vous connaissez son nom. Mais avant ça, passez-moi s'il vous plaît Jim O'Land à l'*Herald*. Merci. »

La « fiche » informatique de Maude ne révèle aucune infraction en suspens. O'Land le rappelle dans la demi-heure.

«Bob, de quoi s'agit-il?

– Jim, c'est votre cinglée de toubib qui commence à me taper sur le système.»

Cinglée?

«Vous pouvez nous écrire une lettre, Bob, ouvrons le débat. Je vous offrirai une tribune.

– Officieusement, Jim. Je ne peux pas tout déballer en public.»

Je suis au service du peuple.

«Écoutez, Nina Voelker a de la famille à El Segundo.»

Des électeurs.

«Moi aussi, Bob.»

C'est faux, la famille de Jim n'habite pas à El Segundo, elle a quitté Chicago pour le Montana et vit dans un ranch près de Wolf Creek où Jim espère un jour prendre sa retraite.

«Eh bien, bonne journée.

– Désolé, Bob.»

Ils raccrochent.

«Ciel, passez-moi le commandant de West Hollywood.» Quelques instants plus tard il saisit le combiné.

«Ici Meyerson, bureau du procureur, qui est à l'appareil?

– Sergent Thomas.

– Bonjour, Billy.

– Bonjour, monsieur Meyerson, que puis-je pour vous?

– Êtes-vous l'officier de garde?

– Oui, monsieur.

– Bien. Vous êtes très occupés?

– En effet, monsieur.

– J'ai besoin d'un inspecteur pour quelques heures par semaine, rien d'important, est-ce que vous pouvez m'en libérer un ?

– Je pense pouvoir, monsieur, de quelle affaire s'agit-il ?

– Cet emmerdeur de Toyer.

– Je comprends.

– Qui est de service aujourd'hui, Billy ?

– Voyons voir, il y a Fred Smollet, McCarthy, hum, Perrino.

– Perrino. »

Le luxe de pouvoir choisir.

L'inspecteur I. Perrino, un homme pâle, bouffi, emprunté, capable, lent. Il porte des chaussures noires vernies qui ne terniront jamais, des chemises pâles à manches courtes qui ne sont jamais froissées, des pantalons à pli permanent qui laissent à peine entrevoir des caleçons à pois.

L'inspecteur I. Perrino attend avec impatience l'heure du déjeuner, et après, une petite sieste. Disposées devant lui sur son bureau, une boîte en carton renfermant des spaghettis à la viande et une grande bouteille de Dr Peppper éventé pour faire passer le tout.

« Oui, monsieur Meyerson. Je m'y mets sur-le-champ. »

Après le déjeuner.

SARA

Il est tôt, une sale journée, déjà chaude, le soleil est un disque blanc. Maude s'est rendue en douce au Kipness pour consulter le dossier de Nina Voelker, puis elle est rentrée à l'aube. Elle n'a pas fermé l'œil depuis. Elle a lu les deux articles dans l'*Herald*, se sent ce matin plus isolée que jamais.

Sara Smith se tient devant sa porte. Elle a apporté deux bouteilles d'eau minérale, en vide une sur les racines de la vigne. La vigne est incolore, le gardénia est mort, le ficus, proche de la mort. Une poussière pâle est incrustée dans les moulures de la porte. Elle appuie une fois de plus sur le bouton de sonnette peint, n'entend rien, essuie son doigt poussiéreux sur son porte-documents. Elle découvre un tuyau d'arrosage racorni, ouvre le robinet et inonde les plantes desséchées.

Elle sonne une fois de plus, tend l'oreille. *La sonnette ne fonctionne pas.* Elle frappe. Elle sent une odeur de café fraîchement infusé.

La voix de Maude à l'intérieur :

« Oui ?

– C'est Sara Smith.

– J'ai vu le journal. »

Elle ouvre la porte. Sara pénètre dans le salon sombre.

«Est-ce que vous croyez que ça va servir à quelque chose ?»

Le salon est plongé dans l'ombre pour conserver la fraîcheur de la nuit.

«Qu'est-ce que vous en dites, Maude ?

– Je me demande, je suis un peu sous le choc.

– Eh bien, je vous ai apporté de quoi vous remettre de votre choc.»

Elle pose un sac de sport en toile sur la table basse.

«Mais tout d'abord, félicitations.

– Pourquoi ?

– Je viens de recevoir un coup de fil d'un certain inspecteur I. Perrino du commissariat de West Hollywood. Meyerson l'a mis sur l'affaire.

– Enfin.»

Elle est fatiguée.

«Qu'est-ce que vous m'avez apporté ?

– Oh ! du café. Du café grec. Ce que Poséidon buvait pour affermir sa main avant de déclencher un tremblement de terre. Il refusait de le faire tant qu'il n'avait pas eu son café.

– Ah ! une nana cultivée avec le sens de l'humour.»

Maude pose sur la cuisinière une bouilloire pleine d'eau encore chaude. Elle reste dans le coin cuisine, Sara s'installe dans le profond fauteuil Timmons. Maude ôte la bouilloire du feu lorsque l'eau bout.

«Vous feriez mieux de me montrer comment faire.»

Sara la rejoint dans la cuisine et verse trois cuillerées de café moulu dans la cafetière avant d'ajouter l'eau.

«C'est tout ?

– Café grec. C'est très épais. Ou alors vous pouvez ajouter quelques gouttes d'eau froide pour aider le café à décanter. »

Maude remplit deux tasses, les dépose sur un plateau avec des *biscotti*, porte le tout jusqu'à la table basse.

« Mon Dieu, Maude, vous avez une mine épouvantable.

– Je n'en doute pas. J'ai eu quatre points de suture. J'ai foncé tête la première dans cette porte. Je faisais un cauchemar. Je ne bois plus, au fait, enfin si, mais pas comme avant.

– Quand je vous ai rencontrée, vous aviez l'air préoccupée, mais vous n'aviez pas l'air malade. Je suis désolée de dire ça, mais maintenant vous avez l'air malade.

– Merci, très chère.

– Je suis désolée... je... »

Maude lâche une sorte d'éclat de rire, touche le genou de Sara.

« Vous m'avez surprise en pleine crise de dépression. Vous connaissez un bon psychiatre ? »

L'iceberg est plaisamment brisé.

« Bon, ce n'est pas que je veuille changer de sujet, mais pourquoi ne me parlez-vous pas un peu de vous ?

– OK, je viens de l'Est, d'un État aux hivers rudes. J'ai une morale...

– Quel État ?

– Connecticut, née dans le Vermont. J'ai été stagiaire chez Time Inc. On m'a appris qu'une histoire est une histoire, vous savez, un don de Dieu. J'étais d'accord avec ça, mes éditeurs ont été les anges annonciateurs qui m'ont appris à aimer le premier amendement comme j'aimais Dieu.

– Difficile de se débarrasser des vieilles habitudes.

– Absolument. Je me souviens du texte exact. *Le Congrès ne passera aucune loi restreignant la liberté de parole.* Je ne sais pas qui a décrété que le public avait le droit de tout savoir, ça doit remonter à Nixon. Je crois que beaucoup de conneries remontent à lui.

– Eh bien, l'*Herald* a assurément usé et abusé du premier amendement.

– Je suis d'accord, et cette semaine je commence juste à comprendre que nous n'avons pas donné d'informations, mais qu'à la place nous avons vendu le produit Toyer à un public qui prend ça pour un film.

– Dieu bénisse le public. »

Nous sommes en train de sympathiser, nom de Dieu.

« D'après ce que j'ai vu de l'homme de la rue depuis que je fais des interviews, si le public était un seul être humain, vous ne voudriez pas l'avoir chez vous. Le public est une chose. Une chose fainéante, sans talent, déloyale, égocentrique, lente, incapable de s'exprimer correctement, presque analphabète, malhonnête, inconstante, obèse. Le public est un mouton. »

Elle tente de maîtriser ses inflexions du Connecticut.

Très impressionnant.

« Toyer vous a mentionnée dans la lettre qu'il m'a envoyée. Je crois qu'il vous aime bien. Je plaisante.

– Moi ? Nommément ? »

Maude ressent une bouffée de chaleur.

« Qu'est-ce qu'il a dit ?

– Passez-lui le bonjour. »

C'est trop intime.

« Comment sait-il que nous nous connaissons ?

– Il le suppose, comme il suppose tant d'autres choses.

– Doux Jésus.

– Mon sentiment profond, c'est qu'il reconnaît votre rôle dans tout ça, il doit vous respecter. Qu'est-ce que vous en dites ?

– Oui, je suppose. »

Est-ce une bonne chose ? Oui. Très bonne pour le moment.

Une demi-heure plus tard, après le café, la bonne humeur de Maude est retombée. Elle veut être seule, tout s'embrouille dans sa tête. Elle se demande ce que Sara fait ici, d'habitude elle vient avec une intention précise.

« Je n'arrive pas à dormir, Maude, je n'ai pas dormi une nuit complète depuis... que c'est arrivé.

– Le non-viol.

– Oui. Chaque fois que je rentre chez moi je tiens prête ma bombe lacrymogène dissimulée dans ma main gauche. Il était caché derrière mon paravent de bambou, alors quand je rentre je regarde derrière les meubles, dans les meubles, sous les meubles, mais ça ne sert à rien, l'appartement lui-même est contaminé. Par chance, il y en a un autre qui se libère le mois prochain et le propriétaire me fait payer le même loyer. Il comprend.

– Il a tout intérêt, il pourrait s'exposer à des poursuites.

– Donc, le mois prochain je déménage deux étages plus haut. J'aurai un balcon, je pourrai prendre un nouveau départ.

– Dites-moi si je peux faire quelque chose pour vous.

– Vous pouvez. Est-ce que vous accepteriez de me rédiger une ordonnance ? Il faut que je dorme. Peut-être quelque chose avec de la codéine.

– Bien sûr.

– Bon, voyons si nous trouvons un moyen d'appâter le monstre. Bon sang ce que je peux le détester.

– Vous avez oublié de dire suffisant.

– Pardon ?

– Dans votre description de l'homme de la rue. »

Sara rit.

« Oh ! oui, très suffisant.

– Vous avez réfléchi à la question de ce que le public a vraiment le droit de savoir.

– En effet.

– Donc vous ne voulez plus tout déballer.

– Sincèrement, Maude, cette semaine j'ai hésité, j'éprouve tellement de haine à son égard que pour la première fois depuis que je suis journaliste j'ai remis en question ma pratique. J'ai personnellement vu ce qu'il fait et je me suis soudain réveillée de mon long sommeil, et je ne vois pas pourquoi le public aurait le moindre droit de savoir ce qu'un assassin psychopathe veut qu'il sache.

– Bravo !

– J'ai pris une décision, je n'imprimerai pas le prochain compte-rendu qu'il m'enverra. La simple idée me dégoûte. O'Land ne peut pas le publier. C'est mon courrier, il m'est adressé, il n'envoie pas ses lettres à Jim O'Land.

– C'est une pièce à conviction, Sara.

– Je sais. Je donnerai quand même l'original à la police et je garderai une copie. Ça m'effraie un peu, je ne sais pas comment Jim va réagir. Il pourrait me renvoyer.

– Il pourrait en effet, mais je crois qu'il vous gardera, qu'il essaiera de vous convaincre. Je crois qu'il est comme ça.

– Peut-être que c'est Toyer qui me renverra.

– Possible, mais je crois qu'il voudra faire quelque chose avec vous.

– Comme faire encore semblant de me violer, sauf que cette fois...

– En voilà une idée réjouissante. Il se dira peut-être que vous étiez son amie et que maintenant vous le rejetez, il viendra peut-être directement à vous. »

Je voudrais qu'il vienne à moi.

Sara ne dit rien.

« En avez-vous parlé à O'Land ?

– Pas encore. Il se comporte de façon très étrange, comme s'il avait toujours raison. Il ne se sent plus depuis qu'il a battu le *Times*. Le *Journaliste légendaire*. Je le respecte, mais je n'aime pas ce que je vois en ce moment.

– Est-ce qu'il vous renverrait ?

– Il pourrait, mais je suis son seul lien avec Toyer. Jim m'a toujours dit que je le paierais cher si je perdais Toyer.

– Il serait idiot de vous renvoyer.

– Bien sûr, mais regardez ce que je fais. Je menace de reprendre la seule chose positive qui soit jamais arrivée à son journal. »

Elle sait qu'elle entendra encore parler de Toyer. Mais pas aujourd'hui.

TOYER

Un gardien de nuit découvre la lettre à 4 heures le lendemain matin pendant sa tournée. Une enveloppe bleue sans timbre, le nom de Sara mal orthographié. Elle a été glissée sous la porte d'acier cabossée qui donne sur le parking. Le gardien la dépose dans la boîte à lettres de Sara, néglige de la prévenir. *Pas mon boulot.*

Ce n'est qu'en fin de matinée qu'elle la découvre dans sa boîte. Toyer. Une proposition. Pourquoi ne pas publier ses dix comptes-rendus, son *œuvre*, sous forme de livre, dont chaque chapitre contiendrait une foule de détails ? Un livre ! *Tout le monde a un livre en soi. Comment ose-t-il ?*

Tandis qu'elle lit le courrier, tenant la page entre trois doigts, elle a une drôle d'impression furtive, la lettre prend vie dans sa main, elle a conscience de la présence de Toyer, comme s'il se tenait quelque part dans la salle de rédaction, tout près, l'observant. Elle le sent. Elle sent la peur. Ses tempes palpitent, ses mains deviennent moites.

Au bas de la page il écrit : «Je crois que le livre pourrait rapporter des millions de dollars.» Elle perçoit la motivation de Toyer. Son ego. *Comment ce salaud peut-il songer à s'enrichir grâce à ses crimes ?*

Comme à chaque fois, il a rédigé le mot sur traitement de texte, l'impression est pâle. Son orthographe est impeccable. Ou peut-être pas. *Comment savoir ? Peut-être qu'il utilise un logiciel de correction orthographique. Le seul mot mal orthographié est* Sarah.

À midi, elle est assise dans le bureau d'O'Land, attendant qu'il revienne d'une réunion syndicale. Lorsqu'il apparaît, elle lui tend la lettre. Il est impressionné, elle le voit, ses sourcils se soulèvent, comme s'ils cherchaient à quitter son visage. Lorsqu'il l'a lue deux fois, il déclare :

« Qui achèterait un livre écrit par lui ? Moi.

— Pas moi.

— Holà, Sara Smith !

— Comment compte-t-il se faire payer ? Même si nous pouvions le faire, la loi stipule qu'aucun criminel reconnu ne peut profiter financièrement de ses crimes.

— Il n'a pas été reconnu coupable, Sara.

— Non, il court toujours, mais chacune de ses lettres est un aveu de culpabilité. Qu'est-ce que vous croyez qu'il entende par *mes femmes* ? Celles qu'il emmène au cinéma ? »

O'Land demande à Sara de le retrouver à 13 heures au Lion's Head, de l'autre côté de la rue, pour déjeuner.

« Tout ça reste entre nous, Sara Smith, il faut que j'y réfléchisse. »

À 13 heures, Sara le rejoint dans un box du pub. Ils commandent des salades roquette-sardines-câpres-stilton et deux bières bien fraîches.

« Je me demande si ce type est vraiment malade ou s'il plaisante, dit-il. Sa lettre est brève et charmante, ajoutez vos commentaires et nous publierons le tout demain.

— Vous ne touchez pas à ma lettre.

— Je vous demande pardon ?

– Elle est à moi, Jim, je vous l'ai simplement montrée.

– Oh! vraiment?»

Il continue de manger.

«Nous sommes moralement obligés de la publier.

– Conneries.

– Sara Smith, ma parole. Je dois publier cette lettre, c'est une information.

– Je ne vous montrerai pas la prochaine.»

Il sourit.

«Je vais faire livrer votre courrier directement à mon bureau et vous pourrez passer le chercher.

– Vous n'avez pas le droit.»

Il s'essuie la bouche, boit une longue gorgée.

«Trouvez-vous un avocat, ma petite, c'est à une employée de mon journal qu'il écrit, pas à vous personnellement.» Il tire la lettre de sa poche, la lui tend. «Je vais vous dire, Sara Smith, attendons une journée et laissons le lecteur décider.»

O'Land et Sara parient cinq dollars. Il sait qu'il va gagner. Il n'a même pas pris la peine de se mettre en colère.

SARA

Le lendemain matin, Sara Smith explique dans un bref article qui paraît dans la tribune pourquoi elle ne sera peut-être plus en mesure de publier les lettres de Toyer. Ses raisons sont claires : ces lettres sont un encouragement pour Toyer, ce n'est pas une nouveauté. Le Bien contre le Mal.

Elle est assise à son bureau, blême. O'Land l'observe depuis son propre bureau, il se demande s'il y a quelque chose de personnel dans la haine que Sara Smith voue à Toyer, quelque chose qui dépasserait la simple question de l'éthique. Il ne la convoque pas dans son bureau.

En fin de matinée, les premiers lecteurs commencent à appeler. Dans l'après-midi, le standard est saturé, les lecteurs doivent attendre plusieurs minutes avant de donner leur avis. Si l'*Herald* cesse de publier le journal de Toyer, ils résilieront leur abonnement. Une lectrice, une avocate, menace de porter plainte au motif que l'*Herald* lui tairait des informations qui lui appartiennent constitutionnellement. Colère, colère, menaces désinvoltes d'incendie, d'assassinat. O'Land croit que Sara va craquer. Il gagne. Elle se rend à son bureau, vaincue, lui tend la lettre avec un billet de cinq dollars soigneusement plié à l'intérieur. Il sourit.

Un employé passe la tête par la porte et informe Sara que quelqu'un demande à lui parler au téléphone. Elle s'excuse, prend la communication.

«Sara Smith.

– Vous avez reçu ma lettre?»

Une voix d'homme, sonore.

C'est lui.

«J'ai oublié une chose. Et si ces millions de dollars que rapportera mon livre étaient partagés entre mes femmes?»

Il ne les appelle jamais ses victimes.

Il raccroche.

C'est si simple. Est-ce un acte de pénitence? De la fausse humilité? *Quelle idée extraordinaire. Partage des bénéfices. Est-ce possible?*

Elle regagne le bureau d'O'Land pour le prévenir, mais il est au téléphone, en train de régler un problème syndical concernant les camions de livraison.

Elle garde ça pour le déjeuner, au cas où la conversation tournerait mal. Ils se retrouvent dans la cafétéria de l'*Herald* au rez-de-chaussée. Salade de pommes de terre allemande, thé glacé, gelée rouge.

«Il y a réellement de quoi faire un sacré bouquin, Sara Smith, un énorme best-seller, déclare-t-il, d'une voix à peine audible. On commence par diffuser, on le vend à deux cents journaux, puis on se trouve un éditeur à New York qui publie un million d'exemplaires. Avec une introduction critique du président de la Turquie ou de Dieu sait qui, mais le livre sera celui de Toyer. Sa version. Bio, vision, sous-entendus, indices. Toutes les victimes, leur bio. Illustrations, graphiques, courbes, plans. Détails, détails, détails.»

O'Land est doué pour ça, couvrir une histoire sous tous les angles.

« On pourrait même glisser une vidéo au dos du livre.

– On pourrait même le faire arrêter.

– Peut-être pas, mais peut-être qu'on deviendra riches. Alors je vous inviterai, vous et lui, à déjeuner. Bon sang, c'est une histoire géniale. Pourquoi un bon éditeur new-yorkais refuserait-il de la publier ?

– Parce que c'est un monstre carnassier ?

– Les monstres carnassiers excitent les esprits.

– Et ils font vendre.

– L'*Herald* partagerait les bénéfices à égalité avec n'importe quel éditeur new-yorkais.

– Vous voulez savoir ce qu'il m'a dit ce matin ?

– Ce qu'il vous a *dit* ?

– Il m'a appelée, Jim. Il avait oublié de préciser une chose dans sa lettre. Ou peut-être qu'il n'y avait pas encore pensé quand il l'a envoyée. »

O'Land cesse de manger.

« Quoi ?

– Je ne vous le dirai pas.

– Ne me cherchez pas, Sara Smith. »

Elle lui dit. Il est sidéré.

« OK. Il me force la main. C'est un sacré beau geste si on considère de qui il provient, et nous ne pouvons pas l'ignorer. La publication du livre va rapporter beaucoup d'argent et il ira aux familles des victimes. Nous, on aura les tirages. Mais il faut un contrat, on va nous surveiller de près. Il essaie d'expier ses péchés par une méthode que je n'aurais franchement jamais imaginée. S'opposer à lui reviendrait à s'opposer aux familles des victimes.

– C'est du chantage.

– Exact. Mon genre de chantage. C'est une idée astucieuse. Vraiment, c'est une idée très, très astucieuse qu'il a eue.

– Sa conscience ne vaut pas cher.

– Certes, mais ça ne laissera personne indifférent, Sara Smith. Je crois que nous tenons peut-être un journaliste en puissance.

– Essayez de ne pas trop le bichonner.

– Ça change tout.

– Comment ça ?

– Nous perdons les bénéfices, mais nous nous faisons de nouveaux amis. »

À 14 heures, de retour dans son bureau, O'Land commence par appeler Bill Tallman, un ami du groupe New York Times.

Que dirait-il si on lui proposait de publier un livre écrit par Toyer. C'est une requête confidentielle. Son ami répond sans hésiter non.

Après le déjeuner, Sara joint Maude chez elle.

« Il m'a appelée, Maude, il dit que si nous imprimons son livre, nous pouvons donner sa part des bénéfices aux familles des victimes. Pour le bien de tous.

– Je ne savais pas que c'était lui qui décidait.

– Eh bien, maintenant vous le savez. »

TOYER

Samedi, d'ordinaire un jour chiche en informations. Un article de Sara Smith et une nouvelle lettre de Toyer sont publiés, tous deux en page 3. Il a remporté une petite bataille. Toyer, plus disponible, se montre désormais bavard.

Dans son nouveau style désinvolte, il a rédigé une réponse destinée à un groupe de femmes qui s'est baptisé Les Femmes pour les Femmes et qui a déclaré : « Nous sommes censées être au-dessus des prédateurs, des violeurs, et de tous ceux qui ne servent à rien dans notre écostructure. Qui a besoin d'eux ? »

Sa réponse est excessive, sans queue ni tête. Il affirme que les transgresseurs, y compris lui-même, sont devenus des signaux d'alerte, plus étranges que les prédateurs, plus forts que la loi, qui nous disent où nous allons et jusqu'où nous pouvons aller. Ils sont aussi nécessaires que la douleur, leur fonction est de prévenir. « La société a besoin de nous », écrit-il. « Comme une aiguille sous mon ongle », dit Sara à voix haute.

Que l'opinion que Toyer exprime soit intéressante ou non, elle lui est propre et ne serait jamais publiée en page 3 si son auteur était quelqu'un d'autre. O'Land l'imprime telle quelle en bas à droite de la page. Il y a une accroche en une, au-dessus des gros titres :

TOYER ÉVOQUE SA MÉTHODE

Dans le bref article qui accompagne la lettre, Sara explique que la police n'accordera jamais à ses crimes, aussi flagrants soient-ils, ne serait-ce qu'une once de l'attention qu'elle accorde aux homicides. Rien de nouveau sous le soleil.

Sara ne parvient pas à joindre Maude au téléphone, elle roule jusqu'à chez elle, se tient à l'extérieur, parlant à travers la porte comme elle l'a fait le mois dernier. Elle est certaine que Maude a lu l'article, elle a raison, ça ne va rien donner de bon.

« Allez-vous-en.

– C'est Jim, je ne peux pas l'en empêcher. »

Trop faible.

« Je n'y suis pour rien, nom de Dieu, Maude !

– Allez-vous-en. »

Silence.

« Je ne sais pas quoi penser, Sara.

– Il est arrivé quelque chose. »

À travers la porte :

« Quoi ?

– Une mauvaise nouvelle. »

Toujours à travers la porte : « Quoi ? »

Sara lui explique que l'avocat de l'éditeur lui a écrit pour lui notifier que Jim O'Land, directeur de la publication, est habilité à recevoir son courrier à sa place. C'est légal. Les lettres que Toyer envoie à Sara ne lui appartiennent plus, il n'y a rien à faire. Tout ce qu'il dira sera publié.

« C'est pour ça que ça s'est retrouvé dans le journal »,
ajoute-t-elle. Elle poursuit : « Qui va le faire arrêter ?
Il va se sentir pousser des ailes. Nous lui avons donné sa
raison d'être.

– Et il va continuer de nous manipuler. Bla-bla-bla.
Je vois le problème. »

La porte s'ouvre.

MAUDE

Elle n'arrive plus à trouver Mason où que ce soit la nuit, elle ne le sent plus le matin. Il n'existe pas. Il est comme l'enfance. Si Mason apparaît dans ses rêves, même en simple badaud, il est à l'image de Toyer.

Elle lui fait une nouvelle fois face à travers la prairie dublinoise où les jonquilles, les soucis et les narcisses poussaient autrefois librement. Elle a conscience de ses dents, de sa virilité. Il marche vers elle, svelte, souriant, en érection. Son sexe se dresse devant lui, à partir de son entrejambe, remuant légèrement à mesure qu'il avance. Elle voit scintiller l'instrument argenté.

Il est plus jeune que Maude, puissant, persuasif. Il semble décontracté. Il s'approche d'elle à travers l'herbe qui lui monte presque jusqu'à la taille. Elle ressent une émotion soudaine, un tremblement dans le cou. Le haut de ses cuisses se crispe, serrant son vagin.

Maintenant il se tient nu, presque contre elle, les bras ballants. Elle sent son érection effleurer son pelvis, appuyer contre son ventre.

Elle glisse les mains sur son torse, jusqu'à son cou. Ses pouces, croisés comme des serres de faucon, se referment sur son larynx. Il se tient sans résistance, sans expression, le regard vide, puis se voûte, s'effondre.

C'est le matin. Lorsqu'elle se réveille, elle voit ses victimes, l'une après l'autre. Représailles. Maude ne l'a pas tué, même si c'est ce qu'elle voulait. Un comportement inacceptable pour une psychiatre distinguée. Elle a une terrible gueule de bois, personne à qui parler – elle n'est pas tout à fait sûre de la loyauté de Sara Smith, ne peut pas se confesser au docteur T. Chaque fois qu'elle ferme les yeux elle voit des lucioles.

Jimmy G l'observe avec de grands yeux depuis la fenêtre, oreilles dressées, comme si elle l'avait appelé. Elle lui fait signe de venir. Il l'observe un moment attentivement, bondit soudain sur le lit, puis sur elle. Elle sent ses griffes tandis qu'il enfonce ses pattes sur son ventre, yeux clos, ronronnant. Elle sent sa masse heureuse.

Au bout d'un moment, elle se lève, va s'asseoir à son bureau, sort un bloc-notes blanc. C'est la seule méthode qu'elle connaisse. Un vieux souvenir d'école lui revient, un passage de Thomas Hobbes. Quelque chose comme : « La vie. Solitaire, pauvre, laide, brutale, courte. »

Et la journée ne fait que commencer.

SARA

Le soir, la chaleur se lève, il n'est que 18 heures.

Sara Smith est assise dans le salon de Maude. Maude est devant le réfrigérateur, occupée à remplir de glaçons un shaker à martini, elle en laisse tomber un par terre. Jimmy G est allongé sur le dos, le bout de sa queue s'agite, peut-être rêve-t-il de nuits fraîches et d'oiseaux aveugles.

«Je ne voulais pas vous parler au téléphone.

– C'est bon, détendez-vous, vous êtes ici.

– Je n'y arrive pas.»

En entendant le ton de sa voix, Maude se tourne vers elle.

«Simple ou double ?

– Archidouble.»

C'est une chose que disait son père.

«On dirait qu'il écrit vraiment son foutu bouquin. Et Dieu sait où il est en ce moment. Il a l'intention de nous l'envoyer petit à petit, un chapitre par victime.

– Oh ! mon Dieu.»

Maude cesse de verser du gin dans le shaker, le pose près de l'évier.

«Voyons si j'ai bien compris. Pendant qu'il est en liberté, occupé à effectuer des cordotomies la nuit, il va passer ses journées à écrire ses mémoires ?

– Oui.

– Avoir deux métiers peut être si épuisant, je vais m'inquiéter pour lui.

– Oui, dit Sara en riant. Quel homme. »

Sara lance un coup d'œil à Maude. Elle est surprise par son expression déconcertée.

« Maude ? »

Celle-ci ne répond pas. Elle est dans la cuisine, tenant le shaker à martini couvert de givre. Elle semble écouter une radio qui n'existe pas.

« Maude ? »

Elle se retourne soudain.

« Olive ou oignon ? demande Maude.

– Comme vous voulez. »

Maude apporte le shaker, pose deux verres à martini sur la table basse, il y a un minuscule oignon mariné dans chacun. Elle les remplit presque à ras bord, saisit le sien, va s'asseoir à la fenêtre.

« Santé, dit Sara en levant son verre.

– Santé. »

Elles boivent une gorgée. La chaleur du gin glacé.

Jimmy G se lève, en bon hôte, salue Sara en faisant le dos rond.

« J'hésitais entre avoir un bébé ou un chat, mais j'ai alors rencontré Jimmy G. Il avait déjà achevé ses études.

– Comme tous les chats. »

Sara sent que Maude est de nouveau avec elle. Elle était loin, n'importe qui aurait pu le voir.

« Eh bien, je voulais juste vous informer pour le livre. Ce sera le plus gros événement éditorial depuis la confession du pape. Vous avez l'air déprimée.

– Je voulais avoir l'air réjouie. Je suis si heureuse pour lui.

– Je n'avais pas l'intention de vous contrarier.

– Bien essayé.

– Il écrit très mal, si ça peut vous consoler. Je vais devoir tout corriger, j'en utiliserai environ un quart dans l'*Herald* et je garderai le reste. Maintenant qu'il a trouvé sa voix, impossible de le faire taire. Ça va être un ramassis de confessions incroyables. Il ne s'est jamais rien produit de tel, c'est ce que Jim n'arrête pas de me dire. Personne ne sait trop quel comportement adopter.

– Comportez-vous normalement. C'est ce qu'il fait. »
Puis :

« Vous voyez ce qui se passe, n'est-ce pas, Sara ?

– J'espère juste qu'il fera une gaffe.

– Je ne pense pas.

– Écoutez, au bout du compte, quand il aura écrit son putain de bouquin et, eh bien, si l'argent est en effet réparti entre les familles des victimes, pourquoi n'arrêterait-il pas ?

– C'est ce qui me fait peur, il arrêtera et il ne se sentira pas bien. Ce n'est pas une séquence logique, ce n'est pas parce qu'il arrêtera qu'il sera guéri. Il restera dangereux. »

Sara observe de nouveau l'expression étrange de Maude, comme si elle écoutait quelque chose. Elle ne la reconnaît pas pendant un instant, a honte de ne pas pouvoir lui en faire part.

« Il va disparaître, je le sais, dit-elle.

– Il pourrait toujours se faire renverser par un pick-up.

– Et nous ne le saurions jamais.

– Nous ne saurions jamais qui il est ni pourquoi il fait ce qu'il fait. Je veux qu'il se fasse prendre vivant.

– Vous êtes une professionnelle, Maude, pas moi. J'en ai assez de la manière douce, je veux le voir mis au supplice. Je viens d'un pays où on brûle les sorcières, je veux le torturer moi-même. »

Elles boivent une gorgée, le sujet est mort, mais pas enterré.

« Au fait, reprend Sara, comment avance votre prochain article ? »

Maude sourit.

« Vous voulez un autre martini bien frais ?

– Je ne dis pas non. »

Maude se lève. *Sara, très chère, mes sentiments ne sont pas si professionnels que ça. Je veux lui trancher la gorge et le voir se vider de son sang par la trachée.*

Elle porte le verre vide de Sara à la cuisine.

MAUDE

Maude ne se rappelle pas quand elle a entendu pour la première fois le murmure. Ç'a été progressif. Peut-être que ça a commencé dans ses rêves, quand elle était dans un demi-sommeil, puis il est provenu des murs, les matins où il faisait chaud. La voix est familière. Bien sûr qu'elle est familière, c'est sa propre voix. Elle connaît les règles de la folie.

Quand elle n'a plus été cantonnée à ses rêves, la voix s'est mise à lui parler pendant les moments de silence qui précèdent le sommeil. Maintenant elle l'entend dans la journée, à n'importe quelle heure, quand elle conduit, quand elle fait la queue, elle essaie de l'influencer, insistante, claire, murmurant à son oreille : *Tue-le, tue-le...*

Quand elle écoute un opéra, le murmure disparaît. Les puissantes voix de ténor chantant de magnifiques arias l'étouffent, voix contre voix, mais, dans les minutes qui précèdent le sommeil, il revient. Le murmure sépulcral. Il lui dit qu'il n'y a pas de remède pour ses patientes, que le seul remède, c'est tuer Toyer. La constance de la voix, insistante, implorante, gémissante. Il est impensable pour un médecin d'envisager la mort comme un remède. Mais chaque nuit la voix est là.

Elle n'en a parlé à personne. À qui pourrait-elle ? Certainement pas au docteur T, qui ne l'autoriserait jamais à reprendre ses fonctions. On parle encore au Kipness de ses emportements, l'année dernière, chaque fois qu'une nouvelle victime arrivait, de la façon dont elle s'en prenait aux infirmières, qui lui sont néanmoins restées fidèles, malgré ses accès de colère. Elles comprennent. Elles ont passé bien des nuits au côté de Maude quand les premières patientes ont été amenées. Il lui a fallu un an pour accepter que ces crimes grotesques faisaient partie de ses journées et de ses nuits. Dès le début, sa colère est en partie née du sentiment de culpabilité engendré par son impuissance.

Récemment, à force d'entendre sa voix intérieure, elle s'est sentie sombrer, elle reconnaît les indicateurs familiers qui désignent la douce pente vers la psychose incontrôlable, une descente vers un endroit communément appelé *folie*.

La voix intérieure est un symptôme de psychose hallucinatoire. Elle suggère un comportement psychotique au sujet. Les choses s'aggravent quand la voix lui ordonne de passer à l'acte.

En écoutant de l'opéra chaque soir, Maude parvient à surmonter la voix. Sans s'en rendre compte, elle marche sur les pas de son père, un homme qui, dans un accès de rage incontrôlable, a tué un de ses employés à la fonderie.

Maude est seule. Sara a téléphoné, elle a remarqué le comportement bizarre de Maude, mais n'a rien dit. Maude a pris une douche froide. Elle est trempée, s'essuie légèrement avec une serviette, se prépare un autre gin tonic. Ses pieds sont comme du plomb, elle ressent des picotements dans l'estomac, comme si elle avait avalé des scarabées.

DOCTEUR T

Ils sont dans son bureau. Le docteur T tient une enveloppe et une lettre.

« Le conseil de l'ordre veut vous retirer votre licence. »
Il dit ça sans conviction, mais elle sait qu'il est sérieux.
« Pour toujours ? »
Il acquiesce.
« À cause des articles dans l'*Herald* ? »
Il hausse les épaules, d'un air de dire, *évidemment.*
« Les diagnostics par correspondance, Maude. J'ai parlé au conseil et ils sont prêts à passer l'éponge en raison de votre excellent travail, mais à condition que vous cessiez de les publier... » Il regarde la lettre. « Si vous continuez, à partir d'après-demain, je ne pourrai pas les empêcher de vous radier.

– Est-ce qu'ils ont le droit de faire ça ?

– Oh ! oui.

– Pourquoi ?

– Vous ne pouvez pas traiter vos patients publiquement. Surtout des patients que vous n'avez jamais rencontrés.

– Je serais heureuse d'organiser une séance avec Toyer, mais il a oublié de me laisser son numéro de téléphone.

– Le conseil estime que ça discrédite notre profession.

– Et vous, vous en dites quoi ?

– Bien sûr que ça la discrédite, mais je comprends votre besoin de le faire.

– Vous appréciez mes lettres ?

– Ce sont de sacrément bonnes lettres. Ce n'est tout simplement pas la manière dont nous procédons, ne le voyez-vous pas ?

– Pourquoi croient-ils que je fais ça ?

– Ils estiment peut-être que c'est pour la publicité. » Il sourit. « Comme un avocat qui se fait sa pub. »

Maude fait la moue.

« Voici votre copie de la lettre. J'ai signé l'accusé de réception. » Il lui tend une enveloppe recommandée fermée. « Ils disent aussi que si vous continuez à écrire ces lettres, ils auront le droit de vous poursuivre en justice. »

Il veut rester avec elle ce soir, et elle aussi. Il la suit jusqu'à chez elle, apporte à manger, des spécialités françaises – canard aux fruits acheté chez Le Provençal – auxquelles elle ne touche pas, plus un muscadet frais, deux bouteilles qu'il met au freezer.

La soirée est terminée, il est minuit passé. La veste du docteur T est étalée en travers du divan. Il finit son café, pose la tasse sur la table de verre. La soucoupe grince. Il doit rester avec elle. C'est crucial. Il sent la longévité de son émotion, la patience de sa passion. Il s'imagine Maude et lui tels deux amants liés par la chair, aveugles et sourds. Ce n'est pas rien. Maude et Elias. Le moment approche, il y a urgence, ils se regardent avec gravité, comme s'ils couraient un grave danger.

Elle sait. Elle veut lui demander de rester pour la nuit, l'aider à ôter ses gigantesques chaussures, s'étendre auprès de lui, le sentir autour d'elle, mêler sa sueur à la sienne. La nuit n'a pas rafraîchi l'air. Elle veut qu'il lui fasse l'amour progressivement, accidentellement. Elle peut lui dire ce qu'elle veut, elle peut tout lui dire. Elle se sent ignorante, virginale. *Le perçoit-il ?* Elle lui touche le nez, elle a toujours voulu faire ça.

Elle sait. Elle éteint les lumières du salon, se rend dans la chambre. La lueur qui s'échappe de la chambre plonge le salon dans une semi-obscurité théâtrale qui convient au moment. Elle se déshabille, son ombre heurtant la porte de la chambre.

Elle sait. Cette fois elle laissera son peignoir s'entrouvrir. C'est un stratagème simple. Elle a pris une douche froide, pour refermer ses pores, prétend-elle. C'est alors qu'elle réapparaît. Le vin est dans le seau à glace, deux bougies sont allumées, il n'y a pas d'autre lumière dans le salon. Il a ôté sa cravate, ses chaussures attendent côte à côte. Il lève les yeux vers elle, tenant son verre, en attente. Elle se tient dans l'embrasure de la porte. C'est alors qu'elle laisse son peignoir s'entrouvrir.

Maintenant.

Ça fait deux ans que Mason est mort. Elle n'a jamais envisagé de faire l'amour avec un autre homme jusqu'à ce soir. Mais se déshabiller pour Elias l'a excitée, elle est gonflée de désir.

Elias ressent la puissance de sa solitude. Il se lève, la guide jusqu'à la chambre. Lorsqu'il la pénètre finalement, il sent sa dualité, ses cuisses qui le repoussent, se resserrent, une poche étroite et chaude. Puis Maude s'abandonne. Sa respiration est rauque, son besoin de lui est fantastique.

Lui aussi a fantastiquement besoin d'elle, il veut lui faire l'amour depuis le jour où il l'a rencontrée, lorsqu'elle est entrée dans son bureau et s'est assise face à lui. Il parvient à combiner plaisir et amour, un homme puissant avec des mains fortes, un nez d'empereur romain, il ne peut lui communiquer l'intensité de son attente qu'à travers son pénis. C'est ce que font les hommes.

Il ne rentrera pas chez lui ce soir. Il sait qu'une autre nuit, il y a des années de cela, en mai 1969, près du Laos, il a échappé à un tir de mortier uniquement pour vivre cet instant.

Tôt le lendemain matin, alors que le jour se lève, il s'en va. Maude, assise à la fenêtre, regarde ses phares arrière disparaître au bout de la rue. Elias est un homme, elle se sent comblée. Elle est humide, sans odeur.

MAUDE

Mais Maude sent qu'elle voyage dans un temps longitudinal, sans latitude en vue, rien n'a changé. Ce soir elle remplit un verre trapu de glace et de gin, s'assied telle une veuve à la fenêtre, regarde dehors. Finalement, elle commence à rédiger une lettre.

«Cher Toyer, espèce de pervers...»

Elle la déchire, s'aperçoit qu'elle veut toujours le tuer.

Appelle-moi. Elle a la tête qui tourne, c'est un très bon gin. *Viens à moi, viens à moi.*

Quand il appellera, je ne serai pas en colère. Je serai réconfortante, complaisante, ouverte, crédule. Il appellera, et alors je pourrai faire toutes ces choses. Mason le mort me disait que je pourrais exciter n'importe qui au téléphone.

Je dois te rencontrer, t'aider, et après je n'aurais qu'à te tuer.

Il appellera, et je ne serai pas surprise, je serai prête pour lui. Je dirai que je veux le rencontrer.

Il demandera : Où ?

Voici ce que je dirai. Je dirai : Bonjour, je ne sais pas comment vous voulez que je vous appelle alors dites-moi un nom, n'importe quel nom. Et alors je l'appellerai comme ça. Savez-vous qui je suis ? Bien sûr que vous le savez. Alors je vous en prie, appelez-moi Maude. Un prénom tellement laid, Maude, j'ai toujours rêvé de m'appeler Savanna.

Je veux que vous sachiez une chose. Je suis désolée pour vous,
vous savez, et je crois vous comprendre. Je sens votre solitude comme
vous sentez la mienne. Pour moi, vous êtes pris dans un piège.

Non, non, écoutez-moi.

Moi aussi, je suis prise dans un piège, comme tout le monde.
Nous entrons dans ces pièges dont nous ne pouvons pas sortir,
alors nous restons là, nous vivons, comme si nous vivions dans
la mauvaise maison, nous restons et nous refaisons la peinture
et la décoration, nous la rendons vivable, mais elle sera toujours
un piège. Est-ce que ce que je dis fait sens ?

Écoutez. Je vais me soumettre à vous. Je peux le faire. Je sais
comment le faire. J'ai été mariée autrefois. Mon mari est mort.
Un jour je vous dirai ce qui s'est passé. Je porterai ma longue
jupe ample en soie, un chemisier, rien d'autre. Des sandales.
Vous me reconnaîtrez au toucher.

Elle dort. Son bloc-notes blanc est posé à côté d'elle,
son stylo est tombé par terre. Jimmy G aime jouer avec
les stylos, tous les stylos de Maude finissent hors de
portée sous les meubles, à moins qu'elle ne les range
dans des pots ou dans des tiroirs.

Elle pousse un cri qui l'arrache à son rêve. Elle était
dans le champ d'herbes hautes que lui a décrit sa mère.
Jacinthes, jonquilles, primevères. Il était là, comme
avant, marchant dans la lumière, se frayant un chemin
à travers l'herbe haute, nu. Marchant vers elle, de plus
en plus proche. Il ne la regarde pas. Elle a enfin vu son
visage. Il semble amusé.

Il va me rappeler. Et alors je n'aurai pas l'air surprise,
je serai prête pour lui. Je lui dirai que je veux le rencontrer.
N'importe où. Je ne m'inquiète plus pour moi. Je n'ai plus peur.

Il arrive.

TOYER

Elle croit avoir répondu au téléphone à la première sonnerie, mais il continue de sonner. Elle le localise au plus profond de son sommeil, décroche, exhale un bonjour. Elle entend la voix sonore. *C'est lui.* Elle ne sait plus où elle s'est endormie, a oublié sa vie. Elle boit désormais pour s'endormir. C'est plus simple.

Soudain réveillée, elle sent le poids de Toyer, entend un faible bruit de circulation derrière sa voix, comme une musique de nuit. Il reste un long moment sans parler.

« Allô ? »

Elle essaie d'ajouter quelque chose, elle tremble.

« Quel est votre nom ? demande-t-il alors.

– Maude. »

Pas *Maude Garance* ni *docteur Garance.* Maude.

Elle est toujours sur le divan. Elle pose les pieds par terre, allume la lampe de table, puis, ayant retrouvé le contrôle de sa voix, annonce qu'elle veut le rencontrer.

Il dit qu'il aime sa voix. Cette réflexion à caractère sexuel lui glace les sangs.

S'il peut dire ça, il peut dire n'importe quoi. Il peut me demander ce que je porte. S'il le fait, je lui répondrai. Mais il ne pose pas la question.

« Ne raccrochez pas, reprend-elle. J'ai besoin de vous rencontrer. »

Il s'y attendait.

« Rendez-vous au croisement de Wilshire et Beverly Glen, à l'angle nord-est, et attendez-moi.

– Quand ?

– Maintenant. »

Elle n'informera pas l'inspecteur I. Perrino. C'est sa solution à elle, pas celle de la police. Comme une œuvre d'art entièrement originale, Toyer ne tombe dans aucune catégorie connue. Certainement dans aucune des leurs. *Les flics sont encombrants. Avec leurs grosses pattes, ils bousillent tout. S'ils me surveillaient, il pourrait s'en apercevoir. À la moindre erreur, il disparaîtrait, peut-être pour toujours.*

Les mains de Maude tremblent tandis qu'elle s'habille. Elle a déjà choisi ses vêtements, qui sont suspendus à l'écart des autres, mais tout semble désormais si soudain. Comme s'il était trop tôt. Elle enfile la robe ample par-dessus sa tête, la fait glisser sur son corps nu. Elle arrange deux fois ses cheveux, les laissant d'abord tomber droit, puis les ébouriffant, opte finalement pour la première solution.

Dans sa trousse à pharmacie sous l'évier, elle trouve le minuscule scalpel du docteur T, le sort de son étui. Elle le colle au moyen d'un sparadrap couleur chair sous la voûte de son pied. Elle a tout prévu depuis long-temps, mais n'a jamais répété. S'il se détache pendant qu'elle marche, si elle ne l'attache pas exactement comme il faut, le scalpel risque de lui entailler profon-dément la voûte plantaire, peut-être même de sectionner un tendon. *Horrible. Je serais là à pisser le sang dans mes sandales. Il le remarquerait forcément.*

Les boulevards sont déserts à 2 h 15, elle conduit prudemment, vite, porte des sandales et une ample robe beige.

Le trajet prend un quart d'heure.

Bien sûr, quand elle arrive, il n'y a personne. Wilshire est un boulevard large, pas une voiture à l'horizon. Il y a une cabine téléphonique à l'angle nord-est, là où il lui a dit d'attendre. Quelques minutes plus tard, le téléphone sonne.

« Où voulez-vous me rencontrer ? »

C'est moi qui choisis ?

« À vous de décider », répond-elle.

On dirait deux célibataires qui se sont rencontrés dans un bar.

« D'accord. Pas maintenant. J'ai un endroit en tête où nous serons tranquilles. Continuez de rouler vers l'ouest et quand vous atteindrez Venice Park, attendez à l'angle nord-est, au croisement de Windward et d'Ocean Avenue. »

Maintenant qu'elle l'a entendu faire des phrases complètes, elle sait que sa voix n'est pas simplement sonore, elle est langoureuse. Il est peut-être noir, mais peut-être pas.

Vingt-cinq minutes plus tard, elle se tient seule au croisement indiqué. Toutes les boutiques sont fermées. Le téléphone fixé à un mur se met à sonner.

« Je sais que vous êtes venue seule, Maude. Passez devant les bâtiments, engagez-vous sur la plage, et continuez de marcher. C'est tout. »

Il sait que je suis venue seule. Je veux être seule. Je suis en sécurité, on me voit de loin.

C'est un lieu dégagé, il n'y a pas de lune.

Le sable est froid sous ses pieds nus, elle ne voit ni n'entend l'océan. Elle a laissé ses sandales dans la voiture. Le scalpel est toujours bien attaché sous son pied gauche. La plage fait un kilomètre et demi de large, elle est plate, semble totalement indépendante de l'océan. Ses pieds creusent des cratères.

Une obscurité de milieu d'été flotte juste derrière la promenade, pas une belle nuit, l'air chaud, étouffant. Au loin, la nuit est noire, aveugle.

Après avoir parcouru une trentaine de mètres sur la plage, Maude ne voit plus devant elle. Elle sent simplement le sable sous ses pieds. Ses yeux ne se sont pas habitués à l'obscurité, elle les ferme et les rouvre lentement. Elle traîne derrière elle un châle en laine, en cas de besoin. Elle ne porte qu'un vêtement, sa longue robe de soie chiffonnée. Le scalpel est toujours attaché sous sa voûte plantaire. Elle n'a pas de sac à main, si elle est laissée pour morte, son corps sera retrouvé au petit matin par le premier chercheur de trésor équipé d'un détecteur de métal. Si elle est tuée, la police mettra un moment, peut-être toute la matinée, à faire le lien entre elle et la voiture quelconque garée un peu plus loin dans Ocean Avenue.

Elle n'aurait jamais pu venir jusqu'ici sans boire plusieurs rasades de gin, à même la bouteille, dans la voiture. Mais le gin ne fait plus effet. À force d'essayer de pénétrer l'air noir et épais, elle a dessoûlé. Elle est à cran à force de tendre l'oreille. Elle a compté cinq cents pas, quatre cents mètres.

Elle s'arrête. Elle sent une absence de vide, une présence massive. Quelqu'un est passé près d'elle, quelqu'un qui aurait pu la toucher mais ne l'a pas fait, elle a perçu un mouvement dans l'air, une odeur. Peut-être un oiseau de mer qui est descendu en planant, comme ils le font souvent, pour l'inspecter. *Mais les oiseaux de mer ne volent pas la nuit.*

Elle est immobile, terriblement effrayée. Elle ne pensait pas qu'elle aurait peur, croyait ne plus rien avoir à perdre. Mais elle se demande désormais ce qu'elle fait là et regrette de s'être lancée là-dedans. Elle est seule, le gin ne fait plus effet.

Loin derrière elle, il y a des réverbères et des phares, mais il n'y a rien devant, entre elle et la mer fantomatique. Elle se retourne. Regarde en direction des lumières distantes. Quelque chose intercepte brièvement la lumière. Une présence, là, toute proche, qui retient son souffle.

Elle devine une forme. Une absence de lumière. Un homme se tient à moins d'un mètre cinquante d'elle, l'observant. Quelqu'un dont les yeux sont habitués à l'obscurité. Il l'a suivie.

Le moment est venu de se soumettre. Elle va s'abandonner à lui. Quoi qu'il veuille lui faire, ce n'est rien comparé à ce qu'elle lui réserve. Elle s'abandonnera de bonne grâce, puis lui tranchera la gorge avec précision, d'un unique geste ferme de la gauche vers la droite.

Une main lui touche légèrement le bras. Elle ne peut pas parler. La main lui soulève le bras, comme pour danser un cotillon. Les doigts prennent son pouls. Elle sait qu'il doit atteindre les cent quatre-vingts battements par minute. Maintenant il y a deux mains, une sur son coude, l'autre qui lui tient la main.

Elle ne résiste pas. Elle laisse les mains glisser sur elle, sur ses bras, ses aisselles, elles sont aussi douces que ce qu'a décrit Sara, elles touchent la soie, le châle, découvrent que sous la robe ample elle ne porte rien, que ses seins sont nus, ouverts, passifs, frémissants. Les mains ne lui feront pas de mal. Elles se maîtrisent parfaitement, remontent entre ses jambes en effleurant ses cuisses, passent sur les poils fins de son pubis sans s'y attarder, entre ses fesses, légèrement. Depuis ses chevilles jusqu'à son dos, ses oreilles, ses cheveux. Les mains cherchent, elles n'ont rien trouvé. Ce qu'elles cherchent est attaché au moyen d'un sparadrap sous la cambrure de son pied.

Les mains se sont enfuies. Il n'y a plus personne. Elle ne voit rien. Elle se tient, yeux clos, tête baissée, disponible. En attente. Son cœur cogne. *Comment ai-je pu venir ici ?*

Un bruissement. Soudain, d'un seul mouvement, elle est soulevée du sol, ses pieds tremblent, elle est aussi légère qu'une plume, a le souffle coupé. Maude ne le sait pas, mais ce n'est pas un viol, une simple collision fortuite, peut-être un vol. Elle est entourée, raide, retournée, poussée sur ses genoux, secouée, le corps de l'homme est au-dessus du sien, elle gît sur le dos, engloutie par sa robe de soie.

Elle arrache sans peine le sparadrap sous son pied, le scalpel est minuscule, la lame est nue, cruelle, elle risque de perdre un doigt si elle le saisit du mauvais côté. Il tombe dans sa main, exactement comme il faut, le manche sur sa paume comme elle avait prévu. Elle s'accroche à l'homme en lui enfonçant les doigts de la main gauche dans le dos. Elle approche les mains de ses épaules, de sa nuque. Il ne remarque rien. Elle cherche le bon endroit. Le point d'entrée. Tenant le scalpel dans sa main droite, elle tente de planter la totalité de la lame dans le côté droit de son cou, près de la clavicule, puis de lui trancher la gorge.

Il suffoque, des bulles apparaissent sur ses lèvres, un sang chaud éclabousse la bouche et les yeux de Maude, sa poitrine, ses cheveux. Elle se tortille mais ne parvient pas à se dégager de son poids immense. Il s'effondre inconscient, sans protester, les bras en arrière, les coudes collés au corps. Il tombe sur elle, la clouant sur place dans le sable, sa bouche sanguinolente et sa gorge ouverte sur la bouche et la gorge de Maude. Elle ne peut pas bouger. Le temps s'enfuit. Elle est trempée de sang, un déluge de sang. Autour d'eux, tout est silencieux. La respiration de Maude se ralentit. Elle se débat pour se dégager, poussant des mains sur le sable qui, mêlé au sang, forme une pâte qui colle aux yeux et aux doigts.

Toyer a honoré son rendez-vous avec elle. Elle se dégage en se tortillant telle une enfant. Il s'affaisse, continuera de se vider de son sang dans le sable toute la nuit.

Elle ne doit rien laisser derrière elle. Seuls elle et lui savent qu'elle est désormais une meurtrière. Si personne d'autre ne l'apprend, il ne s'est rien passé. Elle a perdu le scalpel. Il faut le retrouver. Elle fouille minutieusement le sable des doigts, prenant soin de ne pas se couper. Elle ne peut pas le laisser ici. La seule chose qu'elle doit laisser derrière elle, c'est Toyer mourant, à l'intention des charognards du petit matin qui parcourent le sable avec leurs détecteurs de métaux, en quête d'objets brillants.

Elle entend des voix, pas très loin, un homme et une femme qui viennent de faire l'amour et reprennent désormais leurs esprits.

Maude s'éloigne furtivement du corps de Toyer, traverse le sable en direction des lumières de la promenade, puis reprend le chemin de la maison. Elle n'est jamais venue sur cette plage.

MAUDE

Rien ne bouge, la terre qui entoure sa maison est aride. Il n'y a pas d'oiseaux. Les pièces sont endormies, silencieuses. La lumière du soleil traverse le salon, illuminant des petites taches rose pâle sur les serviettes, les tapis. Dans la salle de bains, il y a des savons et des gants de toilette humides. Des traces de pas ensanglantées sur le carrelage, dans la douche. La litière du chat a été renversée, créant une petite plage. Il flotte une odeur de vomi.

Dans la chambre, Jimmy G est éveillé. Il regarde Maude dormir, enveloppée dans des serviettes blanches propres. Ses mains desséchées sont inertes, à moitié fermées, souillées. Il y a du sable sur l'oreiller, dans son oreille, une bouteille de Tanqueray poisseuse sur le lit, vide. Il est 10 heures. Elle se réveille, les yeux assombris par la fatigue.

Bon sang. Je l'ai fait. Il n'est plus là. Une douleur aiguë lui transperce l'intestin. Ses seins lui font mal. Elle a un vilain bleu sur le coude, on dirait un éclat d'os. Elle se rappelle être tombée dans la douche après avoir glissé dans la flaque de sang visqueuse. Par terre, sa robe en soie est roulée en boule à l'intérieur de son châle en laine. Elle avait emporté une serviette de plage pour protéger le siège de la voiture, des pansements au cas où elle se blesserait, elle avait tout préparé.

Quand elle est rentrée chez elle et s'est jetée sous la douche sans se déshabiller, le sang formait des croûtes dans ses cheveux, se mêlait au sable sur son visage, ses bras et sa poitrine. Elle s'est brièvement évanouie sur le tapis du salon, puis, étrangement, s'est réveillée plus tard dans son lit, enveloppée dans des serviettes blanches. Elle s'est lavée à de multiples reprises, s'est purifiée du déluge de sang. Elle commence à se rappeler une nuit faite de gin et de douches.

Elle a tué. *C'est fini, fini. Je l'ai tué et personne n'en saura rien.* Outre ses bonnes raisons, le fait est qu'elle a tué, qu'elle a mis un terme à une vie d'une manière détestable. Elle éprouve une exubérance malsaine, elle sait que quelque chose en elle est mort, pour toujours.

Elle se réveille à moitié. Elle voudrait appeler tout le monde et annoncer la mort de Toyer. Si elle pouvait le faire, étonnamment, c'est Chleo qu'elle appellerait en premier, l'infirmière qui s'est occupée des dix victimes, qui a été à ses côtés deux années durant. Fini les patientes. Ensuite, elle appellerait le docteur T, puis Sara.

Il y a des traînées pâles sur le montant de la porte d'entrée, près de la serrure. Quand elle l'ouvre, la lumière l'aveugle, le journal du matin a été jeté dans la haie dégarnie. Naturellement il n'y a rien dedans concernant le meurtre. Il est beaucoup trop tôt. *Les rotatives tournaient quand j'étais à la plage.* Elle voit du sang sur la portière de sa voiture, sur le volant.

Elle sait que rien ne sera jamais écrit sur le meurtre de Toyer. *Sa mort est un secret, il va simplement disparaître, je serai la seule à savoir ce qui lui est arrivé.* Il restera toujours un suspense intrigant. Petit à petit, on finira par supposer qu'il a arrêté.

Maude imagine des policiers en chaussures noires dans le sable, les cordons jaunes « Ne pas franchir » voletant dans le vent, l'effarement horrible des badauds.

À moins qu'elle ne leur mette la puce à l'oreille, les flics n'auront aucune raison de comparer l'empreinte du mort à la *marque* laissée par Toyer. Pourquoi le feraient-ils ? Son dossier va rester ouvert.

Les journaux de l'après-midi annonceront, pas en première page :

DÉCOUVERTE D'UN HOMME
SAUVAGEMENT ASSASSINÉ

Une sensation désagréable lui noue les tripes.

Demain, l'affaire sera presque oubliée. Ça ne sera jamais que ça. Un meurtre de plus. Personne ne saura jamais que c'était lui. Fin de l'histoire.

Un jour quand tout se sera calmé, quand j'aurai été réintégrée dans mes fonctions, je vous dirai, docteur T, ce que j'ai fait la nuit dernière. Peut-être que j'enverrai une brève lettre anonyme à Sara pour l'informer que le corps retrouvé à Venice Beach le 20 juin était celui de Toyer. La police comparera les empreintes. Je lui donnerai le scoop.

GEOFF

Après-midi. Maude est catatonique. Il n'est question d'aucun assassinat à la radio, c'est un meurtre trop anodin. Elle passe en revue les chaînes de télé. Elle se sent enivrée, malade. Elle n'a plus de forces, plus d'appétit. À 14 heures il est question d'un incident sur une plage. Il s'agit d'autre chose, un incendie, pas à Venice Beach mais à Manhattan Beach. Comment se fait-il qu'ils n'aient pas encore retrouvé Toyer ? Elle se rend au supermarché pour acheter une bouteille de Tanqueray, reste assise dans sa voiture garée sur le parking, le goulot trapu recouvert de zinc de la bouteille verte sort du sac en papier. Elle trouve ça joli.

Puis, plus tard, alors qu'elle est couchée, elle entend les mots *Venice Beach* jaillir de la radio qu'elle a laissée allumée dans le salon.

Toyer a été découvert par un couple qui lui a apparemment sauvé la vie. Il est en ce moment en soins intensifs. Une vague noire la submerge, Toyer est vivant. Elle se sent faible. C'est incroyable, la femme qui l'a découvert a autrefois été étudiante en médecine. Il est dans un état critique.

Maude décide de contacter l'inspecteur I. Perrino, mais elle ne peut pas appeler le commissariat depuis chez elle. Dans la matinée un interlocuteur anonyme informera donc Perrino que Toyer est la victime non identifiée qui a été retrouvée à Venice Beach et qui est désormais hospitalisée à Saint-John, et la voix lui conseillera de prélever une empreinte de sa main droite.

Dans la matinée, elle roule vers le supermarché pour passer le coup de fil à Perrino. L'autoradio est allumé.

«La victime de l'étrange attaque qui s'est produite mercredi soir à Venice Beach a été identifiée...» Elle aurait apparemment agressé un sans-abri, dont le nom de famille est toujours inconnu. Rien de plus.

Elle manque de s'évanouir dans sa voiture sur le parking du supermarché.

Elle pénètre dans le supermarché, achète les éditions matinales du *Times* et de l'*Herald*. Dans ce dernier, en page 7 :

Agression bizarre sur la plage

Un homme sans abri a été découvert après une agression brutale à Venice Beach, non loin de son tapis de couchage. Il est âgé de 30 à 35 ans. D'après un tatouage, il s'appellerait Geoff, mais aucune des personnes interrogées ne semblait connaître son nom de famille. Geoff est un personnage connu de Venice Beach, un visage familier. Les gens lui donnaient occasionnellement à manger. Il serait originaire d'Ohio ou d'Illinois.

Il a une allure plaisante, c'est un homme simple, apprécié. Certains le considèrent comme une créature de la plage, d'autres comme un esprit libre. Rick Nize, le reporter de l'*Herald* qui a écrit le bref article, demande à toutes les personnes qui pourraient connaître le nom de famille de Geoff de se manifester, il donne le numéro de téléphone du journal, son poste. Il n'y a pas de photo.

Aux alentours de la plage, on s'étonne moins de cette agression. C'était un sans-abri après tout. C'est un zoo ici. *Sélection naturelle.*

Aujourd'hui ou demain, quelqu'un identifiera Geoff. Une ex-femme, une mère qui voudra le récupérer. S'il survit.

Seigneur, je vous en supplie.

Au lieu de tuer Toyer, Maude a blessé quelqu'un d'autre, un pauvre type brûlé par le soleil, un enfant de Dieu. Même pas un violeur. *Un simple type assoupi qui s'est réveillé en voyant une opportunité en or venir à lui comme dans un rêve.* Elle prie pour qu'il s'en sorte. *Personne ne saura jamais que c'est moi qui ai essayé de le tuer.*

À 15 heures, Sara appelle, laisse un message, demande si elle peut passer boire un verre en fin d'après-midi. Maude est chez elle, elle l'entend. Elle ne décroche pas. *Trop tôt. Encore trop tôt.*

À 16 heures, Maude entend à la radio qu'un scalpel couvert de sang séché a été retrouvé dans le sable par une personne équipée d'un détecteur de métaux. C'est un scalpel musculaire suédois, ce qu'on fait de mieux.

Vers 17 h 30, Sara tente sa chance et passe. Elle s'inquiète pour Maude, son absence, sa voix. Lorsqu'elle descend de voiture, elle voit de la fumée blanche s'élever derrière la petite maison, quelque chose brûle, elle sent une odeur de tissu humide en feu. Elle contourne la maison. Maude est là, presque nue, lui tournant le dos, debout devant un barbecue, aspergeant de fluide combustible une serviette de bain et ce qui ressemble à une robe. Sara rebrousse chemin, ça ne la regarde pas.

À 18 h 30 elle appelle Maude. Celle-ci répond. Sara lui demande de nouveau si elle peut passer boire un verre, Maude refuse poliment. Elles parlent brièvement, Sara lui demande si elle est libre pour déjeuner demain. Maude accepte. Sara lui demandera demain ce qu'elle fabriquait.

TOYER

5 heures du matin. Le téléphone de Maude sonne. *Personne ne dort donc plus ?* Elle décroche, ne dit rien, écoute, prête pour le pire.

« Maude ? »

C'est lui.

« Oui.

– Ma parole. Qu'avons-nous fait ? »

Maude ne répond pas.

« Nous sommes vraiment méchants, hein ? Mon Dieu, mon Dieu. Je ne sais plus quoi penser de vous, suis-je en colère ou flatté ?

– Je souhaite toujours vous rencontrer.

– Et moi aussi je veux vous rencontrer, mais regardez comment vous vous comportez. Je croyais que votre métier était de soigner. Maintenant je suis confus.

– Dites-moi où vous rencontrer. »

Clic. Hmmmmmmmmmmmmmmmmm.

Il joue sur du velours. Il s'amuse merveilleusement.

Le lendemain matin, elle continue de laver, d'astiquer. La radio est allumée dans le salon, branchée sur les informations de la radio publique, suffisamment fort pour que Maude puisse l'entendre depuis n'importe où dans la maison. Elle lave tout en écoutant. Tapis, rideaux, casseroles, poêles, sols, fenêtres, chiffons, Jimmy G, la voiture. Elle a brûlé sa robe en soie et son châle préféré.

Survient alors la nouvelle. Le sans-abri a été identifié. Son nom est Geoff Wates. Né à Saint-Paul, ancien joueur de football dans l'équipe du lycée catholique, élève médiocre. Son père appartient à une petite milice qui croit que le gouvernement est le mal incarné. Il y a neuf ans, Geoff Wates est venu en Californie en auto-stop pour se trouver, et ç'a été la dernière fois que son père a eu de ses nouvelles. Il explique à un journaliste que Geoff a toujours aimé les chats et les chiens. Il demeure dans un état critique.

Quand il sera guéri, Geoff se souviendra toujours de la nuit où il a été attaqué par une femme armée d'un couteau qui l'appelait constamment Toyer.

DOCTEUR T

Le docteur T s'essuie avec une serviette dans l'entrebâillement de la porte de la salle de bains. Il s'apprête à aller au travail. Il est grand, un peu flasque à certains endroits.

Au cours des deux dernières semaines, il a passé quatre nuits dans la petite maison de Maude, dans la rue sommaire qui surplombe le canyon. Il sent qu'elle a plus que jamais besoin de lui, il croit la connaître, ce qui lui suffit, il n'a pas besoin de connaître les détails. Pour la première fois, il a senti leurs deux corps à l'unisson.

Soudain elle se met à pleurer, s'étrangle, sa tête s'agite sous l'effet des sanglots.

« Ne t'en fais pas, ça va aller », dit-elle.

Elle marche jusqu'à lui. Elle tient à peine sur ses jambes, il la soutient.

Pourquoi pleure-t-elle ? *Si seulement je pouvais te le dire.* Elle continue de sangloter. Elle ne peut pas s'en empêcher. Il la prend par le bras, la guide jusqu'au lit, la fait asseoir. Elle est faible.

« Maude, je t'en prie, je suis là. »

Entre ses sanglots, tout ce qu'elle parvient à bafouiller, c'est :

« Oh ! Elias, si seulement tu savais. »

Elle voudrait lui dire qu'elle a emprunté un de ses scalpels, presque assassiné un inconnu, un certain Geoff. Elle voudrait qu'il comprenne. A-t-il remarqué qu'un de ses petits scalpels avait disparu ? Les chirurgiens ont leurs instruments préférés. Elle imagine qu'il comprendra, peut-être un jour, mais pas maintenant. Pour le moment, c'est impossible. C'est trop frais, elle sent encore l'odeur du sang.

C'est sa perspective. Elle se voit, elle le voit. Elle les voit ensemble. Il est stationnaire.

Ce soir-là, Maude lui prépare des pâtes, *linguini alla puttanesca*, le mélange rapide conçu pour les bordels italiens, câpres, tomates, anchois, olives, origan, poivron rouge, huile d'olive. Le docteur T gémit de bonheur.

Elle se poste derrière lui, lui touche l'épaule.

« Quand as-tu été pour la dernière fois nourri par quelqu'un qui t'adorait ?

– Jamais. »

C'est un moment parfait pour faire l'amour.

TELEN GACEY

Mlle Sara Smith
Los Angeles Herald
Herald Square, L.A. 90019

Chère Sara Smith,

Je vous suis lointainement apparentée par alliance. Si vous parlez à votre père, s'il vous plaît dites-lui que la fille de Madeleine Haussman vous a contactée, et voyez ce qu'il dira. Il a épousé Ghiseline, la grande sœur de ma mère, un été, bien avant votre naissance, ce qui fait de moi votre ex-cousine. Je crois.

J'ai quitté le Wisconsin pour venir ici l'année dernière, après la mort soudaine de mon père dans un accident de pêche sur glace (ma mère se porte bien), et j'essaie de devenir écrivain, je suppose. J'appartiens à l'Actors Group, où je suis des cours de théâtre et apprends à écrire des dialogues pour le cinéma.

Bref, j'adorerais que vous assistiez à ma première représentation. Ou peut-être pourrions-nous tout simplement nous rencontrer ?

Telen Gacey

P.-S. J'admire beaucoup vos articles et aimerais vous connaître. Nous avons tous lu chaque mot que vous avez écrit sur Toyer – vous avez réellement donné vie à cette affaire. S'il vous plaît, essayez d'assister à une représentation de mon groupe. Nous nous réunissons chaque samedi matin.

LE MILIEU

HOLLYWOOD

L'homme svelte lance une pièce de vingt-cinq cents en l'air. Il la rattrape.

« Pile ou face ? »

La femme sur le canapé lève les yeux vers lui. Elle est assise, genoux levés, paralysée. Elle a une vingtaine d'années, elle est blême de peur.

Il lance de nouveau la pièce et la rattrape.

« Choisissez. »

Elle ne peut pas parler.

« Dernière chance. » L'homme sourit. Il lance la pièce et la rattrape. « Pile ou face ? Choisissez.

– Je ne peux pas », sanglote-t-elle. Elle sent que sa vie dépend de son choix. « Je vous en prie. »

Sa voix est à peine audible.

« Vous savez ce que je vais faire, n'est-ce pas ? »

La jeune femme semble faible.

« S'il vous plaît, laissez-moi une chance.

– Pile ou face ? »

Elle recule sur le canapé, cherchant à s'éloigner de lui, murmure sans regarder :

« Face.

– C'est pile », répond-il sans jeter un coup d'œil à la pièce.

Il la replace dans sa poche de pantalon.

«Dites-moi juste ce que vous voulez. Je le ferai.» Elle s'essuie les yeux. «C'est le meilleur moyen, non?

– C'est le seul moyen.»

Il sourit et fait passer son long couteau de sa main gauche à sa main droite.

«Nous allons faire ce que je veux, quoi que vous disiez.

– C'est ce que nous voulons tous les deux.»

Le couteau reflète agréablement la lumière du spot au plafond.

Soudain, l'homme aux cheveux sombres plante le couteau dans la table. La jeune femme lève les yeux en sursautant, surprise par la rapidité de son geste. Ses yeux se voilent. Elle enfonce son visage dans un coussin et fond en larmes, tout son corps agité par des convulsions.

Doucement, derrière un mur noir imaginaire, une voix de femme ordonne:

«Dis-lui de se déshabiller pour toi, Billy!»

L'homme aux cheveux sombres hésite.

«Allez, insiste la voix, dis-le-lui!»

Il n'a pas détaché les yeux de sa victime.

«Déshabillez-vous», dit-il sans conviction.

La fille lève les yeux, étreignant le coussin comme on étreint un amoureux. Toujours en larmes.

«Levez-vous!» ordonne l'homme, plus fort.

Elle obéit.

«Bien, déshabillez-vous.»

La jeune femme, prise au piège, hésite.

«Allez, Telen», insiste la femme invisible.

La jeune femme, au comble de l'embarras, détache sa jupe sur le côté sans quitter des yeux les pieds de son tortionnaire. Par chance, elle se souvient qu'elle a mis un slip ce matin. Quelques instants plus tard, elle se tient devant l'homme, vêtue uniquement de ses sous-vêtements. Elle a les mains dans le dos, s'apprête à détacher son soutien-gorge. Ses bras repliés semblent particulièrement agiles. Elle défait l'attache. Le soutien-gorge tombe par-dessus sa poitrine, dévoilant soudain ses mamelons.

La femme parle d'une voix calme.

« Merci, Telen, merci, Billy. »

Les applaudissements d'une douzaine d'acteurs brisent le silence.

Telen remet son soutien-gorge, récupère immédiate-ment sa jupe et son T-shirt et les enfile. L'homme aux cheveux sombres lui tourne le dos et fait face au regard noir des projecteurs.

« Ce n'était pas si terrible que ça, n'est-ce pas, Telen ? » demande la femme.

C'est fini.

« Horrible », marmonne Telen.

Elle lève la tête et écarte ses cheveux de ses yeux, hébétée, espérant des éloges. On dirait qu'on vient de la sauver de la noyade. Elle est occupée à dissimuler ce qu'elle vient de révéler. Elle secoue plusieurs fois la tête, esquisse un demi-sourire. Elle regarde nerveusement le public à travers la lumière brûlante, s'abritant les yeux d'une main tout en les essuyant de l'autre avec un mouchoir en papier. Elle est terriblement attirante dans son désarroi hagard.

« C'était du bon travail, Telen, déclare la femme. Qui veut passer en premier ? »

Elle tient un petit carnet sur lequel elle a pris des notes.

Anna Blouse, une femme obèse et curieusement radieuse dans une robe hawaïenne pâle. Telen n'a jamais vu un tel visage. On dirait qu'il est fait de déceptions, que c'est d'avoir été abandonnée qui a rendu cette femme énorme. Derrière son dos, ils l'appellent Mamie Blouse. Pourtant, il y a quelque chose de radieux en elle.

L'homme aux cheveux sombres qui n'a pas reçu de félicitations s'appelle Billy Waterland. Pas son vrai nom. Il arrache son couteau de la table, s'assied lourdement sur un fauteuil, jambes croisées, poussant un soupir tendu qui semble traverser tout son corps. *Fiouuuuuu.*

« Qui veut passer en premier ? » répète Anna Blouse.

Aucun acteur ne se propose.

« OK, Telen, à toi. »

Telen se mouche. Sa bouche fermée semble constamment sourire. Son père était alcoolique.

« Ça va ? »

Telen acquiesce.

« OK, qu'est-ce que tu as utilisé pour la peur ? »

Telen se redresse sur le canapé. Elle distingue à peine la grosse femme dans l'obscurité, assise au premier rang du minuscule théâtre. Elle plisse les yeux en direction de la zone où elle sait qu'elle est assise.

« Eh bien, le couteau, bien sûr.

– Quelque chose d'intérieur, s'il te plaît, demande la femme d'une voix pleine de patience.

– J'ai utilisé un vieux cauchemar que je faisais.

– Tu veux nous le raconter ? »

Parfois le père de Telen rentrait tard et s'affalait sur le lit de sa fille uniquement vêtu d'un maillot de corps.

« Je ne préfère pas, Anna, c'est juste quelque chose qui est toujours là.

– Et ça a fonctionné pour toi.

– Oui, Anna, j'avais vraiment peur.

– Je te crois, Telen. »

Un sacré compliment.

La première fois que Telen a rejoint l'Actors Group et vu Anna Blouse, celle-ci semblait avoir la gueule de bois. 10 heures du matin, la première session du groupe, dix-neuf acteurs éparpillés à travers les quarante fauteuils du théâtre, face à la scène basse meublée de chaises, de tables et d'un canapé hors d'âge, tous chargés de souvenirs. Anna Blouse a ouvert un sac à provisions de supermarché et sorti quatre objets enveloppés dans du papier journal. Le premier était l'oscar qu'elle a reçu pour *In Extremis*, les trois autres étaient les trois Tony Awards qu'elle a remportés pour *Valstrice*, *La Générosité du feu*, et *Que le jour arrive*. Sans rien dire, elle les a posés sur la scène crasseuse, l'oscar sur la droite, les Tony sur la gauche. Et les mots qu'elle a dits ce jour-là aux acteurs ont été entendus, peut-être même retenus.

Anna oriente désormais la discussion vers Billy.

« Est-ce que tu t'es demandé qui était Toyer ? Où il a dormi la nuit dernière ? Comment il se rase ? Ce qu'il mange ?

– Oui, répond-il, bien sûr.

– Je n'ai pas eu du tout peur, Billy », observe-t-elle gaiement.

Billy acquiesce, ses yeux fermés indiquant qu'il comprend mais aussi qu'il est détaché, prêt à recevoir le coup qu'il mérite.

«Toyer n'est pas violent, Billy, tout le monde le sait. Il ne brutalise pas les femmes comme tu as balancé Telen sur le canapé. Ce n'est pas son genre. Il fait très attention à ne pas le faire. Je parie qu'il est le *seul* à ne pas le faire. Il ne frappe pas et il ne tue pas. Il n'aime pas les armes. Il fait probablement l'amour à ses victimes, d'accord ? C'est ce que je crois. Il est sensible. Il respecte étrangement ses victimes, d'accord ? Je parie que c'est le seul sociopathe en activité qui tient un journal et le publie. »

Billy écoute. Il est assez intelligent pour ne pas objecter. Il sent la robe pâle d'Anna remuer dans le noir.

«Je n'ai rien vu de ce respect aujourd'hui. Je suis désolée, Billy, mais tu interprétais le tueur diabolique habituel. Il ne te restait plus qu'à rouler les yeux et tortiller ta moustache. » Elle marque une pause pour accentuer son effet. «Est-ce que plus rien ne nous choque ? Oui, je le crois. Nous avons tout vu et rien vécu, donc nous ne ressentons rien. Ton Toyer a besoin d'une vie intérieure suffisamment forte pour que nous le comprenions. Pourquoi est-ce qu'ils l'ont baptisé Toyer ? Parce qu'il joue avec ses victimes. Backgammon, gin-rami ? Qui sait quoi d'autre, pour l'amour de Dieu. *Réfléchis*, Billy. Il joue à des jeux avec elles, il boit avec elles, il danse, il baise, puis, quand il le sent, il les lobotomise et il leur souhaite une bonne nuit. Pourquoi tu l'as choisi, je l'ignore, mais tu as oublié de te mettre dans sa tête. Tu ne le comprends pas. »

Elle a frappé Billy loyalement. Un coup de rapière dans la nuque, laissant le cerveau intact.

« Et vous, vous le comprenez ? »

Billy la regarde fixement. Ses yeux sont humides. Il se couche tard. Il a du mal à avoir toute sa tête à 10 heures du matin, à organiser ses pensées, à atteindre des paroxysmes émotionnels.

« Billy, ne te mets pas en colère contre moi, d'accord ? Mets-toi en colère contre ton personnage. »

Elle n'attend pas de réponse, se retourne et fait face à la douzaine d'acteurs.

« Que savons-nous de lui ? »

Ils s'agitent. Des mains se lèvent. Des femmes à visage de biche, des hommes à visage de loup ; actrices pour l'hystérie, acteurs pour le machisme. Un méli-mélo de mâchoires et de fossettes.

« Oui, Jed.

– Il est très méticuleux. Je dirais que c'est un maniaque de l'ordre.

– Oui, dit Anna.

– Il respecte ses victimes, déclare une actrice à l'air timide.

– Hum, hum », acquiesce Anna.

Les élèves sont des répliques d'acteurs célèbres. Un Jack Nicholson sans ironie, un James Dean italien de Brooklyn, une Katharine Hepburn de Toluca Lake, un Marlon Brando plutôt jeune sans aucune de ses ressources. Partout la surdité de Beethoven, sans sa grandeur.

« Oui ?

– Eh bien, fait une Sigourney Weaver, il n'y a aucun signe de violence. Pas de vol. Juste un bref message téléphonique. Quelques mots, nous ne savons pas lesquels.

– Oui, Shelly.

– Il n'y a pas de viol. Il y a du consentement, peut-être même de l'amour, déclare le Jack Nicholson.

– De l'amour ? reprend Anna. C'est exact, il doit avoir un certain charme. Peut-être que c'est consensuel. S'il te plaît, ne roule pas les yeux, Billy.

– C'est un monstre, Anna, j'ai essayé d'interpréter un monstre. »

Billy parle comme un avocat défendant son client.

« Bien sûr que c'est un monstre, Billy, mais il a du charme. Nos monstres sont des gens de tous les jours. Pour créer un vrai monstre, il faut créer un personnage avec un véritable besoin, d'accord ? Une personne innocente avec un problème. Une bizarrerie. N'importe qui peut en devenir un. On est plus à l'abri avec des léopards. »

Ce qu'Anna dit, songe Billy, c'est que ce serait mieux, plus *dramatique*, si la mauvaise personne interprétait Toyer.

Ce qu'Anna dit indirectement, c'est une chose que Billy sait déjà. Il tend à donner la mauvaise impression sur scène, pas un trait prometteur pour un acteur qui rêve de devenir une star.

« Je n'arrive pas à comprendre pourquoi tu as choisi de l'interpréter, Billy.

– C'est Peter qui me l'a suggéré. » Il regarde sombrement en direction du maigre public pour étayer ses dires. « Il suit ses aventures comme Prince Vaillant, c'est son plus grand fan. Il découpe les articles sur lui dans le journal. »

Anna se tourne vers Peter.

« Pourquoi, Peter ?

– C'était le plus grand défi que je pouvais imaginer pour lui.

– Le plus grand défi pour lui serait une réalité plus simple. Faire croire à quelqu'un qu'il n'a jamais rencontré qu'il est Toyer, ou un VRP. N'importe qui. »

Elle fait un geste de la main qui semble englober tout Los Angeles.

« Une pauvre âme qui le croira uniquement grâce à ses choix d'interprétation.

– Un inconnu ?

– Pourquoi pas ? Jouer la comédie, c'est établir une relation d'humain à humain entre des gens qui ne se connaissent pas. N'est-ce pas ce que nous faisons ? N'est-ce pas ce que font les politiciens ? Les vendeurs de voitures ? Les agents ? N'est-ce pas ce que vous faites quand vous sortez pour la première fois avec une fille que vous venez de rencontrer ? »

Sara Smith est assise au dernier rang. Il y a six rangées de chaises en fibre de verre. Elle a reçu le mot de Telen hier et a essayé de ne pas l'appeler. Ce matin, elle a laissé un message sur son répondeur, mais Telen était déjà sortie. *C'est un monde totalement différent. Tout cela est si étranger. C'est d'ici que viennent les acteurs.*

Une heure plus tard, la conversation s'achève d'elle-même, les lumières se rallument dans la pièce déplaisante. Murs ternes, chaises en plastique sur des marches en contreplaqué. Les acteurs se lèvent et s'étirent. Il est midi tout juste passé. La classe a duré plus de deux heures.

Sara Smith se lève. *Les acteurs sont modelés dans ces creusets minables, chaque star d'Hollywood a été sculptée, affûtée, polie dans une caverne comme celle-ci. Cette femme, Anna, avec son appétit de vérité, son oreille pour la langue, son œil pour la beauté, son flair pour l'imposture, elle crée leur faux réalisme.*

Sara esquisse un salut de la main en direction de Telen, mais celle-ci ne la reconnaît naturellement pas. Elle descend l'une après l'autre les marches de contreplaqué.

« Telen, surprise ! Je suis Sara Smith.

– Oh ! mon Dieu.

– Je t'ai laissé un message ce matin. »

Telen est abasourdie, elle essaie de se remémorer ce qu'elle a fait sur scène, se souvient de sa poitrine subitement exposée à la lumière.

« Oooh ! je suis si embarrassée.

– Pas la peine, c'était magnifique, très réel. » Telen accepte le compliment. « Tu m'as proposé de venir, et comme j'avais le temps, me voici. C'est très excitant, je ne connaissais rien à tout ça. »

Peter s'approche, puis Billy. Présentations.

« Tu es la Sara Smith qui écrit sur Toyer, dit Billy. Oh ! mon Dieu, c'est fabuleux, Tu es géniale.

– Tu es lue et admirée, surenchérit Peter en faisant une petite révérence.

– Merci beaucoup, ça fait plaisir de savoir qu'on est lue. »

Telen n'est pas tellement plus jeune qu'elle, peut-être six ou sept ans.

« Nous devrions manger ensemble un jour, suggère Sara.

– Pourquoi pas maintenant ? »

Elle lance un coup d'œil aux garçons.

«Tu pourrais venir prendre un café avec nous chez Ruben's ? Nous y allons à pied.

– Bien.» Coup d'œil à sa montre. «D'accord.

– C'est là-bas que nous traînons tous les trois après les cours.

– Vous serez quatre aujourd'hui.»

Elle est si charmante.

Ils marchent ensemble jusqu'à chez Ruben's, les deux garçons devant.

«C'est vrai, déclare Telen, ils te lisent et ils parlent de toi.» Billy a un exemplaire de l'*Herald* dans sa poche revolver. «C'est un honneur pour eux, crois-le ou non.

– Je suis flattée.»

Dans une ville de célébrité bon marché, un million d'étoiles.

Les garçons, comme tous les membres du groupe, portent des vêtements informes, des tenues banales, hors de toute mode, des habits qui sont comme leur peau, intemporels. Ils se fondent dans le paysage. Pas Sara. Elle porte une tenue simple typiquement Connecticut. Elle est désormais californienne, mais pas ses vêtements. Pantalon brun clair, chemise blanche en coton avec un col rond, petite épingle en or, chaussures de marche sages, talons bas.

En chemin, Sara désigne de la tête les deux garçons qui marchent devant. Ce geste est la question habituelle entre deux femmes. Il signifie : quelque chose de sérieux ?

Telen hausse les épaules.

«Ils sont vraiment gentils, tu sais.»

Vraiment gentils, l'expression qui tue. Un geste dévasta-teur, le haussement d'épaules. Le haussement d'épaules a provoqué bien des duels.

«Est-ce qu'ils sont homos?

– Non! Non, je ne crois pas.»

Telen ne veut pas de liaison sérieuse, pas pour le moment.

Pour Sara, c'est un monde étrange, le milieu des acteurs à Hollywood, un monde dont elle ne connaît rien et dont elle se fiche. *Les vrais acteurs sont à New York.* Être acteur ici semble superficiel, sans importance, une simple question de personnalité. Pourtant elle demeure fascinée par la session à laquelle elle vient d'assister.

Les acteurs sont des garçons et des filles, il y a une jeunesse dans ce qu'ils font, quel que soit leur âge, ils portent les habits de leurs parents, interprètent des personnages qu'ils ne sont pas. N'importe quel personnage qui n'est pas eux. Comme c'est étrange. Pourtant ils dictent nos réactions, car nous cherchons en eux nos limites, nos colères, nos rires, nos souffrances et nos peurs.

DOCTEUR T

Samedi matin, jour de repos. Elias vient de sortir étincelant de la douche, il prépare des toasts et du café. Maude est allongée sur le lit, baignant dans sa sueur, nue sans draps, elle s'est rendormie pendant que le docteur T était dans la salle de bains.

Pendant quelques instants elle rêve de champignons farcis, de fromage et de raisin sur une planche, de samedis après-midi à boire du vin sous les arbres avec des amis.

« J'ai reçu un coup de fil étrange, dit-il, tu ne peux pas imaginer.

– Je ne vais même pas essayer. »

Soudain elle est complètement éveillée. *C'était lui.*

« Un type m'a appelé et m'a demandé si un de mes scalpels avait disparu, un Siva, un scalpel musculaire suédois. J'en possède en effet un. Je l'ai cherché et il avait disparu. C'était un excellent scalpel.

– Étrange. »

Elle est allongée sur le flanc, recroquevillée comme un cycliste, lui tourne le dos. Il ne voit pas son visage, ne peut pas voir sa réaction.

« Pourquoi m'appeler ? »

Elle fait mine de somnoler.

« Peut-être que c'était quelqu'un qui l'a retrouvé.

– Possible, tu crois ? Quelqu'un l'aurait volé et quelqu'un d'autre l'aurait récupéré ?

– Hmmmm.

– En tout cas, c'est un mystère. »

Quand il te rappellera, il le résoudra pour toi.

LES INCASTABLES

Ils s'appellent les Incastables, Billy, Peter, Telen. Ils raffolent de ce nom. Chaque samedi, après l'atelier de l'Actors Group, ils se rendent à pied chez Ruben's. Ils ne se fréquentent pas en dehors du groupe mais sont amis car ils sont intelligents, détachés, incastables. Sara est ravie d'être incluse, elle découvre quelque chose dont elle ignorait tout, *c'est la vie cachée d'Hollywood.*

Si les Incastables ne semblent pas pressés, c'est que le temps est de leur côté. Ils déambulent paisiblement en direction de chez Ruben's, Peter avec sa compétence somnolente, Billy avec son énergie prête à exploser, Telen, le menton levé, guidant Sara avec une assurance prudente. Ils s'assoient à leur box habituel, privilège des vedettes, les femmes près du mur, Sara à côté de Billy. Telen a presque récupéré de sa scène dévastatrice. Peter semble prêt à aller se coucher. Sara essuie la table en formica devant elle. *Combien de coudes poisseux aujourd'hui ?*

Aujourd'hui, c'est Billy qui commandera le déjeuner auprès de la serveuse ridée aux cheveux blancs nommée Brandi. « Nous foulons soupe au poulet afec poulettes de fiande », déclare-t-il avec un accent allemand, un choix étrange. La dernière fois, c'est Peter qui a choisi les sandwichs merveilleusement spongieux aux boulettes de viande. La semaine précédente, c'était Telen. Pastrami avec moutarde et choucroute. Ils choisissent à tour de rôle. Ils commandent du thé glacé, dont ils peuvent se resservir à volonté.

Peter a attrapé l'*Herald* de Billy, il est posé sur la table en formica, ouvert à la première page :

TOYER ÉVOQUE SA MÉTHODE,
DIXIÈME VICTIME, SON PROPRE RÉCIT
Par Sara Smith

Sara est une reine. Les garçons acceptent de ne pas parler de Toyer. À la place, ils vont lui montrer l'étendue de leur talent.

Peter se caresse le menton et la joue, fait face à un miroir imaginaire. Il répète pour une audition en vue de sa première pub télé. Il déclame son texte : « *Les femmes n'ont rien contre un brin de barbe subtil sur les joues de Wayne Hartig, mais sur les* miennes *? Pas-ques-tion !* » Il sourit d'un air contrit en direction de la vitre. Un gigotement de tête facétieux. Billy le scrute comme un entraîneur hippique scruterait un poulain au trot.

« Qui est Wayne Hartig ? demande-t-il.

– Hockey. »

Sara observe. *Comme c'est amusant, des acteurs d'Hollywood au chômage en plein épanouissement, des orchidées dans un vivarium, un genre de fleur qui n'existe nulle part ailleurs. Ce n'est ni Londres ni New York, les acteurs d'Hollywood ont simplement besoin d'être eux-mêmes, peu importe qui ils sont, ils n'ont pas besoin d'élever la voix, il n'y a pas de public, toujours un micro, mais la caméra doit les adorer.*

Sara s'aperçoit qu'ils viennent tous les quatre d'ailleurs et qu'ils repartiront tous quand ils en auront fini avec Los Angeles. *La ville vous attire et vous restez jusqu'à ce que vous en ayez fini avec elle et ne puissiez plus la supporter.*

Lorsque les soupes aux boulettes de viande arrivent, la pub de Peter ne fait plus l'unanimité. Après tout, ni Billy ni Telen n'ont jamais été auditionnés pour une publicité.

Telen a une allure un peu garçonne. Les hanches fines, petite, une poitrine étonnamment jolie. Sur scène elle semble excessivement vulnérable, féminine.

Billy est drôle, une sorte de comique, il semble sûr de lui, a un port de gymnaste. Il est penché en avant. Peut-être cherche-t-il trop à se justifier.

Peter appelle la position de Billy la position du type sur le point de bondir. Il a pratiqué la gymnastique au lycée. Billy pense à la mort chaque jour.

Peter est plus insaisissable. Blond, vaniteux. Il semble détaché, comme si jouer la comédie était une fumisterie. On voudrait lui demander : « Qu'est-ce qui t'a donné envie de devenir acteur ? » Alors qu'avec Billy la réponse à cette question est évidente. Ils semblent tous deux plus intéressants que les personnages qu'ils veulent interpréter.

Billy lève les yeux vers Sara. En tant que commandant du box, c'est son tour de l'épater. Il désigne l'article.

« Bon, ce type a des principes, il a lu sa Bible, j'aime son style, sa voix.

– Qu'avez-vous pensé de son travail ? demande Peter à Sara.

– Vous parlez de Billy ou de Toyer ?

– De Billy.

– Ça m'a plu. »

Qu'est-ce que je peux dire d'autre ?

« Et de ce qu'a dit Anna ?

– Une critique fondée. »

Durant le bref silence qui s'ensuit, Sara Smith, qui a presque le même âge qu'eux, demande : « Pourquoi voulez-vous tous devenir acteurs ? » Elle demande ça gentiment, par curiosité, ce n'est pas un défi.

Telen répond qu'elle étudie le théâtre pour pouvoir écrire des scénarios. *Cool.* Billy affirme que c'est parce qu'il croit en la pauvreté. *Cool.* Peter déclare qu'il n'en a rien à foutre. *Cool.*

C'est vrai. Peter n'en a rien à foutre. Ce n'est pas un *acteur* : il est incapable de prononcer des paroles qu'il n'a pas lui-même pensées.

« Pourquoi tu n'essaies pas ? lui demande Billy.

– Pourquoi je n'essaie pas quoi ?

– D'en avoir quelque chose à branler. »

Telen dit à Sara : « S'il te plaît, excuse-le, Billy souffre du syndrome de la Tourette. »

C'est le mot *branler. Si inutile.*

« Je peux citer Anna ? reprend Billy. Elle dit que tu es une caricature sur scène.

– Je ne sais pas, est-ce qu'elle a raison ? » demande Peter avec un haussement d'épaules.

Billy est prêt.

« Anna dit que tu disparais sur scène, OK ? Tu es grand et tu es blond, et putain, on te voit pas. Tu veux savoir pourquoi ? Parce que t'en as rien à branler. C'est elle qui parle, pas moi. »

Est-ce une dispute ? Sara n'arrive pas à distinguer ce qui est pour la galerie de ce qui est réel. Telen lui touche le pied avec sa chaussure, croise son regard. C'est pour rigoler, pas sérieux, elle adore leur *mano a mano*. C'est du cinéma.

Billy poursuit : «Tu veux essayer de jouer Toyer ? Je t'en prie, tu as entendu Anna, persuade un inconnu. Quelqu'un que tu ne connais ni d'Ève ni d'Adam.»

Peter se réveille. Ils vont s'affronter, juste pour Sara. Il fait craquer ses doigts, un terrible avertissement.

«Je vais te montrer ce que c'est qu'un acteur. Observe-moi très attentivement, dit-il à Billy, je veux éviter toute confusion.»

Telen se trompe, Peter est très en colère. Il a le visage taillé à coups de serpe, des traits nets, une petite veine que Telen n'avait jamais vue ressort, une tache rose entre son œil et son oreille. Mais Sara ne l'a pas vue, c'est une tache légère, fine, à peine visible.

Les quatre ont fait mine de ne pas remarquer les deux hommes assis dans le box contigu au leur. Mais tout en discutant, ils ont entendu presque chaque mot que ceux-ci ont prononcé. Et de toute évidence, l'un d'eux souffre d'un trouble de l'élocution sévère.

Le plus grand des deux leur tourne le dos, les bras amplement étalés sur le haut de la banquette. Sa tête est le dôme chauve d'un soldat ou d'un nouveau-né. Son cou et ses bras ressemblent à des morceaux de viande premier choix. L'autre homme, assis face à lui, proba-blement son petit frère, peut à peine prononcer un mot, mais il essaie constamment de parler. On dirait qu'il va y arriver, mais à la place il s'étrangle ou éructe dans son verre, reniflant parfois en même temps. Il bute sur chaque consonne. Les Incastables, qui ne bégaient pas, sont fascinés. *Quel rôle*, songe Billy.

«Accordez-moi un moment», murmure Peter à ses trois compagnons.

Il se penche vers le plus faible des deux hommes, le regarde fixement. Il l'examine brièvement, ébahi, la tête inclinée tel un rouge-gorge. Le soldat chauve n'a pas remarqué Peter.

«OK, chuchote Peter à Sara, Billy et Telen. Regardez.»

Il boutonne sa chemise jusqu'au col, prend une inspiration, expire. Il se penche, tape légèrement sur l'épaule du soldat. Aussi alerte qu'un chien de garde, le type se retourne et fait face à Peter, qui pointe le doigt vers le bègue en riant.

Le soldat semble tout d'abord déconcerté, sans opinion, puis il prend conscience de l'énormité de l'affront de Peter et le fusille d'un regard mauvais. Peter acquiesce, désigne du pouce le petit frère, rit de plus belle.

Le soldat continue de fusiller Peter du regard. Et plus il le fait, plus ça plaît à Peter, qui, ne se contrôlant finalement plus, retombe en arrière et se tord de rire. Le bègue semble être la chose la plus drôle qu'il ait jamais vue.

Les trois ne savent plus où regarder.

Le soldat se retourne vers son frère.

«Sortons d'ici, mon vieux.»

Il pose un billet sur la table. Ils se lèvent, s'éloignent sans se retourner.

«C'est tout? demande Billy. Merci pour la leçon. Il voulait te tuer.

– Bon sang, tu es dingue», déclare Telen.

Quel frisson!

«J'ai eu vraiment peur, franchement», ajoute Sara.

Maintenant qu'ils sont partis, elle est embarrassée pour Peter.

«Il va revenir, affirme calmement Peter. C'est la partie que je veux vous montrer.»

Et en effet, Billy voit l'homme franchir de nouveau la porte. Soudain, le soldat se tient au-dessus d'eux, oscillant tel un derrick géant. L'un de ses ongles étonnamment propres est à quelques centimètres du nez de Peter, comme s'il allait le soulever par une narine. Peter ne rit plus.

«Toi. Tapette. Ça t'amuse de te foutre de mon petit frère?»

Peter a l'air déconcerté, il fait oui de la tête.

«Il a un trouble de l'élocution.»

Peter sourit d'une façon charmante, acquiesce, puis il s'écroule de rire.

Telen se ratatine sur elle-même. Sara est paralysée.

Billy intervient rapidement.

«Hé! mec, il ne voulait vexer personne, je vous le jure, il est handicapé mental, pas vrai, Peter?»

Le soldat n'entend que le prénom.

«Peter. Allez, Peter, c'est le moment de me suivre, je vais te montrer le parking dehors. Je vais te faire goûter le bitume, Peter.»

Le soldat attrape Peter et le soulève par une aisselle. Peter, le visage tordu, ses yeux clairs, le corps à moitié hors du box, semble étrangement détendu.

«S'il vous plaît, reposez-le, dit Sara.

– Il a d'énormes problèmes émotionnels, monsieur, il est stressé», ajoute Telen.

Elle désigne sa propre tête.

« Toute sa famille est morte.

– Ce matin », surenchérit Billy.

Le soldat au crâne rasé se tourne vers Billy tout en continuant de tenir Peter comme on tiendrait une algue géante.

« Quelle coïncidence.

– Ne l'emmenez pas, implore Sara.

– Soit, vous préférez que je m'occupe de lui ici, mademoiselle ? J'aime autant vous prévenir, ça va éclabousser. »

Personne ne fait plus attention à Peter. Il pince les lèvres comme un joueur de tuba. Pendant tout ce temps il a essayé de parler, mais rien n'est sorti de sa bouche à part des crachotements. On dirait qu'il essaie de picorer des graines. Une consonne jaillit.

Tout en soulevant Peter par l'aisselle, le soldat chauve l'observe tandis qu'il essaie de dire quelque chose, tentant de surmonter un trouble si intense, si pathétiquement réel, que tous les quatre font désormais des efforts surhumains pour essayer de le comprendre.

Fasciné, méfiant, le soldat chauve écoute, yeux plissés, bouche entrouverte. Il met un moment à s'apercevoir que Peter est sérieusement handicapé, un bègue de compétition qui devrait être enfermé, plus pathétique encore que son frère. Il repose doucement Peter sur la banquette.

« Impressionnant, dit-il à Sara. Il a toujours été comme ça ?

– Oh ! oui, fait Billy, depuis des années. »

Tous acquiescent. Le soldat tapote le bras de Peter.

« Il se crispe trop, c'est pour ça qu'il n'y arrive pas. »

Son grand visage de mouton se détend, soulagé.

«Hé! mec, oublie ce que j'ai dit.»

Il tend des paumes aussi grosses que des gants de joueur de base-ball. Peter lui tape doucement dans les mains, tend les siennes en retour. Le soldat chauve regarde Sara, Billy et Telen d'un air de dire : *Croyez-moi, je sais ce que c'est*. Il se tourne de nouveau vers Peter.

«Laisse-moi te payer ton déjeuner.»

Il pose à plat un billet de dix dollars sur la table devant Peter.

Pendant que Peter tente de bégayer un merci, le soldat chauve l'interrompt.

«Passe une bonne journée.»

Il se retourne et s'éloigne. Les trois attendent que la porte soit refermée. Il est parti.

«Tu l'as dans l'os, Billy», dit Peter.

Il est clair que Billy est le perdant.

«Bien joué, répond celui-ci.

– Bon Dieu, comment as-tu fait ça?»

Telen commence à retrouver des couleurs.

«Il allait te tuer, c'est sûr.

– La vie et la mort?»

Telen lui agrippe le bras, ses doigts sont chauds.

«Oui, Peter, j'ai vraiment ressenti la présence de la mort, dit-elle.

– OK.»

Billy, vaincu, se lève. «Faut que j'y aille.»

Il a un nouveau boulot, il travaille en tant que voiturier. Il pose deux dollars et soixante-cinq cents sur la table en formica. Peter repousse l'argent.

«Ton argent ne vaut rien ici.» Il tient le billet de dix dollars à la lumière, au cas où ce serait un faux. «Quand on te paie pour jouer la comédie, c'est que tu es un pro.»

C'est la première fois qu'il gagne de l'argent en tant qu'acteur.

Sara est impressionnée par sa performance, mais ce que Billy dit est vrai, ce n'est pas un acteur. Ce qu'elle a vu, c'était autre chose. Peter est peut-être capable de dire ses propres répliques, mais il est incapable de donner du sens à ce qui n'en a pas.

Sara fait ses adieux. *Peut-être que je devrais écrire un article pour le numéro du dimanche sur ce milieu de dingues.*

Après le départ de Sara, Telen enveloppe deux petits pains dans une serviette en papier, récupère ses affaires – lunettes de soleil, bonbons à la menthe, un stylo – et les enfonce dans un sac indien aux décorations colorées. Il comporte des petits miroirs qui ressemblent à des yeux. Elle se lève. Mais les clients du restaurant la remarquent à peine tandis qu'elle passe à côté d'eux dans sa petite robe aux bretelles aussi fines que des spaghettis.

Dans l'après-midi, pendant son audition pour la pub, une femme chic qui lui fait penser à une outre sauvée d'une marée noire annonce à Peter qu'il n'a pas le rôle parce qu'il est plus beau que Wayne Hartig, ce qui est un mensonge, mais les directeurs de casting ont besoin d'être aimés.

Peter ne semble jamais fait pour aucun rôle, mais c'est un autre problème.

SARA

Elle est assise avec Maude, lui explique qu'il existe un monde souterrain à Los Angeles, un monde rempli d'acteurs.

« Ils sont bizarres. Ils s'imaginent le plus sérieusement du monde qu'ils sont quelqu'un d'autre. Ils se sentent importants. Il y a quelque chose là-dedans, je sais qu'il y a matière à un article. Mais quoi ? Peut-être que si j'écris, j'arriverai à mettre le doigt dessus.

– Pourquoi ça m'intéresserait ?

– Parce qu'ils ont joué une scène sur Toyer aujourd'hui, ce type, Billy, et ma cousine Telen.

– Telen.

– T-e-l-e-i-n-e, à vrai dire, mais elle a raccourci son nom. Ça vient du nom de ses parents, Madeleine et Ted. Bref, ils ont simulé une scène entre Toyer et une de ses victimes. Vous auriez vomi.

– Pourquoi ?

– Ça semblait si...

– Malsain ?

– J'allais dire réel. Vous savez combien il y en a ?

– Des acteurs ?

– Devinez.

– Où, ici ?

– Oui.

– Cinq mille ? Ça fait beaucoup, non ?

– Quatre-vingt-dix.

– Quatre-vingt-dix mille ? »

Sara acquiesce.

« Des acteurs syndiqués, ce qui n'inclut même pas ma cousine ni aucun d'entre eux. Ils ne peuvent pas se syndiquer parce qu'ils n'ont jamais travaillé.

– Hum. Et pourquoi me parlez-vous de ça ?

– Parce qu'ils m'ont fichu une sacrée trouille. »

Sara lui raconte l'incident avec le bègue au restaurant.

« Qu'est-ce que vous voulez que ça me fasse ? demande Maude.

– N'entendez-vous pas ce que je vous dis ?

– Pas vraiment.

– Toyer est un acteur.

– Un acteur syndiqué ?

– Maude, s'il vous plaît. Je l'ai vu de mes yeux. Ça fonctionne. Ils peuvent faire croire n'importe quoi à n'importe qui. J'ai eu peur, croyez-moi.

– Ça a l'air dangereux.

– Ça l'est, ils oublient le monde, ils ne savent plus où ils sont. C'est leur vie, mais ils n'ont pas le droit de travailler, ils sont frustrés, leurs journées sont vides, ils ne réfléchissent plus, le système les entretient.

– Le paradis, déclare le docteur T qui est occupé à lire un livre près de la fenêtre. J'envie leur ignorance.

– C'est vraiment un monde à part.

– Ou un asile de fous, réplique-t-il.

– J'ai l'impression qu'ils sont tous à moitié cinglés, déclare Maude.

– Et Toyer ne l'est pas ?

– Je vois. »

TELEN

M lle Sara Smith
Los Angeles Herald
1 Herald Square, L.A. 90019

Chère Sara,

J'ai appelé deux fois, mais je suppose que tu étais occupée. J'espère que tu veux toujours assister à ma pièce. Nous donnons quatre représentations, décors minimalistes. Deux week-ends, 13-14 juillet et 20-21 juillet au théâtre de l'Actors Group à Hollywood. Il y a trois pièces, la mienne est celle du milieu. Dis-moi si tu veux que je te réserve ton « siège habituel ». N'oublie pas, pas de climatisation !

Telen

DOCTEUR T

La lampe de chevet est enfin éteinte, ils sont allongés dans le noir, leurs yeux reconnaissant les ombres sur les murs, le plafond plaisant. Leurs corps ne se touchent pas. Maintenant, il peut lui demander.

« Maude, tu peux m'aider à résoudre un problème ?

– Oui, bien sûr.

– Eh bien, tu sais le coup de fil que j'ai reçu la semaine dernière ? Le type a rappelé. Je ne sais que penser. »

Maude se sent nauséeuse, c'est une bonne chose qu'ils soient dans le noir.

« OK, quoi ?

– Pour faire court, il prétend que tu m'as volé mon scalpel. »

Maude pousse un grand soupir.

« Il dit que mon scalpel est celui qui a été découvert sur la plage. Celui dont on a parlé dans les journaux. Pourquoi il dit ça, je n'en ai aucune idée. Dingue, hein ? Alors ce que j'ai fait, c'est que j'ai contacté la police et je leur ai dit qu'un de mes scalpels avait disparu. Je l'ai décrit. Un inspecteur l'a gentiment apporté aujourd'hui pour que je puisse y jeter un coup d'œil. Je crois que c'est le mien. L'arme du meurtre.

– Personne n'a été tué. »

Elle a répondu trop vite. Maude entend sa propre voix. Elias inspire une bouffée d'air, soupire. La chambre est silencieuse, elle le sent qui attend. C'est un moment important, c'est leur vie. *Qu'es-tu prêt à entendre ? Veux-tu tout savoir ?*

Le silence est trop long.

«Est-ce que tu as quelque chose à me dire ?» Puis il ajoute : «Maude, chérie, tu peux tout me dire, je ne le répéterai jamais à personne.

– Tu crois que c'est moi qui ai essayé de tuer ce sans-abri ?

– Maude, je suis désolé, je ne sais que croire.»

Maude et le docteur T s'agitent dans le noir.

«Et si je te disais que c'était moi ?»

Elle sent les doigts d'Elias sur son visage, qui écartent de ses yeux des cheveux imaginaires. Il passe un bras autour d'elle, elle sent son poids en travers de sa poitrine. Il fait trop chaud, mais ce soir il est le bienvenu. Elle forme des mots, parle presque. Il pose les doigts sur sa bouche, lui ferme les lèvres comme on ferme un porte-monnaie. Le docteur T acquiesce dans le noir. C'est un homme amoureux, c'est tout ce qu'il peut faire.

TELEN

S ara appelle Telen. Elle semble débordée.

« Je suis parfois difficile à joindre, désolée. Donc tu as écrit une pièce ? De quoi parle-t-elle ?

– C'est juste une scène, vraiment, un médecin et son patient. Le médecin a transplanté un cœur prélevé sur un condamné à mort. Ce type, Roy Slayton, qui a mangé des gamins et ainsi de suite, un vrai monstre, a donné son corps à la science juste avant de mourir. Mais le médecin n'en a pas parlé au patient, un septuagénaire. Il a juste préféré éviter, tu sais. Donc le patient découvre le pot aux roses et il est furieux. Nous la répétons en ce moment. C'est moi qui mets en scène.

– Ça a l'air prometteur, tu as un titre ?

– *Outrage inavoué.*

– Est-ce que Peter et Billy jouent dedans ?

– Bien deviné, il va falloir maquiller Peter pour le vieillir.

– Intéressant. »

Telen prend ça comme un vague compliment.

« Ça parle de beaucoup de choses, tu sais, de nos sentiments vis-à-vis de la génétique, je veux dire, qu'est-ce que ça te ferait si le cœur de Toyer battait dans *ta* poitrine ?

– Je préférerais le voir dans mon broyeur d'ordures. »

Telen rit. *Je l'adore.*

«Dis-moi où je dois être et à quelle heure.

– OK, deux week-ends, celui du 13 juillet et celui du 20.

– Je peux venir avec une amie ?

– Bien sûr, et n'oublie pas de porter des vêtements légers. Entrée gratuite.»

LA RÉPÉTITION

Le vent ne souffle jamais sur Los Angeles. Et comme il n'y a pas de vent, la poussière d'oxyde de carbone se dépose sur les feuilles, les frondes, les plantes grasses comme les arbres de jade. Parfois à Silverlake, où il habite, Peter passe devant des voisins en train d'astiquer leurs plantes.

Le 9 juillet, un lundi, une obscurité crépusculaire s'abat en plein milieu de journée. Comme un présage de catastrophe naturelle. De raz-de-marée. De déluge. La basse pression atmosphérique est piégée dans la cuvette entre la mer et les collines basses et ne peut plus s'échapper. Le ciel sombre se déroule à n'en plus finir et la pluie survient. L'orage prend tout le monde au dépourvu, comme à chaque fois. La pluie tombe à la verticale, les trottoirs infâmes dégagent de la vapeur, le vent ne souffle toujours pas.

La répétition pour la pièce de Telen va avoir lieu chez Peter. Il vit sous les toits, dans un appartement au plafond pentu, au dernier étage d'une maison délabrée qui date de 1920, à Silverlake, presque en centre-ville, un quartier souillé où les gens marchent sur les trottoirs quand ils vont quelque part, comme on le fait dans les vraies villes.

Telen et Sara grimpent les marches jusqu'au dernier étage. Peter va être en retard, il a confié une clé à Telen.

Sara est venue pour assister à la répétition, elle a décidé d'écrire un petit article sur les épreuves rencontrées par les acteurs non syndiqués. Elle évoquera leurs ateliers, leurs désagréments, leurs rêves, ce qu'ils mangent, leurs revenus annuels, même si elle trouve leurs épreuves banales, leur vie ennuyeuse. Elle intitulera peut-être son article « Les Autres », mais elle n'en est pas sûre.

C'est un vieil appartement qui transpire la pauvreté, il rappelle à Sara une écurie, près de la maison, qui sentait le bois vernis. La chambre minuscule, une prise au mur, des fils électriques partout, l'alcôve de la cuisine. Il y a une table avec rien dessus, pas d'ordinateur.

Peter vit comme un écureuil, chichement, comme s'il s'était enfui de chez lui. Tout est temporaire, il pourrait faire ses valises en vingt minutes. *Mais c'est là toute sa vie, n'est-ce pas ? Il n'est pas si jeune que ça, Rupert Brooke était déjà mort à son âge.*

De l'autre côté des fenêtres vieillottes, la pluie grossit, martelant le toit juste au-dessus de Sara. Les bardeaux de bois sont tordus comme des coquillages. En levant les yeux, elle les voit scintiller. Les toits secs fuient.

Billy arrive. Il se penche pour les embrasser, effleurant à peine la joue de Telen, s'attardant sur celle de Sara, lui touchant le bras. *Pourquoi est-il si intime avec moi ?* Une odeur de cuir. Il traverse la pièce tel un gymnaste, ouvre les deux fenêtres, met les ventilateurs en route, remplit un pichet de glaçons. Sara observe ses hanches. *Bourré d'énergie*, songe-t-elle, il est électrique, et elle s'aperçoit que son numéro lui est destiné à elle, pas à Telen. Sara est, après tout, la Presse. Il apporte des verres d'eau glacée. Il fera tout ce qui est nécessaire.

Billy appelle son service de messagerie. C'est un petit coup de fil respectueux, son rendez-vous a été annulé.

« Je finirai probablement producteur.

– Tu ne veux plus être acteur ? demande Sara.

– Tu m'proposes quoi ? J'écoute. »

Un petit rire crispé. Billy peut imiter tout un tas d'accents, pour faire simple : irlandais, juif, Brooklyn, russe, chinois, britannique.

La pluie martèle la maison, les isole comme des prisonniers. Il pleut si rarement que quand il pleut, ça ne ressemble à rien. Des rues plates sont inondées, la boue des canyons coule. L'eau ne sait pas où aller. Les saisons manquent à Sara, les orages d'été qui crépitent et rafraîchissent l'herbe, la lumière d'automne qui inonde les fenêtres dans la grisaille de l'après-midi, les ciels granit d'hiver qui annoncent la neige. La neige lui manque.

En attendant Peter, Telen et Billy improvisent. Ils montrent ce qu'ils savent faire à Sara. Embarrassée, elle les regarde tel un voyeur, avec le sentiment d'être trop proche d'une scène de colère factice. Billy est gracieux avec Telen, il l'est probablement avec toutes les femmes. Elle remarque le bout de ses doigts, ils sont très beaux.

Le cou de Telen ruisselle, la chemise de Billy est humide, Sara voit des poils à travers.

Ils sont assis près des fenêtres, attendant Peter, ils regardent les gens qui marchent sous la pluie, font la grimace comme si elle leur fouettait le visage, plissent les yeux en direction du ciel pour vérifier sa source. Il commence à faire sombre, la ville est souillée. Changeant inégalement de couleur comme du papier de tournesol, les maisons de stuc rose virent au brun, les maisons vert chartreuse au kaki, les maisons grises au noir.

Peter n'arrive pas. À 17 h 30, Sara se rend à la salle de bains et s'asperge le visage d'eau froide. Elle s'excuse, c'est l'heure d'y aller. Billy se lève et lui fait un baisemain tel un soldat de la garde royale. Sara ne sait pas laquelle des deux jeunes femmes il cherche à impressionner.

SARA

« Vous voulez voir une pièce ?
– Comment ça ?

– Une pièce de théâtre, vous vous souvenez ?

– Oui, je me souviens.

– Ça fait combien de temps ?

– Une éternité.

– C'est un oui ?

– Pourquoi est-ce que je voudrais voir une pièce ?

– Parce que, pour commencer, elle a été écrite par une lointaine cousine, même si je ne peux pas me porter garante de ses talents.

– Alors pourquoi moi ?

– Je crois que l'un des acteurs pourrait être pas mal.

– Oh ! bon Dieu.

– Non, non, non, il ne s'agit pas de ça.

– Si.

– Peut-être. Enfin, bref, vous voulez venir ? Ça va être rigolo.

– De quoi ça parle ?

– C'est une pièce en un acte. L'histoire d'un médecin qui transplante le cœur d'un tueur en série condamné à mort. Ça devrait être tout à fait votre genre.

– Je vais voir avec Elias, il voudra peut-être venir.

– Non, il ne voudra pas, je passerai vous chercher à 19 h 30 samedi, nous pourrons dîner ensuite.

– Oh! non, je ne vais pas vous tenir la chandelle à vous et à votre acteur. Merci quand même. »

Lorsqu'elle passe la chercher le samedi soir, Sara porte une ample robe noire et de grosses chaussures noires.

« Qu'est-ce que c'est que cette tenue ? demande Maude.

– Oh! ça. Telen m'a recommandé de ne pas porter mes vêtements bizarres quand j'assiste aux réunions de son groupe. Je fais trop tache, ils me prennent pour un imposteur.

– Vous l'êtes, très chère.

– Oui, bien sûr. Et vous, pourquoi vous ne vous changez pas pour que personne ne vous reconnaisse ? Nous serons assises au fond, ne vous en faites pas. »

Maude ôte sa robe, enfile un T-shirt et un jean.

« Vous voulez un martini bien frais pour la route ?

– Avec plaisir.

– Je pourrais en avoir un aussi ? » demande le docteur T.

Il vient d'apparaître à la porte de la chambre, tout rose après une longue douche, rasé de près, portant une chemise blanche déboutonnée, un pantalon brun clair, des chaussettes noires. Il tient un magazine enroulé dans sa main.

« Bien sûr, Elias.

– Bonjour, Sara.

– Bonjour, Elias. »

Il fait la moue. Avec Maude, Sara est la seule autre personne sur terre à l'appeler par son deuxième prénom. C'est un signe de tendresse de la part de Maude. Il a appris à accepter Sara à cause d'elle. Il est persuadé que c'est Sara qui a détourné Maude du droit chemin, qui l'a poussée au bord du désastre. Il se rend dans le coin cuisine, remplit le shaker en acier de glaçons.

« Ça va être marrant, lance Sara à l'intention de Maude. Je vous promets, pas d'idées noires ce soir, Maude. Vous êtes prête à vous amuser ? »

OUTRAGE INAVOUÉ

Impossible de donner au théâtre de l'Actors Group un semblant de distinction. Ça restera toujours un atelier de carrosserie reconverti. Au-dessus de la scène, une douzaine d'instruments d'éclairage sont suspendus au vu de tous juste au-dessus de la tête des acteurs. Dès qu'un décor est installé, un appartement luxueux, une plage, le mobilier hurle : « Camelote ! »

Maude et Sara s'installent sur leurs sièges recouverts de fibre de verre au dernier rang, dans le noir. Elles veulent voir les acteurs, pas être vues par eux.

La pièce de Telen est la deuxième des trois. Sara est agréablement surprise. Maude survit. La scène est bien écrite. Mais elle est anecdotique, manque de profondeur. « J'ai une bonne et une mauvaise nouvelle. La transplantation cardiaque est une réussite, le cœur provient d'un monstre. »

Maude sourit, l'acteur qui interprète le docteur Paulus est attirant, dynamique, bourré d'énergie. Il parle trop fort à son patient, se sert abusivement de son stéthoscope. Mais il est le plus crédible des deux, il est dynamique, impitoyable, brillant. L'autre acteur a eu la main lourde sur le maquillage, il porte une perruque grise et une moustache grise, ressemble à un bouffon de comédie anglaise.

Mais qu'importe, c'est sa première pièce. Sara félicite Telen, imitant une hôtesse de la côte est : « C'est tellement agréable d'avoir un membre de sa famille qui fait du théâtre, ma chérie. »

Ils vont fêter ça. Telen a demandé aux Incastables d'aller dîner et écouter de la musique quelque part. Elle invite Sara à se joindre à eux, l'appelle *cousine*[1]. Sara est ravie de les accompagner, de découvrir un autre aspect de la ville, un aspect plus jeune, bien qu'elle ait elle-même à peine plus de 30 ans. Maude doit retrouver le docteur T à 22 heures pour dîner et demande à emprunter la voiture de Sara. Billy ramènera Sara chez elle.

Il y a des terrasses de café partout, trop près des voitures qui filent à toute allure. Les seuls piétons visibles sont des sans-abri.

Ils vont aussi fêter le premier rôle rémunéré de Billy. C'est arrivé sans prévenir, pas d'audition, aussitôt dit aussitôt fait, le rôle d'un couvreur qui regarde des ouvriers repeindre une maison de l'autre côté de la rue. Une publicité, il n'a pas de texte, il ne peut pas s'inscrire à la guilde des acteurs. « L'art imite la vie », lui dit Telen. Billy et Peter travaillent à temps partiel en tant que couvreurs pour l'un des acteurs du groupe.

Leur serveur chez Palms les colle depuis qu'ils sont entrés dans le café et se sont assis, il ne les lâche pas d'une semelle. Il s'est présenté par son nom de baptême, Brice, et semble leur promettre loyauté, voire amitié. Il a doucement tiré la serviette des doigts de Telen et l'a étalée sur ses genoux. Il leur a apporté des serviettes

---

1. En français dans le texte. *(N.d.T.)*

parfumées au citron pour que leurs mains aient la même odeur que des toilettes publiques, a récité le nom de tous les plats de pâtes. Il a tenté de leur serrer la main. Plus tard, il reviendra avec le moulin à poivre géant.

« Si le moulin à poivre est plus grand que toi, la bouffe est dégueulasse », déclare Billy.

Il sait, il a été serveur dans un restaurant de famille toscan. Poivre fraîchement moulu sur chaque table.

Sara rit. *Tout cela est si nouveau.* Elle est contente de les avoir suivis.

Brice explique à Telen qu'il est important de commander le soufflé au grand marnier maintenant, pour qu'il soit prêt au moment du dessert. Il va les guider par la main tout au long du dîner, il sera là pour eux, il semble avoir les conditions requises pour être un véritable ami.

C'en est trop pour Billy, il ne veut pas être redevable envers Brice.

« Tirons-nous d'ici, dit-il. J'en peux plus de toutes ces simagrées. »

Ils reposent leurs énormes menus et se lèvent.

« Dites-moi ce que vous voulez ! s'exclame le sempiternel Brice.

– Nous voulons partir », répond Peter.

Brice regarde derrière eux. Une amitié durable n'est plus envisageable, hors de question. C'est fini. Il n'y aura pas de gigantesque moulin à poivre, pas de plats de pâtes, pas de discussion sur le vin, pas de soufflé quarante-cinq minutes. Brice leur faisait confiance, et ils l'ont trahi. Il tourne la tête, regarde de l'autre côté, il n'a plus rien à leur dire. Son travail est un travail délicat, comparable à nul autre. Il s'en remettra, mais ça prendra du temps. Si seulement l'un d'eux avait déposé quelques billets sur la table, ce serait moins douloureux. Ils ne se reverront jamais, et s'ils se croisent un jour, Brice fera mine de ne pas les reconnaître.

Dans la rue, ils se paient sa tête.

« N'était-il pas magnifique ?

– Je sens encore la pression.

– Est-ce qu'il va s'en remettre ?

– Je m'en veux vraiment, nous aurions peut-être dû lui laisser quelque chose ?

– Ouais, tu peux laisser autant de pourboires que tu veux à un serveur, lui ne t'en laissera jamais un en échange », déclare Billy.

Mais il n'y a rien d'ouvert hormis des fast-foods qui ressemblent à des laboratoires, et ils ne comptent pas. Ils optent donc pour des chili rellenos avec des chips de maïs bleu marine chez Taxco's.

« Tous les restaurants mexicains sont des fast-foods », assène Billy.

Il est le maître de cérémonie, la soirée dépend de lui. Telen et Peter auraient toléré Brice, Sara aurait pris un taxi.

Plus tard, chez Picaroon's, Billy et Sara regardent Peter et Telen danser sur la petite piste. Ils dansent en tenant à bout de bras des gobelets en plastique transparent remplis de vin. Ils dansent comme s'ils étaient en mer, à bord d'un navire qui traverserait l'Atlantique par grand vent, Peter la faisant lentement chalouper, luttant lui-même contre le roulis, perdant parfois l'équilibre. *Le* S.S. Hollywood *est-il en train de sombrer ?*

Toute la soirée, Peter s'est rapproché de Telen, qui cède lentement du terrain. Billy les observe, apparemment ravi. Il se demande en fait s'il en a quoi que ce soit à faire.

Sara danse avec Billy. C'est une femme plus âgée, peut-être 32 ou 33 ans, comparés à ses 26 ans. Ils dansent sur le rythme doux de la musique, enivrés, Billy la serrant de près, Sara sentant sa chaleur, son membre indocile. Sa protubérance. Sa respiration se fait plus profonde, ses mains agrippent par-derrière les épaules surprenantes de Billy. Elle se demande ce que Maude fait en ce moment.

Sara. Autour d'elle tournent des fausses blondes radieuses, les femmes secrètement affamées aux tenues à la mode. Les hommes avec de grosses voitures et de lourdes montres qui s'habillent comme des petits garçons.

C'est toute la nuit une ivresse de vin. Une célébration. Sara boit et s'inquiète pour Maude, qui devient étrange. Peter n'a pas d'amis hormis Billy. Ensemble ils regardent Telen et Sara se déhancher vers les toilettes. Depuis le côté opposé de la pièce, les femmes rayonnent. Peter regarde Telen : *Pourrais-je vraiment tomber amoureux d'elle ?* Billy regarde Sara : *Joli cul.*

Finalement, à 2 heures du matin, la musique s'amplifie puis cesse. Les quatre danseurs quittent Picaroon's en virevoltant tels des ongulés sur du marbre.

Peter et Telen regagnent étourdis l'appartement de celle-ci, elle sent des possibilités, ils planent et sont les rois du monde. Ils s'allongent sur le lit dans la lueur pourpre de la ville. Peter est sur le dos, elle lui ôte son pantalon, embrasse son pénis. Il ne réagit pas, est tombé dans les vapes sur le lit pas défait.

Billy ramène Sara, se gare au pied de son immeuble. Elle lui propose de monter, ils prennent l'ascenseur grinçant jusqu'au troisième étage. Il est le premier homme à entrer dans son appartement depuis le traumatisme, et Sara se demande si ça va aller. Le vin l'a désinhibée. Elle sort du réfrigérateur une bouteille de bordeaux frais déjà ouverte. Billy arrache le bouchon avec les dents, le recrache dans un pot de fleurs, remplit deux verres très fins. Sans allumer les lumières, ils dansent sur les chansons de Cesaria Evora, la chanteuse préférée de Sara. Elle chante en portugais, les paroles n'ont pas d'importance. Elles disent ce qu'ils veulent. Sara ressent une profonde excitation, mais au moment crucial où le corps de Billy est tout contre le sien, elle sent soudain le bandeau sur ses yeux, Toyer quelque part dans la pièce, lui arrachant doucement sa culotte. Billy ne remarque rien. Elle va lui demander de partir, dira que c'est trop tôt, qu'elle ne le connaît pas assez pour aller plus loin. Elle se retire délicatement jusqu'à la cuisine, allume la lumière blanche. La soirée est terminée. Elle l'embrassera légèrement, et il y aura une promesse non dite dans son baiser. Dans le Connecticut et à New York, les jeunes hommes qui ont étudié dans les universités de l'Est comprennent cet accord tacite, ils n'insistent pas, ils s'en vont. Mais Sara n'est plus dans le Connecticut, et les règles du jeu ne sont pas les mêmes à Los Angeles. Billy ne vient pas du Connecticut, il n'a pas étudié dans une université de l'Est, et il n'a jamais entendu parler de ces règles. Il se tient derrière elle dans la cuisine, et soudain elle sent à travers sa robe son pénis nu contre ses fesses, la lumière est de nouveau éteinte, il la fait pivoter sur elle-même, la plaque contre le comptoir.

« Non, Billy. »

Ce n'est pas le mot *non*, mais la façon dont elle le prononce. Billy adore quand il est prononcé ainsi. *Non*. C'est une supplication, une connivence. Aux oreilles de Billy, ça ressemble plutôt à un *peut-être*, moins usité mais plus fort. Ça fait partie du jeu. *Sans le mot* non *il ne peut pas y avoir de séduction.*

Sara aussi connaît les mots ancestraux : *non, il ne faut pas, s'il te plaît arrête.* Mais en fonction de la tournure qu'a prise la soirée, ils peuvent signifier : *non n'arrête pas, il ne faut pas t'arrêter, s'il te plaît n'arrête pas.* Elle le sait, elle contrôle la situation. Elle a sa vie entre ses mains et peut donc prendre du plaisir à se laisser dominer par un homme. *Qui d'autre nous dominera ?* C'est la nature, ce n'est pas pour tout le monde. *Les défenseurs de mon espèce sont perplexes, innocents, effrayés, à côté de la plaque.*

Il la fait tournoyer et la soulève dans ses bras, la pose sur le comptoir de la cuisine, lui écarte les jambes, la pénètre aisément. Elle sent la chaleur humide de son vagin l'accueillir.

« *Non*, Billy, s'il te plaît. »

Non n'arrête pas, Billy, s'il te plaît.

Elle bouge de tout son corps avec lui, continue de répéter non en rythme tandis qu'il la prend, elle se sent merveilleusement jeune.

« Non Billy non Billy non Billy », gémit-elle au milieu de son orgasme brutal. C'est le Connecticut qui dit non et Los Angeles qui dit oui. C'était bon.

TOYER

La réponse de Toyer aux reproches exprimés publiquement par Maude arrive le mardi, lorsque Sara Smith découvre une lettre dans sa boîte. L'enveloppe a été ouverte et refermée avec un bout de scotch. Elle a été envoyée depuis le bureau de poste proche du siège de l'*Herald*, ce qui indique qu'il avait peut-être l'intention de la déposer en personne au journal avant de se raviser. La lettre a un ton urgent. Elle prend O'Land et Sara Smith complètement au dépourvu.

Le courrier de Toyer est strictement privé, confidentiel ; il va faire tout son possible pour arrêter. Il explique qu'il se déteste à cause de ce qu'il a fait. Maude est mentionnée tout au long de la lettre, neuf fois. Il la décrit comme une femme adorable et une force de la nature, la remercie de lui avoir consacré tant de temps et de réflexion. Il s'en veut de lui avoir causé tant de soucis. Il a été pris, affirme-t-il, par l'écriture de son livre. Ça lui tient à cœur. Il signe T. Aussi intime qu'un vieil ami. Il dit peut-être la vérité, mais Sara en doute.

Il n'y a rien dans la lettre qu'O'Land puisse utiliser. Elle est confidentielle, et pour ne pas se mettre Toyer à dos, il décide de l'inclure uniquement dans le livre une fois que tout sera fini.

«Les jeux sont faits», dit-il, sans être certain que ce soit le cas.

Il appelle Sara dans son bureau, tient une photocopie grandeur nature de la première page à bout de bras. Le titre, en caractères gras corps 126 :

TOYER ARRÊTE : Il PRÉTEND ÊTRE GUÉRI
ET REND HOMMAGE AUX CONSEILS DE L'*HERALD*

———

Le médecin du Kipness
aurait changé sa façon de voir les choses

———

Il envisage de quitter la région de Los Angeles –
Dix victimes toujours inconscientes.

«Vous ne pouvez pas publier ça, Jim.

– Merci, Sara, je ne vais pas le publier. Je vais juste le garder pour que ça nous porte chance.»

Lorsqu'elle lit le titre à Maude au téléphone, Sara déclare :

«Le tour de magie que vous avez essayé sur lui semble fonctionner.

– Foutaises. Ça reste entre nous, naturellement.» Maude n'en revient pas de ses flatteries. Elle affirme que tout ça n'a aucun sens, se demande ce qu'il cherche réellement à dire. «S'il n'y a pas de nouvelle victime d'ici la prochaine pleine lune, nous aurons peut-être réussi quelque chose. Et dans ce cas, ça restera dans les annales.»

BILLY WATERLAND

Le lendemain soir, au travail, Billy rencontre sa plus vieille idole, Robert Hobbs, la star qu'il vénère plus que toute autre depuis son enfance. Hobbs se rend à la fête du 14 juillet de Lily Calloway à Bel Air, et Billy est chargé de garer la Rolls-Royce décapotable de l'acteur. Hobbs, une authentique vedette de cinéma (*Wellington, La mort ne suffit pas, Clarendon, La Parole de Jake*), est arrivé avec une petite amie élancée vêtue d'une robe minuscule qui semble faite d'écailles de maquereau. Elle s'appelle Melissa Crewe et possède une beauté si profonde, si différente de tout ce que connaît Billy, qu'il ne parvient à la caser dans aucune catégorie connue et se l'imagine descendant d'une espèce d'antilope exotique menacée qu'il a vue à la télé, paissant dans la savane africaine.

Il recule le siège du conducteur de quelques centimètres. *Hmmm-m-m-m.* Le parfum excitant de Melissa flotte aux endroits où son adorable peau est entrée en contact avec le cuir bleu foncé de la voiture. Billy est excité.

Le bleu outremer métallisé du capot reflète les étoiles. Il n'entend pas le moteur. Il conduit la voiture parfaite le long de Chalon Drive jusqu'à sa place de parking, mais au lieu de ralentir et de la garer, comme poussé par une force supérieure, il continue de rouler jusqu'à Sunset Boulevard, puis tourne à droite et longe le boulevard jusqu'à son terminus, face à l'océan calme et plat, vingt-cinq kilomètres plus loin. Il ne sait pas pourquoi il fait ça, c'est comme un frisson implacable, un besoin impérieux d'être seul avec cette voiture.

Chaque fois qu'il ralentit à un croisement on l'observe, il sent le regard explicite que les femmes resplendissantes réservent aux quelques hommes qu'elles veulent vraiment regarder. Il sent le respect des hommes qui conduisent des voitures ordinaires, qui s'écartent quand il les dépasse sur Sunset, des hommes ordinaires qui ne possèdent pas ce que Billy possède. Des hommes à qui il en a toujours voulu, et qui lui inspirent désormais de la sympathie, de la compassion. Des misérables. Ils le regardent quand il passe près d'eux avec l'air de se demander *qui est-ce ?* comme lui-même a tant de fois regardé les autres. Billy n'en revient pas de toute cette adoration.

Il se gare en bordure de la Pacific Coast Highway et regarde en direction du Pacifique, une vaste étendue sans lumières. Des rêves se télescopent dans sa tête. Il sait que c'est une folie illusoire et temporaire, mais c'est une sensation fabuleuse. *Je suis une star.*

Il rêve de ressentir l'amour distant des serveurs de restaurants. De s'endormir dans les bras d'une starlette montante en écoutant les gargouillements du filtre de sa propre piscine. Il s'imagine la crainte particulière qu'il inspire à ses courtisans. *Ses* gens. Le ressentiment dissimulé de ceux qui n'ont rien. L'émerveillement des fans. *Les fans doivent être de merveilleuses maîtresses*, songe Billy.

Même un room service bas de gamme doit être agréable. Il veut que le monde lui lèche le fondement par amour.

Billy *est* Robert Hobbs. C'est si facile.

En retournant vers Beverly Hills, il fait un détour, longe la côte, traverse un canyon, prend la direction de Santa Monica, s'arrête à un feu rouge et prend en stop une fille en short. Son nom est Aurora. Elle lui demande qui il est. Il lui donne le nom d'un producteur à qui il a tenu la portière plus tôt dans la soirée, et cite un film qui passe partout en ce moment. Ils discutent. Il détourne le regard et esquisse le sourire du parvenu, lui dit qu'avec les opportunistes on sait à quoi s'en tenir. Elle lui demande de s'arrêter dans une rue sombre sans réverbères, non loin de chez elle, et lorsqu'il se gare, Aurora n'ouvre pas la portière. À la place, elle pose la main sur la cuisse de Billy.

« Je peux ?

– Quoi ?

– La prendre dans mes mains ? »

Billy ne savait pas qu'on pouvait formuler une telle requête.

« S'il vous plaît, ajoute-t-elle. Je veux vous remercier, c'est tout. »

Aveuglé, Billy regarde en direction de la lune, aussi fine qu'un zeste de citron.

« De m'avoir ramenée, continue-t-elle. Vous n'êtes pas forcé si vous ne voulez pas.

– Bien sûr que si », parvient-il à murmurer.

Il s'autorise un sourire.

Elle déboutonne son pantalon avec émerveillement, saisit entre ses mains ce qu'elle y trouve comme s'il s'agissait d'un oisillon tombé de son nid. Elle appuie la joue contre son pénis. C'est comme si les femmes trop inexpérimentées pour avoir développé d'autres talents ne connaissaient pas d'autre moyen d'exprimer leur gratitude.

Billy étire ses jambes raides contre les pédales tandis qu'elle continue de le remercier. Pour s'assurer qu'il ne rêve pas, il regarde, les yeux ternis par l'extase, les cheveux d'Aurora qui dansent au niveau de son entrejambe.

Le téléphone de la voiture se met à gazouiller, les faisant tous deux sursauter.

« Je ne prends aucun appel », déclare Billy, les yeux clos.

Après tout, c'est un acteur. Aurora ne perd pas le rythme.

Avant de partir, elle note son numéro de téléphone sur une serviette en papier froissée qu'elle trouve dans son sac à main, la plie et l'enfonce dans la poche de Billy.

« Ne m'oubliez pas », dit-elle.

Il n'a qu'à l'appeler et elle viendra, n'importe quand n'importe où. Elle caresse le vernis sombre de la portière tout en la maintenant ouverte. Elle n'est qu'une poussière, elle n'existe pas, sa vie ne compte pour rien comparée à celle de Billy.

« J'appellerai, faites-moi confiance. »

Billy avait supposé que Robert Hobbs en aurait pour au moins deux heures. À tort. À l'instant même où celui-ci est arrivé à la fête de Lily Calloway, il a repéré son ex-femme et a pivoté sur ses talons, ressortant aussitôt main dans la main avec sa créature. Sa Rolls-Royce avait disparu, impossible de la retrouver, et Pancho, le voiturier en chef stupéfait, n'avait aucune explication à offrir, si ce n'est que l'un de ses voituriers de confiance avait également disparu.

Robert Hobbs a fait un scandale, appelé la police. Le vol de sa voiture a été signalé. Pendant près de deux heures, la star à onze millions de dollars plus pourcentage et sa compagne sont restés plantés sur le parking de Lily Calloway, attendant que la police localise sa décapotable bleue laquée quelque part dans les milliers de kilomètres carrés qui composent Los Angeles, un comté aussi grand que le Delaware.

À 23 h 10, Billy, grisé par une splendeur qui ne lui appartient pas, pénètre dans l'allée de Lily Calloway. Il se gare, ouvre la portière, voit Melissa Crewe qui prend la pose près d'un massif de rhododendrons. Un agent de police tiré à quatre épingles dans son jodhpur bleu marine et ses bottes de cheval noires le hèle, lui tient poliment la portière, puis le balance brutalement tête la première au sol, lui coince les bras dans le bas du dos, le palpe à la recherche d'armes, lui passe les menottes. La balade est terminée.

La splendide Melissa Crewe se tient à proximité, observant l'humiliation de Billy avec une expression qui oscille entre ressentiment et amusement. Ses cheveux sont coupés à ras, faisant paraître ses yeux immenses. Billy, une joue plaquée contre le béton, est en mesure d'admirer ses jambes d'antilope jusqu'à un paradis sans culotte. Elle bouge d'une manière si exquise qu'il croit entendre le frottement de ses cuisses.

Tandis que Billy, menottes aux poignets, est cloué sur les dalles du parking, attendant de connaître son sort,

Robert Hobbs sort de la maison et le fusille du regard comme si c'était un figurant qui venait de gâcher une scène. Il inspecte la surface de la voiture constituée de vingt-quatre couches de laque à la recherche de lacérations tandis que l'impossible Melissa s'assied à l'avant, discutant avec langueur, yeux presque clos. Depuis l'endroit où il se trouve, Billy perçoit ses odeurs intimes.

L'agent demande à Hobbs s'il veut porter plainte.

Ne fais pas attendre Melissa, Robert, imagine la force élastique de ces cuisses minces.

Une fois son inspection achevée, Hobbs, de meilleure humeur, dit à l'agent de laisser tomber. Il ne veut pas aller au commissariat de Beverly Hills, il a assez perdu de temps comme ça.

Comme il grimpe dans sa Rolls et claque la portière, son idole regarde directement Billy qui gît par terre.

«Quant à toi, *bandito*, la prochaine fois qu'tu m'piques mon ch'val, j'te pends par les *cojones* à un cactus.»

Melissa éclate de rire. La phrase est tirée des *Hommes d'O'Brien*.

Soudain, Billy est libre de partir. Les menottes sont détachées. Sale et humilié, il lance sa veste rouge de voiturier en direction de Pancho, qui ne le regarde pas, lui signifiant par ce geste qu'il est officiellement renvoyé.

Quelques instants plus tard, Melissa Crewe a une idée.

«Robert, s'il te plaît, appelle Lily, fait arrêter ce garçon, porte plainte. Je t'en prie. Je n'en ai pas pour longtemps, je veux juste une photo pour le *Times*.»

Hobbs appelle donc Lily Calloway, juste à temps pour faire arrêter Billy. Lily appelle à son tour son propre attaché de presse, c'est le moins qu'elle puisse faire, et s'arrange pour qu'un photographe les retrouve au commissariat de police. Ça fera un beau papier.

Vers 3 heures du matin, Billy appelle Peter à Silverlake, lui explique où il est. La caution s'élève à cent vingt dollars. Sur le chemin du retour, Billy parle à Peter de Robert Hobbs, qu'il dépeint avec une générosité et un respect douloureux. Puis il décrit avec force détails la céleste Melissa Crewe, qui, outre ses chaussures à talons, ne portait qu'un seul vêtement, la minuscule robe faite d'écailles de maquereau. Peter demande à Billy comment il sait ça. Il est fasciné, lui demande quelle taille elle fait, comment sont ses lèvres, sa poitrine, ses jambes, son parfum, ses cheveux. Billy déclare qu'il va faire faire un tableau, il est drôle. Tout est presque comme d'habitude.

De sa virée en Rolls il déclare : « La voiture fait assurément l'homme. »

O'LAND

Grâce à la réputation de Toyer, O'Land est en mesure d'écrire à six éditeurs de New York choisis par ses soins pour leur suggérer de publier conjointement un livre sur les crimes de ce dernier. Toyer sera le narrateur de l'ouvrage, qu'il leur présente sous le titre *Rencontres*. Une autobiographie qu'il corrigera lui-même, un chapitre par victime, dont le nombre s'élève désormais à dix, plus des photos, des graphiques, des tableaux, des cartes. Dans chaque lettre, il suggère aux six éditeurs de former un consortium afin de publier un livre unique sous un autre nom, histoire de ne pas ternir la réputation de leur maison d'édition.

La principale motivation du projet, affirme-t-il, et la seule touche de dignité, suggérée par Toyer lui-même, sera que les bénéfices seront intégralement versés aux victimes. Les bénéfices bruts, affirme O'Land, pourraient atteindre les huit chiffres. Ils écoutent. « C'est une proposition de nature hautement confidentielle. Veuillez respecter cette confidentialité jusqu'au moment où, peut-être, nous ferons une annonce commune. » Il ajoute que, grâce à ce projet, Toyer révélera peut-être certains détails qui mèneront à son arrestation.

Les éditeurs sont fous de rage, l'un d'eux déchire la lettre d'O'Land, un autre la roule en boule et la jette dans la corbeille ; quel éditeur digne de ce nom accepterait de toucher au manuscrit de cette créature grotesque ?

Quand la rumeur de la proposition d'O'Land atteint les bureaux de divers directeurs, des rendez-vous sont reprogrammés, la question est remise à l'ordre du jour et sérieusement débattue, à l'insu d'O'Land. Une fois l'outrage initial passé, demeurent les grandes lignes d'une entreprise sensée. Les maisons d'édition, après tout, appartiennent à de vastes groupes, et l'offre de Toyer est, d'un point de vue commercial, viable. Elle suscite désormais un intérêt réel.

O'Land a organisé une deuxième réunion pour la mi-juillet. Une semaine plus tard, il s'envole pour New York afin de rencontrer les représentants des six maisons d'édition. Cependant, deux éditeurs refusent de poursuivre les discussions et se retirent. Les quatre autres acceptent de former un consortium, qu'ils baptiseront, simplement, le Consortium des éditeurs, histoire de ne pas s'exposer aux railleries du public.

Le lendemain, les quatre éditeurs, mais pas l'*Herald*, acceptent de verser chacun un million de dollars d'avance pour garantir que les droits d'auteur du livre iront bien aux dépenses médicales des victimes, une manne pour les familles. Et une manne que les éditeurs sont fiers d'offrir, « avec un réel enthousiasme », comme l'annonce à la presse leur responsable de communication commun. Un paragraphe supplémentaire a été ajouté au contrat, sur la suggestion d'O'Land. Son titre : droits d'adaptation cinématographique.

TELEN

Chère maman,

Voici mon rapport annuel. Désolée! Je promets, je promets d'écrire chaque mois.

Je suis enfin officiellement dramaturge. Je fais toujours partie du Groupe dont je t'ai parlé et nous avons joué ma pièce. Tout s'est très bien passé, salle comble. Elle dure vingt-cinq minutes. Ci-joint une copie. Je travaille à deux scénarios en ce moment, mais j'ai besoin de trouver un travail.

Tu te souviens de cet homme que Ghiseline a épousé pour environ une demi-heure dans les années 1960? Il a épousé une autre femme par la suite et a eu une fille. C'est une journaliste qui est devenue «célèbre» grâce à Toyer. C'est elle qui lui a trouvé ce nom!!! Je lui ai envoyé un mot, et elle m'a répondu. Son nom est Sara et elle est gentille comme tout. Elle envisage d'écrire un article sur le Groupe.

L'un des interprètes de ma pièce s'appelle Peter Matson. Je crois que je l'aime bien, mais c'est très innocent (!?!) entre nous. Si tu ne le crois pas, moi non plus, mais c'est la vérité. Ne m'as-tu pas dit qu'il était difficile de trouver un homme bien? Je commence à croire que les hommes bien n'existent peut-être même pas, et non, merci beaucoup, il n'est pas homo. Reste à l'écoute.

Je t'embrasse,
Telen

MELISSA CREWE

22 h 45, parking extérieur du centre commercial Marina.

Lorsqu'elle quitte la place de parking en marche arrière, elle sent un choc léger, quelque chose d'inhabituel, entend quelqu'un crier derrière sa voiture neuve, coupe le moteur, bondit dehors, se retrouve face à la victime de sa négligence. Elle est déjà dévastée. Il est là, gisant sur le flanc, son pied et son mollet sous la voiture, l'autre jambe étrangement tordue. Une vilaine déchirure dans son jean de marque bla-bla-bla et une écorchure sur sa main parachèvent sa calamité. Dans son ahurissement, le mot *procès* lui traverse l'esprit tandis qu'elle se tient au-dessus de l'homme à terre, toujours en partie coincé sous le pare-chocs arrière de sa voiture.

« Salut ! lance-t-il d'un ton plaisant. Vous pourriez avancer un peu, que je puisse me relever ?

– Oh ! oui, oui, bien sûr.

– N'oubliez pas : en marche avant. »

Elle avance la voiture, en ressort, marche de nouveau jusqu'à lui.

« C'est mieux ?

– Ça va aller, je crois, ne vous en faites pas pour moi. Juste ma jambe, j'en ai une autre. »

Il sourit à sa plaisanterie, elle aussi.

Elle craint, bien entendu, les conséquences : sa propre compagnie d'assurances va lui tomber dessus. Et les avocats de l'homme ne la louperont pas non plus. Mais ces craintes d'ordre légal ne sont pas tout, sa négligence la rend malade.

« Oh ! mon Dieu, qu'est-ce... Vous allez bien, monsieur ?

– *Monsieur ?*

– Je ne vous ai pas vu, honnêtement. »

Et je te crois, merveilleuse créature, tu n'étais pas censée me voir caché derrière ta voiture, allongé par terre avec une jambe sous ton pare-chocs, gentiment coincée contre ton pneu.

Il lève les yeux vers elle en souriant.

« Que puis-je faire pour vous ? » demande-t-elle, rayonnante d'incertitude.

Attends une seconde. Si sexy dans ta détresse. Ce que tu peux faire pour moi ?

Il tend la main. *Oh ! regarde, une écorchure que je me suis faite moi-même sur la paume. Oooh !* Elle l'aide à se lever. Il remarque que ses cuisses distendent sa jupe tandis qu'elle le tire sur ses jambes, que ses seins à demi visibles sont fermes. Grande, une taille qui provient de ses longues cuisses et de ses longs mollets.

Quand il se relève, les cheveux gominés de l'homme rappellent quelqu'un à Melissa. Il sourit, elle sourit. D'un doigt, il époussette sa blessure. Ses lentilles de contact bleu foncé le démangent. Ce soir, il a les cheveux gras, des boucles poisseuses, à la mode mexicaine, plaquées contre son crâne. Il se penche contre la voiture.

« Je peux voir votre permis de conduire ? Ça vous ennuie ? »

Une entame de conversation saisissante. Il voit son sourire s'évaporer, une ligne vague apparaître au-dessus de ses yeux.

« Vous voulez mon numéro de permis, n'est-ce pas ?

– Non. Pas spécialement. Vous m'avez à peine fait mal.

– C'est bon, c'est normal que je vous le donne. »

Il sourit gentiment.

« Écoutez, ce n'est pas la première fois que je tombe, mais laissez-moi quand même y jeter un coup d'œil. Je crois que c'est la loi. »

Un petit sac à main avec une chaîne en guise de bandoulière qui coûte plus cher que son loyer. Elle lui tend le permis.

« Je crois que ma jambe va bien, mais j'en saurai plus demain. »

Qu'elle continue de mijoter toute la nuit.

Son permis de conduire dégage une de ces bonnes odeurs créées pour les femmes dans des laboratoires. Une photo qu'aucun maquillage ne vient gâcher. Elle a été proprement capturée par le flash du service des cartes grises, son visage balayé par la lumière, sa beauté à l'état pur.

« Ooh ! je *déteste* cette photo. »

En verrai-je jamais de plus belle ?

« Je voulais simplement voir comment ils vous ont photographiée », dit-il en souriant de nouveau.

Même âge que moi. Oh ! mon Dieu, un mètre quatre-vingts.

Elle voudrait le prendre dans ses bras.

Trouver Melissa a été simple. Elle a été danseuse pour le studio L.A. Danceworks. Danse interprétative.

Maintenant elle gagne sa vie en tant que mannequin, actrice dans des pubs. Il connaît son agence, son syndicat, son numéro de sécurité sociale. Elle a une grosse dette de carte de crédit. Quand ça va mal, elle emprunte de l'argent aux hommes avec qui elle sort. Il connaît son adresse, le Capistrano à la marina. Une femme célibataire occasionnellement citée dans les colonnes people, parfois ce n'est pas son nom qui est en caractères gras. Connue parce qu'elle arrive aux réceptions au bras d'hommes célèbres. Melissa Crewe, le coup d'un soir des dieux.

Facile.

«Je vais vous laisser m'offrir un café s'ils en servent du correct dans ce café là-bas.

– Oh! bien sûr, ça me ferait très plaisir», dit-elle.

Il me drague ou il est homo ?

Elle est euphorique de s'en tirer à si bon compte, le choc de l'accident est passé, ce sont les contrecoups, les conséquences, qui commencent à la tracasser.

Ils traversent le parking, il boite légèrement.

Ne la touche pas.

L'histoire de l'homme se lit dans sa posture molle, ses vêtements amples, ses cheveux à la mode aussi brillants qu'une rue sous la pluie, ses lunettes de style 1920. *Sa voix est facile à écouter. Un type sympa.*

Un café-pâtisserie constitué d'une salle unique avec deux tables à l'extérieur, illuminé comme un drug-store dans lequel on ne voudrait pas mettre les pieds. Ils s'assoient seuls sous un parasol, face au parking dangereux. La serveuse arrive, elle est jeune, hagarde.

«Mon nom est Allison, dit-elle. Je peux vous préparer un superbe hamburger à la mozzarella et au gorgonzola.

– Non, merci, répondent-ils presque à l'unisson, pas de viande.»

Ils rient. Elle lui touche le bras pour corroborer, le regarde.

«J'estime sincèrement que mon corps est mon temple.»
Et je suis venu pour le vénérer.

Elle lève les yeux vers Allison.

«Rien à manger, merci.»

Elle ne veut pas que la serveuse la déteste. Les femmes la détestent au premier coup d'œil, c'est tellement facile pour elles. Elle essaie d'empêcher ça. Allison n'a aucun charisme.

«Qu'est-ce que vous voulez boire, les gars?»
Melissa n'est pas un gars.

Elle s'agite sur ses jambes, elle vient de Portland, Oregon. *Je suis un talent pur, j'ai joué cette foutue Elektra, la foutue* Maison de poupée*, je suis en train de répéter* L'Opéra de quat'sous*, et je suis là à servir cette pétasse. Je suis Allison Anders, et toi, t'es qui, connasse?*

«Cappuccino décaféiné, s'il vous plaît.

– Et vous, monsieur?»

Il soupire, lui tend le menu.

«Café americano, je suppose.»

Ça ne figure pas sur le menu.

«Vous voulez dire café américain, corrige Allison.

– Non, Allison, café americano, répète-t-il patiemment. C'est complètement différent. Mais qu'importe, *no problemo.*»

Melissa admire les raffinements dont elle n'a jamais entendu parler.

«S'il vous plaît, expliquez-moi, je vais essayer de le faire, d'accord?»

Il sourit, tentant de se souvenir.

«Café noir lait vapeur cognac triple sec crème de cacao avec une touche de crème bien froide.»

Il dit ça trop vite, la victoire lui appartient.

Allison paraît abasourdie, maintenant elle les déteste tous les deux. *Il cherche à impressionner sa nana sans talent, la reine de beauté.*

«Non, attendez.» Melissa sourit à Allison. «Pourquoi ne prenez-vous pas la même chose que moi?»

Le lien qui unit les femmes contre les hommes se resserre un instant.

«Pourquoi pas, répond-il. Faites-moi juste un bon vieux cappuccino bourré de caféine, merci.

– Pâtisserie?»

Elle joue le rôle de la serveuse-pas-aimable.

«Pas de pâtisserie.»

Allison s'en va. Ils sont seuls.

«Je m'appelle Melissa Crewe.

– Très beau nom. Je suis Mark Cunard.»

Mark ou Scott.

«Oh! comme cette compagnie maritime?

– C'est ce que me dit mon père.»

Melissa se détend sensiblement.

«N'aurais-je pas vu votre photo quelque part?»

Melissa rayonne.

«J'ai été dans une pub qui est parue dans *Us Magazine* le mois dernier.

– Une pub pour quoi?

– Des bas», répond-elle avec une moue.

Ne lui touche pas la jambe sous la table.

«Je sais ce que vous pensez, dit-il.

– Qu'est-ce que je pense ?

– Vous pensez : est-ce que Mark Cunard va rentrer chez lui ce soir et découvrir qu'il est sérieusement blessé à la jambe et appeler son avocat demain ?

– Faux.»

Elle marque une pause charmante.

«Eh bien... est-ce que c'est ce que vous allez faire ?

– Non, c'est l'avocat de mon père, et je ne l'appellerai pour rien au monde, j'en ai ma claque de m'entendre dire que je suis idiot sous prétexte que j'ai fait ce qu'il fallait.

– C'est-à-dire ?

– C'est-à-dire que je sais reconnaître mes torts. J'ai été stupide de rester planté là, j'ai vu vos phares arrière. Vous reculez sacrément vite, au fait.»

Il observe ses yeux. Ni l'un ni l'autre ne remarquent qu'Allison a apporté des verres d'eau glacée.

«Bien sûr, j'ai un peu mal à la jambe.»

Elle regarde sa jambe. *Touche-la.* Elle remarque la déchirure de son pantalon.

«Où avez-vous acheté ce jean ?

– Chez Carrol's.»

Une boutique de Beverly Hills dans laquelle il n'a jamais mis les pieds.

«Pourquoi ?

– Parce que je veux le remplacer, si vous me le permettez. J'aurai besoin de votre taille, Mark.»

Je vais te la donner, ma taille.

D'ordinaire, Mark n'est pas attiré par les femmes dont les cheveux sont plus courts que les siens. Mais c'est sa jolie raie bien nette d'écolier anglais qui fait paraître énormes ses yeux d'antilope. Il plonge le regard dedans, tombe quasiment en avant.

« 34, long. »

Elle a les yeux très espacés, des yeux de proie, les yeux des animaux qui doivent toujours se méfier de ce qui arrive en douce derrière eux. En les observant, il devine que Melissa rentrera seule chez elle ce soir. *Ses yeux ont-ils été tellement regardés qu'ils sont devenus aveugles ?*

« 34, long », répète-t-elle.

Une taille érotique.

Les yeux de Mark sont rapprochés, ils visent droit devant eux. Des yeux de prédateur, les yeux des animaux qui se foutent de ce qui arrive derrière eux.

« J'aime beaucoup vos cheveux », dit-il.

Ce qu'il en reste.

Elle le remercie.

« Tout le monde m'a dit que c'était une bêtise, naturellement. »

Elle lui touche brièvement le dessus de la main.

Ne la touche pas.

Il ne sait qu'ajouter, alors il lui raconte son voyage du mois dernier à bord du *Queen Elizabeth II*, la soirée de gala, le bal du capitaine, plusieurs jours en mer, des nuits pleines d'étoiles. Les cuisses de Melissa soupirent profondément tandis qu'elle croise et décroise les jambes sous la table tout en l'écoutant.

Il l'interroge sur ses ambitions. Elle lui répond que quelqu'un lui a promis une audition pour une adaptation télévisée de huit heures de *Justine*.

« C'est un livre célèbre, non ? »

– Oui, Lawrence Durrell, j'essaie de le finir. Je dois jouer le rôle de Melissa. Jolie coïncidence. »

Elle lui explique que si sa carrière ne décolle pas, elle pourra toujours devenir scientologue.

« Pourquoi ?...

– Protection. »

Il ne sait que répondre à ça.

Après une demi-heure en sa compagnie, à écouter ses cuisses se croiser huit fois, il demeure profondément troublé, même s'il sait désormais qu'elle a dans la tête juste de quoi remplir la cuiller à café qui est posée à côté de sa tasse.

C'est pour bientôt.

Une fois de plus il ressent un mouvement agréable au niveau de l'entrejambe. Il voudrait guider ses mains aux doigts longs sous la table et dans son jean pendant qu'il lui parle de ses investissements. Il laisse sa main où elle est. Il n'est pas sûr de son sens de l'humour.

« Vous voulez autre chose ? Nous fermons. » Allison Anders est de retour, s'efforçant de sourire dans l'espoir d'un pourboire. « Passez une bonne soirée, vraiment. »

Je suis sûre que tu vas te la faire, don juan. Elle place l'addition près de la main de Mark. Dessus se trouvent deux bonbons à la menthe enveloppés dans du papier aluminium. La routine.

« C'est moi qui offre, dit Melissa, ses doigts frais couvrant ceux de Mark. S'il vous plaît, je peux ? »

Il la laisse s'emparer de la note.

« Laissez-moi m'occuper de ça. »

Le pourboire. Il glisse un billet de dix dollars sous la note.

«Oh! non, pas pour elle, c'est trop.»

Elle déteste Allison.

«Soit.»

Mark hausse poliment les épaules, glisse à la place un billet d'un dollar.

Il donnera les dix dollars aux pauvres. Il n'a que faire de l'argent, une maladie curable.

Melissa lève les yeux. Les lumières du café au-dessus d'eux clignotent brièvement, vacillantes. Elle se sent étourdie. Il aura fallu vingt minutes.

«Vous allez bien, Melissa?

– Oui, ça va.»

Mais ça ne va pas. Elle sent une nausée froide lui monter dans la gorge. Elle se lève, svelte, puis se rassied.

«Allison, est-ce que vous pouvez nous apporter un verre d'eau de Seltz?» Puis, à l'intention de Melissa: «Ça va vous faire du bien, croyez-moi. Toutes ces émotions.»

Je dois te ramener chez toi et te débarrasser de ces foutus vêtements.

«Êtes-vous en état de conduire?»

Elle le regarde d'un air rêveur, le menton dans la main, un regard d'amoureuse, pendant qu'ils attendent l'eau de Seltz.

«Vous habitez loin?

– Non. Capistrano.

– Eh bien, vous voulez que je vous ramène chez vous?»

Elle acquiesce. *Elle n'arrive plus à réfléchir.*

«Prenons votre voiture, je vais laisser la mienne ici.»

Il la touche enfin, la tenant par le bras tandis qu'elle traverse le parking sur des échasses.

L'intérieur de l'appartement de Melissa Crewe au Capistrano : verre, cuir, chrome, pas de tissus flottants, de magazines futiles, peu d'objets personnels visibles, et ceux qu'on voit ne semblent pas à leur place, des sculptures primitives en pierre. Une corne d'animal blanchie. Des cadeaux. Les photos accrochées sont des visions froides d'elle. Pas de désordre. Meublé en une heure par un expert de boutique design avec des soldes sur les articles noirs et argent. La mort est partout.

Une cuisine noire. Étincelante.

Sans un mot, Melissa s'étend sur le divan noir, soulevant légèrement son bassin. Une chaussure tombe.

« S'il vous plaît, ne croyez pas que je sois grossière », marmonne-t-elle.

Elle ferme les yeux.

Le téléphone sonne. Comme elle parvient à peine à l'atteindre, il lui tient le combiné devant les lèvres. Il entend une voix masculine lui demander comment elle va et où elle était. Elle répond à la voix d'homme, « Au cinéma, seule. » La voix d'homme l'interroge. « Quoi, tu veux que je te raconte le film ? » Elle ajoute qu'elle veut aller se coucher, qu'elle est crevée.

Il continue de lui tenir le téléphone. Elle est obligée de jurer une fois de plus à la voix, qui s'appelle désormais Bob, qu'elle a passé la soirée seule. *Bob ne la croit pas.* Elle lui souhaite une bonne nuit, d'une voix rauque. En raccrochant le combiné, il coupe la sonnerie du téléphone. Elle ferme encore une fois les yeux. Il la regarde fixement, aveuglément étendue sous lui.

« Je suis désolée, Mark. Vous avez été si gentil, est-ce que vous voulez bien m'excuser ? » *En d'autres termes :*

Allez-vous-en. « J'ai simplement besoin de fermer les yeux trente secondes. »

Elle est allongée sur le dos, une main sur le ventre, l'autre derrière la tête, la tête sur un coussin, et elle se tourne, ses jambes touchant l'extrémité plate du divan, chevilles décroisées, franchement. L'autre chaussure tombe.

Il tend la main et soulève prudemment sa jupe. Il reste là à la regarder des pieds à la tête pendant plusieurs minutes, sa main droite profondément enfoncée dans sa poche de pantalon. Elle porte une culotte blanche, minuscule. Il tire une pièce de sa poche, la lance en l'air et la rattrape. Encore et encore.

« Pile ou face, Melissa. »

Elle se réveille, tourne légèrement la tête. Les yeux ouverts, à demi endormie, enveloppée dans un luxuriant cocon rose plein de coussins. Elle se passe la langue sur les lèvres, les humectant.

Elle le trouve des yeux, loin, loin au-dessus d'elle, esquisse un sourire idiot.

« Face. »

Un jeu ?

« C'est l'heure d'aller au lit, Melissa.

– Vraiment ? »

Elle remue.

« Je ferai tout ce que vous voulez, Mark.

– Il est temps de vous déshabiller, Melissa », ajoute-t-il doucement.

O'LAND

1 h 04 du matin. Les détritus du journalisme.
Crayons tendres épais. Taches. Corbeilles
métalliques rondes remplies de papier. Une odeur de
rouille. Sara est assise dans le bureau d'O'Land, elle
le regarde corriger la gigantesque photocopie de la
première page juste avant de lancer les rotatives. Sur
la table, des hebdomadaires nationaux sont étalés, une
abondance de titres abandonnés (*J'ai eu un enfant de
Toyer*), de papiers absurdes (*Un camarade de classe révèle
le changement de sexe de Toyer*), de fictions embrouillées
(*Toyer séropositif est-il homo ?*). Sara regarde Jim comme on
regarde une star, attendant son prochain mouvement.
Ce soir elle en a assez de tout ce qui touche à Toyer.
Pas Jim. Il parcourt les paragraphes d'un œil vif, tel
un oiseau rare cherchant des insectes. Il y a toujours la
possibilité d'un sourire. Il plie les épreuves et les balance
dans la corbeille métallique. Sans consulter sa montre, il
se penche en arrière sur sa chaise, tend la main derrière
lui, enfonce un bouton de cuivre fiché dans le mur. Sara
attend d'entendre la sonnerie retentir sous eux, étouffée
par les murs de pierre. La voici. Il a lancé les rotatives
au sous-sol. La lumière du bureau vacille brièvement, les
cylindres tournent, tout le deuxième étage du bâtiment
tremble. Pour O'Land, malgré l'habitude, ça demeure

un rituel excitant. Elle regarde la surface du café de Jim s'animer. Sous eux, les lignes d'encre humide ont commencé à défiler à toute vitesse, un million de mots. Des hommes équipés de casques antibruit se tiennent à proximité, ajustant la teinte de l'impression. La douce odeur de l'encre. Les vastes rotatives ressemblent à la salle des machines d'un navire aux grandes heures des paquebots à turbines.

Sara le regarde, il est heureux. Ils sont assis dans son bureau désolé où seuls les murs sont anciens. Rien, hormis la surface patinée du bouton de cuivre fiché dans le mur, n'a été ici suffisamment longtemps pour vieillir. C'est la même sonnerie qui a servi à lancer les rotatives pour les gros titres historiques : « La guerre contre l'Allemagne est déclarée, victoire ! », et, le 14 avril 1912, le lendemain de son naufrage, « Le Titanic s'abîme en mer ».

Ils viennent d'achever la lecture du troisième article de Maude, adressé directement à Toyer. Entre eux, aussi grande qu'une bitte d'amarrage sur un quai, se dresse une bouteille d'un litre de Paddy, le whiskey des cols bleus irlandais qu'O'Land adore plus que tous les autres. C'est une bouteille rare, introuvable en Amérique. Sara a ajouté un doigt de whiskey à son eau de Seltz, O'Land savoure le sien sec, tous deux sans glaçons. De l'autre côté des fenêtres crasseuses, la brume s'est transformée en pluie. C'est un moment agréable.

Le tirage de l'*Herald* atteint désormais régulièrement les un million deux cent cinquante mille exemplaires, les abonnements ont doublé, le tirage du *Times* n'a plus atteint le million depuis que Toyer a commencé à écrire pour l'*Herald. Incroyable.* Jim O'Land sait qu'il a aussi battu les chaînes de télé. Elles sont à ses pieds, tentant de filmer des miettes, des bribes d'information. *Et Sara Smith ? Son opinion ? Non merci.* Encore une fois, c'est une nation de journalisme, on frissonne en dépliant le journal du matin devant son café et son toast, un pays de mots noirs sur blanc. *Hourra ! Les rotatives tournent de nouveau, attention !*

Comment la télévision pourrait-elle rivaliser avec le texte imprimé ? Sans images ? Toyer est peut-être leur anecdote préférée, mais les chaînes de télé ne savent pas où planter leurs caméras ni où envoyer leurs équipes pour couvrir son histoire. Parce qu'il n'y a pas d'images. Et la télévision, ce ne sont que des images. Toyer est un phénomène interne, il vit dans l'imagination des gens, dans leurs rêves, là où la télé ne peut pas aller. Il les hante. Le public a rejeté la télévision et est revenu avec enthousiasme à une époque antérieure.

Bon nombre de citoyens admirent secrètement Toyer pour le respect qu'il témoigne à la police, aux femmes, au public. Ils sont fascinés par sa finesse. Il est Zorro, Robin des bois, il est un personnage mythique, et le public a besoin d'eux pour se distraire, pour s'endormir. C'est un grand pays.

Et Toyer comprend l'immense *Schadenfreude* du public, le bien-être que les êtres humains ressentent face à la tragédie des autres.

Jim saisit son verre aux teintes grisâtres et le lève en direction de Sara.

« À votre santé, Sara Smith, pour nous avoir permis de garder cette histoire. Ç'a été du grand travail de journaliste. »

Elle a finalement été acceptée par Jim. Elle sourit et boit une gorgée, se sent prête à pleurer. C'est le matin. Ils vont maintenant rentrer chez eux, chacun de son côté.

Plus tôt dans la journée, Jim a accepté le projet du Consortium des éditeurs, un projet toujours secret, qui consistera à publier deux millions d'exemplaires, un tirage sans précédent, pour la première édition nord-américaine de *Personne ne vit sur la Lune ?* Formidable, du jamais vu. Le prix catalogue du livre sera de vingt-cinq dollars, les droits d'auteur s'élèveront à vingt pour cent, dix millions de dollars rien que pour la première édition. Après ça, les éditions de poche généreront d'autres revenus. Des traductions sont proposées dans onze langues. Il sera mis en avant par le Club du livre du mois. Tout ça a été planifié par Jim O'Land, Sara Smith, trois hommes, une femme et huit assistants. Tous ont juré de garder le silence.

Le téléphone sur le bureau les fait sursauter, Sara est la plus proche, elle décroche. C'est le service des informations. *Une femme a été découverte.*

«OK, Richard.»

Elle repose le combiné. O'Land a compris.

«Je devine», dit-il.

LES INCASTABLES

Depuis quelque temps Billy est invisible, il n'est pas venu à la réunion du Groupe ce samedi matin. Chaque fois que Peter l'appelle, il se trouve des excuses.

Aussi sont-ils surpris de le voir débarquer chez Ruben's. Il est maigre, il dit qu'il a mal à la tête, on dirait qu'il a pleuré. Il parle par bribes de phrase, prend la pose. Peter apprécie le spectacle, *L'Athlète qui meurt jeune*. « Tu veux nous dire ce qui ne va pas ? »

Billy ouvre l'*Herald* et le pose à plat sur la table. En première page, le gros titre annonce :

Découverte de la onzième victime de Toyer
Voir article de Sara Smith en page 3

Il s'agit de Melissa Crewe, l'escorte occasionnelle de Robert Hobbs.

Billy pointe du doigt. Il ne peut pas parler. Telen lui saisit la main, il s'assied, martèle du doigt le journal.

« C'est elle, répète-t-il plusieurs fois d'une voix étranglée. C'est celle dont je vous ai parlé, vous vous souvenez ? » Il pose une main sur l'épaule de Telen. « Partie.

– Est-ce que tu as de la fièvre, Billy ? »

Il s'essuie le visage avec une serviette en papier, commence à murmurer quelque chose puis s'interrompt, se couvre les yeux de la main. Personne ne parle. Il écarte les mains. « *Pourquoi ?* » Maintenant on dirait un de ces types qu'on voit à la télé, debout près des cendres de leur maison dans laquelle leur famille vient de mourir carbonisée. Ses ongles sont noirs. C'est un homme qui a tout perdu.

« Bon sang, je suis désolé, je n'étais pas au courant. Je n'ai pas vu les informations », déclare Peter. Il se lève, attire Billy jusqu'à lui. Peter est pâle, il semble malade. « Elle était parfaite, n'est-ce pas ? »

L'article de l'*Herald* nomme quelques-uns des amants de Melissa. Elle avait de nombreuses liaisons, explique le journal, c'était une ambitieuse. Mais maintenant c'est fini. Deux ou trois éclats de rire, quelques petits rôles, quelques bonnes photos. Deux d'entre elles sont reproduites, la première, prise sur le vif à Cannes par J. Brizard, la seconde, un cliché en contre-plongée pris par Helmut Newton dans une suite du Sherry-Netherland.

« Je vous jure que je vais le tuer », dit Billy en s'essuyant les yeux.

Peter sent ses tremblements, il le croit sur parole. Ce matin chez Ruben's, Billy semble prêt à attaquer Toyer avec une fourchette, avec n'importe quoi. Telen se souviendra de cette matinée comme le début de la fixation de Billy sur Toyer. Désormais, pas un jour ne s'écoulera sans qu'il ne mentionne son nom dans la conversation.

Il leur demande s'ils ont travaillé, espérant qu'ils répondront non. Non, répondent-ils. Les Incastables sont pour le moment de nouveau réunis.

TOYER

Maude savait qu'il n'arrêterait pas.

Un coyote surgi de l'obscurité traverse le halo de lumière d'un réverbère, s'enfonce de nouveau dans l'obscurité, se dirige au petit trot vers la maison de Maude, inspecte la minuscule pelouse, pointe le museau vers le ciel. Attend.

La déception de Maude est intense, elle sait que le trouble mental de Toyer est le pire qui soit. Rien de ce qu'elle a lu ou appris ne lui est de la moindre utilité, tout ce qu'elle sait est faux. Elle a l'impression d'être nue, sent ses os qui cherchent à percer sa peau.

Maude a été la première à apprendre pour Melissa Crewe, elle a su vingt minutes avant O'Land. Chleo lui a téléphoné chez elle. Elle ne pouvait rien faire. Lorsqu'elle a appelé Sara Smith, qui se trouvait dans le bureau d'O'Land, ils étaient déjà au courant.

Le coyote repère Jimmy G sur le rebord de la fenêtre, il reste un instant immobile, retenant son souffle, le regardant fixement.

Maude s'habille, se glisse hors de la maison, roule jusqu'à l'hôpital pour voir Melissa. Plus tard, elle se rend au bureau d'O'Land. Elle ressent une douleur profonde, elle se sent bafouée, tous ses efforts lui semblent futiles.

« Donc désormais, monsieur O'Land, votre cher Toyer compte onze victimes à son crédit. Il reprend du service, qu'en dites-vous, il est juste en train de se refaire la main ?

– Ne me collez pas ça sur le dos.

– Dieu m'en préserve. Mais qu'est-ce qui se serait passé s'il avait ralenti ? Ou même cessé ? »

Sara lève les yeux.

« Maude, ne dites pas ça, nous avons tout essayé.

– Mais s'il arrêtait, le *Times* vous enterrerait, non ? »

O'Land semble las.

« Nous pensions tous qu'il avait arrêté. J'avais même parié dessus.

– Jim a trouvé un bookmaker à Vegas qui lui avait attribué une cote, explique Sara.

– Je suis ravie que ça vous rapporte de l'argent. Je ne m'inquiéterai pas pour vous.

– J'ai perdu, rectifie O'Land en esquissant à peine un sourire. Maude, je suis sincèrement désolé pour vous, mais j'ai cent mille mots à faire paraître.

– Si je lisais votre journal tous les jours, je n'aurais aucune foi dans l'espèce humaine.

– Le monde est vaste, votre Toyer n'est qu'un individu parmi tant d'autres.

– Maude, ajoute Sara en la regardant, vous et moi devons continuer d'essayer de lui parler, d'une manière ou d'une autre. C'est peut-être la seule chose qui vous apaisera.

– Peut-être.

– Il faut que j'y aille. »

Sara prend congé. O'Land et Maude se retrouvent seuls.

«Je ne peux pas continuer comme ça.

– Eh bien, lui non plus, Maude, il doit y avoir une faille quelque part. Vous avez vraiment une sale mine.»

Maude s'apprête à partir.

«Est-ce qu'un verre vous ferait du bien?

– Assurément.»

Tout en allant chercher le Paddy, il suggère:

«Pouvez-vous attendre une heure? Je vous invite à dîner.»

MAUDE

Ce soir le téléphone de Maude sonne, il est tard, elle a sombré dans un sommeil sans fond. Elle laisse la sonnerie retentir six ou huit fois sans savoir où elle est, incapable de l'atteindre. Quand elle décroche enfin, la tête appuyée sur une main, elle sait où elle est, qui elle est. Une angoisse familière la saisit ; ça ne peut être que l'hôpital. Elle écoute sans rien dire.

« Maude ? »

C'est une voix d'homme, alerte, intime, sonore.

« Oui ? répond-elle d'une voix épaisse.

– Je suis désolé pour Melissa, réellement désolé. »

Puis un clic retentit, suivi d'une tonalité.

Toute la nuit elle entend sa voix. *Réellement désolé! Réellement désolé! Réellement désolé!* Elle résonne sans fin dans sa tête comme de la musique rock.

MEYERSON

Une enveloppe grand format sur son bureau, pas d'adresse d'expéditeur. Il l'ouvre. Une photo, le visage pâle d'une femme endormie. Melissa Crewe. Écrit au dos de la photo :

26 juillet

Bob,

Voici un nouveau visage à accrocher dans votre bureau. Je sais que nous nous y habituons tous, mais n'est-elle pas magnifique ? J'ai pris ce portrait de Melissa hier.

Au fait, c'est la onzième. Mais qui tient encore les comptes ?

Maude

« Ciel, s'il vous plaît, passez-moi le Kipness.

– Le docteur Garance a déjà été renvoyée du Kipness.

– Est-ce que quelqu'un peut l'empêcher de me harceler ?

– Légalement, monsieur ? »

TOYER

Il écrit sur un ordinateur volé. Un ordinateur de la couleur d'un matin crépusculaire, de la taille d'un livre de sciences, qui se referme comme un porte-monnaie. L'année dernière, alors qu'il empruntait à pied un raccourci, il l'a repéré dans une décapotable garée sur le parking derrière le restaurant Le Dome. Le gardien regardait dans la direction opposée. D'un seul geste, il s'est penché dans la voiture, l'a soulevé par-dessus la portière, et l'ordinateur était à lui. De retour chez lui, il a effacé tous ses contenus barbants, des colonnes de prix, et se l'est approprié.

Il le dissimule dans un espace long de quarante centimètres, entre deux montants, dans l'un des murs de son appartement. Aucun de ses visiteurs ne sait qu'il possède un ordinateur.

En ce moment, seul, carburant au café pour trouver les mots, il tape sur sa machine. Lorsqu'il a fini, il glisse sa lettre dans une enveloppe jaune et, pour la première fois, écrit de la main gauche l'adresse de *l'Herald*, en grosses lettres enfantines.

Le lendemain, deux jours après le compte-rendu factuel de Sara, O'Land publie le récit de la rencontre entre Toyer et Melissa Crewe, exactement telle que ce dernier l'a relatée dans sa lettre. Le texte est aussi insouciant qu'un journal intime de fillette, aussi désinvolte qu'une conversation de café.

Si c'est ce qu'il faut. Le récit est repris par mille neuf cent cinquante-huit publications. L'argent ira au fonds destiné aux victimes de Toyer.

La onzième victime de Toyer
Melissa Crewe
Sa version des faits

Exclusivité du *Los Angeles Herald*. Le document suivant reprend le texte intégral d'une lettre reçue à l'*Herald* hier. Elle a été écrite par le criminel non appréhendé connu sous le nom de Toyer. Il raconte sa rencontre avec Melissa Crewe mercredi dernier. Crewe a été retrouvée dans son appartement de Marina del Rey jeudi matin, suite à un coup de fil de Toyer à la police de Los Angeles. C'est sa onzième victime et, comme les dix premières, elle a subi une cordotomie cervicale.

LOS ANGELES. 26 juillet, 11 heures.
Je me réveille ce matin en chaussettes et en chemise. Je vais m'examiner dans le miroir. Je ne comprends pas pourquoi je porte des chaussettes et une chemise. Je n'arrive absolument pas à me rappeler ce que j'ai fait hier soir. Je sens ma chemise. Elle a un parfum citronné qui rappelle de l'encaustique, mais en plus agréable. Ça me rend dingue de ne pas me souvenir. Je ne consomme pas de drogues. Ou est-ce que j'en consomme? N'arrivant pas à me souvenir, je vais

prendre une douche. Quand j'en ressors, je me sens mieux. Mais je continue de m'interroger. Je vois alors mon pantalon, roulé en boule sous une chaise. Des taches sombres dessus. Sèches. Les genoux en sont couverts. Le pantalon est foutu. Soudain je me souviens. Melissa Crewe. Et alors tout me revient.

La marina, l'appartement de standing, moi qui me lave les doigts, le parking, le chemin du retour, le lever du soleil. Je me rappelle avoir aussitôt appelé la police depuis chez elle. Avoir vomi dans sa corbeille à papier. Va-t-elle vivre? Je ne suis pas un assassin. Je cours acheter le journal. Elle va s'en tirer. Elle était différente des autres. C'est une grande fille solide. La première fois que je l'ai vue, elle ressemblait un peu à une fée avec des yeux immenses, grande et maigre. Elle était très belle, un peu comme une sauteuse en hauteur, et je sais qu'elle l'est toujours. La photo d'elle qui est parue dans les journaux est celle que j'ai vue au mur de sa chambre. Je me sens affreusement mal ce matin. Je ne comprends pas pourquoi j'ai fait ça. Je me souviens de ma colère, mais pas des raisons de ma colère. C'est presque comme si j'avais tout inventé, sauf que c'est là dans le journal. Je n'écrirai donc plus rien à son sujet tant que je n'y verrai pas plus clair.

C'est signé «Toyer».

«Peut-être qu'il s'oubliera un jour et signera de son vrai nom, déclare Jim.

– Et peut-être qu'il nous donnera son adresse», ajoute Sara.

Toyer est de retour. L'*Herald* retrouve ses brebis égarées, elles doivent acheter le journal, elles n'ont pas le choix. Il n'y a pas la place pour la télé. Les lecteurs de l'*Herald* sont au septième ciel.

MAUDE

Elle n'arrive pas à dormir. Elle ouvre une conserve de thon et la partage avec Jimmy G.

Le téléphone sonne.

Elle attend que son répondeur se déclenche. Après le bip, elle entend la voix de Sara.

« Allô, mon ange, je sais que vous êtes là. Décrochez. Vous ne devinerez jamais qui vient d'appeler. »

Elle décroche.

« Si, il vient aussi de m'appeler. Il avait l'air soûl.

– Donc vous êtes au courant.

– Non, allez-y, dites-moi.

– Pour le scalpel. »

Le scalpel. Maude sent son visage blêmir, elle ne répond rien.

« Vous savez, le scalpel qui a été retrouvé sur la plage le mois dernier, vous vous souvenez ? Le sans-abri ?

– Le scalpel... oui ?

– Eh bien, il m'a dit qu'il était à vous.

– À moi ? »

Elle respire profondément.

« Ma chérie, je n'utilise pas de scalpel.

– C'est ce que je pensais, alors pourquoi m'a-t-il appelée et raconté qu'il était à vous ?

– Qui sait ? Il ne m'a rien dit à ce sujet.

– De quoi avez-vous parlé ?

– Nous avons essayé de choisir un film à aller voir ensemble au cinéma, il a vu tous ceux que je veux voir.

– Maude...

– Il m'a appelée pour s'excuser.

– Comme d'habitude.

– Eh bien, il a recommencé. Je lui ai raccroché au nez.

– Pourquoi ?

– Juste une réaction irrationnelle. Je n'aurais pas dû. C'est peut-être pour ça qu'il vous a appelée.

– Je me sens contaminée rien que d'entendre sa voix, elle ne me quitte pas.

– Je sais.

– Vous allez bien ?

– Oui.

– Vous voulez de la compagnie ?

– Non, merci, je crois que je vais aller me coucher. »

Elle s'est déshabillée tout en parlant, laissant tomber ses vêtements par terre. Quand elle raccroche elle est nue, le téléphone se remet à sonner, c'est Elias.

« La ligne était occupée.

– Hum-hum.

– Si tard.

– Je parlais à Sara.

– Il faut que je te voie.

– Il vient de m'appeler aussi, Elias, je sais ce qu'il t'a dit.

– Vraiment ?

– Oui, ton scalpel.

– C'est en effet ce qu'il m'a dit, que c'est mon scalpel qui a été retrouvé par la police sur la plage. Mon scalpel qui a disparu. Qu'est-ce qu'il raconte, Maude ? Est-ce que c'est vraiment ce que je pense ?

– Oui.

– C'est lui qui m'a déjà appelé ?

– Oui.

– Pourquoi fait-il ça ?

– Il fait simplement ce qu'il fait de mieux. »

TOYER

Grâce à quelque mystérieux contrat, *Time* et *Newsweek* mettent tous deux Toyer en couverture. C'est la chose à faire. Il a fait son retour, il est bien réel, il est là pour durer, il vaut la peine qu'on s'intéresse à lui.

Le portrait du *Time* est peint dans le style de feu Francis Bacon ; un homme déchiré vêtu de loques et d'un masque de Polichinelle. *Démence élégante.*

La couverture de *Newsweek* montre une photo imaginaire de lui faite de points d'interrogation pixelisés. *Intelligence élégante.*

60 Minutes remporte les droits pour filmer un documentaire sur le criminel sans visage. Froid, dur. *Immédiateté élégante.*

À Londres, une pièce à suspense est en préparation dans le West End. *Théâtre élégant.*

À Hollywood, l'offre des studios dépasse la barre des dix millions de dollars. *Commerce élégant.*

Dans l'East Village, un bar punk expose les jouets de Toyer. *Punk élégant.*

C'est sa franchise, son mystère, sa générosité, son livre à venir, le danger parfait qu'il représente. O'Land va appeler le *New York Times*. Tout ce qui concerne Toyer mérite d'être publié.

MELISSA

Mais il y a un problème avec Melissa Crewe. Tout va de travers avec elle, elle est complètement différente des dix autres victimes. Le légiste, qui a été appelé par erreur, a expliqué qu'elle avait résisté comme une bête, et c'est une évidence. Elle était quasiment aussi forte que son agresseur, suggère le procureur Yellen.

Il n'y a pas d'empreinte de poing sur la fenêtre de la chambre. Et il y a du sang. C'est la première fois. Des éclaboussures sur le mur au-dessus du lit ; un Jackson Pollock subtil, plus doux. Une œuvre d'art hors de prix. Même le plafond n'en est pas ressorti indemne, une fine brume de sang a aspergé le miroir. Elle est en vie parce que, pour la première fois, Toyer a appelé la police directement depuis la chambre de sa victime.

Les différences sont si nettes que la police doute qu'il s'agisse de l'œuvre de Toyer. L'inquiétude est réelle que quelque abruti cherche à le copier.

Y a-t-il un autre imitateur de Toyer ? Il a toujours laissé la marque de son poing sur la fenêtre de la chambre pour revendiquer chaque victime. Mais cette fois-ci, pas de marque. Son amour-propre exige pourtant une signature.

En écoutant le répondeur de Melissa Crewe, un inspecteur vigilant a noté l'heure des messages et observé que

Melissa était rentrée et avait préparé deux verres sans les écouter. Est-ce que ça pourrait signifier qu'elle était ici avec quelqu'un qui était plus important à ses yeux que ses messages ? Ou quelqu'un dont elle ne voulait pas qu'il entende les messages ? Quoi qu'il en soit, ses messages l'attendent toujours.

Puis, dans l'après-midi, soupir de soulagement des enquêteurs : *tout va bien*. Un inspecteur repère une empreinte de poing partielle sur le miroir de l'ascenseur, en hauteur, comme si Toyer avait été pressé, perturbé, comme s'il avait oublié de la laisser dans la chambre de Melissa, peut-être sous l'effet de la panique. L'empreinte correspond. C'est bien Toyer, en fin de compte, la marque confirme que Melissa est sa victime. Mais elle ne répond qu'à une seule question. Elle n'explique pas la lutte sanglante.

Sur l'empreinte de poing, une trace de sang, pas celui de Melissa. Pour la première fois Toyer s'est coupé. Maintenant la police connaît son groupe sanguin, AB, pour autant que ça leur serve à quelque chose.

À l'hôpital, juste avant l'aube, quand Maude voit pour la première fois Melissa, elle est saisie par sa beauté. La poupée languide aux longues jambes qui gît enveloppée dans une chemise d'hôpital faisait partie du beau monde plus tôt dans la soirée. Maude sépare les cheveux de Melissa avec son propre peigne de poche. Elle lui passe ses *Chants d'Auvergne* en attendant de pouvoir jouer les morceaux préférés de Melissa.

Le lendemain matin, l'article de Sara paraît dans l'édition familiale sous un titre aussi lourd que des pièces automobiles : «tempête de sang». Il est immédiatement transmis par satellite à toutes les agences d'information, traduit dans des douzaines de langues. En allemand : *Bludenkrieg !* L'expression *tempête de sang* collera à Toyer, elle fera désormais partie de sa légende.

Grâce au book de Melissa, la presse peut enfin choisir parmi le top du top en matière de photos de super modèle, mieux qu'avec les dix premières victimes combinées. Le *Star Weekly* surenchérit sur l'*Enquirer* pour publier un nu sensuel mais de bon goût pris par un photographe français trois ans plus tôt pour le magazine *Oui.* Ça fera un joli numéro.

O'LAND

« Qu'est-ce qui mérite d'être publié ? »
Tel est le sujet d'une conférence téléphonique organisée à la hâte entre O'Land et plusieurs éditeurs de New York. L'attitude récente d'O'Land a forcé le *New York Times* à y participer. C'est une question intéressante. Manfred Koch, le représentant du *Times*, qui respecte O'Land, demande :

« Si nous publions maintenant ces trucs sur Toyer, Jim, où nous arrêterons-nous, où allons-nous ?

– J'en sais rien, personne ne le sait, répond O'Land. Pourquoi ne pas publier ça au bas de votre rubrique nationale, en page 13 ou quelque chose comme ça ?

– Parce que les gens le liront. » Koch n'ajoute pas : *Nos journaux sont différents.* « Mauvais goût, Jim, il ne nous forcera pas à exaucer ses désirs. C'est malsain. Il ne s'agit pas de savoir si ses comptes-rendus méritent d'être publiés, mais de savoir s'ils constituent une information. À mon avis, non. »

La conférence s'achève.

Plus tard dans l'après-midi, William Speare, le rédacteur en chef du *New York Times*, convoque Manfred Koch dans son bureau au dernier étage. Speare a entendu de la bouche de Dunc Whiteside, son avocat, que si les articles de Toyer doivent rapporter de l'argent aux victimes et si le *Times* n'accepte pas de les publier, le journal risque d'être accusé de bloquer des indemnisations qui leur reviennent de droit.

Le vent souffle à New York et, curieusement, le sénateur Greenwald a également téléphoné à Speare.

« C'est une question sérieuse, Bill, et vous feriez bien d'en tenir compte. »

Speare parle à Koch des devoirs du journal.

« Foutaises, répond celui-ci.

– Bien sûr que ce sont des foutaises, Manny, concède Speare.

– Et d'un point de vue légal, ça ne tient pas.

– Peut-être. Mais n'en soyez pas trop sûr, rien n'arrête les avocats de nos jours.

– Et toutes les autres histoires que nous ne publions pas sans nous soucier que ça puisse nuire à quelqu'un ?

– Cette histoire-ci ne ressemble à aucune autre. »

En revenant sur la décision de Koch, ce que Speare dit, c'est que l'histoire de Toyer est sans précédent, si étrange que plus aucune règle ne s'applique, que c'est un piège énorme. Ils n'ont d'autre choix que de coopérer avec l'*Herald* et publier les futurs comptes-rendus de Toyer.

Koch sort en claquant la porte. Une heure plus tard, après avoir bu un rafraîchissement chez Daly's Grill, il regagne son bureau en claquant la porte et commence à préparer l'édition du matin.

À Los Angeles, Jim O'Land, qui ignore toujours la décision de Speare, dicte son éditorial : « Toyer mérite-t-il qu'on écrive à son sujet ? »

Il n'y aura pas de surprise. Demain, les lecteurs donneront aussi sec leur réponse unanime : « Encore ! »

Évidemment qu'ils en veulent encore.

BILLY

Personne ne voit plus Billy, il a repris la clandestinité. Il a besoin d'être enchaîné, affirme Telen. Dix jours qu'il n'a pas donné signe de vie. Les deux Incastables se souviennent que la dernière fois qu'ils ont vu le troisième membre de leur petite clique, il était trop calme, pâle, il semblait drogué, avait besoin de se raser. Il se dit couvreur indépendant, comme Peter, mais Peter ne l'a pas vu au travail. Il a désormais manqué deux réunions du Groupe et Peter n'arrive pas à le joindre, son téléphone est débranché. Quand Peter frappe à la porte, il entend une télévision à l'intérieur. Mais Billy ne répond pas.

Il vit à Hollywood, dans une maison en stuc des années 1920 divisée en appartements, il n'y a pas de soleil mais la lumière est si éblouissante que Peter plisse les yeux. Un homme maussade tranche du poisson fumé et de la viande dans l'épicerie bon marché Horowitz. David Horowitz garantit que Billy est bien en vie, il assure Peter que la personne qu'il décrit vient ici pour acheter du poisson fumé, du saumon, du pastrami, des abats pour son chat.

« Mais il n'a pas de chat, les chats l'ignorent.

– Les chats ignorent tout le monde. »

David Horowitz hausse les épaules.

« Bon, qu'est-ce que vous voulez que je vous dise, il prétend qu'il est comédien mais n'a pas de scène pour se produire. Qu'est-ce que je vous sers ? »

Peter répond qu'il aimerait commander quelque chose que Billy mange.

« Essayez le pastrami. »

Peter commande un sandwich au pastrami.

« Quoi d'autre ? demande Horowitz.

– Moutarde.

– Quoi d'autre ? »

Encore autre chose ? Peter se penche au-dessus du comptoir.

« C'est quoi le poisson gefilte ?

– Gefilte. Si vous ne connaissez pas, vous feriez mieux d'éviter. Prenez le saumon fumé.

– OK. »

Il apportera le sandwich à Billy. Horowitz lui dit que Billy a cessé de se raser.

« Vous voulez un cornichon avec le pastrami ?

– OK.

– Vous voulez de l'eau de Seltz ?

– De quoi ?

– Eau de Seltz, répète Horowitz, puis il ajoute, de l'eau gazeuse.

– Non, merci. »

Peter se sent idiot.

Billy a cessé de se chercher un agent. Il dit qu'être acteur à Hollywood n'est pas une profession noble. Il vit bien avec peu. Il possède un poste de télévision noir et blanc. Il y a le marché de Grand Central en centre-ville où l'on vend des miches de pain de la veille pour vingt-cinq cents. Il a poireauté dans une file à l'ombre des palmiers pour s'inscrire au chômage, mais maintenant son chèque arrive tous les quinze jours dans sa boîte aux lettres. C'est facile de laisser tomber.

Les stores sont baissés. Quand Peter sera reparti, Billy trouvera le sandwich au pastrami enveloppé dans du papier aluminium devant sa porte.

Un jour, chez Ruben's, il leur a dit que son rêve était d'être interviewé par des journalistes qui le considére-raient comme un monstre sacré. Telen leur a avoué le sien : partager ses recettes dans *Cosmopolitan*, révéler ses secrets de beauté dans *Vogue*, lire des mensonges sur sa vie sexuelle dans le *Star*. Elle a ri de manière délicieuse, elle se moquait de lui.

Billy ne prend plus la peine de s'habiller. Il vit tel un fellah égyptien dans son pyjama acheté d'occasion dans la boutique Goodwill de Santa Monica Boulevard. Peut-être qu'il se recroquevillera douillettement et mourra dans son studio de stuc rose de Lime Street, comme l'a fait l'un des anciens locataires dans les années 1930, un acteur inconnu qui a gravé ses initiales dans la porte de la salle de bains et éprouvé le besoin de graver une étoile au-dessus. Les jours sont presque trop lumineux pour qu'il puisse voir la douleur. Tandis que la lessive tourne dans l'appartement d'à côté, Billy tente de décider ce qu'il va faire maintenant.

TOYER

Il faut qu'il voie Melissa. *Qu'est-ce qui l'attire autant en elle ?*

L'hôpital est calme, les heures de visite sont passées, les derniers remous, on prépare les patients pour leur longue nuit, on évalue leur désillusion.

Vêtu de sa blouse blanche légèrement tachée de sang, il pénètre dans le service des admissions, longe les couloirs tourbillonnants, portant un écritoire à pince, un stylo, un stéthoscope, prend l'ascenseur jusqu'au sixième étage. Il se tient au fond de l'ascenseur, faisant de la place pour un brancard vide, lorsqu'il s'aperçoit que la femme qui lui tourne le dos pourrait bien être Maude. Soudain il la déteste, il la voit telle qu'elle est réellement, son ennemie mortelle. La femme qui a tenté de lui trancher la gorge. L'ascenseur s'arrête au troisième, elle sort, tourne à droite, il continue jusqu'au sixième, tourne à gauche. Instinctivement, il trouve la chambre de Melissa.

Il se tient au pied de son lit. Elle a pris du poids. Elle est allongée plus élégamment que les autres, avec le haut du corps surélevé, à côté d'un bouquet de fleurs des champs séchées comme on en voit parfois dans les cimetières.

Ils sont seuls. Il y a de la musique dans la chambre, des sons pâles. Il étudie sa beauté. Ses yeux ont une clarté terne. Il lui touche le bras. On dirait un meuble, un accoudoir de fauteuil. Puis la joue. Personne n'entre dans la chambre. Il sent un mouvement au niveau de son entrejambe, une pulsion sexuelle. Les minutes s'écoulent.

La musique provient d'un lecteur CD posé sur la table de chevet tout près de son oreille. Une musique captivante, aux tonalités arabes. Il se penche au-dessus du lecteur et éjecte le disque, lit le titre, le remet en place. C'est la bande originale du film *Justine*. Elle lui a dit qu'elle devait passer une audition. Pour le rôle de Melissa. C'est le dernier disque qu'il ait entendu dans son appartement.

Le médecin passe à ses patientes des musiques qu'elles connaissent et apprécient, quelque chose qui les touche, quelque chose de non verbal.

Il sait que Maude risque de passer à tout moment, surtout après les heures de visite, bien qu'elle ait été mise à pied. Il reste dans la chambre de Melissa, s'assied dans un coin, l'observe. Il est puissamment attiré par elle. Soudain, il se sent mal à l'aise, tiraillé entre son désir et son incapacité à l'assouvir.

Il est 20 h 40. Maude entre, s'assied près du lit sans le saluer. Les deux femmes ont les cheveux coupés court, ceux de Maude ont poussé de deux centimètres depuis la dernière fois qu'il est venu à l'hôpital. Elle saisit la main de Melissa et lui murmure quelque chose. Melissa l'entend-elle ?

Maude commence à retrousser les draps. Elle veut examiner les jambes de la patiente. Elle se retourne pour demander à l'homme assis dans le coin de sortir, mais il est déjà parti.

O'LAND

Lorsqu'elle pénètre dans l'antre de Jim O'Land et dépose sur son bureau les commandes du *New York Times* et d'Associated Press, Sara Smith fait tout son possible pour avoir l'air pressée, détachée.

«Jim, quand vous aurez une minute, vérifiez ces commandes du *Times* et d'AP.»

O'Land se fige, stylo en l'air, braque ses lunettes à double foyer vers les pages sur son bureau.

À voix basse il lit: «... *premier refus pour toute communication que le* Los Angeles Herald *recevra du présumé criminel connu sous le nom de Toyer.* Bon Dieu, ça y est. On a gagné!» Il se laisse tomber de sa chaise, pose un genou par terre, se signe, une main posée sur le bureau.

«Je suis catholique, ma main fait ça toute seule, je ne peux pas la contrôler.

– Levez-vous, Jim.»

Tout est en place. L'*Herald* a obtenu les droits de tous les futurs comptes-rendus de Toyer et les transmettra aux médias par l'intermédiaire du groupe *New York Times*.

O'Land a fait de Toyer la coqueluche des présentateurs de débats télévisés du matin, de l'après-midi et du soir. La tragédie tourne à la plaisanterie.

Fort de ses onze victimes et de ses références impec-
cables, Toyer compte désormais continuer d'humilier la
police de Los Angeles en publiant le récit des soirées qu'il
a passées avec les jeunes femmes. C'est comme s'il était un
business, ce qu'il est.

C'est un don de Dieu pour un journaliste, surtout
maintenant, dans la chaleur d'un été sans informations,
alors qu'il n'y a même pas un procès idiot ni une jolie
guerre à se mettre sous la dent.

C'est, bien entendu, sans précédent, martèle une fois
de plus O'Land. Toute cette histoire l'est. Aucun criminel
en activité n'a jamais publié le récit de ses crimes. Et le
grand public, qui se fout des causes et ne se soucie que
des résultats, met une pression constante sur Toyer pour
qu'il fournisse. C'est un été morose et sec, le public a
besoin de consommer, consommer, consommer.

TOYER

Une note inattendue de Toyer à l'attention de Sara Smith est retrouvée, non timbrée, par le gardien de nuit. Cette fois, c'est définitif. Il arrête.

O'Land corrige son titre à plusieurs reprises, tentant de viser juste, d'être sûr de son coup, optant finalement pour celui dont Sara dit qu'elle s'attendrait plutôt à le voir dans les aventures de Batman : « Le baron du crime de gotham abandonne ». Il pousse un petit ricanement, explique qu'il veut que ça ait l'air minable :

TOYER À L'*HERALD* : J'EN AI ASSEZ
J'ARRÊTE POUR DE BON

———

La fin d'une carrière de criminel

« Songez à la gravité des événements, Jim. C'est sérieux. Pourquoi ne pas reprendre le titre du mois dernier ? »

Il accepte et le publie en caractère gras, corps 124 :

TOYER ARRÊTE ! Il PRÉTEND ÊTRE GUÉRI
ET REND HOMMAGE AUX CONSEILS DE L'*HERALD*

———

Le médecin du Kipness
aurait changé sa façon de voir les choses

———

Il envisage de quitter la région – l'avenir est incertain
Onze victimes toujours inconscientes

En dessous paraît l'article de Sara Smith, qui comprend une transcription de son entretien téléphonique avec le procureur Yellen. Celui-ci affirme que tout le monde dans son service est bien entendu ravi, mais qu'il espère tout de même avoir une chance de traîner un jour Toyer en justice. Aux yeux des lecteurs de l'*Herald*, Yellen apparaît comme un homme mesquin, intéressé. Toyer, comme un homme honnête, raisonnable, sincère, attentionné. Il a promis d'arrêter.

Los Angeles. 8 août. Dans un courrier exclusif reçu à l'*Herald*, Toyer, s'adressant à Sara Smith, une correspondante du journal, affirme qu'il n'agressera plus de femmes au hasard comme il l'a fait au cours de l'année passée à travers le comté de Los Angeles. Il n'y aura plus de victimes. Un soupir de soulagement collectif peut être entendu dans tous les quartiers de la ville...

Sara appelle Maude et lui propose d'aller boire un verre pour fêter ça, mais Maude n'est pas d'humeur, elle restera chez elle.

« C'est une lettre magnifique, dit Sara tout en la relisant. Il vous rend magnifiquement hommage, Maude. Je crois qu'il est sincère.

– Je crois qu'il croit être sincère, réplique Maude, ce qui ne revient pas du tout au même. »

L'*Herald* écoule quatre tirages.

O'LAND

18 août

Monsieur le rédacteur en chef,

Si Toyer décidait de se rendre aux autorités, notre cabinet serait ravi d'assurer gratuitement sa défense. J'estime que c'est un principe fondamental de la justice. Mes partenaires et moi, avec notre expérience collective, nous mettons à sa disposition au cas où il déciderait de nous choisir pour le représenter.

Buck Wassitch
Wassitch, Lordell et Paine

Maude balance le journal, qui voltige à travers la pièce et va heurter le mur du fond. Il atterrit par terre comme un oiseau touché par une balle. Jimmy G se réveille, regarde prudemment le journal, attendant qu'il se relève, se renvole.

C'est le *contre-amour*, on se déchire au sujet de Toyer. La lettre méprisable a été publiée dans la tribune, sous le titre : *Un avocat poseur offre sa compassion à un tueur diabolique.* Elle téléphone à O'Land.

« Qu'est-ce qui vous a pris de publier cette lettre ? »

O'Land explique qu'il n'a rien publié sur Toyer depuis plus d'une semaine. Et puis Buck Wassitch croit profondément à la noblesse de notre justice.

« La noblesse de notre justice n'est rien comparée aux bouffons de la cour, qui peuvent à tout instant berner leur roi. »

Wassitch est un avocat de Dallas qui a réussi à ne jamais perdre un seul procès, l'auteur du livre *L'Avocat et l'objectif*, l'histoire d'un homme généreux qui descend de son piédestal pour en aider un autre. C'est le fait que Wassitch réussirait probablement à défendre les droits de Toyer qui hante Maude. *Aucune personne d'importance n'est jamais punie en Amérique.*

ELAINE

Depuis le toit il voit l'océan. En se tournant vers l'est, il voit la poche grise qui recouvre le centre-ville de Los Angeles, là où se cachent les agglomérats de bâtiments de verre. Puis, en se tournant vers l'ouest, Hollywood, Beverly Hills, Westwood, Brentwood, Santa Monica et, une fois encore, l'immense océan couleur bronze, à une vingtaine de kilomètres. Un panorama vaste, plat, impassible. Son univers.

Le soleil vient de se lever au-dessus des collines. Le toit est trempé de rosée, il scintille. La pente est confortable, peut-être vingt degrés. Il savoure son café. Il a pris l'habitude d'arrêter de travailler vers 11 heures, quand les tuiles deviennent brûlantes ; il est donc obligé de commencer aux premières lueurs.

Il estime que le métier de couvreur a ses avantages, et terminer de bonne heure en est un. Il travaille pour un drôle de type, le père d'un des acteurs du Groupe, et celui-ci veut un toit qui tiendra le coup pendant des décennies. Il est moins consciencieux que son employeur, saute parfois une étape si elle ne lui semble pas nécessaire, histoire de quitter le travail plus tôt, se figurant des déluges imaginaires qui viendront détruire son toit.

Sinon, il travaille plutôt bien, se croit plus malin que l'eau, a un excellent sens de l'équilibre, il aime les hauteurs.

Il est maintenant près de 11 heures. Il est seul. Trente-cinq degrés sur le toit. Il a agrafé le papier goudronné en rangées droites et a fixé les tuiles brillantes de chaleur sur la face est du toit. Son travail est presque achevé. Ce n'est pas un gros chantier. Il observe les allées et venues de la voisine grassouillette. Elle est décoiffée, porte un peignoir en satin, attaché de travers. Elle lève les yeux vers le toit, le balaie du regard jusqu'à voir le couvreur. Elle a une main en visière, la bouche légèrement entrouverte, sa lèvre inférieure est charnue. On dirait qu'elle est seule chez elle. Il entend le bruit d'un feuilleton télévisé à travers le conduit de la cheminée. Il sent le souffle de la femme. Avec elle, la sexualité est une chose simple.

Mais l'amour est pour lui une chose mystérieuse, une chose qui ne s'apprend pas. Il est hanté par un amour qui n'a pas de cerveau, qui a de jolis yeux d'animal, qui ne sait effectuer ni addition ni soustraction, qui n'a pas de sexe. Comment expliquer le lien indéfectible qui l'unit à Elaine ?

Il y a deux ans ils ont décidé de se marier. Ayant été élevée dans la foi catholique, elle l'avait supplié de ne pas lui faire l'amour avant le mariage. *Impossible!* Et pourtant il avait fait cette chose extraordinaire : il avait accepté sa requête, troublé et quelque peu embarrassé, sans l'avouer à personne. Il avait tenu promesse, et elle était restée vierge. Les fiançailles ont été de courte durée mais, le soir du mariage, trois hommes l'ont violée avant qu'il ne la touche.

La tragédie a brièvement été évoquée dans la presse new-yorkaise, mais elle a été complètement ignorée à l'ouest de l'Hudson.

Chaque détail de ce que ces hommes ont infligé à sa femme restera à jamais gravé en lui. Deux jeunes mariés. Lune de miel à New York. Chez des parents, voiture de location, une Buick noire. Départ du Massachusetts juste après la cérémonie, direction New York. Le parking temporaire sous l'hôtel Highland Park, tard le soir, matériel de construction ici et là en vue de l'agrandissement du parking, cloisons de contreplaqué non peintes, poussière de béton.

Il voit un homme tatoué enfiler un masque. Bras nus. On le frappe par-derrière, il tombe à genoux, sent les mains d'un deuxième homme dans son dos. Du ruban adhésif sur la bouche, les jambes et les bras ligotés au moyen de fil isolant. Douleur. Des volutes rouge sombre derrière ses yeux. Trou noir. La tête qui bourdonne, il s'évanouit, reprend conscience, voit le premier homme, le tatoué, derrière sa femme, la tenant par les coudes. Un troisième homme. Tous trois masqués, habillés. Érections.

Sa tête sur le béton froid, les yeux figés, regardant encore et encore sa femme maintenue, pliée, écartelée, retournée, partagée, déchirée, explorée, éclaboussée, embrassée, baisée. Éternellement nue. Une nudité qui le hantera pour toujours.

Les hommes sévères qui la prennent, aussi insatiables que des porcs, se la partageant à parts égales en cette occasion spéciale. L'anniversaire de l'un d'eux ? Ils la pilonnent à tour de rôle. S'acharnant sur chacun de ses muscles, de ses os, maintenant ses sens en éveil, son cerveau en vie ; goûtant chacune de ses nuances, lui arrachant tout ce qu'elle a en elle, fouillant chaque pli, chaque poche, chaque ouverture, chaque orifice de son corps, chaque crevasse, bosse, recoin, fente, chaque souffle, avec une effroyable minutie et un savoir d'experts, prenant soin de ne pas la tuer tout de suite. Tels des chirurgiens opérant un patient dans un état critique ; expérimentés, ils ont déjà effectué cette opération, répété dans le moindre détail la procédure à suivre.

Le sperme qui coule sur ses cuisses, sur le capot chaud de la voiture noire, du blanc d'œuf coagulé expulsé de son vagin. Ses yeux vifs, pleins de souffrance, rivés au plafond, refusant de voir les hyènes qui la dévorent. Puis, vers la fin, ses yeux sans vie qui le regardent fixement, avant de se voiler, de se fermer, de s'enfoncer dans une nuit profonde.

Elle n'en est jamais revenue. Elle est restée emprisonnée dans une démence catatonique, dans le noir, seule dans un monde à part.

Il n'y avait jamais eu la moindre dispute entre eux. Ils avaient toujours été d'accord sur tout, n'avaient jamais versé la moindre larme ensemble. Jusqu'à cette nuit-là.

L'hôtel s'est empressé de verser une indemnisation. Généreuse et discrète. Un avocat effrayé connaît le prix, il ne marchande pas. Le *New York Times* a publié un article sans photo, n'a pas donné suite. Au fil des mois, en l'absence d'arrestation, l'indifférence a pris le dessus. Le dossier est toujours ouvert.

Et leur mariage demeure à jamais non consommé, en suspens, au seuil de son zénith.

Quand la police les a découverts, il était en état de choc, ne reconnaissait plus sa femme. Il a agressé deux agents sur le parking et a été emmené à l'hôpital Roosevelt. Le lendemain il l'a reconnue, mais a dû être enfermé dans une autre pièce.

Après son premier entretien lucide avec la police, il a donné un coup de poing dans le mur derrière son lit et s'est cassé six petits os de la main gauche. Une semaine plus tard, dans le même hôpital, il a étranglé avec sa main valide un infirmier, qui a perdu connaissance par manque d'oxygène ou par peur.

On l'a placé en observation à Bellevue. On lui a prescrit de la Thorazine. Au bout d'une semaine, on l'a autorisé à retourner vivre avec sa femme. Sa mère, aidée d'une infirmière, s'occupait déjà d'elle. Il n'y avait plus rien à faire.

L'image des trois agresseurs masqués est gravée à jamais dans son esprit. Un an s'est écoulé, mais c'est chaque matin au réveil la même angoisse. Les images défilent au ralenti devant ses yeux jour et nuit. Il comprend ce que c'est qu'être fou. Il est désormais content quand il ne se passe rien, a constamment peur qu'une tragédie survienne. Il se méfie de tout le monde, de tout.

Il vit au jour le jour. Se sent en permanence au bord d'un abîme noir. Rien ne l'impressionne. Il a cessé d'apprendre. Il ne se souvient ni des faits ni des dates, et parfois, quand il rencontre quelqu'un, le nom de la personne s'efface de sa mémoire. C'est un ancien sportif accompli – basket-ball, gymnastique, athlétisme – mais il se traîne désormais tel un cheval de course devenu boiteux.

N'aurait-il pas mieux fait de demander le divorce ? De considérer sa femme comme perdue, comme un boulet, ou, au mieux, comme une charge ? Non. Il a besoin du chagrin qu'elle lui inspire. Peut-être est-elle sa raison d'être.

Alors il continue de l'aimer. Douleur et mariage font bon ménage, selon lui. Et puis il s'entend bien avec sa belle-mère, qu'il aime d'un amour indolore.

Au bout de quelques mois, il a accepté une partie des indemnités versées par l'hôtel, pas grand-chose, et s'est acheté une voiture. Il s'est découvert un goût pour le cognac tard le soir, puis pour le cognac avec son premier café de la journée. Il a commencé à passer ses matinées devant des séries télévisées, observant les infortunes de personnages tirés à quatre épingles, et ses après-midi au cinéma, armé d'une bouteille de whisky, de gin, de vodka, de rhum ou de vin, ou parfois d'un cocktail en bouteille acheté au snack-bar. Il est devenu expert en calmants, dormant chaque nuit avec une bouteille près de son oreiller, pendant que ce qui restait d'Elaine était éveillé ou endormi, personne ne savait vraiment, dans la pièce d'à côté avec sa mère.

Mais l'image de sa femme au supplice, étendue sur le capot de la voiture de location, flotte toujours devant ses yeux, entre lui et le monde, telle une fenêtre infecte qu'il ne peut ni briser ni ouvrir.

Le suicide ressemblait à deux semaines de vacances à Paris comparé à sa vie avec ce qui restait de sa femme. De nouvelles façons de se donner la mort lui venaient constamment à l'esprit. Un jour qu'il était allé nager, un bateau de pêche l'a secouru à un kilomètre et demi de la plage. Il savait cependant que même un suicide propre serait un abandon.

Alors il s'est mis à aider sa belle-mère, à s'occuper de sa femme, à sa manière. Il se réveillait chaque matin frais et dispos, espérant que son rêve n'était pas réel, avant de s'apercevoir que si. Quand arrivait le milieu de la matinée, il était soûl, au fond du trou. Mais sa belle-mère était trop occupée avec sa patiente pour le remarquer.

Finalement, ils sont partis pour l'Ouest, tous les trois, sans savoir où ils atterriraient, ni ce qu'ils y feraient. L'argent de l'indemnisation suffirait à les nourrir et à payer une infirmière. Il y aurait aussi assez pour acheter une petite maison. Ils ont découvert Sondelius, une petite ville au nord, un endroit sec et ensoleillé. Sa belle-mère avait toujours voulu vivre dans le genre d'endroit où il faut baisser les stores l'après-midi pour se protéger du soleil. Elle était certaine que c'était aussi ce que voulait sa fille. Elles venaient du Massachusetts, un État où les ciels d'un bleu parfait sont une révélation.

Ils ont laissé derrière eux le silence du salon au plancher de bois. L'horloge en argent qui sonnait les heures. Le silence qui étouffait les après-midi. La maison qui sans elle lui avait autrefois paru si vide.

À Sondelius, sa belle-mère sanglait chaque matin Elaine dans son fauteuil roulant pour la promener, si le temps le permettait, jusqu'à un eucalyptus qu'elle semblait aimer. Elle a aussi dessiné les plans du jardin dont elle avait toujours rêvé. Un jardin pour Elaine.

Quant à lui, sa douleur s'est transformée en une rage féroce qui se réveillait avec lui chaque matin. Il regardait sa jeune femme. Elle ressemblait à une reine morte dans son fauteuil roulant.

Il est désormais incapable de dire quand exactement est née sa rage. Durant ses deux semaines à Bellevue, il flottait comme un lézard dans un terrarium paisible. Personne ne s'intéressait aux conséquences de son traumatisme, on se contentait de le gaver de cachets. C'était sa femme qui était en danger, c'était elle la victime, pas lui. Petit à petit, sa douleur a gagné en texture, au point de former une sorte d'enveloppe protectrice autour de lui pendant que, à l'intérieur, son cerveau demeurait hanté par les hurlements de Bellevue. Personne ne remarquait rien, c'était elle le centre d'attention. Personne ne savait exactement quels progrès elle ferait, ni même si elle en ferait. C'était ça, leur principale inquiétude.

Il est resté plusieurs mois sous le soleil de Sondelius, aidant à retourner le sol sablonneux du jardin d'Elaine. Un endroit vert où elle pourrait continuer de regarder dans le vide. Mais une fois le jardin achevé, comme il n'y avait plus rien à faire hormis essuyer la bave qui coulait sur le menton de sa femme, il est parti en stop pour Los Angeles. Le trajet lui a pris deux heures. Il n'avait plus éprouvé de désir sexuel depuis plus d'un an.

FELICITY PADEWICZ

Ce matin, sur le toit, il n'éprouve aucune colère. La température a cessé de grimper. Il n'y a pas de vent, mais il ne fera pas plus chaud. Il se sent calme. Même s'il a éprouvé un violent accès de rage hier, ce qui n'est jamais bon signe.

Elaine. Il l'aime, il ne voit pas pourquoi il devrait cesser de l'aimer. Il pense qu'elle éprouve peut-être toujours les mêmes sentiments à son égard, pour autant qu'elle puisse éprouver quoi que ce soit. Quand il est à Sondelius, il discute avec sa belle-mère ; celle-ci lui a expliqué que l'amour est un luxe offert à tout le monde, qu'il ne faut pas l'évaluer à l'aune du besoin. Il continue de l'aimer parce qu'il croit qu'il y a toujours quelque chose de vivant en elle, et il sent que son amour est surnaturel pour la simple et bonne raison qu'il n'a jamais souhaité sa mort. Elle l'a vu devenir fou de rage face à sa torpeur. Bien sûr elle comprend la rage, elle-même a survécu à sa propre enfance tragique à Brockton, Massachusetts. Et elle sait tout de l'impuissance.

Une ultime volée de publicités résonne dans la cheminée. Il jette un coup d'œil à sa montre ; le feuilleton est terminé. Il sent un tremblement familier monter du toit, lui traverser les pieds et les genoux, les entrailles, grimper le long de sa colonne pour finir piégé dans ses oreilles, tel un tourbillon.

Il descend du toit et se rend à la porte de derrière. Il n'a pas encore décidé ce qu'il va faire, peut-être expliquer qu'il a besoin d'utiliser le téléphone ou les toilettes, ou bien demander un verre d'eau ou une bière. Les véritables ouvriers boivent un verre d'eau s'ils s'apprêtent à passer l'après-midi au soleil, mais une bière s'ils ont fini leur journée. Il demandera une bière à la femme grassouillette aux cheveux décoiffés et à la bouche de travers.

Elle porte toujours son peignoir en satin, qui ne cesse de s'entrouvrir, révélant un soutien-gorge corbeille, une poitrine abondante. Sa lèvre inférieure est gonflée, grosse comme un gésier de poulet. Elle le reçoit sans méfiance, le laisse utiliser la salle de bains, où il se lave les mains et les parties génitales. Il commence d'ordinaire par visiter la salle de bains, une pièce qui en dit toujours long sur l'occupant d'une maison. Lorsqu'il en ressort il voit la boîte de bière fraîche posée sur la table de cuisine et observe que la femme s'est coiffée et maquillée. Elle a le regard vitreux. Boit-elle du vin dès le matin ?

Iris.

Il flotte dans la cuisine une odeur de banane et de melon. Elle insiste pour lui donner à manger, le mène à une chaise, lui prépare un sandwich avec de la mayonnaise et une fine tranche de viande. Il l'engloutit, les coudes sur la table, qui a été débarrassée pour laisser place à leur passion. Iris l'observe, son peignoir entrouvert. Elle regarde *Vies et Amours* sur le petit poste de télé de la cuisine, un feuilleton avec des personnages plus sobres qu'elle. *Iris.*

Vies et Amours se déroule à Smallwood, un cadre vaguement urbain, jamais une scène en extérieur, c'est toujours samedi. Les citoyens de Smallwood ont trop de cheveux, trop de dents, ils ont tous été mariés plus d'une fois les uns aux autres.

Le soleil a franchi la pointe du toit, il cogne sur le goudron du côté inachevé, fait briller les jointures ternes. Ses genouillères pourraient absorber plus de chaleur, mais pas ses doigts. L'air de la cuisine est frais, doucereux. Sans un mot, elle l'embrasse sur la bouche, dans le cou. Cette ardeur soudaine le sidère. La passion moite d'Iris est imprévue et douce, son corps brûle de désir. Elle s'agenouille entre ses jambes, tire sur son ceinturon, plonge les mains dans son pantalon ouvert. Elle est secouée par d'infimes frémissements. Le simple fait de le toucher la fait trembler. Elle ne peut pas être si seule que ça. La bière est glacée.

La porte de la maison s'ouvre et claque, quelqu'un traverse le salon en direction de la cuisine. Le bruit de la clé dans la serrure a été recouvert par un nouveau feuilleton à la télé. Iris se lève d'un bond, se poste près de l'évier, refermant son peignoir, lorsqu'une jeune fille entre dans la cuisine et regarde d'un air ahuri sa mère débraillée et l'ouvrier débraillé. Stupéfaction, puis colère.

« Je croyais que tu avais musique », observe Iris d'un ton maternel.

La jeune fille l'ignore, se tourne vers l'homme.

« Vous voulez bien nous excuser ? »

Elle entraîne sa mère qui s'est comportée comme une sale gamine dans le salon. Il ouvre une autre bière glacée et écoute la jeune fille la réprimander. *Pauvre Iris rassasiée.*

« Le *couvreur*, maman ? Pour l'amour de Dieu, le *couvreur* ? Bravo, maman, continue comme ça. Je ne peux même pas rentrer à la maison sans te trouver avec le *couvreur* ? J'ai *failli* amener Dodie à la maison ! Je devrais t'attacher à un poteau, t'accrocher une clochette autour du cou. »

Il est clair qu'il n'est pas le premier ouvrier sur lequel Iris se jette. La jeune fille lui plaît déjà.

Lorsqu'elles reviennent toutes les deux dans la cuisine, il a fini son sandwich et sa deuxième bière. Et il a pris une décision. La jeune fille le fusille d'un regard plein d'une haine adolescente. Il lui donne 16 ans, observe qu'elle ressemble à Iris, mais en beaucoup plus réfléchie. Il aime le fait que la fille se préoccupe de sa mère, et il aime ses petites dents régulières, le galbe de ses jambes qui disparaît sous sa jupe. Iris quitte la pièce en s'excusant, peut-être pour aller s'habiller.

La fille tire un 7 Up sans sucre du réfrigérateur. Il n'a pas encore entendu son nom. Il reste assis, n'éprouvant aucune culpabilité. Il la regarde dans les yeux et déclare que ce n'est pas un drame de se sentir seule. *Risqué.*

Elle le regarde bouche bée. *Ben voyons.*

Elle attrape son assiette sur la table, la lave rapidement. Il ajoute qu'il ne faut pas juger les gens en fonction de leur statut ni de la voiture qu'ils conduisent, que parfois on choisit d'être couvreur simplement parce qu'on aime la vue.

«Qu'est-ce que vous fabriquiez avec ma mère?»

Il observe sa bouche tandis qu'elle parle. Une jolie bouche bien fraîche, faite pour saisir les baies à même les buissons, une bouche qui aspire les pépins en même temps que le jus. Il se demande quel goût elle a à l'intérieur. Il se demande si elle a les mêmes ardeurs soudaines que sa mère. Si elle est sirupeuse.

Il ne répond pas à sa question. La jeune fille n'ajoute rien, continue de le fusiller du regard. Elle attrape ses boîtes de bière vides et les jette à la poubelle. Il sent ses yeux sur lui lorsqu'il détourne le regard, les sent qui observent les lignes de ses muscles bronzés. De longues lignes subtiles. Pas les gros bras du culturiste qui soulève de la fonte en face d'un miroir, mais les muscles simples de l'homme qui hisse des bardeaux sur les toits.

Après l'épisode de la cuisine, il a seulement besoin d'être seul avec la jeune fille pour lui présenter ses excuses, pour devenir son ami, pour activer la rivalité que toute jeune fille normale éprouve envers sa mère, une force naturelle.

«Comment tu t'appelles?

– Felicity. Et vous?

– Adam.»

Ce soir. Sa décision est prise. Ça ne semble pas dangereux, juste excitant.

Lorsqu'il se lève pour retourner sur le toit, elle cligne une fois des yeux. Elle est étonnée par sa taille, par sa sveltesse.

Il se retourne, la surprend qui l'observe, qui scrute le bas de son dos. Elle le fusille une fois de plus des yeux, avec un peu trop d'intensité. Il lui retourne un regard bienveillant, puis pivote sur lui-même. Il sent les yeux de Felicity qui le suivent tandis qu'il quitte la pièce.

Elle ne peut pas s'empêcher de penser à ce que je faisais avec sa mère. Elle y pensera ce soir au lit, peut-être même qu'elle en rêvera. Comment pourrais-je en rester là ?

Une heure plus tard, alors que Felicity a quitté la maison après avoir sombrement mis en garde Iris, *la pauvre vache repue*, il descend du toit et, sans bruit, pénètre de nouveau dans la maison. Il ne tarde pas à trouver la chambre de la jeune fille, repère parmi une foule d'objets ceux qui racontent sa brève existence. Son nom est Felicity Padewicz. Elle a presque 17 ans, est une élève médiocre, porte des soutiens-gorge bonnet C. Elle a subi un avortement, prend la pilule, n'a pas de petit ami en ce moment. Il n'a pas besoin d'en savoir plus.

Lorsqu'il se glisse de nouveau dehors, il remarque la clé de la porte de la cuisine accrochée à une ficelle derrière un arbre de jade. Il n'y touche pas, se contente de débloquer la fenêtre de la laverie. Il reviendra après minuit quand la maison endormie sera plongée dans l'obscurité.

Il ne voit aucun obstacle sérieux à une visite nocturne ; et même s'il échoue, le risque aura été terriblement excitant.

VIRGINIA

Virginia Sapen. Tout a débuté par accident, mais il devine que l'horreur était inévitable. Sa première semaine à Los Angeles. Il est fasciné par une fille à la plage, sans savoir pourquoi. Après avoir nagé, elle s'allonge sur le sable, sur le flanc, sort un gros roman récent, et fixe l'horizon sans lire.

Et alors il comprend. Bien sûr. Les yeux et les cheveux foncés, les jambes et les bras fins ; Elaine. Il s'assied près d'elle avec son corps huilé, ses cheveux blonds, ses orteils bronzés. Il n'a jamais connu de Virginia, propose de la ramener chez elle. Elle accepte. C'est la première fois qu'elle monte sur une moto. Elle serre les genoux autour de ses hanches, impossible de faire autrement. Délicatement au début, craignant de le toucher avec ses cuisses. Plus tard, à la nuit tombante, ils sont assis sur son divan, en train de jouer à un jeu de société qu'elle vient de lui apprendre, Serpents et échelles. Il allume une lampe munie d'un abat-jour. Elle ne veut pas d'alcool, juste quelque chose de frais avec des glaçons, une boisson gazeuse sans sucre.

Il se rend à la cuisine. Le téléphone sonne, une amie. Virginia explique qu'elle est en train de jouer à un jeu de société avec quelqu'un. « Non, tu ne le connais pas, quelqu'un que je viens de rencontrer », dit-elle.

Elle murmure une courte phrase qu'il ne parvient pas à entendre, puis elle écoute quelques instants avant de glousser. Il lui apporte un Coca, lui demande si elle a une bière. Elle n'en a pas. Il se sert un 7 Up. Ils reprennent leur partie.

«Non, s'il te plaît, attends», dit-elle lorsqu'il passe les bras autour d'elle, l'attirant vers lui. Il répond que c'est bon, il comprend. Et c'est la vérité. Il l'embrasse doucement. Puis il retourne à la cuisine, ouvre le réfrigérateur. Quelque chose le trouble, peut-être l'inclinaison du sol, ou une fenêtre mal centrée. Il se retourne, la regarde assise seule sur le divan, attendant que quelqu'un l'épouse.

Virginia lui dit non, gentiment. Trop tôt. Avant qu'il l'ait touchée. Mais c'est sa femme qu'il veut. Celle à qui il n'a jamais fait l'amour.

Il se tient désormais dans la cuisine, ressent comme un vertige soudain. Puis c'est un mal de tête lancinant. Il s'accroche au comptoir carrelé en attendant que ça passe. Il sent la rage bouillonner en lui. Ses paupières tremblent. Il verse une triple dose de son propre tranquillisant dans le Coca de Virginia, attend que la mousse retombe.

Moins d'un quart d'heure plus tard il la regarde sombrer dans l'hébétude. Quand elle est presque endormie, il lui ôte son short et son slip, tente de la pénétrer de force, sans cesser de l'appeler Elaine.

Le téléphone sonne. Virginia reprend conscience, comprend ce qui se passe, résiste, lui bourre le visage de coups de poing, appelle les voisins au secours. Puis elle perd toute force, sombre de nouveau dans l'inconscience, et il recommence à faire l'amour à Elaine. Il est fou de bonheur.

Puis c'est fini. Elle a à peine bougé. Il se tient au-dessus d'elle, bouclant son ceinturon, abasourdi. Tout a commencé de façon si soudaine, tout a pris si long-temps. Il retourne dans la cuisine et trouve une bouteille de scotch abandonnée par un amant. Il se sert un verre. Il est prêt à partir. Il a enfin fait l'amour à sa femme.

Il est 21 heures passées lorsqu'elle s'agite, gémit. Il est toujours dans la cuisine, assis, tenant à deux mains un deuxième verre de scotch. *Elle connaît mon nom, elle sait à quoi je ressemble. Il y a des indices partout. Elle va me faire arrêter. Prison. Je vais devoir quitter L.A.*

Il se tient dans l'entrebâillement de la cuisine, son verre à la main, regardant fixement la fille à moitié nue. Il voit désormais clairement qu'il ne s'agit pas d'Elaine. Elle est en train de se réveiller. Il se demande de combien de temps il dispose pour décider de son sort. Peut-être dix minutes avant qu'elle se remette à gueuler. Il se sert un autre verre. *Je ne peux pas la tuer. Je ne peux pas tuer.*

Tandis qu'il se tient dans l'entrebâillement de la porte, regardant vaguement Virginia Sapen remuer, des images lui viennent à l'esprit : des rangées de bocaux hors d'âge, de larges bouchons recouverts de cire séchée, des tranches de cerveaux humains flottant légèrement dans du formol clair. Il a vu tout ça un été, quand il s'est trouvé un boulot, grâce à de fausses références, dans le département des neurosciences de l'université Cornell, dans l'État de New York. Il a assisté à la préparation d'échantillons de cerveaux, il a vu un cerveau être extrait d'un crâne en vue d'une inspection. Un imposteur. Il était aussi excité qu'un intrus à un bal costumé. Mais ce qui le fascinait le plus, c'étaient les bocaux soufflés à la main qui étaient alignés depuis un siècle sur les étagères. Leurs étiquettes séchées, la colle ambrée étalée le long du cul de chaque bocal, les inscriptions sépia qui décrivaient leur étrange contenu, ces bouts de cerveaux d'hommes qui s'étaient un jour émerveillés devant les étoiles. *Medulla Oblongata, Thalamus, Corpus Callosum, Substancia Nigra.* Autant de noms merveilleux venus d'un monde réservé aux chirurgiens. Il a volé un bocal, l'a rapporté chez lui, a versé le liquide pâle à l'odeur douceâtre dans l'évier, vidé dans une assiette le contenu, aussi ferme qu'une tranche de pâté campagnard. Trois épingles étaient plantées dedans, sans une trace de rouille.

Le mal naît du besoin. Souvent il n'est qu'innocence. Virginia est allongée en travers du divan, le visage reposant sur l'accoudoir. Il lui soulève la tête à deux mains, l'incline vers l'avant, repère avec son pouce une petite bosse, appuie dessus, tentant de se souvenir. L'inion, la protubérance située à la base du crâne. Maintenant il se souvient : *Sous l'inion se trouve un orifice qui permet d'atteindre le cerveau. Le Foramen Magnum.*

Il va faire subir à Virginia une procédure toute simple. Il l'a déjà vu faire. Il regagne la cuisine, choisit le couteau le plus fin, le stérilise dans une casserole d'eau bouillante. Puis, la tête pleine d'images de cerveaux tranchés, il se met au travail.

C'est une intervention simple, audacieuse, propre. Il insère le couteau vers le haut dans l'orifice à la base du crâne, pénètre le cerveau, puis, par un léger mouvement de va-et-vient, s'imaginant les fibres qu'il sectionne, il anéantit sa conscience, laissant intactes ses fonctions vitales. *Je ne dois pas toucher à sa respiration, sa pression sanguine, son cœur.* Une cingulotomie intuitive, une intervention minime. Elle saigne à peine dans la serviette qui lui enveloppe le cou. Il la regarde longuement. Elle ressemble désormais plus que jamais à sa femme. Il essuie la lame du couteau et le replace dans le tiroir de la cuisine. Puis il vomit dans l'évier.

Personne ne sait qu'il est ici. Il appelle la police depuis le téléphone de l'appartement. Il veut que Virginia vive. *Maintenant tout ira bien pour elle.* Il voudrait expliquer à un secouriste ce qu'il lui a fait exactement, mais se contente de conseiller à l'opératrice d'envoyer un agent à l'adresse de Virginia Sapen, et aussi une ambulance, inutile d'appeler le légiste.

C'est ainsi que tout a commencé.

Après ça, il n'a pas fermé l'œil de la nuit. Il éprouvait un besoin pressant de se confesser. À un inconnu, à une femme dans le bus, à un ivrogne, un prêtre, n'importe qui. Tôt le lendemain matin il a feuilleté chaque page du journal. Rien sur l'incident, ni sur le coup de téléphone, ni sur l'état singulier de la jeune fille. Puis, dans l'édition de l'après-midi du *Los Angeles Times*, il a trouvé ce qu'il cherchait. Il a acheté le journal et pris la route pour se rendre à la petite maison aux abords de Sondelius. Il a surpris Ann, sa belle-mère, en leur apportant à toutes deux des fleurs. Puis Ann est allée faire des courses, il est resté seul avec sa femme, et il lui a lu le bref article et expliqué ce qui était arrivé à Virginia Sapen. Ce qu'il lui avait fait. Combien elle lui ressemblait. À quel point c'était merveilleux de lui avoir enfin fait l'amour. Il était persuadé qu'Elaine l'entendait et approuvait ce qu'il avait fait. Finalement, il a accroché l'article au mur, dans un endroit où elle pourrait le voir.

Il se sentait apaisé, n'éprouvait plus la moindre culpabilité. Il n'a pas sombré dans la dépression comme il le craignait, et a été débarrassé de sa colère pour un bon moment.

Aujourd'hui, un an plus tard, après avoir parlé à Elaine de Virginia Sapen, Karen Beck et Gwyneth Freeman, Lydia Lavin, Paula Straub, Nina Voelker, Melissa Crewe, il n'en revient toujours pas que son fardeau soit si léger. Il est sidéré de constater qu'il parvient à trimballer tant d'horreur avec une telle aisance, une telle liberté.

FELICITY

Felicity se réveille en pleine nuit lorsqu'elle le sent assis près d'elle, sur le lit. Il remue légèrement, les draps bougent, elle sent la chaleur de son corps. Se demandant si elle rêve encore, elle s'apprête à hurler. Il lui couvre la bouche de la main et sourit. *Chut.* Elle s'agite, se tortille, le dévisage de ses yeux de biche, jusqu'au moment où elle se convainc qu'il ne lui veut aucun mal.

Elle acquiesce, elle comprend. Il ôte sa main. *Il est mignon, il n'y va pas par quatre chemins.* Et elle est du genre rebelle. Ils peuvent faire ce qu'ils veulent. Mais il ne faut surtout pas réveiller son père. *C'est un vrai monstre.* Les engueulades entre ses parents reprendraient de plus belle. Sa mère et elle sont unies contre son monstre de père. Elle tremble, mais pas de peur. Il se penche et embrasse les lèvres qu'il a observées, savoure le goût de sa bouche. Ses doigts touchent le bord du drap, le soulèvent. Une odeur de savon. Il jaillit de la nuit tel un homme surgissant d'une mer noire.

C'est à elle de choisir.

TOYER

Pas tout à fait l'aube. Les collines au-dessus de Los Angeles. Les maisons sont toujours plongées dans le noir, tournées vers l'est, les télévisions dorment. La ville en contrebas ressemble à une myriade de bijoux fantaisie dispersés sur une assiette de trente kilomètres de large.

Il n'a pas voulu quitter Felicity à 3 heures du matin et est resté presque toute la nuit. Il dévale désormais la colline sur une moto empruntée, dans un éblouissant concert d'aboiements. La première pétarade d'une moto réveille toujours au moins un chien.

Il s'arrête devant une cabine téléphonique près d'une station-service fermée. Il compose le numéro de la police et récite, d'une voix douce : « Toyer à l'appareil. Tango Oscar Yankee Echo Romeo. Il y a une femme pour vous. Née le 10 octobre 1982 à San Jose, Californie. Rendez-vous au 1112, Alameda Drive à Encino. Felicity Padewicz. » Il repose le combiné.

Il sait qu'Iris ne dira rien à la police. Si leur brève aventure – elle à genoux, le couvreur tranquillement assis sur une chaise dans sa cuisine – devait être révélée pendant le procès de Toyer, le public ferait front contre elle. *Qu'est-ce qui vous a pris de faire ça ?* Et son mari, Dave, quitterait sa femme pécheresse.

Mais ce sont d'autres raisons qui la pousseront à garder le silence : *Le couvreur n'était probablement pas Toyer. Dave me flanquerait encore une raclée. Rien ne fera revenir Felicity. Je veux laisser tout ça derrière moi et reprendre une vie normale.*

MAUDE

À 5 h 35 le téléphone sonne. Elle est allongée dans le noir, ne dort pas. Elle le laisse sonner cinq fois, sachant avant même de décrocher ce qu'elle va entendre. Quels mots vont être prononcés. Toujours les mêmes mots. Chleo, qui ne veut jamais l'appeler, est la seule personne à savoir comment lui annoncer la nouvelle. Elle commence toujours par s'excuser, « Docteur, je suis désolée, mais nous avons une nouvelle patiente... » Puis elle ne dit rien. Elle attend que Maude saisisse ce qu'elle vient de dire, qu'elle s'y accroche, avant de poser la question habituelle : « Est-elle stable ? » Oui, docteur, répond à chaque fois l'infirmière.

C'est donc naturellement Chleo qui appelle au nom du docteur Tredescant : Felicity Padewicz vient d'être amenée. Douzième victime.

Maude ne dit rien, ne demande pas si elle est stable, ne dit pas merci, et lorsqu'elle raccroche, Chleo entend un son étranglé, peut-être un sanglot. Son amour-propre et son sens de l'éthique n'ont aucune importance. Ce qui importe, c'est que ses méthodes n'ont rien donné, qu'il l'a laissée se bercer d'illusions pendant des semaines ; qu'il lui a fait croire que grâce à sa grande connaissance des psychotiques elle avait réussi à le détourner de ses crimes, à le transformer en une personne meilleure. C'était faux.

Elle a été bernée par un psychopathe, un patient, un joueur. Elle a été trahie. Elle ne peut parler à personne. Ni au docteur T, ni à qui que ce soit d'autre. Elle se traînerait à genoux jusqu'au sanctuaire de Sainte-Brigitte si elle pensait que ça pourrait servir à quelque chose.

Elle entend désormais la voix chaque nuit. Elle n'a pas besoin d'être endormie pour l'entendre, et parfois c'est un chœur de plusieurs voix qui parlent en même temps. Au début, c'est très beau, mais quand elle veut qu'elles se taisent, elles continuent, encore et encore.

Elle fait infuser du thé, s'habille pour se rendre à l'hôpital. Elle entend le bruit de ses pas dehors. Il se tient là, un homme sur le trottoir, prêt à l'agresser.

Le téléphone sonne. Maude décroche, prête à tout, tient le combiné loin de son oreille. Pendant quelques instants, tout ce qu'elle entend, c'est un léger bruit de circulation. Puis la voix sonore.

« *Dé-so-lé.* »

Trois syllabes. Il raccroche.

Cette haine a quelque chose de malsain, pour la simple et bonne raison que la personne haïe s'en fout. Elle vous laisse sans rien.

Elle parvient à se rendre au Kipness, comme si c'était sa voiture qui lui montrait le chemin.

O'LAND

7 h 15. Sara Smith et Jim O'Land prennent leur petit déjeuner au Columbia Café, à douze rues du siège de l'*Herald*.

Le téléphone dans la poche de Jim se met à sonner.

Une femme a été découverte.

Ils cessent aussitôt de manger, posent doucement leur fourchette, se figent comme les personnages d'une fresque. «Douze», dit Sara. O'Land appelle le responsable des rotatives, essaie de retarder l'impression du journal. Il doit le convaincre qu'il est bien Jim O'Land, récite la combinaison qui permet d'arrêter les rotatives et parvient à mettre l'impression en suspens pendant une heure et quart, le temps que Sara obtienne plus d'informations, les recoupe, les analyse, et rédige un encadré pour la première page. *Ce n'est peut-être pas Toyer après tout, Toyer a jeté l'éponge.* C'est le risque. Ils regagnent leurs voitures, parcourent à toute vitesse les douze pâtés de maisons qui les séparent de l'*Herald*, grillant tous les feux rouges.

Sara est pendue à son téléphone de voiture pendant tout le trajet, cherchant à apprendre le nom de famille de Felicity, son adresse, écoutant les communications de la police sur sa CB. Rien. Juste des bribes d'informations.

Une fois à son bureau, elle tente de nouveau sa chance. *Si seulement je pouvais parler à quelqu'un qui a été sur place.*

Personne n'est encore certain qu'il s'agisse bien de Toyer. Évidemment, tout semble le désigner, et elle va peut-être aller dans ce sens pour son article. « *Possible douzième victime de Toyer.* » Mais comme il prétend avoir arrêté, ce serait le moment idéal pour voir surgir un imitateur. Le doute plane, Felicity est plus jeune que les autres, à peine adulte. Sara intercepte un rapport de police qui précise qu'elle doit avoir cinq ans de moins que les autres victimes. Elle a subi une cordotomie pendant que ses parents dormaient dans une autre partie de la maison. Rien ne colle. *Pourquoi ?*

Sara appelle Maude chez elle. *Est-ce qu'il y a un motif que je ne vois pas ?* Pour la première fois Maude semble faible, vaincue. Elle explique à Sara qu'il y a un changement de mode opératoire terriblement inquiétant. *Il élargit son champ d'action.* Maude ajoute qu'elle espère qu'il ne s'agit pas de Toyer, qu'il s'agit peut-être d'un imitateur. Sara est d'accord, ça semble peu probable, même s'il y a bien eu le coup de fil à la police, la petite incision sans écoulement de sang. Elle ne peut pas écrire d'article sans preuves, sans confirmation de la part de la police. Mais ils n'auront rien d'officiel avant au moins une heure.

Soudain O'Land se manifeste, il a trouvé le numéro de téléphone privé de Felicity dans l'annuaire de la Vallée. La famille Padewicz, à Encino. Elle le compose et s'entretient directement avec l'inspecteur I. Perrino, qui se trouve dans la chambre de Felicity. « Est-ce que vous pouvez chercher la marque ? » Ils parlent toujours de la *marque*, jamais de l'*empreinte*. Hormis la police, O'Land et Sara Smith, absolument personne n'est au courant pour la *marque.* « Je reste à l'appareil. » Sara attend, retenant son souffle, pendant que Perrino cherche une empreinte sur la fenêtre. Après plusieurs minutes il reprend le téléphone.

« Ça reste entre nous, mais on dirait que c'est bien lui. »

Il ne lui en faut pas plus. Elle raccroche, rappelle O'Land.

« Ils ont trouvé une marque sur la fenêtre de sa chambre. »

Sur le bureau d'O'Land, des mots griffonnés à la va-vite en prévision de son gros titre : Vallée, 12e victime, la plus jeune, Felicity Padewicz, 16 ans, confirmé, Toyer.

SARA

9 h 50, juste avant la conférence de rédaction du matin, O'Land est dans son bureau. Sara Smith, qui s'est rendue au Kipness, vient de revenir. Elle a vu la victime, écrit un deuxième article pour demain. Elle est en état de choc, personne ne veut y croire, elle faisait confiance à Toyer quand il prétendait avoir arrêté.

Le choc est moindre pour les lecteurs qui s'apprêtent tranquillement à boire leur café du matin au travail et découvrent les premières phrases de l'encadré en première page de l'édition spéciale de l'*Herald*. Sara sait sans pouvoir le prouver que ses lecteurs ressentent implicitement du soulagement, un sentiment de continuité :

TOYER FRAPPE DE NOUVEAU

Los Angeles. 22 août. Tôt mercredi matin, tous ceux qui croyaient que Toyer avait arrêté ont été stupéfaits d'apprendre que la police de Van Nuys avait découvert une douzième victime. Se détournant de son style habituel, il a agressé sa victime au domicile de ses parents. À 16 ans, Felicity Padewicz est sa plus jeune victime à ce jour. Voir l'article de Sara Smith en page 3.

Le choc est terrible pour toutes les personnes concernées. Les médecins du Kipness. Tous ceux qui cherchent des solutions, des sources, des causes, des remèdes. Les parents. Ceux qui connaissent les deux côtés, ceux qui croyaient à ses promesses.

Maude a passé le reste de la nuit au Kipness, assise près du lit de Felicity, tenant sa petite main intangible, lui parlant, lui passant de la musique. Deux fois, au petit matin, elle a bougé, ses yeux se sont ouverts. Un frisson d'espoir.

Finalement, une fois le jour levé, Maude doit partir, elle a été officiellement suspendue. Pendant les heures qui suivent elle ne peut rester seule. Le docteur T est occupé, il se prépare pour une intervention. Elle ne veut pas rentrer chez elle, elle n'a nulle part où aller. Elle suit Sara Smith jusqu'au siège de l'*Herald*, parvenant à peine à maîtriser sa voiture.

Maude tremble considérablement lorsqu'elle pénètre dans le bureau d'O'Land, comme si elle avait la maladie de Parkinson. Il se lève à demi, ils échangent une bonne poignée de main, aussi chaleureuse qu'une étreinte. Plus même. Elle choisit de s'asseoir sur l'accoudoir du canapé de cuir desséché, refuse une cigarette, un café. Elle est faible, pâle de rage, impuissante. Les tremblements diminuent.

« Ce n'est pas une question d'amour-propre, Jim, croyez-moi », déclare-t-elle.

Juste avant la conférence de rédaction, qui doit se tenir dans le bureau d'O'Land, Sara se rend aux toilettes pour se laver le visage et se recoiffer. O'Land et Maude sont seuls.

«Bon Dieu, je suis désolé pour vous, et pour la fille aussi.» Il fait le tour de son bureau, se laisse tomber sur le divan à côté d'elle. «C'est dégueulasse pour vous. Pour votre boulot, votre réputation. Il s'est vraiment foutu de vous.

– Il aime jouer, Jim.

– Dites-moi ce que je peux faire. Si je peux faire quoi que ce soit.»

Elle capitule légèrement, sent sa rage retomber. *Il passe sa vie à s'occuper de crises: Israël, Afrique, Bosnie, Irak, Iran, Irlande du Nord, et pourtant il semble atterré à cause de ce que ce cinglé m'a fait.* Elle éprouve une certaine sympathie pour lui, à sa grande surprise. Elle pourrait l'embrasser.

«Merci, Jim, ça me touche beaucoup. Je vous le ferai savoir.

– Pourquoi est-il revenu sur sa parole, Maude?

– Parce que c'est un psychopathe, Jim – c'est ce qu'ils font toujours.

– Vous saviez qu'il le ferait?

– Oui, répond-elle, s'apercevant qu'elle attendait ce moment.

– Et pourtant vous vous êtes laissé prendre à son jeu.» O'Land se penche vers elle. Il semble fasciné.

«J'espérais.

– Était-ce quelque chose de personnel?

– Oui. Nous avons joué à un jeu, il a gagné.»

Je me demande comment il appelle ce jeu.

«Que va-t-il faire maintenant?

– Aucune idée.

– Il est toujours dangereux, exact?»

Maude acquiesce.

Quelqu'un passe la tête par la porte, il est 10 heures, tout le monde est prêt pour la conférence de rédaction, Sara entre. Maude se lève.

« Je sais une chose, Jim, dit-elle. Je ne vais plus essayer de l'aider. À partir de maintenant, je vais tout faire pour avoir sa peau.

– Je peux citer vos propos ?

– Oui », répond-elle. Puis elle se reprend : « Non, ne les citez pas. C'est une menace, et il y répondrait. »

À 13 h 30, l'édition de l'après-midi de l'*Herald* paraît, agrémentée d'une photo de Felicity dans une robe blanche à fleurs, une photo prise lors du bal de son lycée. Ses yeux ne sont pas complètement ouverts, elle est en train de battre des paupières, l'un de ses bras est coupé au niveau du coude, qu'agrippe un cavalier invisible.

À l'intérieur du journal, Maude reprend la même phrase pour expliquer le revirement de Toyer. *Parce que c'est un psychopathe.* Son papier est bref, résigné, elle sait qu'elle aura bientôt de ses nouvelles. *Et il est très doué pour se comporter en psychopathe.*

Elle sait que le renard est revenu sur ses pas, qu'il a attendu son heure, avant de mordre proprement le chasseur.

DOCTEUR T

*Q*u'est-ce qui rend un visage important ?
Le docteur T regarde Maude verser du café dans leurs tasses. *Une curiosité teintée d'une douce intelligence.*

Avec elle, c'est une chose constante. Elle est capable de me poser une question à laquelle je n'ai jamais eu besoin de répondre, et dans le même souffle d'y répondre elle-même. Un visage fin, jamais entièrement simple, parfois très beau, un visage que je pourrais observer pendant des années.

« Ton ami Meyerson m'a appelé pour me demander si par hasard je n'avais pas perdu un scalpel. Je lui ai demandé pourquoi. Il a répondu qu'un scalpel avait été retrouvé le mois dernier, sans préciser où. Je lui ai dit que j'étais occupé aujourd'hui, et que ce n'était pas le genre de chose que j'étais susceptible de remarquer de toute manière, vu que ce sont mes infirmières qui s'occupent de mes instruments. Drôle de question, non ?

– Tu l'as envoyé promener ?

– Oui. Il a évoqué ton nom.

– Mon nom ? Pourquoi ?

– Il n'a pas voulu me le dire.

– Il veut que tu me renvoies définitivement. »

Toyer a appelé Meyerson.

« Pourquoi voudrait-il ça ?

– Il ne sait pas pourquoi mais il aurait raison.

– Il ne sait pas pourquoi mais il aurait raison ? »

Maude lui prend la main, le fait asseoir au bord du lit. Il la regarde se rendre à la cuisine, mettre des glaçons dans un verre et y ajouter une bonne dose de scotch. Elle revient, lui place le verre dans la main, s'assied sur le lit à côté de lui. Elle voudrait lui couper les poils du nez.

« Meyerson ne le sait pas, Elias, mais j'ai failli tuer ce pauvre homme à Venice.

– Ce type... ce clodo... tu as failli le tuer ? Mais il a été poignardé, il a eu la gorge tranchée avec un scalpel.

– C'était ton scalpel.

– Quoi ? »

Elle ne dit rien. Il observe son visage, qui est sillonné de lignes qu'il n'a jamais vues jusqu'alors. Elle essaie de ne pas pleurer.

« Maude, s'il te plaît, parle-moi.

– Meyerson n'est sûr de rien. C'est Toyer qui lui a dit que j'avais essayé de le tuer.

– Tu as essayé ?

– Oui.

– Mon Dieu, fait-il, mon Dieu. »

Il est pâle.

« C'était moi sur la plage de Venice cette nuit-là, Elias. Meyerson sait peut-être qu'il pourrait me faire arrêter pour tentative de meurtre. »

Le docteur T est silencieux. Il n'y comprend rien.

« Tu as rencontré Toyer ?

– J'ai rencontré quelqu'un d'autre. C'était affreux. »

Maude pleure. « Je me moque de ce qui va m'arriver,

Elias, je n'en ai plus rien à foutre, je veux juste le voir mort. »

Le docteur T est abasourdi.

Elle a tranché la gorge d'un homme avec un scalpel. Maude. La femme que j'aime... Incroyable.

« Qui d'autre est au courant ?

– L'homme de la plage. Je n'ai pas vu son visage.

– Et à part lui ?

– Toyer.

– Comment ?

– C'est lui qui a arrangé notre rendez-vous. Il savait que j'étais censée être à un endroit précis à Venice à 3 heures du matin. Manque de pot, il y avait aussi quelqu'un d'autre là-bas. Toyer sait que c'est moi qui ai failli le tuer. Et il a lu dans le journal qu'un scalpel avait été retrouvé. La coïncidence était trop énorme. Il a appelé Meyerson et lui a tout raconté, mais ça, Meyerson ne te l'a pas dit. »

Toutes ces intrigues, ces chicaneries. C'est un cauchemar, bien sûr, tout cela est impossible.

Il a toujours aimé Maude, et rien ne changera ça. Il est désormais plus lié à elle que jamais. Il ressent le frisson de leur complicité, a conscience de la dépendance de Maude, sait qu'elle a besoin de sa force. Il sent un début d'érection.

ELAINE

Une journée d'été avec un ciel bleu immaculé. Pas un nuage. Un jour infini. De minuscules traînées d'avion à des années-lumière.

Il roule en direction de la petite maison trapue, franchit la pente, écrase des graviers gros comme des grains de raisin. Quand Ann le voit par la fenêtre, elle enfile ses chaussures pour aller se promener et faire des courses au marché. Elaine est assise dans le salon. Juchée sur son fauteuil roulant tel un oiseau ahuri qui ne volera jamais. Des rais de lumière traversent lentement le plancher.

Dans la voiture, il a passé sa fine alliance en or. Il apporte des roses jaunes à moitié fanées pour Elaine, et un petit arbre de jade en pot pour Ann. Ann est partie.

Il se tient dans le salon face à Elaine, qui est sanglée à son fauteuil roulant. Leurs alliances sont identiques. Il sent la colère lui brûler la gorge comme du rhum bon marché. Il n'a pas établi de rituel. Il pose les roses jaunes sur les cuisses d'Elaine, l'embrasse sur le front. Elle ne bouge pas, dégage une légère odeur de savon et d'excréments. Ann l'a lavée. Elle ne se rend peut-être pas compte de sa présence. Le tic-tac d'une horloge en argent, un cadeau de mariage, sur un buffet.

Il touche la main d'Elaine. Ses doigts sont aussi étranges que du verre. Il s'assied dans le fauteuil face à elle et lui lit à voix haute le court papier de Sara Smith sur Felicity Padewicz.

Aujourd'hui il va lui raconter une nouvelle histoire, l'histoire de Felicity. Il lui lira le compte-rendu qu'il a rédigé dans un bloc-notes jaune. Il a tout noté dans le moindre détail. Il aime écrire son livre.

Il est le seul à rendre visite à Ann et à Elaine. Les autres ont depuis longtemps pris leurs distances. Quelques visites pénibles, polies, honorables, et puis ils ont disparu. La tragédie d'Elaine était trop immense, Ann était trop véhémente, et lui, trop maussade. Pas facile de rendre visite à une telle famille. En proie à un ennui infernal, les visiteurs ne pouvaient pas survivre longtemps avec eux sans s'étioler, sans se sentir diminués, sans avoir terriblement conscience d'eux-mêmes. En voyant Elaine, ils voyaient le visage hideux du monde. De trop près. Alors ils quittaient la maison en s'apitoyant sur leur sort et ne revenaient jamais.

C'est au mois de mars qu'Ann a remarqué que ses visites coïncidaient chaque fois avec les jours où Toyer faisait les gros titres dans la presse du matin. Que quand il débarquait avec ses fleurs, il avait toujours le journal sous le bras. Elle a fini par se demander pourquoi. Après tant de mois. Sans compter qu'il passait des heures enfermé avec Elaine dans le salon, à lui parler, alors qu'elle ne pouvait pas lui répondre. Un jour, Ann a essayé d'écouter à la porte, mais il a cessé de parler et est sorti en lui demandant poliment si elle voulait quelque chose à boire. Ses visites sont toujours religieusement formelles.

Il lui suffit d'un coup d'œil au journal du matin pour savoir s'il viendra ou non plus tard dans la journée. Mais elle fait désormais semblant de ne pas lire les nouvelles. Elle ne peut pas imaginer qu'il ait pu sacrifier toutes ces jolies jeunes femmes pour sa fille. Cette possibilité terrifie Ann.

Elle s'interroge. Peut-être se doute-t-il de ses soupçons. La nuit elle est hantée par des questions qu'elle n'osera jamais lui poser dans la lueur de l'après-midi, quand il vient leur rendre visite. Elle voudrait mais ne peut pas. Si c'est vrai, si c'est vraiment lui, que peut-elle faire? Ses représailles seraient inimaginables. Et puis un vague reste de foi catholique lui dit que même si c'est lui, il n'a jamais tué personne, il n'a jamais commis le péché suprême. Alors elle s'occupe de son jardin, taille les vignes qu'elle a plantées derrière la maison. Elle nourrit les colombes, symboles du Saint-Esprit. Elle a décidé que même s'il est Toyer, il ne lui ferait jamais de mal car il aime Elaine. Et sans les soins d'Ann, Elaine mourrait.

L'horloge d'argent émet son tic-tac complexe. Il regarde sa limonade pétiller. La pièce est étouffante. Les stores bougent à peine. La sueur qu'il sent couler sur sa poitrine est une bénédiction. Aujourd'hui, une nouvelle histoire. Il regarde fixement Elaine, qui regarde fixement le sol. *Elle m'entend.*

Il commence. Il va lui raconter son histoire comme s'il s'agissait d'un roman à suspense. Ce sera un best-seller à Noël.

Une heure s'est écoulée. L'histoire est terminée. La limonade a disparu, son verre se dresse au milieu d'une mare argentée sur la table.

«Fin», dit-il.

Il lève les yeux. Les aiguilles de l'horloge indiquent 5 h 35. Il regarde Elaine à travers la pièce. Peut-être l'a-t-elle entendu. Et si elle l'a entendu, *comprend-elle que je ne fais que consommer notre mariage ?*

Son récit est terminé. Le conteur se lève pour partir. *C'est l'heure de rentrer.* Les rais de lumière ont atteint le mur. Ann est de retour, il l'entend qui prépare le dîner dans la cuisine. L'horloge d'argent fait tic-tac.

MAUDE

Sans horloge, Maude parvient désormais à dormir certaines nuits. Mais parfois ses voix intérieures résonnent comme un acouphène, et cette nuit elle n'a pas fermé l'œil. Elle comprend la capacité qu'a le cœur de bloquer l'une de ses artères pour se préserver. Elle comprend que ne *pas* détruire demande à certains un effort énorme. Elle comprend pourquoi les mantes religieuses grignotent la minuscule tête du mâle pendant l'accouplement, déconnectant l'ultime lobe au dernier moment. Elle comprend que la voie que nous choisissons chaque matin a une importance fatidique.

Maude n'aimera peut-être plus jamais. Elle est veuve, en deuil, ça fait deux ans que Mason est mort. Elle est attachée au docteur T., mais il ne passe jamais plus de deux nuits par semaine chez elle. C'est elle qui a établi cette règle, pas lui. Elle le ménage.

Dès qu'elle peut, elle va au cinéma seule, pour se distraire. Ça l'amuse de voir les stars gigantesques et colorées qui s'imaginent qu'elle se soucie d'elles. La ville l'entoure, ses institutions. Elle a foi en trois personnes : le docteur T, Sara, Toyer. Quatre : Melissa.

MELISSA

Melissa réagit bien aux tests clandestins de Maude, elle parvient à produire des sons de bébé de 6 mois. Les bons jours, quand Maude peigne ses cheveux, qui poussent magnifiquement, elle arrive à sourire légèrement. Elle ouvre et ferme les yeux sans problème, serre tenacement la petite balle en caoutchouc. L'échelle de Glasgow indique que sa courbe progresse lentement. Mais la lumière dans ses yeux apparaît et disparaît aussi vite que les petits poissons qui filent parmi les pierres ombragées de l'étang près de la cour du Kipness.

Toyer empêche Maude de dormir le soir, mais il ne lui répond plus. Après un an, elle ne comprend pas mieux son fonctionnement qu'elle ne comprend celui du moteur à explosion qui lui permet de se rendre au Kipness chaque soir. Sa crainte est que si elle ne parvient pas à guérir Melissa, elle risque de le perdre pour toujours. *Il ne commettra plus jamais d'erreur et il gagnera.* Maintenant elle a avoué. Le docteur T sait, c'est une criminelle : *tentative de meurtre.* Elle s'attend à ce que tout le monde le devine. C'est la culpabilité des naïfs. Elle n'a jamais été plus transparente. Elle est comme du verre terni.

SARA

Sara entre dans le bureau de Jim O'Land. Au sous-sol, les rotatives tournent. C'est un moment effroyable pour elle. Toyer est revenu plus fort que jamais. Elle a lu le premier chapitre de son livre, *Personne ne vit sur la Lune ?* Celui sur Virginia Sapen.

La grande bouteille de whiskey de Jim O'Land est ouverte, rayonnant sur le bureau au vu de tous, arborant en lettres énormes le mot *Paddy*, le surnom donné aux Irlandais, comme si les amateurs de whiskey étaient aveugles, ce qui est parfois le cas.

Elle apporte le chapitre dans une enveloppe en papier kraft qu'elle dépose sur le bureau. Toyer a fait son travail. Le *livre tant attendu* est en route, il lui a promis que le chapitre deux serait fini dans une semaine. Il y aura douze chapitres de taille égale.

« Il a effectué ses recherches, pour l'amour de Dieu, maintenant il lui reste à écrire le bouquin », déclare O'Land.

Il suppose que l'*Herald* publiera des articles dans l'intervalle, mais le manuscrit achevé doit être envoyé à l'imprimeur à l'automne.

Ils restent silencieux, comme s'ils venaient d'assister à une magnifique pièce de théâtre. Finalement, Sara déclare :

« Son texte est très bon. »

O'Land acquiesce.

« Il est excellent. Ça donne envie de poursuivre la lecture.

– J'en ai peur. »

Sara ne l'a jamais autant haï qu'en ce moment.

Dans la matinée, elle divisera le chapitre en deux et taillera dans le texte pour obtenir deux parties de cinq cents mots chacune qu'ils publieront au fil de la semaine. Le *New York Times* les reprendra et les distribuera à grande échelle. Il est trop tôt pour savoir ce que ça donnera. Pour le moment, Toyer s'est mis tout seul sous pression. *Imaginez ça, c'est lui qui a des échéances à respecter.*

« Je veux connaître la fin », dit O'Land.

Sara récupère deux gobelets en carton au distributeur d'eau.

« Je ne peux pas boire là-dedans, Sara Smith, ce ne sont pas des verres à whiskey ! s'écrie-t-il avec un accent dublinois. Vous avez un nom anglais, alors je vais me montrer indulgent. »

Il va aux toilettes, en revient avec deux verres trapus, aussi lourds que des pierres. Le whiskey est parfait dedans, sa teinte ambrée s'élevant au-dessus des fonds épais. Il lève son verre.

« À la santé de vos foutus compatriotes, qu'ils déguerpissent de notre belle terre verte. »

O'Land embrasse Sara, elle ne l'en empêche pas, surprise par ce beau geste. Elle sait qu'il fait plus ça pour célébrer l'occasion que parce qu'il la désire. Puis il laisse traîner sa main, lui saisit la nuque et l'attire à elle, l'embrasse de nouveau. Elle retient son souffle. C'est une sensation agréable, chose qu'elle n'avait ni prévue ni crue possible. Les mains de Jim sont fermes, sur ses hanches puis sur ses fesses, une dans chaque main, il l'attire tout contre lui, la soulevant légèrement. Elle sent ses os à travers sa robe de coton. Elle ne peut plus dissimuler son souffle qui s'accélère, elle halète.

Sans savoir comment, elle se retrouve profondément enfoncée dans le divan en cuir qui semble avoir été spécialement conçu pour leurs ébats. Sa barbe de trois jours l'irrite, son haleine sent le whiskey. Il embrasse bien. Leurs bouches sont humides, collées l'une à l'autre, ils s'aspirent mutuellement. Il a fait passer la jambe de Sara par-dessus son genou, la tire vers lui. C'est une nuit d'été chaude dans un vieux bureau. Les murs sont essentiellement faits de vitres avec des meneaux de bois vernis, le rédacteur du soir risque de passer et de jeter un coup d'œil dans la pièce. O'Land s'écarte de Sara, se lève. Il rajuste ses vêtements, verse deux doigts de whiskey dans chaque verre. Elle secoue la tête en signe de protestation. Il lui tend la main comme s'il l'invitait à danser, elle se lève à son tour. Elle boit une rasade de whiskey, verse le reste dans le verre de Jim, pose son verre sur le bureau. Elle saisit sa main entre les siennes. Elle n'a jamais attendu ça, n'a jamais été aussi prête que maintenant à lui faire l'amour.

« Je veux vous accompagner chez vous, Jim.

– C'est ce que je veux aussi. »

Quand ils s'en vont, O'Land laisse le premier chapitre de *Personne ne vit sur la Lune ?* dans le coffre-fort de son bureau pour le corriger demain. Il éteint la lumière.

Sara a perdu ses chaussures. À travers la plante de ses pieds nus elle sent le martèlement lointain des rotatives qui tournent sur place comme elles le font chaque soir depuis 1911.

MELISSA

Melissa Crewe bâille.

Elle est allongée sur le dos, comme toujours, yeux clos. Chleo est dans la chambre, elle se retourne vivement, observe le visage de Melissa. *Qu'est-ce que je viens de voir ?* Elle n'est pas sûre. Il n'y a rien à faire. À part attendre. *Est-il possible qu'elle ait bâillé ?* Elle ne dit rien à personne, reste une heure de plus dans la chambre de Melissa, assise près du lit, bâillant de temps en temps pour la pousser à recommencer.

Le lendemain matin, Chleo entre dans la chambre à 7 heures, lève les stores, laisse le soleil s'engouffrer dans la pièce. Ça va être une belle journée. Le visage de Melissa est tourné vers le mur.

Lorsqu'elle revient avec la bouteille du petit déjeuner qu'elle va relier à la sonde gastrique, Melissa est tournée vers la fenêtre.

Elle appelle le docteur Tredescant et lui demande si elle doit prévenir le docteur Garance. Non, répond-il, il s'en chargera lui-même.

Au téléphone, Maude est prudente, elle explique qu'il est encore trop tôt pour qu'elle vienne. Elle lui suggère de s'assurer que Chleo dit vrai, et de lui demander de faire un test avec l'échelle de Glasgow. Un changement pourrait ne rien vouloir dire, tout comme ça pourrait être le début d'un très long processus.

Lorsqu'elle raccroche, Maude est en larmes.

Ce soir-là, le docteur T lui apporte une douzaine de roses blanches à tige courte. Elle sourit quand il lui explique que les fleurs blanches son invariablement plus parfumées que les fleurs flamboyantes de couleurs vives. Il a aussi un sac en plastique rempli de délicieuse nourriture chinoise. Aubergines dans une sauce à l'ail épicée, poulet *mu shu*, crevettes dans une sauce aux haricots noirs, deux coquilles Saint-Jacques pour Jimmy G.

Elle a préparé un *cheesecake* car il adore ça. Ce n'est pas une célébration. Une célébration, naturellement, serait prématurée. Il affirme que c'est son anniversaire. Ce qui est faux.

Il lui demande ce qu'elle compte faire maintenant que Toyer l'a de nouveau humiliée. Elle ne répond pas. Il sent que, dans sa confusion, peut-être son impuissance, elle se tournera vers lui.

Elle est bouleversée, au bord des larmes. Pendant qu'ils mangent leur dîner dans des bols, elle explique à quel point elle a été désespérée et combien ce petit geste de Melissa est important pour elle. Elle voudrait lui parler des voix, il comprendrait ce type d'hallucination.

Dans la cuisine, avant d'aller au lit, elle se penche contre lui, il la prend dans ses bras. Elle pleure à cause du miracle de Melissa. «Tu te rends compte, dit-elle, attendre tout ce temps que quelqu'un bâille. Un miracle si infime.»

CHLEO CHUBB

L e matin, il ne fait pas encore jour. Chleo réveille Maude. Dans le noir, en tendant le bras vers le téléphone, elle frappe Jimmy G en pleine face.

«Elle bouge les yeux, docteur, elle bouge les yeux!»

Maude allume la lumière.

«Chleo?

– Oui, c'est Chleo.

– Qu'est-ce que vous venez de dire?

– Je dis que Melissa Crewe bouge les yeux.»

Elle comprend.

«OK. Dieu merci, je croyais que vous m'appeliez pour m'annoncer la même chose que d'habitude. Je suis réveillée, allez-y.

– Eh bien, je suis allée voir comment elle se portait, vous savez, juste avec ma lampe-stylo. Je vois qu'elle a les yeux ouverts. Alors je les referme et l'un d'eux bouge.»

Elle est excitée, bute sur les mots.

«Moins vite, moins vite.

– L'un d'eux bouge, il suit ma lumière. Vous entendez?

– Je vous entends.»

Maude s'imagine le visage large et adorable de Chleo rayonnant de bonheur. Elles attendent ça depuis si long-temps.

«Honnêtement, docteur, j'en ai la chair de poule.

– Quel œil ?

– Le droit, répond-elle après une pause.

– Avez-vous appelé le docteur Tredescant ?

– Non, pour quoi faire ? Je pensais simplement que vous voudriez être au courant.

– Très bien. Avez-vous fait autre chose ?

– Non. Je lui ai refermé les yeux. Je ne voulais pas qu'ils s'assèchent.

– Est-ce que vous pourriez faire un test avec l'échelle de Glasgow, s'il vous plaît ?

– Oui.

– Merci, Chleo, j'arrive. »

Une fille intelligente, cette Chleo.

Maude expulse un soupir qu'elle garde en elle depuis un an, repose le combiné sur son support. Elle sent monter en elle un flot profond, intense, une sensation qui la suivra des jours durant. À la lueur de la lampe de chevet, Jimmy G s'est remis du coup qu'il a reçu sur la truffe. Va-t-il se venger ?

« C'est bon, Jimmy G, c'est bon. Je ne l'ai pas fait exprès. »

Maude est radieuse. Mais il observe son visage, incertain.

Elias tourne le dos à la lumière, à peine réveillé.

« Qui c'était ?

– Chleo.

– Qu'est-ce qui se passe ?

– Melissa. »

Il comprend au ton de sa voix.

MAUDE

Quand Maude arrive, Chleo l'attend dans le noir. La chambre a été méthodiquement aménagée, Maude parvient à la traverser sans allumer la lumière. Il y a un lit de chaque côté. Le deuxième lit est occupé par Nina Voelker, qui n'a jamais rouvert les yeux.

Maude se tient à côté de Chleo, la lumière du couloir divise la chambre en deux. Elle frissonne, c'est un moment extraordinaire. Un an qu'elles attendent un signe.

«Allumez la lumière près du lit, s'il vous plaît, Chleo.» Melissa est blafarde et pourtant magnifique, rayonnante, ses yeux très écartés et sa large bouche fendent son visage. Elle est allongée, aussi élégante qu'un sloop à quai, tous feux de mouillage éteints, tanguant doucement avec la marée.

Maude se penche en avant, elle effleure les sourcils de Melissa avec un coton-tige. Ses yeux frémissent et s'ouvrent. Maude saisit le stylo-lampe de Chleo et balaie les pupilles avec le faisceau. Melissa cligne des yeux une fois, puis encore.

«Melissa, je veux que vous me mordiez le doigt de toutes vos forces.» Maude insère son doigt tendu entre les incisives de Melissa. «Maintenant mordez-moi.» Elle attend. «S'il vous plaît, mordez-moi fort.»

Elle attend. Rien. Elle attend. Puis elle sent quelque chose, une légère pression, à peine un mordillement amoureux.

Elle se lève, Melissa a toujours les yeux ouverts, Maude les referme. Elle lui prend la main.

« Melissa, serrez ma main. » Elle sent un infime palpitement. « Serrez. »

Maude attend. Puis, entre les tremblements, elle sent les doigts se refermer innocemment sur les siens. Elle acquiesce en direction de Chleo.

Le processus a commencé.

Maude retrousse doucement le drap.

« Chleo, ôtons-lui sa tunique. »

Elle est nue. Incolore, presque sans contour, d'une beauté exaspérante. Ses pieds sont longs, comme des poissons.

« Est-ce que c'est vous qui avez fait ça, Chleo ? »

Quelqu'un lui a appliqué du vernis cramoisi sur les ongles des orteils.

« Oui, j'aime bien faire ça, répond l'inestimable infirmière. Ça fait passer le temps. »

Maude saisit doucement un des pieds de Melissa, le tourne légèrement vers l'extérieur et, avec le cotontige, le chatouille doucement sous la plante. Chleo est penchée au-dessus de la jeune fille, cherchant à percevoir le moindre mouvement du visage. Rien.

Maude soulève le pied, pique la plante avec la pointe d'un portemine.

Quatre choses se produisent simultanément : les orteils se recourbent, le pied se rétracte, Melissa plisse les yeux, émet une sorte de halètement.

Les deux femmes n'ont plus le moindre doute.

« Doux Jésus, s'exclame Chleo. C'est peut-être le prélude d'un grand miracle.

– Rhabillons-la. »

Melissa est consciente, une larme coule sur sa joue.

« Quelle est votre marque de whiskey préférée, Chleo ?

– Eh bien, si je dois boire du whiskey, docteur, j'ai un faible pour l'irlandais », répond-elle avec un faible accent irlandais.

Elles rient ensemble au lieu de pleurer, laissant libre cours à leurs émotions.

« J'en parlerai au docteur T plus tard dans la journée, et vous pouvez être certaine qu'il saura qui a fait cette découverte, Chleo. Mais ne dites rien à personne, pas même à l'infirmière de garde. Il est trop tôt pour que les flics débarquent ici avec leurs photos en la bombardant de questions, ça risquerait de la replonger dans son état végétatif.

– Sans parler de ce que Toyer pourrait faire s'il apprenait ça. »

DOCTEUR T

C'est la fête. Maude va être réintégrée au Kipness, la Patronne a accepté. Grâce aux progrès de Melissa Crewe.

Le docteur T ôte ses chaussures chaque fois qu'il entre dans la maison de Maude, comme s'il était hawaïen. C'est un geste naturel, ainsi qu'il lui a expliqué la première fois. «Symboliquement», a-t-elle déclaré, il laisse la crasse du monde dehors. «C'est une réalité», a-t-il répliqué. Il n'a pas ajouté que c'est aussi une manière de commencer à se déshabiller pour aller au lit.

Il a insisté pour apporter une bouteille de bon champagne. Du moins un champagne hors de prix.

«Est-ce que tu as un ouvre-boîte?»

Maude regarde dans sa direction.

«Pour le champagne?»

Il agite une conserve plate. Il est trop grand pour le coin cuisine.

«Des sardines à l'huile pour ton chat.»

Il l'observe. Ça a été une journée miraculeuse. Elle est pâle, émaciée, comme si elle avait été enfermée dans un cachot, elle a perdu trop de poids. Mais il ne le dit pas. C'est lui qui a appelé la Patronne et insisté pour que Maude soit réintégrée afin qu'elle puisse continuer de s'occuper de Melissa Crewe.

«Elias, à ta santé.» Elle lève son verre. «Je suis sérieuse, je ne t'ai pas rendu la vie facile.»

Il acquiesce timidement, la laisse boire à sa santé. Il est une icône. Il lève son verre à son tour.

«Maude, je bois moi aussi à ta santé, pour toutes les merveilles que tu as accomplies.»

À ta santé, ma chérie, et aux merveilles de ton lit. J'adore coucher avec toi, et je veux vivre avec toi à partir de maintenant. Jusqu'où es-tu prête à me supporter ?

Il lui a expliqué qu'il a commis l'erreur de rester trop longtemps marié à une autre femme, mais qu'il ne l'est plus. L'amour lui a toujours semblé désuet, un luxe, une façon de se purger de son chagrin.

Il a ôté sa veste et l'a posée sur le divan. Il s'installe dans le profond fauteuil Timmons, qui semble avoir été construit sur mesure pour lui. Il est chef de service dans un centre neurologique de premier plan, elle est sa subalterne, et pourtant il a l'impression d'être à ses pieds. Il porte un parfum saisissant. Il a passé son adolescence à s'excuser auprès des filles.

Au lit, la bouteille de champagne est terminée, une lueur pénètre dans la chambre par la porte du salon. Il la regarde.

«Quelles sont les chances de Melissa ?

– Bonnes.»

Il attend.

«Elle est différente, Elias, elle est têtue. Je ne crois pas que la cordotomie ait été complète.»

Le docteur T acquiesce. Il perçoit l'excitation de Maude.

«Tu crois qu'il y a une chance ?

– Rien n'est impossible, même si son cas est extrême.

– Tu en penses quoi, réellement, est-ce qu'il faudrait un miracle ?

– Eh bien, je ne suis pas sûre que le bon Dieu existe, mais je ne perds pas espoir. »

Tôt le lendemain matin, le docteur T s'en va. Au lieu de se rendormir, Maude, qui a repris du poil de la bête, s'assied à la table du salon et commence à rédiger une nouvelle lettre à Toyer.

D'ici la fin du mois, Melissa sera en mesure de donner une description à la police. Maude en est persuadée. Cinq personnes sont au courant. Elle leur a fait jurer de garder le silence, les progrès de Melissa doivent demeurer secrets, personne d'autre ne doit être informé, surtout pas Sara Smith.

MELISSA

Les yeux de Melissa Crewe réagissent désormais de façon consensuelle. L'excitation est à son comble. Les deux pupilles s'élargissent quand Maude approche son doigt de l'une d'elles, et elles se rétrécissent ensemble quand Maude projette une lumière sur l'une d'elles. Les deux yeux la suivent à travers la pièce quand elle entre ou sort. *Elle veut me connaître.*

Melissa est désormais retournée toutes les quatre heures au lieu de six, ses poumons ne doivent pas se figer. Maude veut qu'elle soit constamment stimulée, la jeune femme a soulevé la tête quinze centimètres au-dessus de son lit.

Quand Maude lui touche la luette au moyen d'un abaisse-langue, elle a des haut-le-cœur. Elle a produit son premier son, un gaaaaaaaaa aussi râpeux qu'un cri de bébé chameau.

Ça fait trois jours que le docteur T a accepté de ne pas révéler les progrès de Melissa à l'inspecteur I. Perrino, mais il est désormais catégorique, ça ne peut plus durer.

Le bureau du procureur adjoint Meyerson appelle le Kipness un jour sur deux. Le docteur T demande à Maude *quand ?* Il lui dit qu'elle a tort d'agir comme ça, qu'il est peut-être temps que Perrino montre des photos de suspects à Melissa. En exerçant des pressions sur la main de Maude, elle pourrait donner des indications sur son âge, son appartenance ethnique, la couleur de sa peau, celle de ses cheveux, de ses yeux, sa taille, son poids. Il ajoute que garder les progrès de Melissa secrets est dangereux, que la dissimulation d'indices est un délit. Mais Maude s'inquiète pour Melissa. Si la police se met à lui tourner autour, elle deviendra soudain précieuse, sa vie sera peut-être mise en danger. Les médias seront avertis, il y aura des fuites.

Elle lui demande d'attendre une semaine de plus, Melissa sera peut-être stabilisée alors. Le docteur T accepte du bout des lèvres. Il n'y a pas de suspect.

LA BELLE VIE

Mais Maude crève d'envie de tout raconter à Sara, elle sait combien ce sera important pour elle. Elle lui téléphone donc.

«Qu'est-ce qui se passe?

– Je ne peux pas vous le dire au téléphone.»

Elle lui demande de la retrouver pour déjeuner demain chez Bostwick, un café en plein air situé dans Sunset Boulevard, près de La Cienega.

«À quelle heure?»

L'excitation est trop forte, elle va lui dire, elle lui fera confiance pour garder le silence.

Pendant le déjeuner, elles se regardent par-dessus la table encombrée, aussi proches que deux anciennes colocataires d'université qui ne se seraient pas vues depuis la fin de leurs études et auraient choisi des voies parfaitement différentes.

«Il est possible que Melissa se réveille progressivement», annonce Maude.

Peut-être, peut-être. Elle décrit les signes.

Sara comprend immédiatement que Melissa pourrait être celle qui donnera une description de Toyer, celle qui sera en mesure de l'identifier. Ce n'est peut-être qu'une question de semaines.

«Quand?

– Peut-être jamais, mais peut-être bientôt. Vous imaginez à quel point ça peut être dangereux. Gardez ça pour vous. Ne faites rien sans mon accord.»

Maude fait jurer à Sara qu'elle gardera le silence. Ce sera l'histoire de Sara. *Mon histoire.* S'il y avait une fuite maintenant, Maude ne sait pas ce que Toyer ferait. Elle demanderait qu'un agent soit posté vingt-quatre heures sur vingt-quatre devant sa chambre. Le procureur Yellen exigerait d'être pris en photo avec Melissa. Meyerson aussi. Les équipes de télé attendraient en coulisses leur entrée en scène au troisième acte. Peut-être qu'une infirmière de nuit prendrait une photo de Melissa, son extraordinaire visage blême entouré de cheveux de plus en plus longs, pour la vendre à l'*Enquirer*. Tensions à l'hôpital. Ça pourrait affecter sa guérison. Craignant d'être identifié, Toyer pourrait disparaître; impossible, pas maintenant.

Un homme les observe furtivement depuis une table proche. Il a reconnu Sara Smith. *Mais avec qui est-elle?* Il se bouche une oreille du doigt, a discrètement levé son menu pour isoler leur conversation du brouhaha environnant. Il entend le nom Melissa. Sara demande: «Voulez-vous un cappuccino, Maude?» *Maude Garance.* Il ne lui en faut pas plus. Elles commandent deux cappuccinos, se lèvent, marchent en direction des toilettes. *Pourquoi les femmes peuvent-elles aller aux toilettes ensemble et pas les hommes?*

Lorsqu'elles se rassoient, leurs cafés les attendent. Une photocopie du dernier courrier de Toyer est posée sur la table, dépliée.

L'homme s'approche, se tient au-dessus d'elles. Robin Tessander.

« Sara Smith, je vous reconnais. Avez-vous essayé les *penne* au crabe ? Je vous les recommande, elles sont divines. »

Il se penche en avant, pose sa petite main sur le dossier d'une chaise. Robin Tessander est certain de son charme. Il sait mettre un auditoire dans sa poche.

À Maude :

« Comment allez-vous, docteur ? » Pour une raison ou pour une autre, Sara ne fait pas les présentations. « Mon nom est Robin Tessander, je travaille pour le journal rival. Avez-vous parlé de... ? »

Il s'interrompt, les yeux écarquillés.

Sara replie la lettre.

« Qui ?

– Je crois que vous savez de qui je parle, Sara Smith. De notre cher criminel bavard. »

Les femmes restent silencieuses. Il a deux petites oreilles parfaites, fixées de chaque côté de sa tête.

« De fait, nous avons bien parlé de lui, Robin, répond Sara.

– Avez-vous eu de ses nouvelles aujourd'hui ? Garde-t-il le contact ? » Il éclate soudain d'un rire hystérique. « Ne trouvez-vous pas que les schizophrènes sont les seules personnes dignes d'intérêt ? Bon Dieu, moi, si. » Nouveau rire soudain qui recouvre tout. « Avez-vous l'impression de faire partie de la famille ? » Il a vu Sara replier le courrier. « J'adorerais y jeter un coup d'œil. Je peux ?

– Robin.

– J'ai de très bons yeux, j'arriverai à déchiffrer son écriture.

– Il utilise un traitement de texte, Robin, vous le savez pertinemment.

– Exact. Comme moi. Non. Vraiment, je le comprends, il me semble.

– Et lui aussi il vous comprend. »

Ils rient sans se regarder.

« Je crois que je pourrais lui faire entendre raison. Lisez-moi ce qu'il dit, juste un passage. Ça reste entre nous. Regardez, j'en ai le frisson. »

Retroussant la manche de sa veste en coton, il révèle un bras pâle couvert de petites taches.

Sara déplie la feuille.

« Ma mortalité n'est pas la question, lit-elle, mon immortalité, si.

– Seigneur ! s'exclame Robin. Quelle audace !

– Oui, il devient de plus en plus pompeux. »

Sara replie la lettre.

« Quel c-o-n », observe Robin, épelant le mot.

Sara déclare que, d'après Maude, Toyer aurait les mêmes angoisses qu'une star du cinéma.

Lorsque Tessander est parti, Maude demande :

« Qu'est-ce que c'était que ça ?

– Le rédacteur de la rubrique société du *Times*, il a une colonne intitulée « "La belle vie" », répond Sara, avant d'ajouter une fois de plus que Maude a une mine effroyable.

Celle-ci déclare simplement qu'elle rêve de Melissa. Toujours le même rêve, celui qu'elle faisait déjà avec Nina Voelker et Lydia Snow Lavin. Les jeunes femmes sont élégamment étalées sur un lit, telles des fleurs aux pétales grands ouverts. Seulement quand elle parle à Melissa, celle-ci lui répond. Elle la voit se lever, traverser la pièce nue. Mais elle ne peut pas dire à Sara qu'elle entend des chuchotements quand elle est seule, qu'elle a tranché la gorge d'un homme. Elle commande une deuxième bouteille de vin blanc, cette fois-ci un vouvray.

Robin revient à leur table, telle une boule de billard qui aurait rebondi contre la bande.

« Je sais qui vous êtes, docteur Garance, excusez-moi, j'admire ce que vous faites. » Il tend sa carte. « Ça vous ennuie si je vous passe un coup de fil pour discuter ?

– Désolée, je n'ai pas le temps. »

Elle parle en regardant son nœud papillon, pas son visage.

« Pas le temps pour une petite conversation ?

– Désolée. »

Et il s'en va. Laissant sa carte sur la table. Le lendemain :

LA BELLE VIE
Par Robin Tessander

... vues chez Bostwick dans Sunset. Ne serait-ce pas le célèbre docteur Maude Garance partageant une bouteille de vouvray bien frais avec la chroniqueuse préférée de Toyer, Sara Smith ? Qu'est-ce qui se trame, les filles ? Restez à l'écoute...

Chez Bostwick, on ne présente jamais l'addition à Robin Tessander.

TELEN

Les nuages au-dessus de l'océan ont la forme d'une carte de France. Il y a Brest, Le Havre, Marseille. Le soleil, un jaune d'œuf de rouge-gorge, se tient juste au-dessus de la France, à dix minutes de se coucher.

« Tu y es déjà allé ? demande Telen.

– Où ça ? »

Il lève les yeux et voit les nuages.

« Oh ! en France.

– Tu y es allé ?

– Oui, mais j'étais trop jeune pour m'en souvenir. »

Il ment peut-être.

Elle sent le mystère de Peter, son étrangeté, sa force. Elle voudrait s'approprier ces qualités, comme certains veulent s'approprier une amphore convoitée. Elle a pris sa décision hier.

Il a le même âge qu'elle, est presque beau, hétéro. Il ne ressemble à personne d'autre. Elle a décidé qu'elle voulait qu'il vienne vivre chez elle, qu'il dorme chaque nuit avec elle, qu'ils soient chaque matin ensemble. Elle se tourne, approche son visage de celui de Peter, s'assure qu'il respire son souffle.

« Peter, si on vivait ensemble.

– Nous ? »

On dirait qu'elle vient de lui suggérer une idée parfaitement saugrenue, comme apprivoiser des faucons. Il l'embrasse une fois de plus, intensément mais sans promesse. *Il embrasse merveilleusement, en pensant à moi.* Il la laisse s'écarter de lui.

« Nous installer ensemble ?

– Oui, toi et moi. »

Elle rit, mais naturellement elle est sérieuse.

Elle détourne les yeux, il l'observe tandis qu'elle regarde l'océan argenté, les vagues molles. *Qu'est-ce qui rend ses oreilles si jolies ?*

« Tu n'as pas les oreilles percées.

– Je le sais bien, je suis contente que tu le remarques.

– Est-ce que tu as lancé une mode au lycée ? »

Ils ne sont pas seuls. Un homme se tient au-dessus d'eux, perché sur le promontoire, regardant la même chose qu'eux mais depuis un poste d'observation plus élevé. Ils forment tous les trois un long triangle étroit.

« Je m'imagine nous regardant depuis là-haut. »

Il désigne le promontoire derrière eux, explique qu'il s'imagine à la place de cet homme, les écoutant parler depuis le promontoire, tout en étant toujours ici avec elle. Elle répond qu'elle n'est pas capable de faire ça. Elle enveloppe sa main de la sienne.

« Ça m'est égal que tu aies un problème. »

Un problème. Il se lève, pieds nus dans le sable, s'éloigne, ramasse un coquillage ou quelque objet érodé.

Ils sortent ensemble. Ils s'embrassent, vont au cinéma, Telen lui prépare à dîner. Parfois il passe la nuit chez elle, il dort sans la toucher.

Elle l'attend. Elle sait que c'est important. Elle croit au coup de foudre, l'amour est une première impression qui dure, une confirmation de cette impression. À force de l'attendre, elle est particulièrement sensible au moindre contact accidentel avec son corps, excitée par le moindre de ses baisers désinvoltes.

« Oui, pourquoi ne vivrions-nous pas ensemble ? fait-elle.

– Non. »

Telen est abasourdie. Elle pousse un soupir à travers ses lèvres closes. Sa seule réponse.

« J'ai besoin d'avoir mon propre appartement, Telen, j'ai des choses à faire. »

Elle croyait qu'il accepterait peut-être.

« Garde ton appartement, et viens chez moi de temps en temps. Je te donnerai une clé. »

Il attend un moment.

« Mais ne veux-tu pas savoir pourquoi je ne peux pas ?

– Je n'ai pas besoin de savoir. »

Le chien qu'ils observent depuis un moment sur la plage les regarde désormais et bâille copieusement. Telen sourit. Sa longue lèvre supérieure s'aplatit contre ses dents parfaitement alignées. Des dents d'enfant. Il écarte des mèches de cheveux de sa bouche. *Il est plein d'attentions romantiques.*

La carte de France s'est transformée en Russie puis en Chine. Tandis que le soleil se couche, un vent frais leur effleure les bras. Précisément. Ils ont atteint la fin abrupte de leur conversation.

Telen baisse les yeux, attristée. Elle est épuisée à force de l'attendre. Il lui saisit la main et la pose à plat sur sa cuisse, qu'elle se met à pétrir fermement, comme de la pâte à pain. Le long muscle tendu la surprend. Sa main grimpe lentement le long de la cuisse de Peter, sans cesser de la pétrir. La respiration de Telen est hachée.

« Laisse-moi faire, dit-elle au bout d'un moment, j'en ai envie.

– Non, Telen.

– Ne t'en fais pas, murmure-t-elle, ça n'a aucune importance.

– Si, ça en a. »

Plus tard, chez elle, ils terminent une bouteille de vin blanc très froid qu'il a trouvée dans le congélateur, un chablis, puis ils en ouvrent une autre.

Il sait tout ; comment et quand ça finira. Il sent le pouvoir caché du désir de Telen ; pourtant, il a besoin de s'étendre auprès d'elle sans un mot, dans la chambre silencieuse. Dans le silence de Telen. Il l'imagine endormie. Il sait qu'elle collera son corps au sien, tel un animal cherchant à préserver sa chaleur. Il veut voir son visage guérir. Elle est innocente. Il se demande s'il arrivera un jour à se sentir la pénétrant, aimerait que son innocence soit tout ce dont il a besoin pour résoudre son problème.

C'est le soir, la pièce est presque sombre. Quand le moment est venu de savoir, quand ils sont complètement déshabillés, étendus sur le lit, Telen lui tournant le dos, elle sent sa chaleur, l'entend murmurer le nom « Elaine, Elaine, Elaine ».

Mais il ne peut pas faire ce qu'elle veut qu'il lui fasse, ce qu'il veut lui faire. Il ne peut pas. Pendant un long moment il transpire sur elle dans le noir. Puis il se sent rouler hors du lit. Elle entend la bouteille de vin vide se briser contre le mur, les bouts de verre volant sur les tapis et les coussins, des miettes d'émeraude sur les draps. Sa photographie de La Madeleine vole en éclats. L'autre bouteille explose dans la baignoire.

Le comportement d'un fou. Il ramasse les bouts de verre. Elle voit qu'il a pleuré. Il est dangereux, mais demeure fascinant à ses yeux. *Son impuissance est absurde, un problème mineur. Je peux y remédier. Je peux éveiller son désir.*

Le lendemain matin, dans l'air rance, il déclare :

«Je me demande si je pourrai un jour t'aimer.»

Telen retient son souffle.

«Peut-être que tu devras d'abord oublier Elaine.

– Quoi?»

Sa stupéfaction se lit sur son visage.

«Elaine, tu m'as appelée Elaine quand tu essayais de me faire l'amour.

– Vraiment?

– Oui, mais tu es avec moi, pas avec elle.»

Elle est sérieuse. Elle a quitté le lit pour se rendre à la salle de bains. La porte est presque fermée.

«J'ai quelque chose à te dire, Telen, quelque chose d'extrêmement important.

– Tu es marié.

– Oui. Je suis marié.» Puis, aussitôt : «Ça reste entre nous, d'accord? Je ne veux pas que Billy ni qui que ce soit le sache.»

Telen ferme les yeux, elle comprend combien il aurait été facile de l'aimer.

«Tu l'aimes?

– Oui.

– Et c'est sérieux entre vous?

– Très sérieux.»

Elle se couvre la bouche, soupire. Elle voudrait mourir sur-le-champ.

«Peter.» Elle regagne la chambre, ses cheveux sont épinglés en arrière, elle porte un pantalon de jogging, un soutien-gorge blanc. «Bon sang, pourquoi ne m'en as-tu rien dit? Tu as eu un tas d'occasions de le faire. Pourquoi n'as-tu pas eu cette honnêteté?

– Ma femme est invalide.»

Il lui parle alors d'Elaine. Du mariage jamais consommé. Du viol le soir de la nuit de noces à New York. Des violeurs qui n'ont jamais été arrêtés. Du déménagement sur la côte ouest. De ses visites à Sondelius. De sa belle-mère. Quand il a fini, Telen a préparé du café et placé des cubes de melon dans des bols.

«Peter, c'est affreux.» Elle est ravie. «Tu portes en secret ce poids énorme, c'est pour ça que tu es si détaché.

– Je dirais plutôt que je suis déglingué, Telen.

– Es-tu toujours en colère?

– Oui.»

Il saisit théâtralement sa main.

«Je ne m'en suis jamais remis.

– Mais tu ne le montres pas.

– Si.

– Je n'ai jamais rien remarqué.

– Est-ce que tu me crois?»

Elle n'a jamais songé à douter de lui.

«Est-ce que tu veux la rencontrer?»

Oui, ça lui ferait plaisir.

ROBIN TESSANDER

Dans le *Los Angeles Times*, un papier sans preuves :

LA BELLE VIE
Par Robin Tessander

Votre serviteur a appris de la bouche d'une personne proche de sa source que l'une des dernières victimes de Toyer est en phase de guérison. Naturellement, je ne peux pas vous révéler laquelle, mais il est possible qu'elle se remette suffisamment vite pour révéler l'identité de Monsieur T. dès le début du mois prochain. Nous mourons d'impatience de savoir qui il peut bien être. De Robin à Toyer : Ça suffit ! Vous avez anéanti douze superbes, douze adorables femmes. Vous avez embarrassé la justice en prétendant ne pas être un assassin. Vous vous êtes montré plus fort que la science, vous avez vaincu la police de Los Angeles. D'accord, d'accord. Vous êtes une légende. Maintenant, tirez-vous, OK ? Foutez-nous la paix.

C'est son métier.

MEYERSON

Meyerson appelle le docteur T au Kipness. À propos du papier de Robin Tessander dans le *Times*.

« Ma secrétaire a lu cet article dans la rubrique des potins. Est-ce qu'il y a du vrai là-dedans ?

– Je ne sais pas, monsieur Meyerson, je ne l'ai pas lu.

– Il paraît que l'une de vos victimes se porte beaucoup mieux. Je veux qu'elle parle à Perrino, qu'on lui montre des photographies, qu'elle dresse un portrait-robot, et ainsi de suite. »

Dans l'après-midi, le docteur T le rappelle.

« J'ai parlé au docteur Garance, malheureusement ce n'est pas vrai. Beaucoup trop tôt, peut-être dans deux semaines. »

ELAINE

S ondelius. Ciel blanc brûlant. Pas un chat à
la ronde. À l'ombre, les oiseaux dessinent
des silhouettes obscures.

Peter glisse difficilement son alliance plate en or sur
son doigt en sueur. Telen attend dans la voiture, cachée.
Elle voit Ann quitter la maison, marcher jusqu'à sa
vieille Buick et s'éloigner.

Une minute plus tard, Peter apparaît à la porte et fait
signe à Telen. Il la guide à l'intérieur, lui fait traverser le
salon obscur. Des flaques de lumière brutales jaillissent
sur les rebords de fenêtre, sous les volets tirés. Elle va
rencontrer sa femme.

C'est la première fois que Telen entend un silence
absolu depuis qu'elle est arrivée à Los Angeles. Elle se
tient, stupéfaite, à un mètre cinquante d'Elaine. L'horloge
en argent est silencieuse.

Elle perçoit la beauté du visage d'Elaine.

« Quel âge a-t-elle ? »

C'est tout ce qu'elle parvient à dire. Elle ne voit pas la
rangée de coupures de journaux punaisées au mur, dans
l'ombre, derrière elle.

Au bout d'un moment, Peter répond :

« Presque 20 ans. » Puis : « Va m'attendre dans la
voiture. »

Une fois Telen sortie, il s'adresse à sa femme :
« Elaine. Veux-tu qu'elle soit ma maîtresse ? »
Il attend. Il répète sa question. Elaine ne répond rien.

PETER MATSON

Plus tard, centre-ville de Los Angeles. Après avoir bu trop de thé noir glacé et mangé des *dim sum* avec des baguettes bon marché dans Chinatown, ils arpentent les rues mexicaines. Telen s'accroche à la main de Peter. Elle n'arrive pas à oublier Elaine.

Ils essaient de manger de la soupe *albondigas* à Las Mananitas, le restaurant mexicain à côté de chez Telen. La chaleur douce de la soupe les fait transpirer. Leurs coudes collent à la toile cirée couverte de motifs. Peter déclare que vingt millions de personnes vivent à Mexico, et que tout ce qu'ils ont réussi à pondre, ce sont des tacos, des burritos, et de la soupe avec des boulettes de viande hachée.

Chez Telen, allongés côte à côte.

«Je te plains de devoir porter un tel fardeau», déclare-t-elle.

Elle passe le bout de ses doigts sur son pénis, aussi légers que des papillons de nuit. Elle veut qu'il la prenne maintenant. C'est évident. Lorsqu'il lui touche le clitoris, c'est une sensation exquise, il n'a jamais rien senti d'aussi délicat. Ils se touchent mutuellement jusqu'à ce qu'elle jouisse. Lorsqu'elle lâche son pénis, il est inchangé. Abattu, Peter s'endort. Telen sent la présence d'Elaine toute la nuit, son fauteuil roulant se dressant au-dessus d'eux, près du lit.

Le lendemain matin, il trouve un mot à son réveil. Telen est partie lire les petites annonces, elle cherche un travail. *J'ai tout de même adoré hier soir, Peter.*

Tout de même. Elle a écrit ça sur du papier qui ressemble à une culotte de petite fille, rose avec des bordures blanches dentelées.

Un moulin à café, quelques grains de café dans un bocal et une petite cuiller dans une tasse l'attendent à côté du mot. Le comptoir de la cuisine est taché. Il trouve par hasard une petite croix en teck sur laquelle est collé un christ argenté, presque nu. Il y a du rouge à lèvres sur une tasse. Des slips, des soutiens-gorge, des T-shirts sont empilés dans un coin du placard, attendant d'être lavés. Des cheveux se sont agglutinés dans le lavabo. Elle est partout autour de lui.

En rentrant chez lui à Silverlake, il s'aperçoit qu'il n'a pas le choix : il doit soit faire l'amour à Telen, soit l'offrir à Elaine.

MAUDE

Dans la matinée, il est surpris de lire ce que Maude lui a écrit dans la tribune. Elle se montre brusque, intuitive :

Toyer,
Je sais qui vous êtes. Vous êtes méticuleux, répétitif, précis, compulsif. Vous avez du charisme, vous êtes attirant. Vous avez une vie fantasmatique riche. Vous croyez que votre inhumanité est teintée d'humanité. Vous sentez la rage monter en vous et vous vous en prenez à des innocentes que vous détruisez. Je suis persuadée que ce n'est pas ce que vous voulez. Vous n'arriverez pas à me convaincre du contraire. Si nous pouvions discuter tous les deux, je ferais tout mon possible pour vous libérer. Quand la cause de votre douleur sera éliminée, vous serez libre. Vous sentirez votre colère diminuer et vous n'aurez aucune raison de continuer. Vous vous fondrez dans la foule. Peut-être un jour vous porterez-vous suffisamment bien pour éprouver du remords. Je vais vous suggérer de faire la chose la plus difficile que j'aie jamais demandée à un patient. Au lieu de détruire une nouvelle femme, détruisez la chose qui vous pousse à agir de la sorte. Vous savez de quoi il s'agit. Vous

n'aurez besoin de la détruire qu'une fois, et vous serez libre. Tuez-la. Peut-être est-ce même une chose que vous croyez aimer, mais tuez-la. Pour nous, ce serait une prière exaucée, et pour vous ?

C'est signé « Docteur Maude Garance ».

Est-ce que je vous comprends bien ? Il relit la lettre. *Tuer la chose qui me pousse à être Toyer. Sinon je continuerai* ad infinitum *? Tuer la chose que j'aime comme on tue un cafard ? Nous devons discuter, docteur Maude. Vous voulez que je la tue ? Ma pauvre femme innocente ?*

TOYER

Midi. Il se tient dans le salon de Maude, regarde dans la chambre. Il y a quelques minutes, depuis l'autre côté de la rue, il l'a vue partir. Entrer dans la maison a été un jeu d'enfant, il a gardé la clé de la porte de derrière.

Dans la chambre, le lit béant, les draps par terre, les livres de travers, deux ouverts sur le lit. Les colonnes de lit en bois tourné attirent son regard. Elles sont basses, il en saisit une, robuste. Il ramasse un soutien-gorge beige, peut-être celui qu'il a déjà vu. Il est à peine visible, ne remplirait pas une tasse à café. La photo de «Mason» dans le cadre argenté a disparu.

Il sent une présence dans la pièce. Quelque chose bouge près de la fenêtre. Il sursaute, se retourne. Un chat endormi. Jimmy G se réveille, lui lance un long regard noir, puis tourne la tête, fait un brin de toilette, se prépare à se rendormir. Il ne se rappelle pas avoir vu de chat l'autre soir. *Elle ne vit pas seule.*

La commode est encombrée, perles de verre, boutons de manchette en nacre, boucles d'oreilles toutes simples, plusieurs petits vaporisateurs de parfum. Il s'asperge le cou et les bras avec chacun d'entre eux. *Pourquoi pas ? Elle ne sentira jamais ma présence dans sa chambre.*

Il y a des messages sur son répondeur. L'un d'eux a été laissé par un homme : « Chérie, j'ai lu ton papier aujourd'hui et je crois que tu te montres imprudente. Le libérer et le guérir sont deux choses différentes, non ?... » Un message de Sara Smith : « Formidable, Maude, vous jouez son jeu, il est forcé de vous répondre. »

Peut-être. Peut-être que je répondrai. Peut-être ce soir, dans le noir. Il faut que je vous parle. J'apporterai mon sac de magicien.

Plusieurs heures plus tard, dans l'air épais, il se tient dehors, devant la fenêtre du salon. Un homme imposant est en train de lire sur le divan, un verre à la main. La femme dans la chambre se déshabille et fait sa gymnastique, sous le regard d'un chat.

Elle lui a dit qu'il devait tuer la chose qui fait naître sa rage. Que quand la cause de sa douleur aura été éliminée, il n'aura plus aucune raison de continuer ainsi. Qu'il se sentira même peut-être soulagé.

Dois-je tuer Elaine ? Est-ce que c'est ce qu'elle entend par « tuer la chose que j'aime » ? Telen ou Elaine ? Je ne peux avoir ni l'une ni l'autre, pas tant qu'elles seront toutes les deux en vie.

ELAINE

Près de Sondelius, le lendemain après-midi, le calvaire d'Elaine touche à sa fin. Sous un ciel bleu infiniment vaste. Sa période d'ambiguïté s'achève.

Au volant de la Cadillac Eldorado bronze de Billy, Peter n'a jamais vu un jour si splendide. Le sable brûlant, les broussailles, les arbres de Josué, les fleurs du désert, la chaleur chatoyante qui forme des mirages limpides, la voiture qui roule vers des plans d'eau imaginaires flottant au-dessus de la route. Le désert magique soudain vivant malgré les étals de vendeurs ambulants et les stations-service.

Quand il frappe à la porte, Ann regarde dehors avec son éternelle expression inquiète. Elle ne l'attendait pas aujourd'hui, elle prend peur. Aucune victime n'a été annoncée aux informations. La maison est en désordre. Elaine a mangé, mais elle n'a pas été lavée.

« J'étais dans le coin. » Elle acquiesce. Quelque chose ne tourne pas rond, il n'a pas de journal sous le bras. « Ça n'est pas important », ajoute-t-il.

Ann est certaine qu'il est Toyer. Elle file aussitôt au marché.

Peter rend hommage à Elaine, debout devant son fauteuil roulant, en lui offrant des fleurs coupées, toujours des roses. Elles sont trop rouges, leur parfum, trop riche. Il porte son alliance au doigt, l'horloge argentée produit son tic-tac brutal contre le mur.

« Elaine. Merci. D'être ma femme. Merci. »

Il pose les fleurs sur ses cuisses. Aujourd'hui elle sent l'urine. Les roses.

Il attend un signe.

Sa vie n'a été qu'une longue nuit frappée de stupeur, depuis New York jusqu'à cet instant. La destruction de son esprit, de son âme, de ses yeux, de sa personne. Tout cela n'est rien. Les roses assassinées gisent sur ses mains.

Il attend.

Il est face à un jardin de fleurs en soie où rien ne meurt jamais ; un monde de volontés imposées, de pénétrations forcées.

Une rose glisse et tombe à terre. Il ne la ramasse pas. Il se penche en avant. Avec le pouce, il bloque le flot lent du sang d'Elaine. Il tombe à genoux, pose la tête sur ses cuisses. Comme toujours, il regrette de ne pas pouvoir lui poser les questions qu'il voudrait. Trop tard, elle est morte depuis trop longtemps. Une femme avec qui il n'a jamais pu partager quoi que ce soit, avec qui il n'a jamais pu discuter, vivre, faire l'amour. Des larmes coulent sur ses joues.

Elle reste immobile dans son fauteuil roulant, la tête inclinée sur le côté, de la bave suintant de sa bouche. Il attend, observant l'horloge qui voudrait être ailleurs.

Puis la main d'Elaine retombe, sa tête bascule en avant, ses épaules tirent sur les sangles. Peter marche jusqu'à la fenêtre. Sans le savoir, Elaine aurait vécu assez longtemps pour voir le troisième millénaire depuis son fauteuil roulant.

Lorsque Ann revient du marché, elle sait. L'air est différent dans la petite maison. Elle pénètre dans la chambre d'Elaine, voit Peter à genoux, la tête sur les cuisses de sa fille, priant. Tout est également fini pour Ann, mais son expression ne change pas. Elle est libre.

Plus tard, sur le chemin du retour, Peter se sent euphorique, exalté, aussi frémissant qu'un arbre dénudé en hiver dont les branches sentent soudain la prochaine floraison.

PETER

C'est fini. Il regagne son appartement de Silverlake après s'être arrêté boire un café. Tout s'embrouille dans sa tête. Il fait encore jour.

Un message l'attend sur son répondeur. Son agent qui annonce qu'ils n'ont toujours pas reçu de réponse définitive après son audition pour une pub pour le fromage Velveeta. Il ne réussira jamais en tant qu'acteur. Il appelle Telen.

Elle explique qu'elle s'est inquiétée pour lui. Où était-il ? Il lui répond, sans entrer dans les détails. Il doit la voir, ajoute-t-il.

Tard, ils se retrouvent dans le café en face de son appartement de Silverlake. C'est un établissement sans nom, il s'appelle simplement *Café*. C'est la fermeture.

Dans l'escalier de son immeuble, Telen devant lui, marche après marche. Le locataire du deuxième étage, qui vit ici depuis une éternité, examine Telen à mesure qu'elle grimpe. C'est un homme négligé d'une cinquantaine d'années qui vit parmi les cendriers. Il sourit sur leur passage, mais ce n'est pas le genre de sourire qu'on a envie de retourner. Tandis qu'ils attaquent la dernière volée de marches en direction de son grenier solitaire, Peter regarde les mollets brillants de Telen. Il touche l'arrière de ses cuisses, soulevant sa jupe tourbillonnante. L'escalier est étroit, bordé de traces d'ongles.

Sur la dernière marche, Telen tourne la clé, ouvre la porte. Peter lui saisit alors la cheville, l'attire en arrière jusqu'à ce qu'elle soit par terre, lui écarte violemment les jambes. Il la pénètre contre la porte ouverte, la bloquant pour qu'elle ne se referme pas. Telen, surprise, a le souffle coupé, elle n'en revient pas de sa puissance. Elle jouit immédiatement.

N'importe qui pourrait les entendre, ou même les voir en levant les yeux depuis la cage d'escalier. Mais ils s'en foutent. C'est soudain, rapide et brutal. Une embuscade, une passion effrayante, excitante.

Elle retombe en arrière à bout de souffle, en suspens. Ils se glissent dans l'appartement, rampant à moitié sur le sol inégal, sur la poussière. Elle continue de ressentir des tremblements dans les reins. Il ferme la porte d'un coup de pied. Un mélange de sueur, de salive, de sperme, de sécrétions, de crasse, couvre le visage, les bras, les fesses de Telen. Il pose la tête sur sa poitrine, de sorte qu'elle ne voit que son cou. Du bout des doigts, elle caresse la sueur dans ses cheveux. Elle sent de légers spasmes agiter Peter. Il pleure. Il a l'oreille juste sous sa poitrine et entend le battement rapide de son cœur à travers son soutien-gorge : lub-dub, lub-dub, lub-dub, lub-dub.

Je peux tout pardonner à Peter.

Dans l'appartement, il met en route les ventilateurs sur pied, qui se mettent à gronder comme des terriers. Il se laisse tomber en arrière sur le lit, elle lui ôte son pantalon. Tandis qu'il a les genoux en l'air, il sent l'odeur des cuisses de Telen. Elle reste sur lui.

« Mon Dieu, Peter. » Elle est fébrile, surprise. « Qu'est-ce qui t'arrive ?

– Je me sens libre. Gémis, crie, hurle, je veux que tout le monde sache. »

Sa première véritable expérience sexuelle depuis plus d'un an. Bientôt, il aura de nouveau besoin d'elle.

Stupéfaits l'un par l'autre, ils font l'amour à la lueur de bougies jumelles. Il masse avec le pouce chaque muscle du corps de Telen avant de la pénétrer. Après coup, silence, étendus côte à côte, leurs orteils se touchant à peine, regardant les lignes du plafond dans la lumière sale.

Dans le matin gris, Peter voit son reflet dans le miroir de la salle de bains, un homme d'une vingtaine d'années qui a aujourd'hui les yeux plus verts que marron. Tout est nouveau. *C'est fini. Ils parleront de moi pendant des années. Ils s'interrogeront. Je serai ailleurs*. Il est euphorique. Il se voit dans le miroir, il voit ses ancêtres qui ont marché jusqu'au Kentucky. Il se sent américain. Ils traverseront le pays en voiture.

Lorsqu'il ressort de la salle de bains, il se plante devant le lit et annonce avec gravité à Telen qu'Elaine est morte, qu'il n'a pas voulu lui en parler la veille.

« Je suis désolée, Peter. »

Elle est folle de joie, il est à lui.

« Enfin, ça faisait un bout de temps qu'elle était mourante. »

Telen sait que ce sera une bonne chose pour eux. Elle ne le dit pas, se contente de déclarer qu'Elaine a été épargnée, que c'est une bénédiction, qu'elle est enfin libérée de son fauteuil roulant. *Et nous aussi*. Ils le sentent tous deux dans le matin frémissant, tout est clair, comme si une fumée s'était dissipée entre eux. L'amour. Ils sont Priape et la nymphe. Elle n'a pas eu d'autre homme, a été abstinente. Lui aussi.

Elle sait. Peter est désormais tout ce qu'elle a toujours voulu chez un homme. Intelligent, drôle, charnel, pas beau au point qu'elle ait à s'inquiéter constamment. Il est attentionné, et elle est persuadée qu'il ne lui fera jamais de mal. Certaines femmes au seuil d'un amour formidable se figent un instant et prononcent leur prénom suivi du nom de famille de leur amant : *Telen Matson.*

Quant à Peter, c'est la première fois qu'il se sent animé par quelque chose de vraiment positif depuis la lune de miel à New York. Une fois encore, les étoiles tournent en harmonie, tout fait sens. C'est l'amour. Il sent sa tension dans son corps.

MAUDE

Personne n'est au courant de leur liaison au Kipness, à part peut-être Chleo. Le docteur T semble moins négligé, mieux rasé, propre comme un sou neuf. Ses cheveux sont séparés par une raie, il porte du parfum. Ses chaussures sont plus petites. Les cheveux de Maude sont désormais suffisamment longs pour qu'elle puisse les coiffer à sa guise, parfois elle porte une robe, des talons bas. Ils murmurent fougueusement dans les bureaux, s'embrassent dans les ascenseurs, se touchent devant les patientes de Maude. Quand ils se croisent en courant dans les couloirs, ils se sourient en secret, faisant mine d'être simplement collègues, comme toujours, comme avant.

Ils sont au lit quand Chleo appelle.

« Docteur Garance, je vous réveille ?

– Oui, Chleo, vous me réveillez. »

Elle dit ça gentiment, ça n'a aucune importance. Le docteur T se réveille lentement, un bras en travers des hanches de Maude.

« Eh bien, vous m'avez dit de vous appeler si c'était important.

– Je sais, et il n'y a pas de problème, c'est bon. »

Chleo met un moment à poursuivre.

« L'œdème de Melissa a diminué vers 5 h 30 ce matin, j'ai pensé que vous voudriez être informée.

– Vous avez bien fait, merci, très bonne nouvelle, du changement sur son échelle de Glasgow ?

– Je crois qu'elle est montée à 12. »

12 ! Sur une échelle de 15 ! Maude est complètement réveillée.

« Comment arrivez-vous à ce chiffre, Chleo ?

– Eh bien, docteur Garance, elle était déjà à 9, exact ? La réponse verbale est toujours à 2. Les yeux sont indéniablement à 4. La réponse motrice est grimpée à 4, peut-être 5, donc ça la mène à 12. »

Non, 11.

« Ça fait 11. 11 maxi, Chleo.

– Oui, quelque chose comme ça.

– Comment est sa réponse motrice ?

– Elle fait vraiment beaucoup d'efforts. »

Elle réfléchit.

« La réponse verbale ?

– Elle essaie, vous savez. Elle cherche à dire quelque chose. »

Elle parlera bientôt.

« Quelle heure avez-vous, Chleo ?

– 7 heures.

– Je vais essayer de persuader le docteur Tredescant d'effectuer une craniotomie sur elle plus tard dans la journée. »

Elle lui embrasse la nuque. Il ne réagit pas, faisant à merveille semblant de dormir.

« S'il accepte, j'aimerais y assister, dit Chleo.

– Vous rentrez chez vous de bonne heure, non ?

– J'étais censée terminer à 6 heures, mais je resterai ici. Je vais m'allonger dans la salle des infirmières au sixième, réveillez-moi quand vous arriverez, docteur.

– D'accord, Chleo, je n'y manquerai pas. J'appelle le docteur T sur-le-champ. Encore merci, Chleo. »

Elle repose doucement le téléphone, comme si la sonnerie n'avait pas réveillé Elias. Elle appuie son visage contre son dos large et chaud.

« Elias, tu es réveillé ? » Il soupire, se retourne, sans ouvrir les yeux. « Tu as entendu ça ?

– Si elle est prête, je suis prêt.

– Elias, Elias, Elias. »

Quel son magnifique.

MELISSA

C'est une intervention risquée, mais ils n'ont pas le choix, c'est soit ça, soit la condamner à une mort certaine. Maude regarde le docteur T ouvrir un volet dans le crâne de Melissa Crewe au moyen d'une scie de Gigli. Il est irrésistible, a des mains de joaillier, grandes, fines, il est sûr de lui. Elle l'observe à travers une vitre. Il est étonnant sous les lumières, sa finesse est phénoménale, la patiente semble minuscule sous lui. Sa puissance pénètre par la petite ouverture qu'il a découpée dans le crâne. La crainte de Maude que les choses tournent mal s'envole chaque fois qu'elle le voit opérer.

Ils vont bientôt savoir. Après l'opération, ils s'entretiennent dans le couloir. Le cerveau de Melissa a décompressé. Le docteur T a percé trois couches de crâne, trois couches de cerveau, a réussi à réduire le gonflement provoqué par la quantité d'eau dans les tissus. La craniotomie est un succès. La tête de Melissa a été rasée, on dirait une famélique, ses yeux sont ceux d'un survivant de l'Holocauste. Plus tard, dans son lit, pansée, elle semble élégante, voire à la mode.

Maude est émue lorsqu'elle quitte Melissa. Elle retrouve le docteur T dans le couloir ciré du sixième étage, l'embrasse sur la bouche devant Chleo, qui pousse son cri de corneille inimitable.

ELAINE

Elle est morte. L'enterrement aura lieu cet après-midi à 15 heures au cimetière Heavenly Rest entre Sondelius et Ojai. Peter a d'ores et déjà dit à Ann de faire graver une pierre tombale, avec l'argent de l'hôtel, bien entendu.

La vue depuis l'appartement de Telen. Il pourra regarder par la fenêtre autant qu'il voudra, elle ne vaudra jamais le coup d'être contemplée.

« Tu veux venir à l'enterrement ?

– D'accord. »

Telen n'a pas le choix. *Notre première sortie en amoureux. Messe, déjeuner, enterrement, dîner, baise.*

Peter est allongé sur le lit, Telen est dans la salle de bains. Sous les draps, c'est comme sous une tente de nomade où se mêlent leurs odeurs, les parfums de leurs substances essentielles en train de sécher. Rien de familier, rien que Peter ait déjà senti ailleurs, pas une odeur d'algues échouées, ni de feuilles de chêne moisies, ni de cire de bougie acidulée. C'est une odeur unique, la leur, un agréable tour de la nature.

Telen se tient sur la pointe des pieds, levant les bras devant le placard ouvert, elle est nue. Elle attrape son chapeau d'été orné d'un ruban, le pose sur sa tête. Il accentue sa nudité. Elle a une expression de fillette, les hanches fines, la poitrine de taille moyenne, mais elle peut être ouvertement féminine, dégager une sexualité débridée. Il sent naître une érection. C'est une sensation nouvelle. Il ne se lasse pas d'elle, il la désirera doré-navant à chaque instant. Il lui demande duquel de ses parents elle tient ses yeux. Il cherche constamment à parler avec elle. Personne ne se doutait qu'elle aurait les yeux si clairs, explique-t-elle. Ses yeux, quand elle était bébé, étaient bleu marine.

« Qu'est-ce que je vais mettre ?

– En plus du chapeau ? Des chaussures. »

Elle s'assied, croise les jambes, enfile une paire de sandales à talons hauts dotées d'une multitude de fines lanières.

« Qu'est-ce que je vais mettre ?

– En plus des chaussures et du chapeau ? Mets ta robe rouge. »

La robe rouge. Dans les restaurants, quand elle la porte, les hommes qui ne veulent pas être vus en train de la reluquer bouche bée lui lancent des regards sévères par-dessus leur menu.

« Le rouge ne convient pas aux enterrements. »

C'est la couleur de la fête.

« Tes chaussures sont noires.

– Je ne peux pas, Peter, pas de rouge.

– Si, tu peux, Telen, elle est partie pour un monde meilleur. »

Il la regarde disparaître petit à petit dans la robe rouge. C'est une personne extraordinaire qui est en train de s'habiller, plus jolie et plus intelligente que lui.

Il l'aime, il ne s'y attendait pas. Il veut qu'elle sache tout de lui. Il veut trouver une manière de lui dire.

« Est-ce que je mets une culotte ?

– Oui.

– Quelle couleur ?

– Tu choisis. »

Elle enfile un slip noir tout simple.

Ma croix.

MAUDE

Midi. Maude est assise dans son bureau sombre. Elle compose le numéro du procureur adjoint.

« J'aimerais parler à Bob Meyerson. »

La femme lui demande d'un ton gai qui elle est et, lorsqu'elle entend le nom de Maude, la met en attente sans ajouter un mot. Choisir envers qui elle va se montrer grossière fait partie de sa routine quotidienne. Lorsqu'elle reprend la conversation, elle a perdu son ton gai, mais semble se réjouir de ce qu'elle a à annoncer.

« Je suis désolée, *docteur*, M. Meyerson est en réunion tout l'après-midi.

– Est-ce que vous voulez bien prendre un message ? »

La femme pousse un soupir, un soupir si manifeste que Maude se retient de ne pas lui raccrocher au nez.

« Quel est le message ?

– Dites à M. Meyerson que Melissa Crewe est prête à le voir. »

PETER

Peter vu d'en haut, seul dans une église vide, en train de prier. Une église grecque orthodoxe en bois dans la 3ᵉ Rue. Le matin lumineux vu à travers les portes ouvertes, des vitraux simples. Une vieille femme grecque passe un balai de paille, soulevant de la poussière dans la lumière.

Comme les portes de l'église étaient ouvertes, ils sont entrés. Ils n'en avaient pas l'intention, mais c'est une église après tout, jolie qui plus est. Telen a gravi l'escalier pour explorer la galerie et regarde Peter depuis son perchoir. Il a les épaules voûtées, les genoux qui touchent le sol. Elle entend un piano, quelqu'un qui répète au sous-sol, sous le plancher de bois, une simple phrase élégiaque.

Tout ça, c'est à cause de ce que Maude lui a écrit. C'est elle qui l'a amené ici, qui lui a donné son extase et son chagrin. Comment a-t-elle su que c'était Elaine qui le poussait à faire ce qu'il faisait, qu'elle était sa reine fantomatique, celle qui gouvernait sa vie, son incapacité ? Elaine. Qui l'obsédait dès son réveil, à toute heure du jour.

Le premier souvenir de Peter en tant que catholique. Il avait 6 ans quand il a vu le corps percé de clous accroché à un mur au-dessus d'objets en or posés sur un autel. Il a eu envie de vomir, puis il a pris peur. Un cadavre pâle et bleuâtre pas plus grand que lui, des jambes de joggeur, pas mort depuis longtemps, mais aussi mort qu'un poisson hors de l'eau. Il ressemblait à son père. Il l'a regardé fixement, espérant que ses yeux s'ouvriraient. Ils ne se sont pas ouverts, et il s'est endormi. Mais il est revenu le dimanche suivant, fasciné, inquiet, excité.

Telen est redescendue de la galerie. La vieille femme au balai la regarde, lorgne sa robe rouge. *C'est une robe d'enfant. Elle n'est pas des nôtres, regardez-la, on dirait une catin.*

Telen s'assied sur le banc derrière Peter, elle l'entend pleurer doucement, l'entend murmurer : «Tu ne tueras point.» Elle lui touche l'épaule. Il se retourne, attend. Et elle voit quelque chose sur son visage.

Elle comprend aussitôt. Mais soudain ça n'a plus aucune importance. Telen l'aime, elle aime sa chaleur. Elle sent un frisson frais s'élever entre ses fesses, remonter le long de sa colonne vertébrale. *J'accepte.*

Elle fait le tour du banc et s'assied à côté de lui.

«On peut partager ça entre nous, Peter», murmure-t-elle.

Et les autres ? Est-ce qu'on va aussi les partager entre nous ?

L'assentiment de Telen l'excite. Il baisse la main et lui ôte ses sandales de soirée, les embrasse. La vieille femme l'observe. *Qu'est-ce que ce crétin est en train de fabriquer avec ses chaussures ?*

Ils s'agenouillent pour prier, s'appuyant contre le banc devant eux. Peter glisse la main entre les jambes de Telen, ses doigts sous sa culotte noire, puis, de sa main libre, saisit sa main et la place dans son propre pantalon. Ils se servent de leurs doigts tels des sculpteurs, en silence, dans la maison de Dieu, les yeux fermés, chacun façonnant l'argile de l'autre. Soudain les doux gémissements de Telen cessent et Peter crie trop fort. La vieille femme file aussitôt chercher un responsable.

ELAINE

14 heures. Ils attendent le prêtre. Tous les trois. Un petit homme mexicain équipé d'une pelle neuve les regarde, assis à l'ombre. Les arbres sont rares, les pierres tombales, modestes, c'est une région fermière, il y a des parcelles d'herbe rêche et, ici et là, un minuscule drapeau, mexicain ou américain, des pots de fleurs séchées.

C'était autrefois l'endroit idéal pour un cimetière, construit sur une petite élévation, mais des maisons ont été bâties alentour et des enfants les observent derrière une fenêtre, ils entendent le murmure réconfortant d'une autoroute.

Ils sont trois, sans compter Elaine, qui gît dans une boîte noire brillante maintenue par des sangles de toile au-dessus d'un trou profond.

Ann porte une robe grise toute simple qui ressemble à un sac. *Elle ne se rend plus compte de l'allure qu'elle a.* Tandis qu'ils attendent le prêtre, elle se dirige vers le Mexicain assis à l'ombre. Il se lève à son approche. Son nom est Manuel. Lorsqu'il ôte son chapeau de paille, elle voit qu'il a les cheveux noués en queue-de-cheval. Elle demande à Manuel si l'herbe poussera sur la nouvelle tombe. Il répond, *On ne sait jamais, c'est très sec par ici.* Elle le remercie, ajoute qu'elle apportera peut-être des graines et de l'eau, ça dépendra. Il la salue et se rassied. Elle ne sait pas s'il faut donner un pourboire aux fossoyeurs ; peut-être que ça porte bonheur.

«Je ne me sens vraiment pas à ma place, déclare Telen.

– C'est normal dans un cimetière.

– Ce que je veux dire, c'est que je suis ta maîtresse et qu'il s'agit de l'enterrement de ta femme.

– Elaine comprendrait. Tu es fabuleusement belle.»

Et c'est vrai. Ses jambes émergent de la robe rouge juste au bon endroit, ses sandales ressortent sur le vert poussiéreux, le soleil cogne brutalement sur ses épaules dénudées.

Le prêtre arrive sur une moto, il s'appelle père Josh et n'est d'aucune confession particulière. Il lit des passages de Dylan Thomas et de Stephen Spender, deux de ses auteurs préférés. C'est très beau. Ann ne peut retenir ses larmes, s'accrochant au bras de Peter. Tout au long de la brève cérémonie, Manuel ne peut s'empêcher de lorgner Telen, ses pieds enveloppés dans des sandales, ses minces jambes de danseuse, la courbe de ses reins, son visage sans tache, ses cheveux bien coiffés, le soupçon de son pubis. Elle est le rêve du fossoyeur.

Lorsque Manuel abaisse le cercueil par à-coups, ils jettent des mottes de terre. Peter s'arrange pour glisser un billet de dix dollars au Mexicain. Comme ils s'éloignent, Manuel rebouche le trou, et l'un des enfants qui les observent derrière une fenêtre lance à Telen : «*Puta, puta, mamame la pinga.*»

«Qu'est-ce que ça veut dire ?

– C'est un compliment, surtout venant de ces gamins.»

Après quoi Peter les invite à manger un morceau chez Mister Smiths's Waffle House, sur la route de Sondelius, un énorme chalet bleu et orange où chaque prix se termine par «,95». Ils commandent des gaufres beurrées au sirop. Peter a une faim de loup, les gaufres sont parfaites, il mange celle d'Ann.

Ann explique qu'elle compte rester à Sondelius un peu plus longtemps, jusqu'à la fin du bail, aux alentours de la nouvelle année. Elle songe à s'installer ensuite au Canada, elle n'aura pas grand-chose à emporter.

«Pourquoi le Canada?

– Je ne sais pas. J'ai toujours voulu aller là-bas.»

Pendant qu'il mangeait, Peter caressait l'intérieur des cuisses de Telen sous la table, mais maintenant qu'Ann leur parle, elle a resserré les jambes, bloquant ses assauts. Ils en sont toujours à ce stade où elle peut resserrer les jambes.

«J'espère que ça ne vous ennuie pas que je sois venue aujourd'hui, dit Telen à Ann.

– Non, non. Peter m'a dit que vous connaissiez Elaine.»

Comme si elles étaient amies.

Quand Peter va régler la note, Ann tend le bras par-dessus la table, saisit la main de Telen. C'est une petite femme dotée d'une forte poigne.

«Vous l'aimez, n'est-ce pas, Helen?»

Telen ne prend pas la peine de la reprendre.

«Oui», répond-elle.

Le visage d'Ann est fiévreux. Elle a les yeux humides de larmes.

«Il est toujours très perturbé.

– Je sais.

– Non. Je ne crois pas que vous sachiez. Il est extrêmement perturbé.

– À cause de ce qui s'est passé à New York.

– Oui, *et de tout ce qui s'est passé depuis.* Est-ce qu'il va
s'arrêter maintenant ?

– Arrêter quoi, arrêter d'être perturbé ?

– Ça et *le reste.* C'est mal... Helen.

– Je ne comprends pas.

– Faites-le arrêter. Vous pouvez le faire. »

Elle perçoit désormais la terreur sur le visage de
la femme, une terreur véritable, à côté les larmes ne
sont rien.

« S'il vous aime, il vous écoutera.

– Je suis désolée, Ann, je ne sais pas de quoi vous
parlez.

– Il ne sait pas que je sais. Ne lui dites jamais que c'est
moi qui vous l'ai dit. Promettez-moi. »

Elle acquiesce, *oui.* Peter marche en direction de
la table.

« Maintenant, Ann, parlez-moi du Canada. »

TELEN

Cette nuit-là. Il est allongé, après l'amour, la tête entre les seins de Telen, écoutant les battements de son cœur. Elle sourit au plafond, les yeux fermés. Lui aussi. Il a constamment envie d'elle. Il l'a écartelée et a dansé le flamenco en elle. Il a irrité les lèvres de son vagin.

C'est un confessionnal. Il vient de lui dire qu'il sait qu'il l'aime.

Avant de le rencontrer, elle a été amoureuse quatre fois. Mais jamais vraiment.

Il affirme qu'ils étaient tous les deux vierges. Qu'on est vierge jusqu'au moment où l'on tombe amoureux pour la dernière fois.

Ils sont allongés face à face dans l'obscurité, leur cœur battant à l'unisson, se regardant à n'en plus finir.

Et des heures plus tard, quelque part entre la première lueur annonciatrice de l'aube et le matin gris, Telen, qui ne dort pas, repense au visage fébrile et larmoyant d'Ann, à ses doigts qui agrippaient sa main, et elle se demande ce qu'elle entendait par : *Faites-le arrêter.*

YELLEN

L'édition dominicale de l'*Herald* est étalée
sur le bureau du procureur Ray Yellen :

TOYER ABANDONNE !

« Mon cul qu'il abandonne ! »

L'assistant Bob Meyerson est assis dans le bureau du procureur, l'inspecteur I. Perrino et une imposante collègue sont également présents. La première page du journal les nargue.

« Il continue de se foutre de nous, déclare Meyerson.

– Ouais, ouais, ouais », répond Yellen.

Il accuse le coup. Il a convoqué une réunion spéciale.

« Je suppose que nous sommes censés nous réjouir, reprend Meyerson.

– C'est ça, faisons la fête.

– Vous devriez remercier ce médecin, Ray.

– Quel médecin ?

– Le docteur Barjo. »

Meyerson en fait désormais une affaire personnelle.

« Je ne veux pas qu'il suive une psychothérapie, je veux le faire condamner.

– D'abord un procès, et après un traitement. Dans cet ordre.

– D'abord une arrestation, et après un procès. Nous avons besoin d'une arrestation.

– Qu'est-ce qui nous en empêche ?

– Son invisibilité. S'il abandonne, il peut se faire oublier une bonne fois pour toutes.

– Peut-être qu'il a déjà quitté l'État.

– Possible.

– Qu'est-ce qu'on a ? Rien. Son groupe sanguin ? Quelques empreintes de poing ? Une taille de chaussure, un échantillon de cheveu ?

– Rien qui permette de l'arrêter.

– Je veux qu'il soit condamné, pas soigné, insiste Meyerson.

– Je sais, Bob, si on ne le condamne pas, ils vont nous lyncher.

– Qui ça, les journalistes ?

– Vous croyez que c'est fini ? Simplement parce qu'il arrête ? On a ce putain de bouquin qui nous attend, pardonnez mon langage, mesdames.

– Son bouquin ?

– Ils publient un foutu bouquin avec des photos.

– Quand ?

– Noël.

– L'hiver va être long.

– Ça, on peut le dire. Des photos des douze filles. Avant, après. Des photos de leurs appartements, de nos commissariats. Des cartes, des graphiques. La totale. Voilà ce qui nous pend au nez. »

PETER

Le matin. La première odeur lugubre du jour. Les ventilateurs qui s'agitent en ronronnant, décrivant des arcs de cercle brusques. Telen somnole, sur le dos, telle une femme en train d'accoucher. Peter est recroquevillé sur lui-même comme l'enfant qu'elle est en train de mettre au monde, éveillé, effrayé par la lumière du jour.

Deux jours se sont écoulés depuis l'enterrement, il a hâte d'acheter l'*Herald*, de lire sa lettre d'adieu à Maude Garance.

Dans la rue, tous les exemplaires de l'*Herald* se sont arrachés comme des petits pains. *La célébrité. J'abandonne en pleine gloire.* Il attendra la prochaine édition. À contrecœur, il achète le *Los Angeles Time* du dimanche, porte l'énorme journal jusqu'au café, semant en route les prospectus qu'il contient.

Il s'assied seul sous l'auvent, face à son appartement, commande un express en faisant signe à travers la vitre à l'homme qui se tient derrière le bar en cuivre. Finalement, à 10 heures, le camion de l'*Herald* s'immobilise au coin de la rue. Une liasse cubique de journaux est balancée sur le trottoir.

La voilà. Dans un encadré. Sa lettre est traitée comme une *information*, pas comme un compte-rendu personnel.

Le gros titre du jour, en haut à gauche de la première page :

TOYER ABANDONNE !
POUVONS-NOUS CETTE FOIS LE CROIRE ?
TOYER FAIT SES ADIEUX
PRÉTEND AVOIR TROUVÉ LA FOI
Par Sara Smith
Exclusivité du *Los Angeles Herald*

C'est exactement ce que Peter voulait. Il a forcé O'Land à imprimer sa lettre un dimanche en la postant un samedi matin.

Los Angeles. 26 août – Hier, Toyer a fait parvenir ce qu'il prétend être sa dernière communication au journal. Comme à chaque fois, la lettre ci-dessous a été reçue à nos bureaux par courrier. Nous n'avons aucune raison de douter de son authenticité.
Chère docteur Garance, j'ai lu dans ces pages la semaine dernière que si je détruisais ce qui me poussait à m'en prendre aux femmes, je cesserais de le faire. J'ai donc détruit cette chose. Ça a été plus difficile que vous ne pourrez jamais l'imaginer, mais je l'ai fait. Cette chose est partie. Bien entendu, je ne peux pas vous dire de quoi il s'agissait, mais j'en ai fini avec Toyer. Nombreux sont ceux qui devraient remercier le docteur Garance. Naturellement, mes femmes et leurs familles ne considéreront pas cela comme une fin heureuse, mais elles conviendront que ça aurait pu se terminer de façon bien pire.

Le serveur mexicain pose une tasse devant Peter.

« Je n'ai jamais tué avant la semaine dernière, déclare celui-ci, je le jure sur ma vie. »

Le serveur acquiesce, sourit. *Aucune idée de ce que raconte ce type.* Moustache en désordre, une abondance de dents immenses. Peter avale le café noir corsé, continue de lire. Toyer abandonne pour être proche de quelqu'un...

... qui m'aime et me comprend. Je peux désormais commencer à vivre une vie normale avec la femme que j'aime. Je compte laisser le passé à jamais derrière moi et tourner la page...

Ses propres mots. Il a signé la lettre, comme toujours, *Toyer*. Tout est fini.

Il aperçoit alors Telen, cette femme qu'il aime, à travers la fenêtre de l'autre côté de la rue, la fenêtre de sa propre chambre. Elle sort de la douche, étincelante, s'essuie avec une serviette. Elle le voit en train de lire le journal à voix basse, bougeant les lèvres. Il s'essuie les yeux avec une serviette en papier. Telen le regarde.

Depuis qu'Ann lui a agrippé la main au restaurant, il y a deux jours et demi de cela, Telen ne cesse de se demander ce qu'elle a voulu dire. *Faites-le arrêter.* Pourquoi semblait-elle avoir peur de Peter ? Malgré elle, elle a commencé à chercher des indices.

Elle ne peut pas demander à Peter, bien entendu, elle a promis de ne rien dire. Ann est la seule personne qui puisse lui expliquer.

La fenêtre est ouverte, Telen s'affaire dans l'appartement vétuste, elle s'habille, fait le lit, puis retourne dans la salle de bains où flotte l'odeur de la crème à raser de Peter, se sèche les cheveux.

Par la fenêtre, elle le regarde lire. Son menton tremble, sa nuque. Pourquoi s'essuie-t-il constamment les yeux ? *Est-il en train de pleurer ? Quelque chose dans le journal le fait pleurer. S'agit-il d'Elaine ?* Il pose la section qu'il lisait sur la chaise à côté de lui, en attrape une autre.

Elle passe une jupe vite fait, s'attache grossièrement les cheveux, enfile des chaussures basses sans chaussettes ni bas, descend rapidement l'escalier et traverse la rue jusqu'au café.

Elle s'assied à côté de lui, lui touche le genou, puis, tandis que sa main remonte le long de sa cuisse, elle sent son excitation à travers le tissu. À peine vingt minutes sans elle. La promesse est claire, ils feront l'amour bien avant le coucher du soleil.

« Je t'aime, Telen. »

Il dit ça d'un ton sans réplique, c'est une déclaration. Il lui touche la main. Il est parfaitement heureux.

« Je t'aime aussi. »

Ils n'ont jamais été aussi bien, plus légers que l'air. Il poursuit sa lecture, elle soulève la section qu'il a posée sur la chaise. Il n'y a rien dans la partie supérieure de la première page qui soit susceptible de le faire pleurer. Un article sur un attentat au Moyen-Orient. Politique, base-ball. Un papier sur Toyer qui a trouvé l'amour. Elle replie l'*Herald*.

Les yeux de Peter sont humides.

« C'est à cause d'Elaine ?

– Oui. »

Il s'agissait donc simplement de ça. Elle profite néanmoins de l'ouverture.

« Peter, je suis vraiment désolée pour Ann. J'aimerais lui reparler.

– Elle n'a pas le téléphone.

– Pourquoi n'irions-nous pas la voir samedi ? »

Il pousse un léger grognement, ne lève pas les yeux.

« Je pourrais préparer le déjeuner. J'adore la route, c'est si joli », insiste-t-elle.

Il pose doucement le journal, comme si celui-ci risquait de se briser en mille morceaux.

« J'aimerais vraiment laisser tout ça derrière moi, Telen.

– Je comprends. Je pourrais y aller seule ?

– Non. »

Il lit, impénétrable.

« Oh ! Peter, pourquoi pas ? »

Le silence est trop long. *Je n'irai jamais là-bas derrière son dos.* Le serveur arrive, Peter ne répond pas à Telen.

« Mais pourquoi es-tu tellement contre, Peter ?

– Pourquoi es-tu tellement pour, chérie ?

– Ça te pose un problème ?

– Oui.

– Pas à moi. C'est juste une petite femme triste avec de grosses chevilles qui vit là-bas toute seule. »

Je ne connais même pas son nom de famille.

« C'est un très mauvais souvenir.

– Je sais, Peter, mais pas pour moi.

– Certes, mais... »

Il s'interrompt, lui saisit soudain le visage à deux mains, la regarde droit dans les yeux.

« Laisse tomber, Telen.

– Pourquoi, Peter ? »

Il peut tout me dire, il n'y a rien, absolument rien qui puisse changer mes sentiments pour lui.

« Je t'expliquerai. Mais pas maintenant. »

Sans savoir pourquoi, elle saisit de nouveau le journal sur la chaise. Elle éprouve une petite appréhension, mais le fait tout de même. *Il doit y avoir un indice.*

La première page. Elle secoue la tête.

« Tellement déprimant, dit-elle.

– Oui, c'est pour ça que ça plaît.

– Je suppose. Encore une bombe. Oh ! Toyer jette l'éponge, bon débarras.

– On dirait qu'il abandonne une bonne fois pour toutes. »

Peter déclare que c'est sans doute la dernière fois qu'elle lit quelque chose écrit de sa main. Puis il ajoute :

« Peut-être que ce n'est pas une si bonne chose au bout du compte.

– Qu'est-ce qui te fait dire ça ?

– Eh bien, qu'est-ce que tu ressentirais si tu étais la mère de Felicity Padewicz ?

– Pendant que lui serait consultant de mode à Miami ou je ne sais quoi.

– Exact. Mais c'est une vraie star, je ne serai jamais aussi célèbre que lui, ça, c'est sûr. »

Peter dit ça sans ciller. Ses yeux sont plus clairs que le ciel.

« Une star ?

– Bien sûr, une star d'un nouveau genre. Il ne s'agit pas de lui, mais de notre perception de lui. »

Il attend, prudemment. *C'est une très belle lettre, peu importe qui l'a écrite. Quelque part au plus profond de ton adorable esprit tu dois t'en rendre compte, Telen.*

« Tu ne le respecterais pas par hasard, si ? »

Peter ne répond pas.

« Tu le respectes. Oh ! mon Dieu. »

Elle sourit. Puis elle éclate de rire.

« Je respecte ce qu'il essaie de faire en ce moment.

– Il devrait se tuer.

– Il est incapable de tuer, Telen. Personne ne l'a jamais compris, mais il est probablement catholique.

– Il est probablement schizophrène. »

Il replie le journal, fait signe au Mexicain.

« Le serveur ne te fait-il pas penser à Zapata ? »

Elle ne sait pas qui est Zapata. Peter commande un deuxième express puis change d'avis et commande un *machiatto*. Telen secoue la tête.

« Je suis sûr que tu as raison, Telen, les schizophrènes peuvent s'observer pendant qu'ils font quelque chose de complètement dingue, et ils le savent, mais ils se regardent tout de même en train de le faire, comme n'importe quel badaud, ils ne peuvent pas se retenir, c'est un truc ahurissant. » Tandis qu'il parle, ses yeux passent rapidement du visage de Telen aux fenêtres de son appartement de l'autre côté de la rue. « C'est comme si tu pouvais te tenir à ma fenêtre et te voir en même temps assise ici avec moi. » *C'est ce qu'il m'a dit à la plage.* « Parce que tu es complètement détaché. »

Telen sent une vague étincelante déferler sur elle, sa nuque se met à transpirer. Elle se sent mal à l'aise. Elle veut qu'il lui fasse l'amour pour faire disparaître cette sensation.

MAUDE

Plaquée! C'est écrit, là, dans l'*Herald* du dimanche matin. *Fini. Il abandonne une bonne fois pour toutes pour être avec quelqu'un qui l'aime et le comprend. Libre, jeune, heureux. Il ne causera plus de soucis, ni à moi ni à personne. Il traversait juste une mauvaise passe. Doux Jésus!*

Sara l'appelle.

«Quelle jolie lettre d'adieu! Imaginez ça, il commence une nouvelle vie. Comme le duc de Windsor quand il a abdiqué du trône d'Angleterre pour la femme qu'il aimait.

– J'adore quand il dit qu'il veut laisser le passé derrière lui et tourner la page, ironise Sara. C'est ce qu'ils disent tous. Les politiciens, les hommes d'affaires, les criminels, ils disent tous "tourner la page". »

Mais cette lettre est ce dont Maude a besoin ; c'est une ouverture.

«Répondez-lui, Maude, prenez un stylo dès maintenant et répondez-lui immédiatement. Vous devez apporter votre papier avant 15 heures car c'est dimanche et Jim va vouloir le publier demain matin. »

Maude sait qu'elle ne peut pas guérir Toyer, personne ne le peut, c'est un mensonge. Elle veut qu'on le retrouve, elle ne veut pas qu'il puisse se balader librement et heureux, elle veut qu'il passe le restant de ses jours derrière les barreaux. Et alors plus personne ne croira à cette histoire de scalpel.

Le papier est vite rédigé, à 11 heures il est terminé. Maude appelle le docteur T, ils se retrouvent pour un brunch chez Sam & Sam's à Beverly Hills.

Saumon fumé écossais, citron, fromage frais, câpres, tomates cœur-de-bœuf bien juteuses, oignon doux finement tranché, *bagels* nature toastés. Le docteur T appelle ça la *guerre des Six-Jours*. Il fronce les sourcils tandis qu'elle lui lit sa réponse à Toyer. Il sait que c'est tout ce qu'elle peut faire, sa dernière salve. Ils se retrouveront pour dîner au restaurant Bouffe le Dindon et, plus tard, ils passeront la nuit ensemble.

À 14 h 30 elle a porté sa lettre au rédacteur du dimanche, son jeune admirateur boutonneux. Il lui a réservé un espace dans la tribune pour la première édition du lundi. *Peut-être que ça marchera.*

PETER

La nuit. Ils sont chacun à une extrémité du salon de Peter. La lueur de deux bougies vacille sur les poutres sombres des combles. Deux ventilateurs leur soufflent directement dessus. Lui est par terre, allongé nu sur des coussins, regardant fixement le plafond, crispé. Telen est détendue, affalée sur une chaise en bois, ses jambes minces tendues devant elle. Elle porte un jupon, un soutien-gorge détaché. Une culotte sèche sur une corde à linge dans la salle de bains.

C'est au tour de Peter de jouer. Un échiquier invisible flotte quelque part dans la pénombre entre eux, près du plafond en pente. Bizarrement, Telen lui a appris à jouer aux échecs à l'aveugle. C'est un jeu mystérieux. Pour la première fois, Peter sent son cerveau dans son crâne, qui s'agite tel un écureuil pris au piège, comme s'il avait des doigts minuscules, comme si c'était une partie de son corps douée de mouvement. Il se sert de son cerveau comme un gymnaste. C'est Telen qui lui a montré comment faire. Quand elle avait 9 ans, elle a rencontré Bobby Fischer.

Il a retenu mentalement leurs cinq premiers mouvements, s'imagine l'échiquier suspendu aux poutres au-dessus de lui.

«Tu m'uses le cerveau, tu sais ?» Il a l'impression d'avoir du sable dans le crâne, ressent comme une friction dans sa tête. «Je vais devoir le lubrifier.

– À toi de jouer. On le lubrifiera plus tard.»

Il sourit. Il n'arrive plus à se concentrer. Il aime perdre contre elle, la voir gagner. Au bout d'un moment, il dit :

«Fou en cinq.

– Non.

– Pourquoi pas ?

– Ton pion est en quatre.»

Il s'imagine les mains de Telen volant au-dessus des pièces. *L'échiquier a des limites, mais les échecs n'en ont pas,* affirme-t-elle. *Comparés à l'amour, les choix sont innombrables, le nombre de parties possibles est infini.*

Elle gagne facilement avec les noirs, scellant rapidement le sort de la partie en sacrifiant une tour contre un pion, empêchant une contre-attaque au centre quand les pièces de Peter se retrouvent isolées.

«J'abandonne, dit-il.

– Souviens-toi que tu es censé dire merci.

– Merci. J'ai été plutôt bon, non ?

– Oui. Si seulement tu arrêtais d'essayer de me déconcentrer.» Telen fait glisser ses talons, écarte les jambes. «Tu m'as bien dit que tu avais besoin d'être lubrifié, non ?»

Nous avons toujours mieux à faire. Quand me parlera-t-il ?

Mais peut-être n'a-t-elle pas besoin de savoir. Elle a trouvé l'homme de sa vie, a fait son nid. Et quand les nuits d'été se feront moins chaudes, elle voudra dormir dans ses chemises de coton blanc.

MAUDE

Telen n'achète jamais le journal, mais ce matin, si. C'est comme s'il était écrit qu'elle lirait la lettre de Maude Garance.

RÉPONSE DU DOCTEUR GARANCE À TOYER

Toyer,

Si votre promesse d'abandonner pour toujours est sincère, ce sera un miracle sans précédent.

Vous dites que vous avez trouvé une femme avec qui partager votre vie. Vous l'avez convaincue que vous pouviez lui offrir un «amour normal». Les gens changent. Je le comprends. Mais vous n'êtes pas guéri. L'amour vous fait peut-être vous sentir bien, mais il ne guérit pas tout.

Vous affirmez être «normal». Mais qu'en savez-vous? Vous avez un côté normal en vous, comme tous les schizophrènes, qui vous permet de vivre au jour le jour.

Mais la rage et la déchirure qui sont à l'origine de votre psychose sont encore présentes en vous.

Vous promettez une «vie normale» à cette femme que vous aimez. Peut-être même aurez-vous un comportement «normal» avec elle, mais vous n'êtes pas normal. Vous êtes capable de faire machine arrière à tout moment, à la moindre contrariété.

Avez-vous dit à cette femme que, pendant que vous dansez avec elle, vos douze victimes pourrissent dans des pièces spéciales dans des centres de soin, dans des hôpitaux, chez leurs parents? Ou bien évitez-vous d'aborder le sujet?

Si elle vous aime vraiment, elle prendra conscience de vos récents exploits. Donc, si vous l'aimez vraiment, vous devez lui parler.

Docteur Maude Garance

Telen absorbe ce qu'elle vient de lire, tourne la page.

TELEN

Elle a raison. Elle dit à Peter qu'il n'y a pas de romance à Hollywood, que chaque nouvel arrivant s'en rend compte par lui-même. Tout est trop facile, on a toujours le temps à Hollywood. C'est trop près du Mexique, un pays vraiment romantique en comparaison.

De longues nuits d'échecs et de sexe, de défaites et de victoires, il la stimule avec sa Variation Rubinstein, pénétrant encore et encore sa défense Nimzo-indienne.

« Tu savais que les pièces de jeu d'échecs ont peur du noir ?

– Non, répond-il, surpris.

– C'est un fait. Quand on les remet dans la boîte, elles s'accrochent les unes aux autres. La reine choisit l'un des pions et l'emmène dans le château et elle le laisse lui faire l'amour. C'est son droit en tant que reine.

– Et le roi ?

– Rien pour le roi. Parfois il part avec un fou. »

Ce soir, elle le bat si vite qu'il met une heure à avoir envie de lui faire l'amour. Il est ébloui et intimidé, il aime ce qu'il ressent. Elle le submerge avec tous ses besoins.

Elle a changé depuis qu'ils se sont rapprochés. Elle regarde les gens et se demande qui ils sont, non pas si elle leur plaît ou non. Elle marche différemment, sans

dodeliner de la tête, avançant droit, par grandes enjam-
bées. Elle ne s'habille plus pour les inconnus, ne passe
plus son temps à s'acheter de nouveaux vêtements, elle
s'en fout. C'était le seul bon côté d'Hollywood, il n'y
avait rien d'autre. Maintenant elle peut partir.

Ils ont tous deux changé. Peter veut que leur liaison
soit comme un mariage, moins provocante.

Sa mère l'avait prévenue qu'elle serait trop intelligente pour Hollywood, qu'elle avait du goût, de
l'éducation, la tête bien faite. Telen avait répliqué qu'elle
voulait tenter le coup, qu'elle était encore suffisamment
jeune pour perdre un an ou deux. Elle avait refusé de se
laisser décourager. Ce serait une blague ! Tout ce qu'elle
voulait, c'était être autorisée à pénétrer Hollywood et
jouer dans un monde improvisé où tout était temporaire, en mouvement, où tout le monde pouvait se sentir
important, pouvait s'inventer un quotidien. Elle mourait
d'envie d'être observée. Sa mère avait dit qu'au bout
d'un an, soit elle épouserait un acteur, soit elle serait
tuée par un acteur. C'était un choix intéressant. Mais au
bout du compte, il ne s'était rien passé. Elle avait passé
un an en ville et ne s'était même pas fait agresser une
seule fois.

Elle a la nausée. *Peut-être que je lui demanderai demain.*
Elle sent le vomi lui monter dans la gorge. Elle file à la
salle de bains, ferme la porte.

PETER

Le lendemain matin, après avoir regagné son appartement de Silverlake, Peter ouvre les fenêtres et allume ses deux petits ventilateurs portables.

Il a trouvé un pigeon dans l'allée près des poubelles, derrière la maison. Le pigeon a une patte abîmée, un moignon rose enflé. Il est désormais dans le salon, dans une boîte plate sous la fenêtre, picorant du pain mouillé. De temps à autre il cesse de manger, regarde Peter et pousse un petit gazouillis. Comme s'il demandait la permission de mourir.

Peter allume son ordinateur et se met à écrire. Ça l'apaise. Au bout de quelques minutes, ses paupières se ferment, il bâille, éteint l'appareil. Il est constamment en danger. Il se lève, se déshabille, s'étend de tout son long sur les draps propres, noue un foulard de soie autour de ses yeux pour faire le noir. Il voit Maude penchée au-dessus de Melissa. C'est une scène magnifique.

Mais il n'arrive pas à s'ôter Telen de la tête. Tout le monde peut décrire la beauté, personne ne peut l'expliquer. Il saisit son pénis. Ensuite, il s'endort. Quand il y pense, ce qu'il a fait commence à le terrifier.

MELISSA

Ce soir Melissa Crewe semble comprendre ce que l'inspecteur I. Perrino essaie de faire. Il lui a fait écouter un message téléphonique qui commence par *Tango, Oscar, Yankee, Echo, Romeo* en espérant qu'elle se souviendrait de la voix. Perrino tient une fois de plus le petit magnétophone à proximité de son oreille droite, repasse l'enregistrement du coup de fil que Toyer a passé depuis l'appartement de Melissa au commissariat de Santa Monica. La voix enregistrée est intime, claire. « *Il y a une femme pour vous. Son nom est Melissa Crewe...* »

Quand elle entend Toyer prononcer son nom, elle sait, cligne deux fois des yeux, laisse couler ses larmes. Elle détourne la tête de manière infime.

Ça fait cinq jours qu'ils viennent voir Melissa. Les sessions sont brèves, pas plus de cinq minutes. L'inspecteur I. Perrino est accompagné d'un autre homme, un dessinateur de la police, ainsi que d'un interniste et de Chleo. Melissa est fatiguée. Chleo est chargée de surveiller l'heure. Quand elle leur dit que le temps qui leur est imparti est écoulé, Perrino et le dessinateur se retirent à la cafétéria, où ils attendent pendant une heure que Melissa soit reposée, avant de recommencer. Ce soir ils touchent au but. Perrino appellera Bob Meyerson dès qu'ils auront un portrait-robot.

Ça n'est pas toujours simple. Parfois Melissa parvient à cligner deux fois des yeux quand elle voit une image qu'elle reconnaît, parfois elle replonge dans son abîme.

Petit à petit, les morceaux de Toyer s'assemblent. C'est un homme, blanc, il a les cheveux clairs, plaqués en arrière comme ils l'étaient le soir où elle l'a rencontré. Il a des mains puissantes et soignées. Il dépasse le mètre quatre-vingts, est mince, bronzé, il a les yeux clairs, peut-être bleus, s'habille en noir. Il n'a pas de tatouage, est hétéro-sexuel, ne fume pas, il est propre. Quand le dessinateur lui montre un portrait-robot, elle cligne deux fois des yeux.

Perrino appelle Meyerson chez lui pour lui dire qu'il en sait assez, qu'il est prêt à lancer les recherches. Demain il demandera à ce qu'un garde soit posté devant la porte de Melissa. Meyerson appelle son patron, Ray Yellen, lui aussi chez lui, et l'informe qu'ils sont prêts, qu'ils ont le portrait-robot. Il suggère qu'il serait peut-être bon d'organiser une conférence de presse demain, suffisamment tôt pour qu'elle soit reprise dans les émissions de télé du matin et dans les premières éditions de l'*Herald* et du *Times* local. Ray Yellen se tiendra sur l'estrade devant le sceau de la Californie et les drapeaux habituels, face aux projecteurs, avec Bob Meyerson sur sa droite. Il dévoilera au monde la première représentation de Toyer, sa description exacte. Bien sûr, il y a eu de l'aide extérieure, mais c'est son bureau qui a identifié Toyer. La presse lui rendra hommage, c'est le moins qu'elle puisse faire.

Meyerson rappelle Perrino. Il veut voir le portrait-robot. L'inspecteur demande à Chleo où se trouve le fax. Elle répond qu'elle va lui montrer.

SARA

Dans le couloir du sixième étage, Sara Smith, vêtue de blanc, se tient à la cabine téléphonique, en pleine conversation avec O'Land. Elle serre une photocopie du portrait-robot que Chleo lui a faite. Elle n'a jamais vu un type avec une tête pareille. Il a l'air mauvais, elle ne le laisserait jamais entrer chez elle. C'est juste une esquisse. Yeux en amande, visage arrondi, indistinct. Il n'est pas hispanique, ni noir. Il est blanc, avec les yeux clairs, les cheveux plaqués en arrière, un nez plutôt long. Tout juste un semblant de visage. Un avocat pourrait déclarer : « Ça pourrait être n'importe qui. » Mais il ne ressemble à personne que vous connaissez. Les portraits-robots ne ressemblent jamais à quelqu'un que l'on connaît, vivant ou mort. Des représentations de visages inhumains, tous coupables.

Elle dicte son papier à O'Land au téléphone. Sous sa signature, il lui accorde un encadré avec le portrait-robot dans la partie supérieure de la une de la première édition. Encore un scoop de Sara Smith :

Enfin, le portrait-robot tant attendu de Toyer tel que s'en souvient Melissa Crewe depuis son lit d'hôpital. Il a été dessiné par un illustrateur de la police. Melissa a fourni la description du visage de son agresseur en clignant des yeux en réponse aux questions qui lui ont été posées.

Dans quelques instants, elle lui faxera le portrait, le scoop du siècle. Elle ne tremble plus à cette idée. O'Land lui demande quels sont ses projets d'avenir.

Après avoir raccroché, elle appelle Maude. Sa ligne est en dérangement. Elle appelle l'opérateur téléphonique pour signaler le problème.

AMALIA MALDONADO

C'est le serveur du café qui lui a donné la carte de visite. Voyance. Sra Maldonado. L'adresse se trouve juste au coin de la rue.

C'est dingue.

Pourquoi m'a-t-il donné cette carte ? Pourquoi ne l'ai-je pas jetée ? Elle se sent attirée. C'est plus que de la curiosité. En se rendant chez Peter, elle passe devant l'enseigne lumineuse accrochée à la fenêtre du rez-de-chaussée, dans Cadogan Street, à deux rues de Sunset Boulevard. Le néon cramoisi qu'elle n'a jamais vu éteint dessine le contour d'une main dans la fenêtre. Le mot *voyance*. Puis, écrit à la main au crayon rouge sur une feuille blanche scotchée juste sous l'enseigne lumineuse : « Señora Amalia Maldonado ».

« Je suis la *señora* Amalia Maldonado. »

Une voix riche et dédaigneuse, une voix de reine espagnole. Les yeux de Telen ne sont pas encore habitués à l'obscurité du petit vestibule. Maldonado est une femme gigantesque. *Qu'est-ce que je fais ici ?*

Elle tend la main, une main douce et sèche, mène Telen au salon proche, glissant à reculons comme si elle était montée sur des roulettes dissimulées sous sa longue robe. C'est une robe énorme, richement décorée, matelassée. *Elle porte son dessus-de-lit.*

« Je ne peux vraiment pas rester, *señora*, merci, je suis en retard. Je suis désolée.

– Non, non, non, restez, vous n'êtes pas forcée de me payer. »

Maldonado est habituée aux hésitations des novices, parfois à leur peur. Elle sourit en gonflant les lèvres, lève le menton, elle sait qui a besoin d'elle.

« Est-ce que je pourrais utiliser votre téléphone, s'il vous plaît ?

– Il n'y a pas de téléphone ici. »

Maldonado hausse les épaules comme si elle ne voyait pas à quoi pourrait lui servir un téléphone.

Telen reste plantée sur place, vêtue d'une robe bleu pâle à boutons que Peter aime. Elle est embarrassée, le corps énorme de Maldonado bloque l'accès au vestibule.

« Je n'ai pas besoin de téléphone, mademoiselle, pour quoi faire ? »

Telen ne peut pas continuer, elle ne peut pas s'asseoir. De l'encens de bois de santal brûle, trois lampes sont allumées, mais il n'y a toujours pas assez de lumière. Le salon est encombré de choses mortes, de magazines hors d'âge, il y a un animal empaillé à l'expression hostile sous une cloche en verre, des cannes de marche, une peau de bête carnivore au sol. Un casque allemand. Des étoffes de soie décorées, un coquillage, de fins os blancs.

« Je vous en prie. » Maldonado désigne de la main un fauteuil en velours rougeâtre, le fauteuil du client. C'est une femme échevelée avec de petites touffes de poils sur le visage. « Cette couleur s'appelle rouge Goya, connaissez-vous Goya, mademoiselle ?

– Oui, bien entendu.

– C'est mon ancêtre. »

La *señora* Maldonado est espagnole, pas mexicaine ; pour éviter toute confusion, elle explique à Telen qu'elle est originaire de Saragosse.

« Pourquoi êtes-vous venue me voir, mademoiselle ?

– Vraiment, je n'aurais pas dû.

– Je ne vois pas pourquoi, vous avez beaucoup de problèmes. »

Telen s'assied.

« Vous voulez en savoir plus sur un homme.

– Oui. »

La *señora* Maldonado dévisage Telen sans se presser, opinant du chef. Avant d'ajouter autre chose, Telen ouvre son sac à main. Elle a entendu dire que les diseuses de bonne aventure devaient voir de l'argent sur la table pour pouvoir effectuer leurs prédictions. Amalia lui fait signe de le refermer. Elle porte de nombreuses bagues.

« Vous me paierez ce que vous voudrez », dit-elle. Comme si l'argent la dégoûtait, comme si elle y avait renoncé et n'existait dans cette pièce que pour le plaisir de ses hôtes. « Payez-moi plus s'il est mort. »

Une odeur d'encens flotte dans l'obscurité. Telen perçoit une autre odeur en provenance du tapis. Une odeur de chien. Il est invisible, elle ne demande pas où il est.

« Est-il vivant ?

– Oui. »

Maldonado soupire.

« Les vivants peuvent poser problème. »

Prudemment, elle tire d'un sac en cuir une boule de cristal grosse comme une balle de base-ball, l'astique avec son écharpe tout en observant Telen, la pose sur un morceau de velours orné de pompons noirs. Telen la regarde positionner la boule de cristal. Elle s'y reprend à plusieurs fois pour arriver au résultat idéal, la faisant tourner encore et encore jusqu'à ce qu'elle soit satisfaite. De minuscules poils noirs poussent sur ses doigts et dépassent au-dessus de ses bagues.

« Vous avez très peur.

– Oui. »

Pour la première fois Telen entend ce qu'elle dit. *J'ai peur de l'homme que j'aime.*

La femme continue de plonger le regard dans la boule de cristal. Elle n'a pas besoin de la confirmation de Telen. Elle lève les yeux, observe attentivement sa cliente.

« De quoi avez-vous peur ?

– Je pensais que vous me le diriez peut-être. »

La femme remue, ferme presque les yeux, continue de fixer sa boule de cristal.

« Quel crime cet homme a-t-il commis ?

– Un crime dont vous n'avez jamais entendu parler, *señora* », répond doucement Telen.

Les crimes ne sont pas partout les mêmes.

« Vous n'êtes pas la première jeune fille à venir pleurer auprès d'Amalia Maldonado à cause d'un criminel en fuite. *Asi es la vida.* »

Le moment est venu de s'en aller. La femme ne peut rien pour elle. Telen se lève à demi, rouvre ostensiblement son sac à main, fait glisser trois billets de cinq dollars sur la table. *Plus qu'assez pour quelqu'un qui raconte n'importe quoi.*

Maldonado pose la main sur celle de Telen, plonge le regard dans sa boule de cristal en se couvrant le visage. Ses yeux sont brillants, son expression bienveillante. Une minute passe. Telen perçoit une odeur de fleurs. Elle sent qu'un chien la regarde, mais elle ne le voit pas. Amalia Maldonado oscille majestueusement. Elle semble avoir cessé de respirer. Soudain elle sursaute, tel un train qui s'arrête brutalement. Quand elle parle, sa voix est douce, curieuse.

« Il y a des morts ? »

Elle demande ça en toute simplicité, comme si elle voulait savoir l'heure. La question vient de nulle part.

« Des morts ? »

Pourquoi demande-t-elle ça ?

Maldonado insiste, d'un ton ferme, comme si elle était en train de faire une découverte.

« Je vois beaucoup de morts. »

Cela semble impossible. Telen ne répond pas, ses doigts sont moites, elle sent la pièce qui se resserre autour d'elle. Elle est pâle, aussi pâle qu'un verre de lait.

« Je vois la mort, mademoiselle. »

C'est une affirmation. Une certitude absolue. La femme recouvre la boule de cristal avec le sac en cuir comme pour la protéger de Telen. Elle lève les yeux, son expression bienveillante a disparu, ses yeux noirs sont pleins d'assurance. Telen y voit de la férocité, ses énormes sourcils se touchent. La femme se lève, immense.

« S'il vous plaît, allez-vous-en. »

La *señora* Maldonado touche le revers de la main de Telen.

L'énorme chien qui a toujours été présent se lève dans l'obscurité, à côté de la *señora* Amalia Maldonado, les oreilles dressées, sur le qui-vive.

«S'il vous plaît, rendez-moi ma carte. Ne dites à personne que vous êtes venue ici, je ne vous ai jamais vue.»

Docilement, Telen rend sa carte à la femme, traverse le vestibule, ouvre la porte de l'appartement. Elle heurte un mur de chaleur épaisse, sort d'un pas chancelant, aveuglée par l'intensité saisissante du soleil du début de soirée. Quand elle se retourne pour fermer la porte, la femme est là. Elle tend la main et touche le bras de Telen.

«Partez, mon enfant, je vois beaucoup de morts.»
Telen est stupéfaite. *Elle sait.*

La *señora* Maldonado roule en boule les billets de Telen et les jette derrière elle, forçant Telen à se baisser pour les ramasser sur le trottoir. La porte se referme en claquant.

TELEN

La route jusqu'à Sondelius est grisante. *Quitter Los Angeles est grisant.* Elle ne connaît pas l'adresse d'Ann et va devoir se débrouiller pour la trouver. Elle sait qu'elle reconnaîtra une maison ou une rue, mais une fois sur place, impossible, rien n'est familier, la ville est petite mais elle n'a pas de centre, il y a trop de routes.

À la station-service elle demande le chemin du cimetière Heavenly Rest. Elle partira de là-bas, se remémorera la route qu'ils ont empruntée après l'enterrement.

Son plan fonctionne. Mais Ann n'est pas chez elle. Telen ouvre la porte grillagée, la porte de derrière n'est pas fermée à clé. « Ann ? Ann ? » Elle se fraie un chemin à travers la cuisine rance, s'attendant à trouver n'importe quoi, un cadavre. Il n'y a rien à voler. Un grille-pain. La maison est ombragée. À chaque porte elle demande, « Ann ? »

Le salon, ses lampes au garde-à-vous, le divan sale. La chambre, un petit lit fait avec soin, des murs décrépis. La salle de bains, son faux carrelage. De la rouille scintille derrière le lavabo.

La chambre d'Elaine. Elle est comme avant, le tapis a été enlevé, le plancher est nu. Le fauteuil roulant brille dans un coin, replié. Propre. Une odeur de poutres sèches, les stores à demi baissés, la lumière du dehors rebondit sur le plafond, les murs sont nus hormis celui derrière la porte.

Il y a un alignement de fines coupures de journaux. De gauche à droite, une succession de jolis noms, de Virginia Sapen à Nina Voelker. Ce pourraient être des critiques de livres. Des noms de brillantes femmes défuntes.

Pourquoi ? Qui a accroché ça au mur ? Ann ? Non. Ann était terrifiée. Est-ce de cela qu'elle voulait parler ?

Telen a la bouche sèche, elle se sent faible, elle va tomber si elle ne s'assied pas. Elle déplie le fauteuil roulant d'Elaine, se laisse tomber dedans, se penche en avant. Mais ça ne va pas mieux, elle se demande si elle va vomir. De l'autre côté de la fenêtre, les chênes secs chatoient dans des mares d'ombre noire, une terre sans eau, Telen imagine des moutons, des vaches. Elle vomit soudain, trop tôt, elle n'a pas eu le temps de se lever. Son petit déjeuner verdâtre jaillit de sa bouche, et elle regarde d'un air stupide le vomi sur ses chevilles et ses jolies chaussures.

L'estomac noué, les idées se télescopant dans sa tête, elle se lave l'un après l'autre les pieds dans l'évier de la cuisine, nettoie le vomi dans la chambre. La nausée ne la quitte pas. Lorsqu'elle finit de nettoyer, il est 15 heures. Elle ne peut pas continuer d'attendre Ann. Elle est partie depuis trop longtemps. Il va se poser des questions. Que lui dira-t-elle s'il l'interroge ? Mentira-t-elle ? Elle est venue derrière son dos.

Ses pires craintes sont devenues réalité, mais elle ne peut y croire. Sur le chemin du retour, elle parvient à peine à rouler entre les lignes blanches de l'autoroute.

Peter remarque immédiatement un changement en elle, dès qu'il la voit entrer. Il l'observe trop attentivement. Il la soulève, la pose sur la table de la salle à manger. Elle se laisse faire. Il se jette sur elle, c'est quasiment un viol, lui arrache sa culotte. Elle n'est pas prête pour lui. Il l'emplit. Progressivement, tandis que ses gémissements s'allongent, elle est assouvie.

Dans l'après-midi aussi vaste qu'un lit, ils font de nouveau l'amour, cette fois nus, encore humides après la douche, sur les draps propres repliés. Mais ça ne la quitte pas. Après coup, elle a la nausée. Elle a l'impression d'avoir une pierre coincée dans l'abdomen, juste sous sa poitrine.

Dans le noir, tandis qu'il dort, Telen se tourne d'un côté et de l'autre, faisant sans cesse le même rêve, un vacarme retentissant dans son cerveau. Elle a déjà entendu ce vacarme après avoir bu trop de vin ou de café, mais ce soir elle n'a bu ni l'un ni l'autre. Finalement elle sombre dans le sommeil.

Elle se réveille en sursaut. Un sommeil insondable, un réveil brutal. Il est tard. Elle n'a pas sa montre. Il doit être 3 ou 4 heures. La lumière pourpre des réverbères et des phares mêlés se fraie un chemin à travers les stores de l'appartement, dessinant des ombres chinoises au plafond.

Elle ne sait pas exactement quand ça lui est venu, car elle était endormie. Ses impressions ont fini par prendre une forme si redoutable qu'elle n'ose se l'imaginer.

Elle sent les yeux de Peter qui s'ouvrent soudain dans le noir. Il ne dort pas.

«Telen.

– Oui ?

– Qu'est-ce qu'il y a ?

– J'ai tellement peur.

– Je le vois bien.»

Il dit ça doucement. Il regarde fixement le plafond, en attente.

Telen tremble. Des sanglots profonds commencent à la secouer.

«Je n'en ai plus rien à faire, Peter, ce que tu me feras n'a aucune importance. C'est la première fois de ma vie que je suis heureuse avec un homme, et j'ai envie de mourir...»

Elle se recroqueville et sanglote, yeux clos, les doigts dans la bouche. La voir pleurer excite Peter. La menace du désespoir. Soudain il la pénètre. C'est comme si son pénis était la réponse à tout.

Elle ne cesse pas de sangloter. Elle pleure désormais de tout son corps tandis qu'il la prend violemment par-derrière. Quand il se retire, elle se passe la main entre les jambes et étale son sperme sur ses seins. D'un doigt, elle peint des larmes sur son visage, sous ses yeux.

«Calme-toi et réfléchis bien, dit-il au bout d'un moment. Nous sommes désormais libres, Telen.

– Sommes-nous libres ?

– J'en ai fini avec cette ville, nous pouvons quitter L.A. n'importe quand.

– Est-ce que tu peux tout me dire ?

– Non.

– S'il te plaît.

– Est-ce que la chose qui t'inquiète appartient au passé ?

– Je suppose.

– Nous avons tous un passé. Et il est parfois difficile à oublier. »

Difficile à oublier ?

« Mais c'est fini. Si on pensait à l'avenir ? Pourquoi nous soucions-nous toujours du passé ? On ne peut pas parler de l'avenir ? »

Elle se remet à sangloter, accablée par l'horreur de son amour. Elle pleure, ses gémissements étouffés par l'oreiller.

« Ne me dis rien, ne me dis rien !

– Telen. Il n'y a plus rien à dire. » Peter la prend dans ses bras, murmure : « Tout est derrière moi. Je repars de zéro. Et je veux le faire avec toi. » Il attend. « Telen. Il n'y a plus rien à savoir.

– Quelqu'un sait-il ? demande-t-elle dans un murmure.

– Rendors-toi, Telen. »

Du bout des doigts, il lui ferme les yeux dans le noir.

Après le supplice de sa femme il a perdu la tête. D'accord. Il l'a tuée. Mais comment puis-je me réveiller chaque matin en m'interrogeant sur les autres ? En sachant qu'il a peut-être laissé d'autres victimes derrière lui. Si c'était vrai, si c'était lui ? Puis-je continuer ? Rendors-toi.

Les murs de la chambre se dissolvent dans une brume. Elle n'a pas la réponse. *Dors.* Elle se demande encore et encore : *Est-ce possible ?* Elle croit, elle sait. Quand elle est arrivée ici, le mot *Amour* était un mot qu'elle entendait dans les chansons, et elle y croyait. *Je ne peux pas vi-ivre, si je dois vi-ivre sans toi. Dors, Telen.*

Je cherche l'amour dans tous les mauvais endroits.

Quitter Los Angeles ? Pourquoi pas. Facile de laisser tomber mon ambition stupide et étrange. Personne n'en saura jamais rien. Écrire pour le cinéma ? J'ai rencontré des producteurs. J'ai essayé. Les scénarios sont des esquisses d'orgasmes. Dors. Nous pourrions nous installer dans une ville au nord avec des saisons et de la verdure, des après-midi poussiéreux et du vieux bois, un endroit où les gens vous disent bonjour sans se poser de questions, où les rues portent des noms d'espèces d'arbres et d'oiseaux. Où les épiceries sentent la nourriture. Dors. Où personne ne cherche à être autre chose que ce qu'il est déjà. Peut-il avoir changé après tant d'horreur ? Dors. Parviendrai-je à y survivre ? Mon amour pour lui transformera-t-il cette puanteur gangréneuse en parfum ? Est-ce ma définition de l'amour ? La survie de l'espèce ? La force la plus irrésistible ? Dans notre intérêt ? Dors, Telen.

Mais naturellement, elle n'y arrive pas. Quelque chose l'entraîne hors de la chambre. Elle s'habille et marche jusqu'à un supermarché proche ouvert toute la nuit. À côté se trouve un café effroyablement lumineux.

Comme la cabine téléphonique est hors service, Telen compose le numéro de Billy sur le téléphone du bar. Elle est contente d'entendre son annonce préenregistrée plutôt que sa vraie voix : *Je suis sorti, d'accord ?* Le chasseur est parti chasser.

« Salut, Billy, c'est Telen. J'appelais pour te dire au revoir. Je m'en vais. » Elle dit ça gaiement, puis ajoute, après une pause : « Je t'aime. »

Elle raccroche.

De retour dans son appartement, elle se déshabille juste derrière la porte d'entrée, s'allonge nue en essayant de ne pas réveiller Peter. Elle ne s'est jamais sentie aussi proche de la mort, elle ressent le parfait soulagement que seule la mort peut procurer.

PETER

Peter se réveille trop tôt. Il fait encore nuit. Il a entendu un bruit, un bruit sec, quelque chose est tombé, il ne sait pas quoi. Il cherche Telen du pied, puis de la main. Il est seul. Il l'appelle doucement. « Telen, Telen. » Il sait qu'elle est tout près, quelque part dans l'appartement.

Il se redresse, pose les pieds par terre. Un hurlement lui résonne dans les oreilles, il traverse la pièce comme s'il pataugeait jusqu'aux genoux dans un marécage.

Telen est recroquevillée dans la baignoire telle une enfant. Son sang dessine une ligne toute simple jusqu'à la bonde. Un sang sombre, masculin.

L'inscription est trop soignée, l'écriture, superbe. On dirait un score de base-ball. Sur la paroi de porcelaine de la baignoire, au marqueur noir :

11 Nembutal, 5 Seconal.

Un suicide rituel. Sans s'en rendre compte, Peter a enfermé Telen dans une chambre parfaite, étanche, sans fenêtres.

TELEN

C'est un jour aussi ordinaire qu'hier. Dans son lit d'hôpital, Telen a le teint gris perle, mais elle est suffisamment remise pour rentrer chez elle. Billy est assis à côté d'elle, les fleurs sauvages qu'il a apportées sont dans un vase en plastique. Peter se tient dans un silence agité à la fenêtre.

On lui a fait un lavage d'estomac, l'entaille à son poignet a été recousue et pansée. Elle s'est coupée une seule fois, superficiellement, avec un couteau à fruits, manquant l'artère. Les flics lui ont rendu visite. Une tentative de suicide n'est pas un crime de toute manière, mais ils ne sont pas certains que c'en soit une.

Billy murmure. Il a une nouvelle vie. Il a passé une semaine à San Diego, grâce à Peter, il a rencontré un agent d'Hollywood, un dur à cuire nommé Buck qui lui a trouvé un boulot de maître des cérémonies et parfois de comédien au Laugh Lounge, un cabaret bruyant de Melrose avec des tables minuscules. Il rembourse une nouvelle voiture. Tout roule pour lui.

« C'est un boulot réglo, je suis réglo. »

Il ne demande pas à Telen pourquoi elle a voulu mourir.

Quand il part, Peter et Telen se retrouvent seuls.

« Tu sais ce que je pensais, n'est-ce pas », dit-elle.

Ce n'est pas une question.
« Tu le penses toujours ?
– J'ai presque dépassé ce stade. »
Tue-moi parce que je sais. Tue-moi parce que je ne sais pas.

PETER

Plus tard dans la voiture, il arrive quelque chose à Peter. Il ramène Telen, longeant Sunset Boulevard vers l'est. Ils avancent au ralenti, passent lentement devant des immeubles de bureaux anguleux hermétiquement fermés. Les vitres de toutes les voitures sont baissées. Il fait trop chaud. Telen est dans les vapes, elle se rend vaguement compte qu'ils n'avancent pas.

La radio est allumée, son antenne est un cintre déplié. Ils ne reçoivent un signal que lorsqu'ils passent entre les bâtiments. Comme ils émergent de l'ombre de l'un d'eux, une voix de femme jaillit de la radio. Une voix de femme qui chante sans accompagnement une chanson sans paroles. Des souffles infinis. Peter saisit vaguement la mélodie, il doit entendre le reste.

Il y a des voitures partout. Ils sont bloqués au beau milieu d'un carrefour lorsque le feu passe au vert. Dès qu'il voit une ouverture, il s'y engouffre et la voix se transforme en un grésillement sifflant. Il s'arrête, recule, la voix revient. Un klaxon hurle derrière lui. Il avance, la voix s'estompe. Il recule. Il ne peut pas la perdre. Qui est-elle, que chante-t-elle ?

Dans la voix il entend une femme, sa largesse féminine. La voix enfle. Une voix de femme. Les riches notes gutturales, puis les aigus purs qui s'envolent. La voix lui rappelle un désir, il ne sait pas un désir de quoi, quelque chose en lui, un besoin qu'il a sans le savoir.

Impossible de bouger, les klaxons hurlent. Il avance lentement, la misérable antenne le lâche, ils pénètrent dans une nouvelle zone d'ombre, la voix s'estompe de nouveau. Il s'arrête, se penche en avant, sa tête touchant le vinyle craquelé du volant. *Qu'est-ce que c'est ?* Les notes pleines et brûlantes changent sans s'altérer. *Le sang d'une femme, comment cela peut-il être si beau ?* Telen l'observe sans un mot. Il ne peut plus conduire. Tout cela est trop étrange.

« Peter, avance. »

Il ne peut pas bouger. Il ne lève pas la tête. Il essaie de saisir chaque note. La mélodie gagne en substance, se dirige vers une fin certaine. Le soleil au-dessus d'eux n'a aucune importance, les klaxons, la rue frénétique. La présence de la chanteuse, il n'y a que ça. Il écoute.

« Écoute, Telen, je t'en prie, écoute, c'est la réponse à tout. Écoute-la. »

Sans savoir de quoi il s'agit, Telen écoute. Elle est émue par la musique.

Un homme hurle dans la voiture parfaite derrière eux, une femme est au volant. Telen passe le bras par la vitre, leur fait signe de passer, mais l'espace s'est refermé. Personne ne peut bouger. Des klaxons explosent de trois côtés, des clairons de Détroit, des stridences de l'*Autobahn*, des trilles du Japon. Une omelette urbaine.

Peter avance de nouveau, la voix disparaît. Il recule de quelques dizaines de centimètres jusqu'à ce que la voix soit claire, pleine. Il coupe le moteur, tire le frein à main. Il doit connaître le nom de la chanteuse, du compositeur. C'est important, il s'agit de lui, quelque chose en dépend, quelque chose dont il n'a jusqu'à cet instant jamais eu conscience.

L'homme derrière eux est descendu de sa voiture parfaite en faisant claquer la portière. Sa femme crie après lui.

Peter est profondément concentré. Dans le riche contralto il entend la profondeur d'une femme, la profondeur de son chagrin, de son désir, sa joie suprême, sa grande beauté. Tout cela dans une seule voix, une seule mélodie, de l'acte sexuel à l'enfantement, de la mort précoce à la renaissance. La femme jaillit du tableau de bord, elle ensorcelle son âme. Tout, les hauts talons, la délicatesse foisonnante, la voix merveilleuse. Il n'a jamais rien entendu de tel. Dans cette voix il entend le temps, le salut, la vie des siècles. L'histoire des femmes pour les hommes, des hommes pour les femmes, la dette ancestrale. Un miracle.

L'homme est désormais à la vitre, un homme bien mis, peigné, propre comme un sou neuf. Encore enveloppé de la fraîcheur de la climatisation, en retard pour son déjeuner. Il essaie de gifler Peter. Peter remonte sa vitre, coinçant le bras de l'homme, puis sa main. L'homme propre se dégage. Il cogne contre la vitre avec sa bague, hurlant des mots de cour de récréation. Telen prend peur.

Peter, tête baissée, se concentre. Les yeux clos, il écoute, la sueur lui dégoulinant sur le visage. Il ne peut pas s'imaginer qu'on puisse composer une musique si simple et pourtant si pleine, si infinie. Elle renferme aussi le malheur d'Elaine. Il doit savoir quel est ce morceau. Il voit sa propre vie comme un rêve, un rêve dans lequel il est seul. Il sent son esprit s'élever au-dessus de son corps, au-dessus du volant, traverser le toit de la voiture. Il voit la scène depuis le ciel. Telen se demande s'il est en train de pleurer.

L'homme propre hurle de l'autre côté de la vitre, il divague, cogne sur le capot, plie l'essuie-glace dans un sens et dans l'autre jusqu'à ce qu'il lui reste dans la main. Il se coupe la main. Il y a du sang sur le pare-brise. L'homme donne des coups d'essuie-glace sur le capot, puis il le tient bêtement, le jette en direction de la voiture. Il pourrait mourir ici même, sur le capot, sous le soleil. Sa femme, qui se tient près de leur voiture parfaite, lui fait signe de revenir. Mais l'homme propre est pour le moment fou, et l'homme dans la voiture aussi est fou.

Peter ne peut pas lever la tête. Il écoute, penché en avant, la tête tout près du volant, paralysé par la musique qui est plus importante que la peur de Telen, plus importante que l'homme dehors, plus importante que sa propre vie.

Un autre homme a abandonné son véhicule, un pick-up, et marche vers eux en tenant une barre d'acier. Un homme furieux et pressé.

Sur une note soutenue, la fin arrive trop tôt. Le fragment a duré trois minutes.

«Je dois savoir ce que c'est, je dois connaître le nom de cette chanteuse.»

À la radio, une voix calme d'homme annonce, «Vous venez d'entendre *Vocalise* de Sergueï Rachmaninov, interprété par Anna Moffo dans un enregistrement de 1964.» Que cette Anna et ce Sergueï aient pu toucher leur âme ici, maintenant, aujourd'hui. Sans un mot. Des mots qui auraient réduit la mélodie à de simples pensées.

La voie s'ouvre, Peter avance.

«Il est mort à Hollywood, Rachmaninov», déclare Telen après un silence.

Il ne répond pas.

«C'est la vérité, insiste-t-elle. Il est mort ici pendant la Seconde Guerre mondiale.

– Comment lui en vouloir? Regarde cet endroit minable.»

Ils sentent la présence de Rachmaninov.

«Je sais qu'il vivait près d'ici, reprend-elle. Dans une de ces rues, peut-être là-bas.»

Ils regardent l'un des petits immeubles de Larrabee Street sur lequel aucun regard n'est supposé s'attarder plus d'une fraction de seconde. C'est là qu'est mort Sergueï Rachmaninov.

Quand ils s'arrêtent à un feu rouge, Peter serre férocement Telen contre lui. Il sait que si elle peut survivre à ça, ils resteront à jamais ensemble. Telen est l'amour de sa vie. Elle l'émerveille. Il se met à pleurer. Elle pleure à son tour en le voyant pleurer. Incapable de conduire, il se gare, et ils restent assis là à pleurer. Elle ne veut pas savoir, elle ne veut pas avoir à le pardonner.

Dans l'appartement de Telen ce soir-là ils sont allongés côte à côte et observent les énigmes au plafond. Il lui vient à l'esprit que sa vie n'est pas un rêve. Qu'elle ne se limite pas à son champ de vision. Qu'il peut trouver autre chose, créer quelque chose de mieux. Qu'il peut

changer. Que, s'il le souhaite, il peut détruire Toyer lui-
même. N'importe quand. Il est persuadé que Maude a
essayé de l'aider. Il le comprend. Elle lui a clairement dit
quoi faire. Ses paroles se sont mêlées à *Vocalise*, formant
un tout au moment idéal. C'est la première fois qu'il est
parfaitement lucide depuis la nuit à New York.

Telen le prend dans ses bras, mais lui ne la tient pas.
Elle ne sait pas si elle le veut en elle, ne peut se résoudre
à le toucher à cet endroit.

« Tu crois sérieusement que nous pouvons vivre
ensemble ? murmure-t-elle. Avoir une vie ordinaire ?

– Elaine est morte. Je n'arrête pas de te dire que nous
sommes libres. »

Peter glisse la main sous ses fesses, la retourne et la
pénètre. Elle ne le veut pas en elle, c'est trop tôt, elle
n'a pas encore décidé. Elle est épuisée et résiste, ce qui
ne fait que l'exciter de plus belle. Elle frémit. Comme
toujours, son pénis est la réponse à tout.

Il a le visage humide, des gouttes de sueur lui coulent
dans les yeux. Les draps sont moites de transpiration.
Les fesses de Telen glissent contre son ventre, ses reins.
Son cou brille à la lueur du réverbère, des cheveux
y sont collés. Il les écarte, compte inconsciemment ses
cervicales du bout des doigts. Il s'arrête, saisit son oreille
dans sa bouche, la mouille avec sa langue. Elle agrippe
le matelas d'une main, la table de chevet de l'autre, et
attend qu'il ait terminé.

SARA

Début de soirée. Sara doit voir Melissa Crewe pour la première fois. Maude lui a demandé d'écrire le premier article sur sa guérison.

Un agent de police, une femme noire, l'empêche d'entrer dans la chambre de Melissa. «Je suis désolée, vous allez devoir attendre ici.» Elle lit le nom de Sara sur son badge, appelle la réception sur son interphone : «Mlle Smith de l'*Herald*.»

À travers le panneau de verre, Sara voit Melissa, la tête calée sur un oreiller, fixant de ses grands yeux Maude qui est assise à côté d'elle et lui tient la main. Le docteur T est passé les voir. Il se tient derrière Maude, les yeux baissés, son opération est un succès.

«OK. Vous pouvez entrer.»

Sara s'immobilise dans l'entrebâillement de la porte. De la musique émane du coin de la chambre, la bande originale du *Docteur Jivago*, un des morceaux préférés de Melissa. Ce que Sara voit l'émeut. *Un tableau vivant. Parfait.* Personne n'a encore remarqué sa présence. Au bout d'un moment, Maude se tourne vers elle, s'approche.

«Bonjour, Sara, entrez.»

Elle est rayonnante.

Le docteur T se retourne.

« Docteur, je vous présente mon amie Sara Smith, docteur Tredescant. »

Si formel.

« Nous nous sommes brièvement rencontrés, vous vous souvenez ? Quand je suis passée chercher Maude pour assister à la pièce de Telen ?

– Oui, bien sûr. Comment vous êtes-vous portée depuis ?

– Très bien, merci. Maude m'a parlé de votre travail. »

Et de vos nuits.

« Et elle m'a parlé du vôtre. »

Le docteur n'est pas fan. Il s'apprête à partir.

« Je suis sérieuse, docteur, félicitations. Votre patiente a l'air de se porter merveilleusement bien. Je me tenais à la porte juste avant que vous ne me voyiez. Tous les trois, vous ressembliez à une gravure de Currier et Ives, *Les Guérisseurs.*

– N'en faites pas trop, Sara.

– Accepteriez-vous que je vous emmène tous les deux dîner ce soir ? demande Sara en le rattrapant à la porte.

– Je ne peux pas. Hélas. »

Le docteur T esquisse une révérence.

« Mais je peux passer après 21 heures pour un cognac si le restaurant n'est pas trop éloigné de West Los Angeles.

– Nous choisirons un endroit et nous vous tiendrons au courant », lance Maude.

Il s'en va.

« Il ne me pardonne pas de vous avoir corrompue.

– Oh ! il s'en remettra. »

Maude s'assied et saisit la main de Melissa.

« Tout ce qu'il nous faut, ce sont des résultats, et il s'en remettra.

– C'est la raison pour laquelle je suis ici, Maude. J'ai eu une idée géniale. »

Sara attend d'avoir toute l'attention de Maude.

« Alors ? Vous voulez m'expliquer tout de suite ou pendant le dîner ?

– Non, maintenant. Au lieu de lui écrire à lui, pourquoi ne pas lui envoyer une dernière lettre à elle ?

– À qui ?

– À la femme qu'il aime.

– Excellente idée. »

PETER

Telen veut croire que tout est possible. À 18 heures le lendemain soir, Peter et Billy l'attendent en embuscade à la sortie de l'hôpital où elle a fait refaire son pansement. Ils vont l'emmener dîner dans un centre commercial impeccable nommé Robertson Village.

Ils optent pour le restaurant The Source, où la nourriture est apparemment soit marron, soit verte, commandent des épinards et des salades de haricots, une bouteille de chardonnay bien frais. Les trois amis portent un toast à la santé des Incastables. Telen cache son poignet gauche. Lorsqu'ils ont fini de manger, Peter révèle son plan.

Plan 9, comme il l'appelle. Il a vu une petite annonce dans un journal de l'Oregon, et il explique que, aussi incroyable que ça puisse paraître, Telen et lui peuvent louer une maison à Portland pour un tiers de ce qu'ils paieraient à Los Angeles, tout en ayant une chambre d'amis pour Billy quand il leur rendrait visite. Et puis, plus tard, s'ils en ont assez de la vie urbaine, ils pourront se trouver une maison dans une petite ville voisine où les petits vieux assis sur leur balancelle les salueront d'un sourire quand ils passeront dans la rue. Peter pourra être couvreur à temps partiel, Telen pourra travailler dans l'informatique ou ce qu'elle voudra, elle pourra même s'inscrire à l'université d'Oregon et étudier les beaux-arts. Il y aura toujours une chambre d'amis pour Billy. Et pour ne pas faire comme tout le monde, annonce Peter, il demandera Telen en mariage. Ils rient tous ensemble. Ils portent un nouveau toast. Le soleil brille à travers leurs lunettes. C'est leur vie après tout. Ils sont fermement ancrés dans le temps présent. Quand ils ont fini de manger, ils marchent, accrochés les uns aux autres, comme si leur lien risquait de se briser. C'est la dernière fois que les Incastables sont ensemble.

Billy observe Peter et Telen tandis qu'ils déambulent à travers le centre commercial. Il sait que Telen devrait être avec lui, pas avec Peter. Ne lui a-t-elle pas dit qu'elle l'aimait juste avant sa tentative de suicide ?

Rien n'est cassé dans Robertson Village. Ici, rien ne fuit ni ne rouille. Contrairement aux autres centres commerciaux, tout fonctionne dans ce faux village du XIXe siècle avec ses allées pavées bordées de magasins appartenant à des chaînes, de boutiques franchisées déguisées en échoppes des Cornouailles. School Street, Telegraph Street. Les plans sont encore tout frais. La nuit est visible à travers le ciel de verre hermétique, encadrée par des ficus. C'est un monde comparable à nul autre. Il n'y a pas de fumier, pas d'odeur de paille humide, pas d'enfants pauvres, personne n'est difforme, il n'y a pas d'épidémies.

Ils font le tour du village idyllique, main dans la main, tels de braves gens en train de faire du lèche-vitrine, discutant. *Pourquoi ne pouvons-nous pas vivre ici ?* Telen est enchantée par l'idée de Peter.

«Quand veux-tu partir ?» demande-t-elle.

Je veux que ça se fasse.

«Qu'est-ce que tu dirais de vendredi ?

– Résilions chacun notre bail et partons.»

Ça peut marcher, pensent-ils l'un comme l'autre.

«Tu veux y aller dans quelle voiture ?

– On peut prendre la mienne et Billy nous rejoindra plus tard dans la tienne.

– J'ai besoin de tout le week-end pour faire mes valises.

– Alors lundi. Lundi soir. Nous y serons mardi matin et nous aurons toute la journée devant nous.»

Telen est étourdie. C'est décidé, ils vont quitter L.A. Lundi soir. Elle croit en eux. Même si elle sait que demain elle se demandera ce qu'elle fabrique.

Rien n'est impossible à Robertson Village. Mais à 22 heures, un gardien demande aux trois amis de quitter les lieux. Son village doit être fermé pour la nuit pour empêcher les intrus d'entrer.

MAUDE

L undi matin.

UN MIRACLE TROP BREF
TOYER TOUJOURS DANGEREUX
Par Maude Garance, docteur en médecine

Je veux remercier la rédaction de m'offrir une dernière fois la possibilité d'exprimer mon point de vue.
Je n'avais pas prévu d'écrire de nouveau dans ces
pages. Cette lettre est adressée à une femme qui, je
pense, vit dans la région de Los Angeles. La femme
qui, à en croire Toyer, est la raison pour laquelle il
raccroche. Ou, dans ses mots : « La femme qui m'aime
et me comprend. » La femme avec qui il peut « désormais commencer à vivre une vie normale ». J'espère
que la présente lettre lui fera percevoir la vérité, car
je crois que cette femme imprudente ne sait absolument pas qui est vraiment l'homme qu'elle aime.

Chère imprudente,
Oui, il a en effet changé, et il semble pour le moment
normal. Il joue avec vous comme il a joué avec nous
tous. C'est pour ça qu'il a été baptisé Toyer. Je sais
qui vous êtes, chère imprudente, vous êtes une jolie

jeune fille, âgée d'une vingtaine d'années. Vous croyez probablement en Dieu, vous êtes romantique, capable, fidèle, et, curieusement, intelligente. J'essaie de vous voir, et j'y parviens presque. Il a toujours choisi les plus belles femmes, et vous êtes l'une d'elles.

Je vous répète ce que je lui ai déjà dit : Il vous promet une vie «normale». Il a peut-être même un comportement «normal» avec vous, mais il n'est pas normal. Il est en rémission. Il est capable de faire machine arrière à tout moment, à la moindre contrariété.

Vous avez choisi d'aimer un individu qui est un sinistre déviant. Un avenir dangereux vous attend, jeune femme, et, s'il vous plaît, n'allez pas vous imaginer quelque chose de romantique.

C'est quelqu'un qui a aimé regarder la lumière s'éteindre dans les yeux de ses victimes. Pour citer un collègue, Toyer est «ce qu'on retrouve dans les intestins des cadavres pendant les autopsies».

Si vous le soupçonnez, ne lui faites pas part de vos doutes, ou vous n'aurez plus longtemps à vivre. Il n'hésitera pas à vous réserver un sort diabolique. Tout laisse croire que vous serez sa prochaine victime. Votre devoir, quand vous lirez cette lettre, sera donc double. Tout d'abord, vous devrez penser à vous, sauver votre peau, vous enfuir. Ensuite, quand vous serez à l'abri, votre devoir sera de vous faire connaître. Contactez la police au 911. Vous devez le faire pour nous tous. Je vous en prie, comprenez-le.

S'il vous plaît, chère jeune femme, quel que soit votre nom, pensez à sa prochaine victime, vous-même, et faites-vous connaître. Il est extrêmement dangereux.

Je compatis pleinement avec vous. Faites la chose qui convient pour nous tous, et surtout pour vous.

Je vous communique également un numéro de téléphone auquel vous pourrez me joindre au journal. Votre appel sera confidentiel. Vous avez ma parole. S'il vous plaît, appelez-moi, votre vie en dépend.

Maude Garance, docteur en médecine.

PETER

Après être passé chercher un chèque chez son employeur, Peter laisse sa voiture chez un garagiste près de son appartement. Il achète l'*Herald*, l'emporte chez lui pour le lire dans un bain d'eau fraîche. C'est le début de soirée.

À la dernière page de la section A, il découvre soudain la lettre de Maude à Telen. Il ne se doutait de rien. Il est ébranlé, dérouté, il croyait qu'elle en avait fini avec lui, qu'elle avait cessé d'écrire pour l'*Herald*. *Elle a avalé un scorpion.* Il se sent submergé par la rage de Maude, il a été trop désinvolte, trop ouvert. *Trop con.* Il tremble, l'eau est trop froide.

Il appelle Telen, pas de réponse. Elle est partie faire des courses pour leur voyage.

Maude Garance lui recommande de s'enfuir le plus vite possible, de le balancer à la police. *Est-elle tombée sur la lettre ?* Il la lit et relit, balance le journal par la fenêtre de la salle de bains. Le journal flotte doucement jusqu'à l'allée en contrebas. Il ne peut pas perdre Telen.

Il la rappelle, pas de réponse.

Elle essaie de nous briser. Elle m'a dit de tuer Elaine. Je l'ai fait. Mais ça ne lui suffit pas. Elle veut nous anéantir.

Peter sort de la baignoire, s'essuie. Il est 18 heures passées. Telen doit apporter ses valises à 19 heures. *Non, elle n'a pas pu lire la lettre. Nous pouvons toujours nous tirer*

*de cette ville sans qu'elle la voie. Demain, tout le monde l'aura
jetée à la poubelle.*

Il a fini de faire ses valises, attend. Il nettoie méticuleusement le goudron sous ses ongles avec du white-spirit.
À 19 heures il appelle l'appartement de Telen, pas de
réponse.

*Pourquoi lirait-elle le journal? Elle ne le fait jamais.
Quelqu'un qui lui aurait donné? Ça m'étonnerait. Dans une
demi-heure nous serons en route.*

À 19 h 45 elle n'est toujours pas là. Il la rappelle, puis
appelle le garage. Encore une demi-heure. Il lui écrit un
mot pour lui dire de l'attendre dans l'appartement, le
colle sur la porte. Il emprunte la moto d'un voisin, se
rend à l'appartement de Telen, silence absolu.

Il tourne la clé, ouvre la porte. Ses yeux sont aussi
perçants que des yeux de faucon. L'appartement est silencieux, il règne une puanteur d'abandon, une impression
de précipitation. Il se rend à la chambre, allume le plafonnier. Ses robes ont disparu, ses chemisiers, sa robe rouge,
arrachés des cintres, ses chapeaux aussi, ses chaussures
à talons, ses sous-vêtements, le livre qu'elle lit en ce
moment, son jeu d'échecs. Ses deux montres, ses bagues,
sa brosse à cheveux, son sèche-cheveux, son dentifrice.
Elle a fait ses valises, pas pour aller dans l'Oregon.

Il se rend dans la cuisine, trouve un mot sur la gazinière :

Cher Peter,
S'il te plaît, s'il te plaît, s'il te plaît, ne me cherche
pas ! Je te promets que tu ne me trouveras pas.
N'essaie pas. Si tu essaies, j'appellerai la police. Je jure
que je le ferai.
Moi

Elle croit chaque mot que cette femme lui a écrit. Elle est parvenue à ses fins. Je veux cette femme.

C'est fini. Telen pourrait être n'importe où. En route pour quelque part. Peter ressent un violent mal de tête, une douleur derrière les yeux. Il se tient dans la cuisine, oscillant. Il a la clé de chez Maude Garance.

MAUDE

Les nuits sont moins chaudes, c'est septembre.

Maude a failli ne pas jouer au tennis ce soir. Après avoir quitté la chambre de Melissa, elle est restée auprès de Felicity pendant qu'on la nourrissait, puis auprès de Nina jusqu'à ce qu'elle ne puisse plus la regarder. Elle a quitté le Kipness en début de soirée. Dans la chambre de Nina, elle a entendu un présentateur météo annoncer à la télé une nuit étouffante. Elle a sauté le dîner.

Elle a maintenu sa partie de tennis avec Rex Voss, un nouveau médecin du service pédiatrie, aux courts publics du parc de Cheviot Hills. Il était 20 h 20 quand ils ont commencé à jouer. Elle l'a déjà battu par le passé. Leurs parties ont été lentes et pleines de bavardages.

Les courts sont inondés de lumière. Il est désormais 21 h 45. Les projecteurs clignotent une fois, avertissant les joueurs que l'extinction des feux de 22 heures approche. Couvre-feu, tout le monde dehors. Certains joueurs sont déjà partis, d'autres sont sur le point de le faire, reprenant leur souffle, s'essuyant avec des serviettes, s'éloignant tranquillement. Deux courts sont encore utilisés.

Maude, qui mène cinq jeux à un, sert un ace. Point. Chaque fois qu'elle sert un ace, elle pousse un petit cri.

Elle achève Rex. Point. Elle met toute sa fureur dans son service, toute la colère née d'une longue journée au Kipness. Point. Pas de bavardages. Transpiration.

Elle porte une jupe de tennis blanche, un haut blanc ample avec de larges bretelles. Traditionnel. Rex n'a plus une chance de gagner, mais il continue, comme une souris dans une roue. Il ne sourit plus, lance de temps à autre sur le ton de la plaisanterie des menaces qu'il pense sérieusement. Ça ne l'ennuierait pas d'en rester là. Il prend son temps pour ramasser les balles, s'essuie avec une serviette entre chaque échange. Il est plus jeune qu'elle. Il est attiré par Maude, il n'est pas venu ici pour s'engueuler avec elle par-dessus un filet. Maude est bien décidée à l'annihiler. Ils ne rejoueront probablement plus jamais au tennis ensemble après ce soir.

Le parc de Cheviot Hills, sombre comme un mythe, entoure les joueurs vivement éclairés. Des buissons de Tacoma denses, noirs et profonds, étouffent les grillages qui bordent les courts. Peter se tient parmi les buissons, caché dans l'ombre. Il regarde Maude se battre sur chaque point, tenter chaque retour, faire des services méchants, irrattrapables, lancer des exclamations sèches. Il reste un jeu dans le dernier set.

Peter l'observe, il admire la force de sa volonté. Il regarde les mouvements fluides de ses cuisses qui s'immobilisent brutalement puis repartent de plus belle. Les longues lignes qui s'étirent depuis ses *vastis lateris* jusqu'à son pubis sont rigides, puissantes. Son corps, un ectomorphe parfait. Ses muscles fémoraux, frémissants, séduisants, ses bras fermes. Bam, bam. Point. Bam. Cuisses. Point. Bam, bam, pubis. Bam. Fesses.

Point. Bam, sa jupe tourbillonne lorsqu'elle soulève le bas-ventre. Ses hanches sont en mouvement, et elle continue de cogner, revers, coup droit, revers. Point. Jeu, set et match. Maude pousse un petit cri de victoire, terriblement érotique, Rex un gémissement de souffrance exagéré, de soulagement.

Le fait de voir Maude massacrer ainsi son adversaire n'a pas atténué la rage de Peter. Ça l'a affinée, disciplinée. Mais il est surpris par sa beauté athlétique, sa cruauté sur le court, sa sexualité féroce. Il l'a regardée comme un matador regarde un taureau miura dont on teste le courage.

Soudain il est 22 heures. Les projecteurs s'éteignent. Cris de désespoir des deux autres joueurs, rires parce qu'il fait sombre. Des veilleuses ambrées demeurent allumées, le parc est plongé dans l'obscurité, mais pas dans le noir.

Maude et Rex ne repartent pas bras dessus, bras dessous, ils ne se parlent pas. Pas de fausse politesse. Peter ressent une excitation soudaine. Il fait le tour des courts en longeant le grillage, voit la voiture blanche de Maude stationnée presque seule sur le parking. Il enfourche sa moto empruntée, noir sur noir, qui l'attend entre les buissons au bout du parking. Lorsque Maude arrive, il la voit jeter sa raquette sur le siège passager, grimper dans sa voiture, mettre le contact. Le moteur refuse de se mettre en route. D'autres voitures démarrent. Rex passe derrière elle, klaxonne sèchement, bip-bip.

Peter regarde Maude se caler sur son siège, s'essuyer tranquillement les cheveux, réessayer de démarrer. Grincement. Ça fait une heure qu'il est là. Une autre voiture passe, ses phares illuminant brièvement le parking. Puis une autre, la dernière. Silence. Maude est seule.

Dans la voiture, l'air est étouffant. Elle tourne la clé, enfonce l'accélérateur. Nouveau grincement. Elle s'écrie, « Putain ! » Pas l'un des mots préférés d'Elias. Elle sent une lumière derrière elle, se retourne. Un unique phare à l'autre bout du parking. Elle agite sa raquette par la vitre ouverte. Un homme casqué à moto s'arrête au niveau de sa voiture.

« Problème ? »

Elle distingue à peine son visage.

« Oui, répond Maude.

– Oui », fait-il à son tour.

Il ne descend pas de moto, le moteur tourne au ralenti. Il conserve sa pose de motard.

« Oui », répète-t-elle.

On peut continuer ce petit jeu longtemps.

Peter redresse sa moto, semble prêt à repartir. Maude se sent soudain épuisée. *Pas un bon Samaritain, celui-là.* Elle ouvre la portière, pose un pied par terre.

« Je crois que je vais appeler l'Automobile Club.

– Ils ne réparent pas les voitures. »

Bon Dieu, c'est quoi son problème ?

« Écoutez, je suis prête à vous payer. Je suis pressée.

– Qu'est-ce qui se passe quand vous tournez la clé ?

– Ça grince. »

Elle lui fait une démonstration.

« Je vois.

– Vous savez quel est le problème ?

– C'est votre tringle d'accélérateur.

– Oh ! d'accord.

– Vous le saviez ? »

Il est grossier ou il croit que je me fous de lui ?

« Pas vraiment.

– C'est une chose à savoir.

– Je suppose. »

Maude a une demi-douzaine de diplômes attestant de ses années d'études. Elle ne fait pas la différence entre le liquide de refroidissement et le liquide lave-glace.

« Vous avez une tige métallique ? »

Sa voix est étonnamment douce.

« Non. »

À part l'armature de mon soutien-gorge.

« Et dans vos cheveux ? »

Maude porte vivement la main à ses cheveux, ils commencent à être longs. Elle ôte l'épingle qu'elle porte pour jouer au tennis, la lui tend. *Il croit vraiment que je me fous de lui.* Il saisit l'épingle, la place entre ses dents.

« Vous ouvrez le capot ? »

Elle obéit. Lentement, il met pied à terre et soulève sa visière. Il a le teint étonnamment clair, les cheveux presque blonds. Il ôte ses gants et débloque le crochet du capot, le soulève. Il a toujours l'épingle entre les dents, comme une couturière. *Un geste féminin.*

« Tenez ça, vous voulez bien ? »

Il lui tend une petite lampe halogène allumée dont le mince faisceau blanc balaie le sol. Il se penche sous le capot et tire du moteur un petit morceau d'acier tordu et couvert d'huile. Il le tend à Maude qui le saisit comme si c'était un cafard. Elle l'éclaire tandis qu'il tord l'épingle pour imiter une tringle d'accélérateur. Une minute plus tard, il se relève, claque le capot. Il est en sueur.

« Ce bidouillage vous permettra *peut-être* de rentrer chez vous. Portez-la à un garage demain et dites-leur, ne leur demandez pas, ce qui cloche exactement. Ils vous respecteront un peu. Vous devez être du genre à ne pas oser regarder sous le capot. »

Maude farfouille dans son sac de sport et en tire un billet de vingt dollars.

« Merci. Accepteriez-vous ceci en guise de dédommagement ? »

Elle tend le billet, comme si c'était une cigarette qui aurait besoin d'une allumette.

Il l'ignore un moment, puis l'attrape, le glisse déplié dans sa poche de blouson.

« Tringle d'accélérateur, n'oubliez pas. »

Il enfourche sa moto, abaisse sa visière.

« D'accord, merci.

– De quel côté vous allez ?

– Randall Canyon, pourquoi ?

– Je ne sais pas si cette épingle va tenir. Je peux vous suivre.

– Je suis sûre que ça ira. »

Mais les garages sont fermés et l'Automobile Club n'effectue pas de réparations.

Si supérieure, si pimbêche. Mais elle a toujours admiré les gens qui s'arrêtent d'eux-mêmes pour donner un coup de main, ils ne courent pas les rues à Los Angeles. Elle tourne lentement la clé, comme si le moteur risquait d'exploser. Mais il démarre doucement, produisant un son agréable. Elle regarde sa montre : 10 h 12. Du diagnostic au remède, il aura fallu six minutes.

«OK. Si vous voulez bien me suivre.»

Il enfonce son démarreur et s'éloigne un peu sur le parking, puis il attend qu'elle le dépasse et le guide jusqu'à chez elle.

TELEN

E lle sait tout et rien. Elle est assise dans sa
voiture, son nécessaire de voyage posé sur
le siège du passager, ses robes et ses chemisiers étalés sur
la banquette arrière, ses livres, ses photos, sa vaisselle,
ses jolies chaussures enfermés dans le coffre. Plus de
deux heures qu'elle est garée dans Melrose Boulevard.
La nuit est tombée. L'air à l'intérieur de la voiture est
blanchi par la fumée, il y a des cigarettes partout, des
mégots courts, des mégots longs, des paquets froissés.
Elle a recommencé de fumer.

C'est lui, la lettre était on ne peut plus claire.

Les voitures passent, les bus bruyants crachent des
étincelles, éternuent. Les boutiques ont fermé tout autour
d'elle. De l'autre côté de la rue, la vitrine d'un opticien
scintille comme si c'était Noël.

Elle a tout d'abord songé à appeler Billy. « Est-ce que
je peux venir ? » *Il adorerait que je dorme chez lui. Non. Dieu
sait ce qu'il ferait si je lui disais pour Peter. Est-ce qu'il appellerait la police ? Et si Peter me cherche, il risque de passer chez
Billy.*

*Sara. Elle est très intelligente. Elle m'arracherait immé-
diatement les vers du nez.* Sara n'est pas une amie, il y a
juste eu cette soirée avec Peter et Billy, et elles n'ont pas
discuté. Elle n'a personne.

Telen met le contact, le coupe. Elle n'est pas en état de conduire, n'a nulle part où aller à part dans le Wisconsin.

Au début, ce n'était rien. Quand elle a rencontré Peter Matson, il était avec Billy. Ils étaient comme trois passagers dans un train descendant à la même gare. Ils discutaient en regardant par la fenêtre. Elle ne voulait rien de plus que de l'amitié, ne cherchait à coucher avec personne. L'année précédente, à Chicago, elle avait eu l'impression d'être le cobaye d'une expérience scientifique qui avait mal tourné. Les hommes n'étaient ni merveilleux ni indispensables. Elle ne cherchait pas l'amour. Elle ne pouvait s'imaginer une histoire d'amour à Hollywood ; juste une forme d'échange charnel pratique, peut-être élégant. Peter et Billy étaient marrants, et elle s'éclatait aux cours de théâtre, mais elle avait plus d'ambitions qu'eux. Mémoriser des mots, faire semblant d'être quelqu'un d'autre, ce n'était pas une vie d'adulte. Il devait y avoir autre chose, non ? Non, pas ici. Elle savait écrire, elle avait toujours été douée pour ça à l'école, et elle voulait raconter des histoires. Des scénarios de films ? Elle a rencontré des producteurs. Résumez-moi votre idée en une phrase. Pas trop de mots, s'il vous plaît, les scénarios sont des grilles pour les metteurs en scène, de simples indications. Il n'y a rien ici pour elle.

Ça fait des mois qu'elle est prête à quitter Los Angeles, elle attendait simplement le générique. Maintenant, elle a lu le mot *fin*.

MAUDE

Quand Maude ralentit devant sa maison, avant de s'arrêter, elle aperçoit dans son rétroviseur le motard qui lui fait un appel de phare. *Bonne nuit.* Il fait demi-tour, disparaît. Le bon Samaritain est parti.

Elle pénètre dans la maison, jette sa serviette et sa raquette sur le divan. Pas de message. Jimmy G la regarde en clignant des yeux et en dodelinant de la tête, attendant qu'elle lui dise quelque chose. Il fait le dos rond, a une expression paisible. Il l'observe tandis qu'elle se penche pour vider une petite conserve de nourriture dans un bol posé par terre près de l'évier. Lorsqu'elle se relève, après une brève pause, il traverse la pièce.

La voix intérieure de Maude lui revient par vagues. Elle se met à chantonner pour ne pas l'entendre. Elle se prépare un gin tonic avec des glaçons, traverse le salon jusqu'à la salle de bains, fait couler un bain. Sa jupe de tennis est humide juste au-dessus de ses fesses.

Sa voix intérieure la suit comme la mer, murmurant. Elle tire un glaçon de son verre, ouvre le lecteur CD, insère un disque, s'assied confortablement dans le fauteuil Timmons en cuir, jambes écartées comme une athlète, tête en arrière. Elle se passe le glaçon derrière les oreilles, à l'intérieur des cuisses. Le disque commence, elle prend une inspiration, anticipant l'ouverture familière des *Pêcheurs de perles*. Elle n'entend plus la voix qui la harcèle.

Elle se laisse porter par les voix pleines et nostalgiques, le réconfort s'abat sur elle comme une pluie pâle. Les yeux clos, elle boit une gorgée de gin. Jimmy G continue de manger. L'opéra s'emballe, s'élevant vers un paroxysme inévitable ; les deux pêcheurs, des frères qui sont tombés amoureux de la même femme, décident de ce qu'il convient de faire désormais. Maude se passe le glaçon sur le cou et les épaules, sur les cuisses. En fond sonore, loin derrière la musique, le bruit de la baignoire qui se remplit lentement.

Toc-toc-toc.

Maude sursaute. Trois coups secs frappés à la porte. Peut-être une enveloppe de l'hôpital. *Non, pas ce soir. Pas Elias.*

Elle se redresse, tente de projeter sa voix à travers la porte sans baisser le volume des *Pêcheurs de perles*.

« Oui ? »

Une voix plus pâle que celle des chanteurs :

« Encore moi.

– Qui ça ?

– Le type du parking. Vous savez, aux courts de tennis. J'ai réparé votre voiture ? »

Oh ! lui. Elle se lève, tenant son glaçon dégoulinant, baisse le volume de la musique. *Comment s'appelle-t-il ?*

« Que puis-je pour vous ? »

Les choses sont différentes maintenant, elle est chez elle.

«Pas grand-chose, je me demandais juste si je pouvais récupérer ma lampe.

– Je n'ai pas votre lampe.»

Maude se tient à une trentaine de centimètres de la porte.

«Ma petite lampe, vous savez.

– Non. Je ne l'ai pas.»

Peut-être qu'il ne m'entend pas.

«Vous parlez de la petite lampe dont je me suis servie, n'est-ce pas?

– Oui. C'est une bonne lampe. Je crois qu'elle est dans votre sac.

– Ça m'étonnerait.» Elle se sent sans protection. «Attendez. Je vais jeter un coup d'œil.»

Elle trouve la lampe enroulée dans son pull. Petite, lourde, brillante. *Comment ai-je pu l'emporter?*

«Je l'ai!» lance-t-elle.

Elle entrouvre la porte sans défaire la chaîne de sûreté, lui tend la lampe à travers l'ouverture.

«Je suis terriblement désolée.»

Elle aperçoit brièvement la main de l'homme. Propre. Elle est surprise, il vient de réparer sa voiture.

«Encore merci. Vous m'avez vraiment sauvé la vie. Bonsoir.»

Elle sait qu'elle se montre grossière. *Il a été, après tout, mon bon Samaritain.*

Elle retourne au lecteur CD, repasse le disque depuis le début.

Toc-toc-toc. Des coups brusques. *Est-ce pour ça que Samarie a été détruite il y a des milliers d'années?*

Elle entrouvre de nouveau la porte autant que le permet la chaînette, voit la moitié de son visage, un œil d'un bleu liquide. Un visage presque sans expression, vide, une *tabula rasa*.

« Est-ce que vous pourriez passer un rapide coup de téléphone pour moi, s'il vous plaît ? » Maude fronce les sourcils. « Je dois appeler mon colocataire.

– Quel est le numéro, s'il vous plaît ? »

Il est trop tard pour tout ça.

« S'il n'est pas à la maison, il est probablement chez Outrageous. »

Elle a déjà vu Outrageous dans West Hollywood et s'est demandé de quoi il s'agissait. Une galerie d'art, une boutique, un café ?

« Quel est le numéro ?

– Heu, 464... 72... 8. »

Il semble tendu.

« Ça fait six chiffres. Il m'en faut plus. » Puis, poussant un soupir : « Est-ce qu'il faut que j'appelle les renseignements ?

– Ce serait sympa.

– Il est plus de 23 heures.

– C'est bon, ils servent jusqu'à 2 heures.

– Pourquoi n'allez-vous pas l'attendre chez vous ?

– C'est moi qui ai la moto.

– C'est quoi Outrageous ?

– C'est, eh bien, vous savez, un bar gay. S'il est chez Outrageous, vous voyez, il est tout là-bas, explique-t-il en pointant le doigt vers l'est. J'y allais quand je vous ai rencontrée. Mais s'il est à la maison, il est de l'autre côté à Santa Monica. » Il désigne l'ouest. « Je ne peux franchement pas deviner. Alors je me retrouve ici en pleine nuit à devoir aller soit d'un côté soit de l'autre, mais je ne sais pas où.

– Pourquoi ne rentrez-vous pas chez vous ? »

Il la dérange, il l'ennuie.

« Il a peut-être besoin que je le ramène à la maison. »

Il y a comme un gémissement de femme dans sa voix.

« Je vais téléphoner. » Elle perçoit son impolitesse, se ravise. « Non, attendez une seconde. »

Elle referme doucement la porte, ôte la chaînette, la laisse retomber, rouvre la porte.

TELEN

La voiture est un cendrier. Près de trois heures qu'elle est garée dans Melrose. Les fumées diaphanes ont imprégné les fauteuils, ses cheveux, la voiture empeste la mort. Elle a l'impression d'avoir la bouche couverte de peinture. À part retourner chez sa mère, elle a cinq possibilités : appeler Billy, appeler la police, appeler Sara, appeler Peter, partir loin loin loin. Elle a l'impression d'avoir donné trop de sang.

À la radio : *Love, love, lo-ove*. KLUV, la station de l'amour. Des heures de chansons qui parlent uniquement d'amour, ça vous pénètre dans le corps comme un souffle. La circulation a diminué.

Le mot *non* lui vient sans cesse à l'esprit. La lettre de Maude était terriblement effrayante, mais lui était-elle adressée ? *Je ne serais pas ici sans cette lettre. Elle pouvait être adressée à n'importe qui. Et si ce n'était pas lui ? NON. Son sourire ensorcelant, ses yeux dévastateurs. Je n'ai jamais cherché l'amour, je n'ai jamais cherché à coucher avec qui que ce soit, mais c'est ce que j'ai eu, les pulsions incessantes et primitives d'un homme qui a connu des années d'abstinence, un jeune frère libéré d'un monastère qui a constamment besoin de baiser.*

L'échiquier posé sur le siège du passager lui rappelle Peter. Elle sent l'attraction du corps de Peter, le flot sombre de ses besoins, dont elle fait désormais partie.

Elle serait allée jusqu'au bout avec lui, mais maintenant elle ne sait plus. À sa grande horreur, elle le désire. Il est le seul amant à lui avoir montré la voie.

Mais si c'est lui ? Concentre-toi. Dis : C'est lui. Il ne continuera pas de faire ce qu'il a fait, il n'a aucune raison de continuer. Il ne me fera pas de mal. Dis : Je l'aime assez pour rester avec lui. Tout ça, c'est le passé, il me l'a dit et je le crois. Il a craqué. Il l'a fait pour sa femme. Puis il est venu à moi, je lui ai donné une raison de vivre normalement. Je peux comprendre, j'ai lu des articles sur des femmes qui épousent des condamnés à mort. C'est un jugement moral, non ? Un jugement passé par les gens de l'extérieur, mais moi, je suis à l'intérieur. Si je l'aime assez, ce qui est le cas. C'est ce qu'il a traversé qui fait de lui ce qu'il est, un homme incroyable. Il m'engloutit, il n'a jamais couché avec sa femme, l'homme vierge. Si l'amour était suffisant. Il l'est. Je sais qu'il a changé, son sexe en est la preuve, son sexe est ma libération.

Nous traverserons l'Amérique comme il a toujours voulu le faire. Nous franchirons les frontières, les déserts, les Rocheuses, les Grandes Plaines, nous avalerons d'énormes petits déjeuners indigestes dans des cafés pour cow-boys, nous ferons la grasse matinée dans des motels à un étage, nous danserons dans des restaurants vides, nous camperons sous les étoiles. La nature n'a besoin de rien, la nature nous purifiera tous les deux, elle arrangera tout. Nous ferons l'amour à travers l'Amérique, il ne sera pas toujours aussi insaisissable. Peut-être même nous marierons-nous un jour.

Mais il est impossible qu'il soit Toyer, et même s'il l'a été, il ne l'est plus.

Elle sent qu'elle se trompe sur toute la ligne, qu'elle a fait une terrible erreur. Elle ne peut s'empêcher de descendre de voiture, de l'appeler depuis une cabine sur le trottoir, de laisser un message tendre sur son répondeur. «Où es-tu?» Elle l'appelle chéri, il aime ça, elle dit qu'elle va l'attendre dans son appartement de Silverlake. Elle lui laisse un second message sur son propre répondeur, au cas où il irait la chercher chez elle.

Ce sera une occasion spéciale. Elle va le trouver. *J'irai en enfer avec lui, j'irai n'importe où. Je te suivrai-ai.* Elle tentera sa chance. *Et je serai toujours à tes côté-és.* Elle se regarde dans le rétroviseur. Elle a des fourmillements dans les cuisses. Elle démarre, vérifie qu'aucune voiture n'arrive derrière elle, fait prudemment demi-tour et prend la direction de l'appartement de Peter à Silverlake.

PETER

Bon Dieu, c'est trop drôle.

Le décor. Il se tient dans l'entrebâillement de la porte, blouson ouvert, casque à la main, considère le salon, la froideur du lieu, la juxtaposition du verre, de la pierre et du chrome. *Elle est beaucoup plus calme chez elle.*

Maude a conscience de sa minceur, de sa grande taille, de la coiffure ébouriffée que certains gays adoptent.

«S'il vous plaît, fermez la porte, tous les insectes de l'univers en ont après moi ce soir.»

Rire de politesse.

«Le téléphone est ici.»

Maude est fatiguée, elle s'écarte pour le laisser passer. *Elle possède une réelle beauté.*

Le salon est illuminé par une lampe, une lampe en forme de pyramide posée sur une table en verre aux angles stricts. Trois cailloux sont regroupés tels des chats sur la table basse brillante aux bords acérés. L'effet est sensuel, *pour autant que des cailloux polis par une rivière puissent être sensuels.*

«Super lampe», déclare-t-il d'un ton enjoué.

Il est mignon.

Le ventilateur au plafond tourne si lentement que Peter distingue une traînée de poussière sombre au bord des pales blanches. *Un défi délicieusement immense ce soir, la cerise sur le gâteau.* Il décroche le téléphone et compose le numéro des renseignements. La baignoire se remplit lentement dans la pièce d'à côté. Il a une foule d'idées.

Il se sent implacable tandis qu'elle lui fait face de l'autre côté de la pièce. Il la connaît mieux qu'elle ne le connaît, leur rencontre semble déséquilibrée. Elle paraît si ordinaire chez elle, si innocente, qu'il ressent une pointe de culpabilité. Ce soir, il l'emmènera au bord de l'abîme, la forcera à se pencher au-dessus du vide et à regarder en bas. Peut-être qu'elle glissera et tombera. Il frissonne, un frémissement bref le traverse.

Maude a l'impression qu'il se sent légèrement embarrassé, pas à sa place, qu'il est prêt à filer. Elle ne connaît pas son nom, bien entendu, et elle n'a pas conscience de toute la haine, tous les rêves, tous les orgasmes qu'il lui a inspirés. Elle ne se rend pas compte qu'elle le connaît très bien.

Il appelle les renseignements.

«Je voudrais le numéro d'un bar nommé Outrageous dans West Hollywood, s'il vous plaît. Merci.» Il raccroche, note le numéro sur un bloc-notes blanc. «Je remercie toujours les voix préenregistrées.» Il rit. «Si ça se trouve, elle n'est même plus en vie.»

Il y a une horloge murale en étain. Sur le cadran, un débauché à l'air mauvais affublé d'un haut-de-forme fume une Gauloise. L'horloge indique 23 h 12.

«C'est la bonne heure?

– Je suppose.

– Je suis tellement en retard.» Peter compose le numéro et attend. «Vous adoreriez Outrageous. J'y

vois tout le temps des femmes seules. » *Des lesbiennes.*
Il raccroche. « Occupé. »

Il ôte avec aisance son blouson de cuir, le laisse
tomber sur une chaise. Maude remarque sa souplesse,
qui rappelle plus un gymnaste qu'un leveur de fonte.
Elle se tient dans le coin cuisine, maintenant une certaine
distance entre elle et lui.

« J'aimerais réessayer dans une minute si ça ne vous
dérange pas. S'il n'est pas là...

– Vous rentrerez chez vous.

– Tout à fait. Et si il y est...

– Vous irez le chercher.

– Exact. »

Simple, agréable, il est trop timide pour me regarder. Il est
debout, se balance d'un pied sur l'autre, il semble mal à
l'aise dans la petite maison, pressé de partir. Il compose
de nouveau rapidement le numéro, gigotant sur ses
pieds. Elle dépose deux sachets de thé dans une théière,
met la bouilloire à chauffer. C'est une cuisinière électrique, elle ne sait jamais quand les plaques sont chaudes.

« C'était quoi, la musique ? » demande-t-il.

Nous allons passer la soirée ensemble.

« Opéra. »

Elle a baissé le volume au minimum. La bouche de
Peter forme un *oh* silencieux.

« Comment se fait-il que vous ne connaissiez rien aux
voitures ?

– Je suis médecin. »

Nouveau rire de politesse.

« Je savais que vous étiez quelque chose. »

Je suis d'humeur à bavarder.

Maude se sent vieille.

« Ça sonne ?

– Trois sonneries », répond-il, tête baissée. Il attend.
« Quatre. » Il la regarde. « Avoir un colocataire, ce n'est
pas la même chose pour moi que pour vous, pas vrai ?

– Je suppose. »

*En d'autres termes, il est plus facile de s'imaginer deux
femmes dans les bras l'une de l'autre que deux hommes dans les
bras l'un de l'autre.*

« Ça sonne toujours ?

– Six. »

Il attend.

« Sept.

– Peut-être que vous vous êtes trompé dans le numéro.

– Possible. » Il le compose une fois de plus en s'appli-
quant, attend, tête baissée. « Occupé. »

*Je n'ai pas besoin de ça. Je veux mon bain, mon thé, ma
musique, et je veux être seule. En plus j'ai envie de faire pipi.*

La bouilloire se met à hurler. Peter se retourne en
sursaut. Maude la retire de la cuisinière. Le hurlement
s'affaiblit, meurt. Il la regarde verser de l'eau dans la
théière. *Nous nous touchons presque. Nous nous adorons
mutuellement ; nous souhaitons chacun la mort de l'autre.*

Maude a conscience que sa tenue de tennis humide
laisse voir la pointe de ses seins, la courbe de son mont
de Vénus.

« S'il vous plaît, passez votre coup de fil. »

Elle file dans la salle de bains. Lorsqu'il est seul,
Peter pose le combiné, ouvre discrètement le tiroir

supérieur de la commode sur laquelle est posé le téléphone, examine rapidement son contenu. La photo dans un cadre argenté représentant Maude et l'homme aux cheveux sombres, Mason, a été remisée dans le tiroir. *À toi, Mason.* Il ouvre agilement le tiroir d'en dessous, voit le revolver 6,35 mm déchargé, les balles posées sur un pull. La chasse d'eau retentit. Il referme le tiroir et raccroche le téléphone dans un même geste.

Maude réapparaît, portant une jupe portefeuille et un chemisier de soie ample plus sombre qu'une mer profonde. Il lui sert une tasse de thé.

« Oh ! ne faites pas ça, s'il vous plaît, dit-elle.

– Vous le buvez avec du lait ? »

Elle soupire.

« Ça ira.

– Pas de sucre ?

– Non. »

Il sourit avec gêne. *Est-ce qu'elle essaie de me mettre mal à l'aise ?*

Il laisse la tasse sur le comptoir et retourne au téléphone, compose le numéro. Il attend.

« Toujours occupé. »

Il raccroche doucement, se tient immobile. Dehors, il sent une rivière noire qui s'écoule devant la porte, il sent son courant.

Jimmy G traverse le salon en direction de la chambre, Maude lui ouvre la porte, il entre, queue dressée. Il l'attendra dans la chambre.

Peter est debout, un doigt sur le téléphone.

« Donc vous êtes médecin. Moi, c'est Peter. »

Elle ne répond rien. Ils écoutent ensemble la baignoire se remplir goutte à goutte.

« Les robinets n'ont pas assez de pression », observe-t-il. Puis, après un moment, il répète :

« Moi, c'est Peter.

– Maude.

– J'adore ce prénom, Maude. » Il décroche le téléphone. « Donc vous êtes médecin. »

Elle ne va pas me dire qu'elle est psy.

« Et vous, mécanicien.

– Certainement pas. Je gagne ma vie en tant que chiromancien. »

Pourquoi pas ?

« Pardon ? fait-elle, prise au dépourvu.

– Je lis les lignes de la main, professionnellement. Je le fais chez Outrageous. C'est marrant, je suis comme un médium, je m'assieds à la table des clients, ils me posent les questions qu'ils veulent, ils me paient ce qu'ils veulent. Pour les fêtes, je gagne cent dollars par soirée. »

Comme une pute. Elle ne dit rien.

« Vous trouvez ça ringard, pas vrai ? »

Oui, en effet.

« Je ne crois pas que les lignes qu'on a dans la main aient quoi que ce soit à voir avec l'avenir.

– Eh bien, je me contente de dire aux gens ce que, *d'après moi*, ils devraient faire de leur avenir.

– Je suis épuisée. Je vais vous demander de partir quand vous aurez passé votre coup de fil. »

Il désigne la main de Maude.

« Montrez-la-moi. »

Je suis pris dans une mélodie dont je ne veux pas sortir, il est trop tard pour m'arrêter.

«Non, répond-elle, mains fermées.

– S'il vous plaît?» implore Peter en reposant le téléphone.

Maude, de l'autre côté de la pièce, change sa tasse de main et lève le bras droit, paume en avant, telle une élève posant une question en classe. Il regarde sa paume en plissant les yeux.

«Vous venez de sortir d'une dépression.

– Qui ne sort pas d'une dépression?

– Moi. Vous avez des soucis au travail.

– Qui n'a pas de soucis au travail?»

Nous sommes tous les deux voyants et je passe une soirée d'été moite en compagnie d'un chiromancien gay.

«Votre petit doigt est *beaucoup* trop court, vous avez un pouce entêté. Et regardez ça! Cette ligne s'appelle la *Via Lasciva.*»

Il est mutin.

«Une quoi?

– Je ne vous le dirai pas.»

C'est tout. Fini.

«Il est temps d'y aller, Peter.»

Il soulève son blouson au bout de son majeur, se tourne vers la porte.

«Est-ce que quelqu'un vit là-bas? En haut de la colline derrière votre maison?

– Pourquoi me demandez-vous ça?

– Aucune importance.»

Il marque une pause.

«J'ai vu quelque chose bouger dans les arbres là-bas. C'était peut-être un chevreuil.

– Où ça?»

Peter est à la porte. Il désigne l'arrière de la maison à travers la fenêtre du salon.

«Est-ce qu'il portait une tenue de joggeur?

– Vous voulez que j'appelle la police?

– Non.

– Cette histoire de Toyer rend tout le monde paranoïaque.

– Je ne suis pas paranoïaque, Peter. La paranoïa est un trouble mental sérieux.»

Elle est parfaite.

«Vous dites que Toyer fait du jogging?

– *Ce n'est pas Toyer*, c'est simplement un voyeur.

– Je vais appeler la police.»

En pivotant à peine sur lui-même il parvient à composer le 911 sur le téléphone.

«Ne prenez pas cette peine, c'est bon. Les flics sont venus le mois dernier. Ils ne font rien.»

Il tient le téléphone contre son oreille, attend que quelqu'un décroche.

«Inspecteur Rosen, pourriez-vous envoyer une voiture ici, s'il vous plaît, nous avons un voyeur qui rôde.» Il écoute. «Randall Canyon, Tigertail Road.» Il regarde une enveloppe sur le bureau. «8201.» Il écoute. «Maude...»

Il se tourne vers Maude pour qu'elle complète son nom.

«Maude Garance», dit-elle.

Je lui ai fait dire son nom.

Il répète le nom dans le combiné et raccroche.

«Une femme charmante», déclare-t-il.

Quelle chochotte. Maude s'amuserait presque.

«Ils envoient une femme ?

– Vous avez quelque chose contre les femmes ?»

Touché. Elle tient légèrement sa tasse entre ses dix doigts.

«Je veux voir votre voyeur.» *Et après je veux passer ma langue entre vos doigts.* «Qu'est-ce qu'il fait ?

– Apparemment il se tient sur mes capucines, il m'observe, et...»

Elle ne veut pas dire qu'il se masturbe. Peter éclate de rire.

«C'est ce que j'appelle profiter pleinement de la vie.

– Je ne trouve pas ça drôle.

– Moi non plus.

– J'ai de la compassion.

– Je sais, moi aussi.

– Ce n'est pas si rare.

– Et si je me servais quelque chose à boire ?

– Non.

– OK. Je vais jeter un coup d'œil par moi-même.

– Non, ne faites pas ça...

– Pourquoi attendre les flics ?»

Avant que Maude ait pu le retenir, Peter a ouvert la porte et disparu. Elle s'assied au comptoir de la cuisine, attend que son thé refroidisse. L'eau qui coule au compte-gouttes dans la salle de bains produit une note plus aiguë. La baignoire se remplit. Elle songe à fermer la porte à clé. Il a laissé son blouson de cuir sur le dossier de la chaise.

TELEN

près avoir roulé cinq minutes, elle prend
Sunset Boulevard vers l'est. À un feu
rouge, elle vide son cendrier fumant par la fenêtre. Un
homme sur le trottoir lui hurle dessus, une longue injure
qui s'achève par : « Abrutie ». Le feu passe au vert, elle
décampe aussi sec.

STOP. Feux clignotants. Une pancarte « Déviation ».
L'eau qui jaillit de canalisations rompues sous la chaussée
a entraîné la fermeture de Sunset Boulevard.

Elle remarque que l'eau qui forme un ruisseau autour
de ses pneus a embelli la rue, transformant l'architecture
irrégulière en front de mer. Elle prend Santa Monica
Boulevard vers le sud, puis tourne de nouveau vers l'est,
s'apercevant à peine qu'elle se dirige vers Silverlake.
Elle roule lentement, les feux sont flous, la voiture passe
devant chez elle sans s'arrêter. Telen se laisse conduire
par la voiture. Elle a une sensation d'inévitabilité qui
l'effraie. Elle est à la jonction de Sunset Boulevard et
Hollywood Boulevard, où deux rivières se rejoignent, a
parcouru plus de la moitié du chemin jusqu'à Silverlake.
Elle pourrait aisément faire demi-tour et rentrer chez
elle, appeler Billy, regarder avec lui ses émissions de télé
préférées, dormir seule, se cacher de Peter, sans même
avoir à s'expliquer. Billy se fout qu'elle fume.

Elle ralentit, change de voie, ne s'arrête pas. Elle peut toujours aller chez Billy. La voiture continue de l'emmener vers l'est. Elle allume la radio, espérant y entendre des instructions. La clé de Peter est sur l'anneau qui pend au démarreur.

PETER

La nuit s'abat sur Peter lorsqu'il referme la porte. Il traverse la lumière jaune vif du perron. Derrière la maison, le ciel est immaculé, constellé d'étoiles qui semblent proches de son visage. La fraîcheur tombe sur la vallée, rafraîchissant la sueur sur les bras de ceux qui dorment déjà.

Il attend un moment, songe à ce qu'il est en train de faire. *C'est fabuleux.* Il avance à tâtons, touchant du bout des doigts la surface de bois de la maison tandis qu'il avance parmi les capucines et les buissons. Il marche sur un râteau, le ramasse, le pose en équilibre entre un rebord de fenêtre et une branche basse. Le moindre souffle le fera tomber en claquant contre le mur.

La voilà. Il l'aperçoit entre le store et le montant de la fenêtre. Un petit fragment de Maude vu à travers une fente, sa peau pâle. Elle se tient immobile au centre de la pièce, tendant l'oreille. Il cogne légèrement contre la fenêtre. Maude se retourne vivement vers lui. *La peur du voyeur.*

Elle n'a pas verrouillé la porte de la maison. Lorsqu'il retourne à l'intérieur, elle est de nouveau assise, le visage rougi.

«Ce n'était pas nécessaire, déclare-t-elle. S'il vous plaît, partez.

– Je m'en vais, mais je crois qu'il y a bien quelqu'un dehors, sur la colline.

– Partez. Vraiment, je dois me lever tôt.

– Soit.» Peter hausse les épaules. «Laissez-moi appeler mon colocataire vite fait.» Peter compose le numéro qu'il a noté sur le bloc-notes. «Ça sonne! Tout est bien qui finit bien.» Il attend. «Allô, Carl? Peter à l'appareil, est-ce que Peter numéro deux est là?»

Après avoir écouté le barman lui expliquer que Peter numéro deux est parti avec un autre homme, il feint l'indignation.

«Ce salaud! Très bien, merci, Carl, qu'il aille se faire foutre. C'est fini. Merci de m'avoir prévenu.»

Il raccroche violemment le combiné, tourne le dos à Maude, croise les bras en s'agrippant les coudes.

«Je suis désolée, Peter.

– Je m'en remettrai.»

Maude est curieuse, prête à écouter. *Juste le temps que la baignoire se remplisse.*

«Il s'appelle aussi Peter?

– S'appelait.»

Pourquoi n'ai-je pas choisi Adam?

«Est-ce que je peux me servir quelque chose à boire vite fait pour la route?

– Vous allez devoir remettre de l'eau à chauffer pour vous faire un thé.

– Ce n'est pas de thé dont j'ai besoin.»

Maude soupire. *Une peine de cœur. Pourquoi pas. J'aimerais bien moi aussi en avoir une.*

«J'ai de la tequila, du gin, et même de la liqueur de café.»

Le kahlúa a été apporté par le docteur T.

Peter se rend dans le coin cuisine.

«Je pourrais tout mélanger ensemble et donner mon nom au cocktail.

– Juste derrière vous. Les verres en haut. Glaçons dans le congélateur.»

Peter verse à deux mains de la tequila sur des glaçons avec une agilité de barman.

«Rien pour vous?

– Un doigt de gin, il y a du tonic dans le réfrigérateur.»

Il est marrant à regarder.

Peter sait qu'elle commence à le trouver divertissant.

Los Angeles bâille, se retourne sous ses draps. Il est minuit passé. Des célébrités au visage de métal se tiennent devant des restaurants qui servent des desserts flambés sur des chariots, attendant qu'on leur ramène leur voiture. Bientôt les nuits seront fraîches.

TELEN

Une lumière est allumée dans l'appartement de Peter. Le reste de la bâtisse est endormi. Telen se gare et reste assise dans la voiture. Une minute s'écoule. C'est une grande maison, vieille, privée, elle a été construite à une époque où les domestiques côtoyaient des familles nombreuses, dans un quartier majestueux devenu pauvre.

Au dernier étage, sur la dernière marche de l'étroit escalier, là où ils ont fait l'amour la semaine dernière, à même le sol, Peter la poussant contre la porte pour la maintenir ouverte, elle frappe du bout des doigts. Pas de réponse. Il pourrait arriver à tout moment.

Elle attend devant la porte parmi les odeurs bouillies qui s'élèvent des étages inférieurs et restent piégées toute la nuit dans la cage d'escalier. Elle attend, sa robe va empester la nourriture. L'escalier grince comme un schooner à l'ancre. Elle attend une minute de plus dans le silence de la maison endormie.

Elle insère la clé dans la serrure, mais n'arrive pas à la tourner. Sa main tremble.

MAUDE

« **I**l n'y a personne dehors, dit-elle. Je ne crois pas.

– Moi, si.

– Pas moi. Il serait parti depuis longtemps à l'heure qu'il est.

– Pas votre joggeur.

– Qui d'autre ?

– Toyer. »

Maude éclate de rire.

« Je suis sérieux.

– Allons. Il ne procède pas ainsi.

– Alors comment procède-t-il, Maude ? »

Elle ressent un frisson distinct. *Ça pourrait être lui.* La possibilité est bien réelle. *Il connaît le chemin.*

« Pourquoi faites-vous une fixation sur lui ? demande-t-elle.

– Pourquoi Toyer ne serait-il pas un voyeur ? »

C'est bon.

« Il pourrait être n'importe quoi. Simplement parce qu'il ne tue pas ?

– Si, il tue. »

Et toi aussi, ma douce.

« Eh bien, elles ne sont pas mortes, Maude.

– *Tout le monde* sait qu'elles ne sont pas mortes, espèce de...» Elle se retient de l'appeler *bimbo*. «C'est ce qu'il veut, c'est pour ça qu'il s'appelle Toyer, vous saisissez?»

Elle a failli me traiter d'idiot. J'adore.

«Imaginez qu'on vous trimballe dans un fauteuil roulant, sans que vous puissiez ni bouger les bras ni parler, qu'on vous arrose comme une plante.

– Comme un jouet vivant?»

Il tient son verre à bout de bras. La tequila le rend audacieux. *Faisons-lui croire que je suis soûl.*

Maude est enflammée, furieuse. *Que fout la police?* Elle est assise, croise ses jambes nues, toujours lourdes à cause de sa partie de tennis, des jambes chaudes. *J'aimerais vraiment un massage, et un autre verre.*

Peter est émoustillé par sa colère, excité par son excitation. Par le fait qu'il se tient si près d'elle. Ils se connaissent depuis longtemps, après tout, pas en tant qu'amis, mais ils se connaissent. Ils ont discuté, correspondu, elle a essayé de lui trancher la gorge. Il se sent proche d'elle.

TELEN

E lle parvient à tourner la clé à deux mains. Le pêne se débloque, la porte s'entrouvre. Un grincement ténu. Maintenant l'odeur chocolatée des bardeaux hors d'âge, des boiseries vernies. Elle allume une lampe. La grande pièce sous les combles. Elle était autrefois divisée en trois chambres de bonne, les lignes du toit sont partout, elles font partie intégrante de la pièce.

Elle referme la porte derrière elle. L'air est rance. Elle allume la lampe près du lit, deux ventilateurs rotatifs.

Le lit est fait. *Quel homme, plus méticuleux que moi.* Elle déclenche son répondeur. Un seul message, le sien. *J'ai une voix très jeune, étrange.* Elle l'efface.

Il y a un morceau de journal déchiré dans la corbeille. La lettre de Maude à l'«Imprudente». Elle.

Elle est revenue ici pleine d'espoir, avec l'intention de dire à Peter que tout était oublié, prête à se soumettre. Elle lui a apporté un cadeau. *Vocalise*, interprété par Anna Moffo. Elle l'a trouvé à Robertson Village et l'a gardé pour le bon moment. C'est le bon moment.

Elle est effrayée et excitée par un avenir avec l'homme qu'elle aime. Elle imagine Peter. Se fait sourire. Il n'y a rien de plus à savoir.

Elle trouve le pigeon de Peter mort dans sa boîte, le pigeon estropié qu'il a trouvé sur le trottoir, à qui il a donné un nom. Maintenant il est bon pour la poubelle. Elle le ramasse, étonnée par sa légèreté, il n'y a rien là-dedans. Des plumes. Elle décide de l'enterrer, l'enveloppe dans un essuie-tout. Elle perçoit un mouvement derrière ses yeux, des vers minuscules. Elle le jette par la fenêtre dans l'obscurité.

Tout est tellement étrange. Elle attend, se met à trembler. *L'amour peut-il s'accommoder de ça ?*

Oui.

PETER

Silence. Toute la nuit durant, la ville en contrebas se purifie comme le sol de l'océan. Dans les voitures garées à l'est de Cahuenga Boulevard, des prostituées en bottes de cavalerie chevauchent leurs montures, gagnant leur argent du matin.

Peter a servi un autre gin tonic à Maude, sans rien dire, et une tequila pour lui-même. Il lui tend le verre. Elle le saisit, boit une gorgée, le repose sur la table basse. *L'alcool est magnifique vu à travers du verre taillé et des glaçons.*

« Je me suis toujours demandé si Toyer... vous savez... » Il hésite. « En tant que médecin...

– Est-ce qu'il les baise ? »

Maude se penche en arrière, s'étire. *Elle commence assurément à se détendre.*

« Oui. C'est ça.

– Peut-être, peut-être pas. Ça vous intéresse ? »

Il sent un frisson chaud lui remonter le long du canal rachidien, depuis les cervicales supérieures jusqu'au cerveau. Une noirceur familière lui inonde les yeux, le vide emplit ses oreilles. Il lève haut le menton pour soulager sa nuque, alléger le poids de sa tête. Ça commence toujours comme ça. La petite obscurité au fond des yeux. Son prélude. Il fait confiance à sa haine, elle est apaisante, ce n'est pas un fardeau. Il peut continuer de jouer ce jeu, *un type de tennis différent*. Maude en est le trophée, la coupe en argent, son esprit, son intégrité, son goût, sa volonté. Son corps, sa peau, ses yeux, ses cheveux. Chaque partie de son corps. Toutes les parties de son corps.

Maude semble avoir la tête ailleurs, loin de la pièce où ils se trouvent.

« Vous êtes toujours là ? »

Il saisit le message.

« OK, OK, je ferais peut-être mieux d'y aller.

– Bonne nuit », répond-elle sans lever les yeux.

Dehors, au même instant, le vent se lève, une branche bouge, le râteau tombe, à point nommé. *Parfait*. Maude se retourne. *Qu'est-ce que c'était ?*

« Votre admirateur est de retour. »

Elle écoute, la tête inclinée vers la fenêtre. Elle fixe le store d'un air hébété. *Pourrait-il être juste là ?* Peter marche jusqu'à la fenêtre, écarte le store, regarde dehors.

« Un admirateur n'est pas quelqu'un qui se tient derrière les fenêtres et regarde les femmes se déshabiller. »

Peter hausse les épaules.

« Qu'est-ce que j'en sais ? »

Apparemment rien.

« La dernière fois que mon admirateur m'a admirée, il se tenait juste là. » Elle pointe le doigt vers la fenêtre. « Le store bougeait et il prononçait mon nom encore et encore.

– Sympa.

– La fenêtre était ouverte naturellement, il aurait pu déchirer le store et entrer. Et alors il l'a encore dit...

– Qu'est-ce qu'il a dit ?

– Je vous aime.

– Les flics sont venus ?

– Oh ! oui, ils sont venus. Ils ont trouvé un indice et m'ont demandé s'il m'appartenait. »

Maude tend la main, paume incurvée.

« Je ne l'avais jamais vu de ma vie. »

Peter prend une inspiration sèche. *À moi de servir. Que la partie commence.*

« Un miroir de poche », dit-il.

Elle le regarde directement pour la première fois.

Il a raison.

« Comment le savez-vous ? »

Oh ! Maude, je voudrais embrasser ton cou en l'effleurant à peine, Maude, te sentir frémir, Maude, te donner envie de moi, Maude.

TELEN

elen s'assied timidement sur l'accoudoir du fauteuil, les jambes dans le vide, se laisse glisser sur le coussin tout en tenant la lettre de Maude découpée dans le journal. Le fauteuil dégage une odeur de vieille personne.

Elle insère le CD de Rachmaninov dans le lecteur. C'est un long soupir féminin jailli de la terre bien avant son époque, la supplication de femmes qui étaient plus majestueuses qu'elle. Peter adore *Vocalise*. Il lui a expliqué que ç'avait été un tournant dans sa vie. *Il aime les femmes dans le meilleur sens du terme, il aime leur féminité.*

Quand il arrivera, elle ne le bombardera pas de questions. Elle l'attend avec la ferme intention de le séduire. Elle porte la culotte en coton qu'il lui a achetée au drugstore de l'autre côté de la rue la première fois qu'elle a dormi chez lui. La nuit précédente, il avait déchiré sa jolie culotte en lambeaux alors qu'elle la portait encore. Il lui avait rapporté deux culottes taille S dans une enveloppe en plastique transparente. *Les culottes qu'il préfère.* Elle lui dira : *Je t'aime.* Elle s'est lavé et séché les cheveux, ils ne sentent plus le tabac froid.

Soudain, dehors, les pétarades d'une moto ralentissant. *Tout le monde debout !* Elle connaît le bruit de métal déchiré que produit la Harley-Davidson reconstruite.

La moto passe dans un vacarme formidable. Telen attend depuis trop longtemps. L'élément de surprise se dissipe. Elle a les yeux ternes, secs ; elle est nerveuse. À l'écart du monde. Il est minuit. Elle observe par la fenêtre la rue en contrebas. Aucun signe de vie.

Elle appelle son propre répondeur, compose le code à deux chiffres. Un message, Billy. Il veut être sûr d'avoir bien compris, est-ce qu'elle part demain ? Il lui demande de la rappeler. Elle froisse la coupure de journal, la jette par la fenêtre du petit avant-toit.

Elle réveille Billy, il semble soulagé.

« Bon Dieu, je suis content que tu m'appelles, je ne voulais pas que tu partes sans me dire au revoir. »

Elle est embarrassée de demander ça, mais est-ce qu'il a vu Peter ? Non. Ni eu au téléphone ? Pas ce soir. Il ne demande pas pourquoi. Il est stoïque. Elle promet de lui écrire, de lui donner son numéro de téléphone quand ils en auront un. Il peut accepter que Telen soit avec Peter, il lui a même avoué qu'ils allaient bien ensemble. Billy est comme ça.

« Au fait, Telen, je t'aime réellement, je veux que tu le saches. »

Au cas où mon histoire d'amour avec Peter ne marcherait pas. La semaine dernière, quand elle lui a dit qu'elle l'aimait, il a compris. Elle était au fond du trou, et ce qu'elle disait n'avait aucune importance. Il connaît ses doutes, mais ignore tout de ses peurs.

Elle est assise, penchée par la fenêtre, fume une cigarette jusqu'au filtre, jette le mégot dans la rue. Peter n'en saura rien. Elle se rince la bouche, se brosse vigoureusement les dents. Minuit est depuis longtemps passé,

00 h 25. Elle comprend pour la première fois qu'il ne rentrera peut-être pas cette nuit.

Elle se lève. Elle ne s'est jamais trouvée ici sans lui. Tout est si ordonné. Chaque chose a été rangée à sa place. *Si inhabituel. Étrange, comme s'il craignait d'être jugé.* Elle ouvre et referme chaque tiroir de la commode. Pas de bagues ni de chaînes, pas d'accessoires. Pas de secrets. T-shirts, caleçons, chaussettes pliées. Tout est en ordre. Une bouteille d'eau de Cologne citronnée. Elle en verse quelques gouttes dans sa main, se rafraîchit le cou et les bras. Elle va à la cuisinière pour voir s'il y a du café. Tout est lavé et rangé. Il y a une boîte de métal rouge qui renferme ses outils de couvreur. *Quel marteau bizarre.*

Il n'y a rien d'inhabituel, et pourtant tout est étrange. Elle découvre des bouts de papier, des listes qu'il a tapées à la machine, des nombres, les heures qu'il a travaillé, des requêtes pour ses heures supplémentaires. Toutes les pages sont froissées dans la corbeille, imprimées à partir d'un ordinateur, et pourtant il n'y a ni ordinateur ni imprimante dans l'appartement. Sur une étagère en hauteur dans la cuisine elle trouve une ramette de papier vierge. *Pour un ordinateur qui n'est pas ici.*

L'anxiété excite sa curiosité. Elle fouine, à quatre pattes, entre le réfrigérateur et le mur, au fond du placard. Elle fouine. Rien n'est caché.

00 h 45. Son anxiété s'est transformée en soupçon. Ce qui la surprend, ce n'est pas tant le soupçon que son intensité. Sa banale curiosité a laissé place à des images vives de Peter faisant l'amour à une autre femme avec la même force torride que quand il lui a fait l'amour hier. Elle a été trahie. L'infidélité n'a jamais été un souci, mais

maintenant elle s'aperçoit qu'il en est peut-être capable. Incrédulité. Elle est abasourdie.

Tout ce que je veux, c'est sa loyauté. Je suis revenue ce soir, je m'offre à lui malgré mes doutes, malgré mon instinct. Avec qui est-il en ce moment ?

Il lui faut une réponse, vite, une raison de continuer à avoir foi en lui, ou alors de le laisser tomber. L'un ou l'autre. Immédiatement. Il doit y avoir un nom quelque part dans l'appartement, un numéro de téléphone.

Elle examine la pièce sombre au toit pentu où jadis un cuisinier, un chauffeur et deux bonnes ont célébré l'armistice de 1918. Seules les vieilles maisons comme celle-ci recèlent de véritables cachettes. Les normes de construction ont changé. Elle cherche d'abord dans le salon mal fichu avec ses recoins et ses pignons, le coin bureau où se trouvent quelques livres. Puis la chambre séparée, ses placards, la salle de bains. Des espaces découpés en fonction des lignes du toit. *Bon Dieu. C'est ici dans cette pièce et je ne le vois pas.*

MAUDE

« Comment savez-vous pour le miroir de poche ? » Elle n'est pas trop inquiète, mais quelque chose la trouble. Elle est surprise par le bourdonnement dans ses oreilles. Elle regarde fixement Peter, attendant une réponse. « Absolument personne n'était au courant. »

Il sourit chaleureusement.

« Vous l'avez toujours ? »

Quelque part dans la salle de bains. Elle ne répond pas, réitère sa question :

« Comment avez-vous deviné ? Simple curiosité.

– Je vous l'ai dit, je suis chiromancien. »

Elle lâche un rire forcé.

« J'ai besoin d'une réponse rationnelle.

– Bon, d'accord, c'est moi qui l'ai mis là. »

Maude sent un souffle froid glisser sur son dos en sueur. *Donc c'est à ça qu'il ressemble, mon joggeur voyeur. Il est plus jeune que je ne me l'étais imaginé.*

« Ne vous mettez pas en colère.

– Pas du tout. » *Je peux gérer la situation, il suffit de prendre les choses simplement.* « Vous êtes un voyeur, c'est votre miroir. Maintenant, il est soudain très tard et je pense avoir été patiente avec vous, Peter. Merci d'avoir réparé ma voiture. Je vous ai offert un verre, vous avez passé votre coup de fil. Nous sommes quittes. »

Elle croit s'en tirer à si bon compte ?

« Il s'avère que vous êtes un voyeur. Soit. Nous vivons dans une société de voyeurisme avec des miroirs et des caméras partout. Au fait, ça s'appelle de la scopophilie. »

Elle est irrésistible. Elle m'éblouit avec son charabia de psy.

« Un nouveau mot pour vous, Peter, *scopophile*, un type qui aime regarder les femmes plus ou moins déshabillées sans être vu.

– Et les hommes aussi ? »

Continue de jouer les homos.

« Absolument. »

Contrôle-le.

« Alors, je suis juste un type ordinaire.

– Un type très ordinaire. »

Ne le rabaisse pas.

« Ce n'est pas un crime si vous le faites chez vous. Helgen explique qu'un scopophile est une personne qui refuse simplement d'être vue lorsqu'elle éprouve du plaisir sexuel. Peter, c'est une manière particulière de dire : "Hé ! je suis timide".

– C'est moi tout craché. Un vrai rat. Et comme ça mes maîtresses ne me coûtent pas un rond. »

Il rit. Maude aussi, d'un rire âpre.

« Et vous semblez être capable de prendre ça avec humour. Alors, si on en restait là ?

– Oui, nous ferions sans doute mieux. »

Pour le moment, tout se passe bien.

« Mais ne vous faites pas attraper par les flics. Quand ils ne comprennent pas ce qui se passe, ils ont tendance à tirer.

– Mais vous, vous comprenez.

– Oui, je comprends. Je suis psychiatre.

– Je croyais que vous étiez médecin.

– Entre autres choses. Appelez-moi un jour au Kipness. Docteur Garance, j'exerce en psychiatrie et en physiatrie.

– Merci, docteur Garance.

– Maintenant fichez le camp avant que ces idiots de flics viennent cogner à la porte.

– Ils ne vont pas venir.

– Oh ? fait-elle en souriant.

– Non.

– Mais vous les avez appelés.

– Non », répond-il doucement.

Le silence siffle dans les oreilles de Maude. *C'est juste un voyeur.*

Peter s'est placé de sorte à former un triangle équilatéral avec Maude et la porte d'entrée, qui n'est pas verrouillée. Il est tranquille, il sait de quoi il est capable.

Maude désigne la porte fermée de la chambre.

« Bon, Peter, ça m'ennuie de dire ça, mais Karen dort dans la chambre. Peut-être qu'elle a tout écouté. Je vous préviens, allez-vous-en, maintenant.

– Il n'y a pas de Karen.

– Ah non ? »

À quoi il joue ?

« Non. Karen n'est pas là. » Il pousse la porte de la chambre du bout du pied et demande doucement dans la pièce obscure : « Karen, tu es là ? »

Silence.

«J'ignorais qu'elle était sortie.

– C'est ça, elle est sortie.

– Je crois que vous feriez mieux de partir.

– Peut-être.

– De toute manière, mon fiancé va très bientôt arriver.»

Sa liste d'invités est infinie.

«Mason?»

Maude acquiesce bêtement.

«Mason ne va pas venir. Je suis désolé», ajoute-t-il d'un ton compatissant.

Maude ouvre la bouche pour répondre, se retient.

«Vous voulez bien partir maintenant? Je vous dis même s'il vous plaît. Partez. OK?» Elle continue de se contrôler, en partie grâce à ses années de pratique professionnelle.

«Écoutez, vous commencez à m'emmerder. Partez.

– Je crois que je ne peux pas.

– Pourquoi pas?

– J'aimerais que ce soit si simple.

– Alors buvons un autre verre et parlons-en.

– Désolé.

– Tenez-vous là-bas, Peter.

– Je ne préfère pas.»

Elle refuse de croire que la situation puisse lui échapper des mains.

«Je n'ai pas peur de vous, Peter. Vous êtes peut-être gentil, mais vous allez avoir un sacré paquet d'ennuis demain. Et vous le savez.

– Je sais que c'est possible.

– Bon, est-ce que je peux vous demander ce que vous croyez fabriquer ?

– Je vous ai observée.

– Je m'en rends bien compte. Pourquoi ?

– Je vous aime.

– Peter, vous n'êtes pas amoureux. Vous m'aimez bien, et je vous aime bien. »

Elle parle d'une voix réconfortante.

« Je sais que vous êtes timide et je sais que vous avez peut-être une aversion particulière pour les femmes, mais vous auriez dû venir me parler aux courts de tennis quand vous m'avez vue.

– On serait allés dîner, c'est ça ?

– J'ai dix ans de plus que vous, Peter. Mais vous auriez tout de même dû exprimer vos sentiments. »

Prudence.

« Je comprends les gens obsessionnels, j'ai travaillé avec eux. Il y a quelque chose de simple en eux, quelque chose de doux...

– Vous me trouvez doux ?

– Eh bien, non. Oui, certainement. Pas doux dans le sens habituel du terme. Une autre forme de douceur. Et je vois que vous êtes une personne très profonde. Enfin, bref, j'aurais préféré que vous me parliez tout de suite.

– Ça n'est pas exactement ma manière de procéder. »

Il marque une pause.

« Pourquoi m'avez-vous souri sur le parking ?

– Je ne sais pas, Peter, je vous ai souri ? »

Je lui ai fait un grand sourire quand il a réparé ma voiture.

« Je me souviens de votre sourire.

– D'accord, Peter, vous êtes un voyeur, très bien, et en tant que tel vous n'éprouvez pas le besoin de toucher les femmes.

– Non.

– Vous aimez simplement regarder les femmes se déshabiller, n'est-ce pas ? »

Il acquiesce timidement. Elle réfléchit à toute allure.

« Et comme vous m'aimez bien, vous ne voudriez pas me forcer à faire quelque chose que je ne veux pas faire. J'ai raison, n'est-ce pas ?

– Oui. »

Où elle va comme ça ?

TELEN

Quinze minutes. 1 heure du matin. Il n'y a rien de caché dans l'appartement. Elle prépare une petite théière, se remplit une tasse, se rassied. Elle attend d'entendre le grondement de sa moto. Elle a superficiellement fouillé les deux pièces, sans rien trouver. Maintenant elle recommence, méthodiquement. Elle palpe le fond de son placard, tapant doucement du poing à la recherche de compartiments secrets, sentant l'odeur des chemises de Peter. Il n'y a pas de lumière, la petite lampe torche argentée qui était posée sur la table de chevet a disparu. *Pourquoi a-t-il emporté sa lampe torche ?*

Elle connaît ses vêtements, elle devine à leur absence lesquels il porte en ce moment. Son blouson de cuir noir. Son jean noir. Noir sur noir. Elle ne trouve pas son casque. D'habitude il ne porte pas son blouson quand il fait de la moto, surtout par une telle chaleur, mais ce soir il l'a emporté.

Le miroir ovale au-dessus de la commode date d'une autre époque. La dorure autour du verre est trop brillante, comme si elle n'était censée être vue qu'au bec de gaz. Elle palpe le mur derrière, décroche le miroir. Il est décrépi, à moitié pourri, la vitre est trouble, comme si elle servait de miroir depuis trop longtemps et avait été usée par les reflets. Elle l'examine. Des lamelles de bois inégales derrière le verre noir. Il n'y a rien là-dedans, rien de caché, pas de papiers. Elle écoute les bruits de la rue, s'apprête à raccrocher le miroir.

Soudain, dans le mur derrière le miroir, elle aperçoit quelque chose. Une tête de clou brillante. Au-dessus se trouve une latte qui peut être tournée. Derrière la latte elle découvre un espace haut et étroit, sombre, de dix centimètres de profondeur. Quelque chose est coincé entre les larges planches, quelque chose de neuf entre les vieux bouts de bois pelucheux. C'est une boîte beige. Elle la sort. Un petit ordinateur.

Elle le pose sur la commode, tel un pantin qui attendrait d'être réveillé, qui attendrait qu'on lui demande de parler. Sa gorge se serre. Elle a découvert quelque chose. Peut-être est-ce ce qu'elle cherchait sans vouloir le trouver. Telen le regarde fixement. L'ordinateur est aussi petit que son sac à main. Elle sent sa puissance invisible, devine que son apparence anodine est mensongère. Elle sait que tout est là devant elle. Quelque chose de vital qu'elle ne veut pas découvrir.

Il fait trop chaud. Les ventilateurs gesticulent en vain ce soir. Elle branche l'ordinateur à la prise murale. Elle ôte ses chaussures, quitte sa jupe, passe son T-shirt par-dessus sa tête, se détache les cheveux, et s'assied en sous-vêtements face au minuscule ordinateur, genoux écartés, pieds en arrière, chevauchant sa chaise tel un jockey.

Si elle entend sa moto dans l'allée, elle devra éteindre l'ordinateur, le replacer dans le mur, raccrocher le miroir, sauter dans le lit, faire semblant de dormir. Elle disposera d'une minute entière. Quand il arrivera, il sera

surpris de la voir, puis ravi. Ils se pardonneront mutuellement. En dépit de tout, elle lui dira qu'elle l'aime. C'est
la vérité. Elle se lève, retrousse les draps du lit. Il lui fera
l'amour.

Le CD de *Vocalise* est terminé, elle l'a passé trois
fois. Elle se rassied, ouvre l'ordinateur, clic, comme un
poudrier, fait glisser l'interrupteur latéralement. Il se
réveille en produisant des petits bruits de grenouille.
Elle comprend les ordinateurs et ne met que quelques
secondes à naviguer jusqu'au répertoire qui contient les
fichiers. Les balises vertes clignotantes l'attirent comme
les lumières d'un port.

MAUDE

Maude ressent soudain une puissance, une euphorie, qu'elle n'a pas ressentie depuis des années. Le frisson du danger l'étourdit. C'est encore elle qui commande. Ce n'est qu'un voyeur après tout.

« Faisons un marché, Peter.

– Je suis partant. »

Et fasciné, ajouterais-je.

Elle lui fait ouvertement face, sans protection, comme si elle parlait à un patient psychotique, ce qu'il est. Peter ne sait pas trop où elle veut en venir, les choses pourraient partir dans plusieurs directions.

« Ce soutien-gorge me fait un mal de chien. Je porte un chemisier de soie. Ma poitrine se sentirait beaucoup mieux si elle était en contact avec la soie. Alors pourquoi ne pas déboutonner mon chemisier et l'enlever ? Puis ôter mon soutien-gorge ? Et après ça, je remettrai mon chemisier sans le soutien-gorge et je le reboutonnerai. Je me sentirai beaucoup mieux, ça me rafraîchira, et ma poitrine sera libre. Ça vous ennuierait que je le fasse ?

– Maintenant ? »

C'est incroyable.

« Oui.

– Je ne sais pas... »

Je suis pris au dépourvu ou quoi ?

«Eh bien, si je dois me changer, vous ne voulez probablement pas que je le fasse dans la pièce d'à côté où vous ne pourrez pas me regarder, alors je suppose que je vais être forcée de le faire ici, devant vous. Si ça ne vous ennuie pas ?»

Elle le regarde fixement jusqu'à ce qu'il acquiesce.

«Oui, d'accord.»

J'aurais pu mieux écrire cette scène.

Elle continue de parler, si doucement qu'il l'entend à peine. Légèrement hésitante.

«Mais ce n'est pas vraiment poli de la part d'un parfait inconnu de regarder une femme qu'il ne connaît pas ôter son chemisier et son soutien-gorge pour voir sa poitrine, si ? Ne devriez-vous pas baisser les yeux ?»

C'est le moment où elle m'attaque avec les ciseaux.

«Mais si par hasard vous m'aperceviez en train de me déshabiller, de changer de vêtements, est-ce que vous partiriez après ?»

Elle me parle comme à un voyeur, ce que je suis. Très sexy.

«Vous allez devoir répondre oui, Peter.»

Maude se tient derrière le divan, la tête inclinée, regardant Peter dans les yeux. Celui-ci hésite.

Jimmy G sort de la chambre sans les remarquer, va boire au bol qui se trouve près du réfrigérateur, puis il reprend le chemin de la chambre. C'est alors qu'il s'arrête comme s'il avait reçu un ordre, se tourne et regarde Peter. Seule Maude remarque ses oreilles. Elles se sont aplaties, comme s'il était prêt à attaquer. Son comportement est si étrange que Maude est un instant distraite.

«Vous allez devoir répondre oui, Peter.

– Oui.»

Incroyable.

Maude se concentre, ôte le bouton du haut. Elle le laisse voir son cou. *Il faut de l'intelligence pour avoir du cran.* Il se tient face à elle de l'autre côté de la pièce, la regarde directement. Elle voit qu'il est embarrassé.

«Non. Attendez. Arrêtez. Allez là-bas», dit-il soudain.

Peter désigne la porte de la salle de bains. *C'est moi le voyeur, c'est moi qui donne les ordres ici.* Il ouvre la porte de la salle de bains, la bloque à un certain angle. *C'est comme ça que les voyeurs regardent.*

«OK, fait-il. Tenez-vous en face du miroir.»

Elle se poste docilement face au miroir.

«Si vous insistez pour me regarder pendant que je me déshabille, peut-être que c'est moi qui vais devoir fermer les yeux.»

Elle ferme les yeux, se penche en avant, ses doigts touchent le deuxième bouton de son chemisier de soie, elle le défait. Elle le sent qui se tient quelques pas derrière elle. Fermant toujours les yeux, elle ôte le dernier bouton de son chemisier, qu'elle laisse glisser sur ses épaules puis dans son dos jusqu'à ce qu'il tombe par terre derrière elle. Elle marque une pause, puis, continuant de fermer les yeux, détache son soutien-gorge et se penche en avant, le laissant glisser le long de ses bras jusqu'à ce qu'il tombe à ses pieds. Elle se redresse un moment, sa poitrine se rafraîchit, ses mamelons se dilatent.

«Voilà. Ça fait du bien.»

Elle est aussi courageuse qu'un matador.

Maude s'est docilement soumise. Elle a gardé les yeux fermés tout au long de l'expérience. Elle les rouvre, s'inspecte brièvement dans le miroir. Elle semble fascinée par sa capacité à contrôler Peter. Elle se palpe les seins, les soutenant légèrement par en dessous, regarde ses mamelons s'allonger légèrement.

Peter la regarde impassiblement, sans expression, avec un détachement de voyeur. *Bon sang, si ça c'est pas un spectacle magnifique. Je sens ces mamelons grossir dans ma bouche.*

Peter décide de ne rien demander de plus. D'en rester là.

«Merci», dit-il, indiquant qu'il est prêt à partir.

Maude se baisse vivement, ramasse son chemisier, l'enfile et le boutonne.

«Vous voyez comme c'était facile ?»

Peter regarde ses seins disparaître dans le chemisier de soie verte ondulante. Elle ignore le soutien-gorge qui gît vide à ses pieds. Son épreuve dégradante, risquée, géniale, est terminée, elle a rempli sa part du contrat. Ils se regardent en opinant du chef. Il soulève son blouson d'un doigt, marche jusqu'à la porte.

«Merci, Maude.

– Bonsoir, Peter.»

J'ai gagné.

La main de Peter est posée sur la poignée, mais il ne la tourne pas. Il est immobile, détourne le regard.

«J'aimerais pouvoir partir.»

Elle tend la main vers le téléphone.

«Si vous ne tenez pas votre promesse, j'appelle la police.

– Vous ne comprenez vraiment pas, n'est-ce pas ?»

TELEN

La chambre sous les combles a quitté le passé pour entrer dans le temps présent tandis que, jambes écartées, elle navigue vers le cœur de l'ordinateur. Ses ongles fins d'enfant heurtent les touches : clic-clic-clic-clic. Les fichiers s'alignent. Il y en a très peu dans le dossier *LETTRES*, sa correspondance est maigre, il n'écrit à personne. Des adresses de journaux et de magazines dans diverses villes. L'*Herald*. Il y a des numéros de téléphone, pas le sien. Le numéro de téléphone de l'*Herald*, Sara Smith. Il y a des catégories. Des notes. D'autres fichiers.

Elle en choisit un nommé SÉISME.

Elle appuie sur la touche « Entrée ». Aussitôt, un message se met à clignoter en travers de l'écran, aussi vif qu'un néon :

CLÉ INEXISTANTE

Telen saisit WORD:\SÉISME.DOC, appuie sur la touche « Entrée ». Après quelques petits bourdonnements, un message vert apparaît.

NOM DE FICHIER NON VALIDE

Elle doit recommencer. Il y a un deuxième logiciel sur l'ordinateur. Elle a besoin d'un mot de passe pour y accéder. L'ordinateur est bloqué.

MAUDE

S ans le quitter des yeux, elle compose le 911.
« Allez-vous m'en empêcher ?
– Je n'en ai pas besoin, Maude, le téléphone est coupé.»
Elle écoute. Pas de tonalité. *Bon sang, la ligne est coupée.*
«Je vous l'avais promis, je vais hurler.»
Elle sent le silence épais autour d'elle.
Peter hausse les épaules.
«Si vous voulez crier, vous devriez assurément le
faire.» Il dit ça comme si c'était dans l'intérêt de Maude,
un acte thérapeutique, une catharsis nécessaire. Il fait
deux pas dans sa direction. «Essayez de crier plus fort
que votre bouilloire.»
Maude s'entend pousser un hurlement haut perché et
perçant. Il la regarde d'un air appréciateur. Jimmy G se
réveille en écarquillant de grands yeux, regarde autour
de lui. Il est habitué à l'opéra, referme les yeux.
«Ça va mieux ?
– Sortez.»
Reste calme.
«Vous ne comprenez vraiment pas ce qui se passe,
n'est-ce pas ?»
Il semble surpris.
Peter ne se tient plus à la porte, il s'est doucement
approché du divan, resserrant adroitement le triangle.

«Je ne fais pas de jogging, Maude, les joggeurs me font vomir.»

Je ferais vraiment bien de me présenter.

«Devinez qui je suis.»

Le nom familier, implicite, les hurlements invisibles. Maude, assise dans son fauteuil, décroise les jambes.

«Voici ce qui se passe, Maude, au cas où vous ne l'auriez pas encore compris. Je ne suis pas votre joggeur voyeur. Je n'ai rien contre toucher les femmes.»

Et, au passage, j'aimerais sentir l'intérieur de vos cuisses, et vous allez me laisser le faire.

Peter fait un petit tour de la pièce, sans quitter Maude des yeux. Il sait tout.

«Pistolet dans la commode, petit calibre. Une espèce de matraque derrière cette porte. Lettres sous votre lingerie, vous avez un faible pour le blanc. Armoire à pharmacie bien ordonnée. Un blaireau et un rasoir d'homme.»

Peter se déporte sur le côté en faisant un petit pas de danse, conservant le triangle : Maude, lui, la porte. Il se tourne vers la chaîne hi-fi, allume la radio à bas volume et, tout en observant Maude, trouve une station de jazz-rock.

Maintenant.

Bondissant de son fauteuil, Maude se précipite dans la salle de bains, claque la porte derrière elle, actionne le verrou. Timing parfait. Elle l'a battu. L'autre porte de la salle de bains donne sur la chambre, elle la verrouille également. Elle ouvre la fenêtre, prête à se glisser dehors et à s'enfuir.

Quelle rapidité. Peter se tient à la porte de la salle de bains. Il pousse du bout du pied celle de la chambre.

La pièce est plongée dans le noir. Il voit la deuxième porte qui donne sur la salle de bains, un rai de lumière en dessous. Il s'immobilise devant, tourne la poignée. S'il essaie d'entrer de force, elle sortira de l'autre côté et disparaîtra. C'est une athlète. La traque le rend euphorique.

« C'était bien joué. »

Il écoute, prêt à bondir. *La fenêtre*. Il entend Maude l'ouvrir.

Elle n'a pas le temps de se glisser par la fenêtre qu'il l'attend déjà dehors. Il lui coince un bras dans le dos et lui serre la nuque entre le pouce et l'index, délicatement, mais suffisamment fort pour lui faire mal. Il la ramène dans la maison.

Une fois à l'intérieur, il met la chaînette de sûreté en place, pousse Maude sur le divan. Elle regarde fixement sa gorge, la bouche entrouverte. Elle a vieilli.

C'est Toyer.

TELEN

Le martèlement insistant de l'acier sur le métal. *1 h 15 du matin. Quartier bizarre.* Quelqu'un utilise un marteau à panne ronde, peut-être pour réparer un pare-chocs. Telen connaît ce bruit. Les types âgés qui travaillaient au garage se retournaient pour la reluquer quand elle passait, lorgnant ses jambes et ses extrémités, ses lignes, et la nuit ils se demandaient ce que ça ferait de coucher avec elle.

C'est de la folie. Elle n'arrive pas à accéder aux fichiers secrets de Peter.

Elle saisit une fois de plus WORD:\SÉISME.DOC, appuie sur «Entrée». NOM DE FICHIER NON VALIDE.

Elle sait qu'il doit y avoir des fichiers cachés sous ceux qu'elle voit. *Il y a quelque chose de dissimulé et de protégé là-dedans.* C'est comme un rêve où ce qu'elle craint le plus pourrait être à sa droite et ce qu'elle aime le plus à sa gauche. Elle essaie diverses lettres de disques, des noms de logiciels, des noms de fichiers, elle essaie encore et encore, mais se heurte toujours au même obstacle. La barrière invisible qui sépare Telen des fichiers a transformé sa simple curiosité en désespoir. Puis, grâce à une combinaison hasardeuse de macros, un second répertoire apparaît. L'entrée la plus récente s'appelle *3 septembre*. Hier. Elle a été créée à 18 h 41.

Hier soir ?

PETER

« Confuse ? »

Maude est sur le divan, grimaçante.
Il se tient devant elle, les yeux baissés. Il est poli, tout en retenue.

« Maude, je n'ai pas pu appeler la police parce que j'ai coupé le câble du téléphone. »

Elle regarde le fil qui s'enfonce dans le mur. Il semble intact.

Peter désigne de la tête la fenêtre.

« Dehors. C'était avant d'aller aux courts de tennis et de déconnecter votre tringle d'accélérateur. » Il marque une pause. « OK ? Une bonne heure avant que vous ne me fassiez signe sur le parking. Je croyais que vous aviez compris. »

Maude porte la main à sa bouche. *Il a tellement d'avance sur moi.*

« Et vous vous demandiez aussi à quoi il ressemblait. Voici à quoi il ressemble, Maude. Un peu au-dessus de la moyenne, jolies pommettes. Visage honnête, futur député républicain. Golf. Déjeuner ? »

Les murs autour d'elle se voilent et fondent. *Il a l'air tout aussi intelligent que moi, tout aussi rapide, mais plus fort. Continue de jouer le jeu.*

«Vous ne me connaissez pas du tout, Peter, il y a beaucoup de choses que vous ne savez pas. Nous pourrions devenir amis. Bons amis.

– J'ai horreur de vous avilir ainsi.

– Vous ne m'avilissez pas. »

Obligée de faire de la lèche à mon bourreau.

«Vous êtes si optimiste, c'est magnifique. Vous croyez que je ne vais pas... vous toucher. Que tout ira bien pour vous demain. »

Il ne détache jamais ses yeux de moi.

«Je m'en remettrai.

– Vous voyez ? Vous êtes optimiste. Pour ma part, j'ai toujours tendance à m'inquiéter pour demain.

– Je crois que vous êtes très sensible, Peter, très fort.

– Et que je vais vous souhaiter une *bonne nuit* et m'en aller ?

– Je n'avalerai aucun calmant.

– Vous en avez avalé il y a un quart d'heure. »

Dans mon verre. Ses doigts semblent s'éloigner de son corps. Elle se lève.

«Asseyez-vous. »

Elle sent les premiers signes d'affaiblissement. Il attend. Elle se rassied.

«Pour dire les choses simplement, est-ce que vous pouvez m'expliquer quel est votre problème ? » demande-t-elle.

Il hausse les épaules.

«Aucun problème. J'ai rencontré une fille. Je lui ai fait une cordotomie. Quel est le problème ?

– Seulement à des femmes.

– J'adore les femmes.

– Mais vous êtes homosexuel.

– Mais vous êtes psychiatre. Vous savez, censée aider les gens comme moi.

– Il n'y a pas de gens comme vous.

– Vous voulez dire que je n'existe pas ?

– Il n'y en a pas d'autres.

– Non, probablement pas. Je me tiens à l'écart, et je regarde le spectacle. »

Elle a compté le nombre de pas qu'il lui faudra pour traverser la pièce et se précipiter dehors. Cinq.

« La folie, ça marche, Maude. Enfant, j'étais un sale gamin. Un jour j'ai emprunté des poissons rouges et je les ai balancés dans une baignoire pleine de gelée au citron, et je les ai regardés nager de plus en plus lentement jusqu'à ce que, eh bien, jusqu'à ce qu'ils arrêtent. Et après je suis allé au cinéma. »

Un, deux, trois, quatre jusqu'à la porte, je l'ouvre et je cours. Droite, gauche, droite, gauche. Je peux le faire, je peux le faire.

« Je suis toujours touché par les gens que je peux complètement contrôler. Et vous avez assez de relaxant musculaire en vous pour assommer un rhinocéros. Est-ce que vous avez l'impression de nager dans de la gelée, Maude ? »

Maude bondit en avant, ouvre violemment la porte, la chaînette s'arrache du mur, elle est dehors, sur le perron obscur, dévale les marches, fait un moment face à la nuit avant que Peter ne la mette à terre et ne lui serre précisément la nuque comme il l'a fait auparavant. Il lui saisit le poignet en appuyant du bout des doigts sur ses points de pression, la fait se relever, la ramène à l'intérieur.

« S'il vous plaît, arrêtez de faire ça, Maude. Je suis rapide. Bon Dieu, je suis rapide. »

Il actionne le verrou de la porte d'entrée, la mène au fauteuil bas tel un hôte faisant asseoir un invité. Maude obéit, tête baissée, désorientée, abasourdie. *Il est silencieux, calme, puissant, imperturbable ; les signes d'un superbe athlète.*

« C'est ce qui s'est passé avec Melissa Crewe, j'ai dû la poursuivre. *Tempête de sang*, ça vous dit quelque chose ? Essayons de ne pas en arriver là cette fois-ci. »

Maintenant elle a vraiment peur, elle a l'impression de se noyer. *Je vais être comme les autres*, pense-t-elle, et elle doit prononcer ces mots à voix haute car il lui répond.

« Ça, c'est sûr. Dans un sens, enfin, vous savez. »

Peter la remet sur pied en lui serrant le poignet, pas le cou, avec une force paralysante. Il la guide à travers la pièce jusqu'à l'étagère sur laquelle se trouve la chaîne hi-fi.

« Jouez-nous un opéra. N'importe lequel, quelque chose de différent. »

Maude trouve un CD, l'insère dans le lecteur. La musique est trop forte.

« Baissez le volume. »

Il la ramène au fauteuil, la fait rasseoir, et se poste derrière elle où elle ne peut le voir. La musique romantique enfle comme une marée.

« Est-ce que c'est une histoire d'amour ? »

Elle acquiesce.

Les deux amants magnifiques mêlent désormais leur voix dans un duo qui se déchaîne comme un ouragan aux harmonies assourdissantes, chacun hurlant à l'oreille de l'autre son amour éternel.

Sara a dit qu'elle m'appellerait ce soir. Qui sait ? Elle pour-rait être à la porte en ce moment même, en train d'écouter.

TELEN

Dix minutes. Elle n'arrive toujours pas à accéder au fichier. Elle voudrait attraper le minuscule ordinateur et le balancer par la fenêtre. Le faire voler en éclats. *Personne n'a besoin de savoir. Qu'est-ce que ça change ?* C'est juste une banque de données, et elle est prête à la détruire. *Dieu sait que l'épée est plus puissante que l'ordinateur portable.*

Elle attend.

Elle éteint l'ordinateur, le redémarre. Il recommence à afficher des alertes bizarres. Peut-être qu'elle devrait commencer par réfléchir.

Elle prend soudain conscience que les fichiers qu'elle cherche ne se trouvent pas sur l'ordinateur. C'est si simple. Il doit y avoir une disquette.

La date renvoie au lecteur E, pas au disque dur principal. Elle retourne au mur, pose le miroir par terre. Elle enfonce le bras dans l'orifice, sent des objets bouger, en tire un. Un cylindre d'expédition scellé aux deux extrémités. Elle coupe le scotch à l'une d'entre elles avec un couteau de cuisine.

À l'intérieur du cylindre sont enroulés des articles de magazine. La couverture du *Time* tombe par terre, celle de *Newsweek*. Tous les articles qui ont fait sensation. L'annonce de la publication d'un livre, la lettre dans laquelle Toyer explique qu'il va distribuer les bénéfices aux victimes. *Notre livre d'or. Un album pour nos petits-enfants.* Lorsqu'elle parcourt l'article de *Newsweek*, les mots résonnent en elle. Elle a beau se dire qu'elle accepte son passé, elle est terrifiée.

Il lui faut la disquette. Elle enfonce le bras dans le mur, trouve deux cylindres supplémentaires, puis, en tâtant vers le haut, au-dessus de l'endroit où se trouvait l'ordinateur, sur une étagère étroite, elle sent une disquette au bout de ses doigts.

Telen glisse la disquette dans l'ordinateur, sélectionne le lecteur E, saisit E:\WORD:\SÉISME.DOC, enfonce la touche « Entrée ». Aussitôt, un message apparaît à l'écran, aussi lumineux qu'un néon.

MOT DE PASSE INCORRECT
Le fichier est protégé par un mot de passe.
Entrez le mot de passe que vous avez saisi
au moment de la sauvegarde.

Un mot de passe ? Le fichier a été programmé pour n'être ouvert que par une seule personne. Comme dans les sociétés où plusieurs employés utilisent le même ordinateur, pour que personne ne modifie le travail des autres. Peut-être Peter change-t-il régulièrement de mot de passe. Elle remarque la date, encore le 3 septembre.

SAISISSEZ UN NOUVEAU MOT DE PASSE

Elle est bloquée, abandonne le fichier. Mais tandis qu'elle s'apprête à retourner au répertoire, une phrase apparaît au bas de la fenêtre, en lettres vertes sur fond noir :

> *Le _____ est aussi capable de prédire les séismes,*
> *mais comment peut-il nous alerter ?*

Puis :

> *Pour continuer, entrez le nom de l'espèce.*

La question est simple : Quelle espèce peut prédire les séismes sans pouvoir nous alerter ?

C'est une énigme.

PETER

L e premier acte s'achève. Il est question
d'amour non partagé, de douleur inégale,
de mort. La voix de l'homme est menaçante, dangereuse, celle de la femme est furieuse, défiante.

« Vos amants d'opéra savent tellement mieux mourir
que nous. Vous êtes tellement mieux entraînée que moi. »

Il dit ça d'un ton charmant. Elle l'entend à peine par-
dessus les voix des chanteurs. Elle ne réagit pas, regarde
ses lèvres. *Peut-être plaisante-t-il.*

Peter arrête soudain la musique, coupant l'aria à
l'apogée du crescendo, juste avant qu'il ne sombre dans
le chagrin. Il ne semble rien remarquer. Le moment
est affreux. Il se tient devant elle, elle est assise dans
le fauteuil.

« Vous savez ce que vous m'avez fait, n'est-ce pas ? »

Elle ne dit rien.

« Vous savez que vous m'avez déglingué avec cette
lettre ? »

Elle acquiesce, regarde droit devant elle.

« Vous avez fait ça pour foutre ma vie en l'air, pas
vrai ? »

Elle acquiesce.

« Vous savez quoi ? Ç'a fonctionné. »

Elle acquiesce, n'éprouve aucun sentiment de triomphe.

« Alors me voici. »

Elle a réellement peur. Elle tremble comme une feuille. En la faisant asseoir dans le fauteuil Timmons, il lui a ôté toute chance de fuite.

« Je pensais que vous aviez besoin d'aide, Peter.

– C'est pour ça que vous m'avez écrit que j'étais ce qu'on retrouve dans les intestins des cadavres pendant les autopsies ? Vous pensiez que ça m'aiderait ?

– Je citais quelqu'un, vous vous souvenez ? » Elle n'arrive plus à réfléchir. « Mais oui, c'est ce que je pensais. »

Le courage de Maude fait sourire Peter.

« Vous m'avez aussi accusé de violer les esprits et pas les corps. Et ça n'était pas une citation. » Il dit ça sans colère, sans élever la voix, doucement même. « Quand nous ferons l'amour ce soir, Maude, souvenez-vous, ce sera la plus belle expérience de votre vie, et nous ferons l'amour uniquement parce que c'est ce que vous voudrez.

– Je ne ferai jamais l'amour avec vous.

– Bon, soit, n'en parlons plus. »

Il sourit d'un air plaisant. Il n'est plus en colère.

« Assassin, dit-elle doucement, les yeux rivés au sol, l'esprit vide.

– Non, Maude. Je ne suis pas un assassin. Personnellement, j'exècre la violence et j'ai peur de la mort. Vous savez que je ne tue pas. Et vous allez vous retrouver dans un endroit beaucoup plus fascinant que l'au-delà. Vous aurez toujours vos opéras, Maude, alors que les morts n'ont pas d'opéra. C'est la grande différence. »

Il croit à ce qu'il dit.

«Alors essayez de vous souvenir que vous ne courez aucun risque avec moi. Vous deviendrez mon treizième et ultime chapitre. *La Femme qui m'a troublé.* Je vous immortaliserai. Tout le monde aura de la compassion pour vous.»

Il divague, Maude l'écoute à peine. *Voilà comment il pense. Voilà où il trouve son plaisir.* Elle ne peut pas bouger.

«J'ai toujours supposé que si quelque chose devait m'arriver, si je devais être jugé, la couverture de mon procès serait du meilleur goût. J'en ai déjà discuté avec un avocat, un homme bien.»

C'est le psychotique le plus cohérent que j'aie jamais rencontré.

Il est désinvolte, décontracté, il avance par petits pas de danse, ses orteils ne quittent jamais le sol, il ne perd jamais le contrôle de la pièce.

«Mais assez parlé de moi. Qu'est-ce que vous disiez? Vous prépariez votre journée de demain. Vous alliez rendre visite à vos patientes, déjeuner avec votre ami médecin. J'espère que ce n'est pas ce pauvre idiot que vous avez battu au tennis! Ça ne vous ennuie pas de vous dire que vous ne ferez rien de tout ça demain?»

Dehors, juste au-dessus des arbres, le projecteur d'un hélicoptère de la police illumine les maisons sombres. Routine nocturne. Des doigts de lumière balaient les rideaux de Maude. Elle lève les yeux vers le plafond. L'hélicoptère passe en rugissant. Elle le voit à travers les feuilles qui se taille un chemin à travers le ciel, tel un oiseau rigide armé d'un faisceau de lumière éclairant les gens sous un nouvel angle pour passer en revue leurs dernières possessions.

TELEN

Telen fixe l'écran.

Une espèce d'animal ? Peter tout craché. Bon, qu'est-ce que ça peut bien être ? Un animal ? Elle saisit le mot *chat*.

L'ordinateur rumine, émet un petit bip, puis annonce :

MOT DE PASSE INCORRECT
Le _____ est aussi capable de prédire les séismes, mais comment peut-il nous alerter ?

Elle essaie un autre mot : *Chien*. L'ordinateur bipe aussitôt et annonce :

MOT DE PASSE INCORRECT
Le fichier est protégé par un mot de passe.
Entrez le mot de passe que vous avez saisi
au moment de la sauvegarde.
SAISISSEZ UN NOUVEAU MOT DE PASSE

Elle saisit *pigeon*. Non. *Cheval*. Non. *Cochon*. Non.
Puis : *poulet. Coq. Primate*. Tous suivis du même avertissement accompagné d'un bip.

Elle essaie *mouton, bœuf, serpent, lion, bouc, raton laveur, mulot, cafard, renard, rat, castor, écureuil, hamster, cerf, moineau, ours, singe, primate, gorille, ver.* À chaque fois le même résultat : MOT DE PASSE INCORRECT.

Elle laisse tomber. Il est 1 h 35 du matin.

Elle se rappelle l'après-midi où, alors qu'elle avait 12 ans, elle s'est fait surprendre à nager nue avec deux garçons plus âgés qu'elle dans l'étang de La Madeleine.

MAUDE

Attrape ton pistolet. *Mason. Il disait de viser les jambes. Pour immobiliser, pas pour tuer.*

Maude se jette sur la gauche, ouvre sèchement le tiroir du bas de la commode, renversant son contenu, saisit le pistolet parmi les écharpes de soie, pose un genou au sol, braque l'arme sur le visage de Peter. Il lui a fallu deux secondes en tout. Elle se lève, tenant le pistolet à bout de bras.

Peter semble logiquement impressionné, trahi.

Je le tiens. C'est fini.

Elle se sent faible, doit tenir le pistolet à deux mains. Sa voix est chevrotante, mais elle contrôle ses gestes, son index est pile là où il doit être.

« Au moindre mouvement je vous descends.

– Au moindre mouvement ?

– Ne bougez pas.

– Vous êtes sûre que vous ne voulez pas que je bouge ? »

Il esquisse un sourire.

« Vous trouvez ça drôle ? »

Maude vise les yeux sans hésiter. Elle tremble.

Il semble excessivement calme.

« N'êtes-vous pas censée me demander de faire quelque chose maintenant ? J'essaie de vous aider.

– Une balle dans l'œil, ça vous dirait ? »

Qu'est-ce que je veux qu'il fasse ?

« Écoutez, pourquoi je ne m'allongerais pas par terre avec les mains dans le dos ? Ça se fait beaucoup.

– D'accord. Là-bas. »

Et après ?

« OK, OK. » Peter s'agenouille. On dirait presque une comédie. « Mais la théorie ne veut-elle pas que...

– Fermez-la.

– Soit.

– Face contre terre. Là ! »

Il s'allonge sur le ventre.

Jimmy G, qui a été réveillé, les regarde en plissant les yeux. Il s'étire, passe entre eux, va s'étendre sur le rebord de la fenêtre. *Beaucoup trop tard pour toute cette agitation.*

Maude continue de menacer Peter avec son arme. C'est un revolver, trop brillant, fabriqué en Espagne, elle ne s'en est jamais servie. Elle a les idées claires, sait qu'elle a la situation en main. *Et maintenant ?*

« Peut-être que vous feriez bien de me ligoter avec quelque chose ? »

Oui, naturellement, mais quoi ?

« Pourquoi ne pas utiliser une de ces écharpes ?

– Vous vous amusez un peu trop. »

Maude pointe le pistolet sur sa tête. Mason lui a toujours dit de laisser trois balles dans le chargeur, jamais moins. Elle tire un amas d'écharpes du tiroir, lui en jette une.

« Attachez vos chevilles. Ensemble. Et arrêtez de sourire.

– J'adore que vous me donniez des ordres. »

Peter s'assied, passe l'écharpe autour de ses chevilles, puis il se fige. *Il continue de trouver ça drôle.*

«Je ne suis pas foutu de faire un nœud, Maude, j'ai toujours été comme ça, même quand j'étais scout.

– Ce n'est pas une plaisanterie, Peter.» Elle pointe le pistolet sur son nez. «Ligotez-vous les chevilles ou je vous tue.»

Sa voix est plus ferme, sonore.

Il s'attache les chevilles, fait un nœud avec une boucle, comme s'il emballait un cadeau.

«OK, comment vous trouvez ça?»

Pourquoi ne me prend-il pas au sérieux?

Il s'agenouille, puis se lève, oscillant légèrement à cause de ses liens, et se tient presque immobile face à Maude.

«Je vous aime, Maude. Vraiment.»

Il semble profondément ému par elle.

«À terre!»

Pas de téléphone. Comment vais-je appeler les flics?

«J'adore la psychiatrie, pas vous? C'est tellement plein de nuances, chacun peut y trouver son remède.

– Fermez-la.

– Écoutez, Maude, vous avez été droguée, vous êtes probablement étourdie. Pourquoi ne pas nous asseoir et terminer notre conversation?»

Maude vise soigneusement sa jambe droite. *Démolis-lui le tibia.* Elle le mettra hors de combat au premier coup de feu, lui tirera dans l'autre jambe au besoin.

«Je compte jusqu'à... trois.

– Pourquoi?

– Pour que vous retourniez par terre.

– Allons. »

Il ne bouge pas.

« Un... deux... »

Il devrait savoir que je suis capable de lui tirer dessus.

Ils le savent tous les deux. Elle a l'arme, la position, l'expérience, le mobile.

« Je vais le faire. Je m'en fous. Je dirai à la police... que vous avez voulu m'agresser et que je vous ai abattu. Tout le monde comprendra.

– Vous serez une héroïne, dit-il doucement.

– À terre ! »

Il ne bouge pas.

Elle vise sa rotule. *Je vais le faire.* Elle appuie lente-ment sur la détente.

Clic.

« Oh ! mince, s'exclame-t-il. Il n'est pas vide au moins ? »

Elle continue de viser ses jambes et fait feu : clic, et encore : clic, clic, clic, clic.

Il tend le bras et prend le revolver de la main inerte de Maude. *Au cas où elle voudrait me le jeter à la figure.* Il défait le nœud à ses chevilles, l'écharpe tombe par terre.

Il désigne le tiroir ouvert de la commode.

« Les voici, les vilaines. » Les balles gisent parmi les écharpes, sur son gilet de cachemire. « Elles peuvent faire des taches sur la soie, vous savez ? »

Il la pousse en arrière dans le fauteuil, se penche au-dessus d'elle, les bras appuyés sur les accoudoirs. Elle est effondrée, vaincue.

«Si je ne vous connaissais pas mieux, je me dirais que vous avez encore essayé de me tuer. Bon, où en étions-nous ? Ah ! oui, demain. Les choses vont être différentes pour vous demain, n'est-ce pas ? Vous serez une jolie fleur pâle qu'on poussera dans un fauteuil, qu'on nour-rira, qu'on aimera. »

Il divague.

«Vous avez déjà réfléchi aux lunes de Saturne ? Il n'y a rien de plus mort qu'une lune, pas vrai ? Mais elles continuent de tourner, de se lever et de se coucher. Et les arbres ? Qui enterre les arbres quand ils meurent ? Personne. Ils restent là, élégants, propres, forts. Vous êtes une femme belle et sexy, Maude, une femme têtue et très intelligente. Pourquoi voudrais-je vous voir enterrée ? Sans yeux ?»

Elle lâche une flatulence. *Quelle honte. Je suis face à Toyer et je pète. Mais si je suis gênée, ça signifie que je n'ai pas abandonné la partie.*

«C'est vous qui avez fait ce bruit ? Rien de plus normal, Maude, n'y pensez plus. Je sais que vous n'avez pas trop envie de parler en ce moment, mais c'est de vous que nous discutons, pas de quelqu'un d'autre, ça ne vous intéresse pas ? Êtes-vous en déni ? Ne pouvez-vous pas me montrer une ou deux larmes ?»

Je m'y attendais.

Les mots sortent péniblement :

«... y attendais...

– Étrange, non, cette peur de la prédestination ? Nous la ressentons tous, d'une manière ou d'une autre.»

Maude étreint ses jambes et se penche en avant, la tête entre les genoux.

Il est ici. Je suis ici. Tous ces mois à rêver de lui, à coucher avec lui, à essayer de le tuer, d'être plus intelligente que lui, à lui écrire. Il est ici. Je suis ici. Je perds tout. Il m'a vaincue.

Elle sent les larmes couler le long de son nez, tomber sur son genou nu. *Il a gagné.*

TELEN

Les coups de marteau ont depuis long-temps cessé.

Étonnant comme l'esprit fonctionne. Telen se rappelle avoir aperçu quelque chose du coin de l'œil, une image furtive, la première fois qu'elle s'est rendue à la maison de Sondelius. Elle n'y avait pas prêté attention sur le coup parce qu'elle avait les yeux rivés sur Elaine, avachie comme une larve dans son fauteuil roulant, mais elle se souvient désormais qu'il y avait quelque chose sur le mur derrière elle. Une rangée de coupures de journaux, accrochées côte à côte, minutieusement découpées. Une *exposition.* Ça n'avait pas d'importance à l'époque, mais maintenant que ça lui revient elle se demande s'il s'agissait des articles de Sara Smith. Les noms des étranges victimes. Elle fouille dans son souvenir, mais il n'y a rien d'autre à voir. Il est près de 2 h 30.

Je peux résoudre l'énigme. Auprès de qui peut-elle se renseigner sur les tremblements de terre ? Les biblio-thèques sont fermées. Les journaux ? Elle appelle l'*Herald,* le rédacteur de nuit ne sait pas, il a toujours cru que c'étaient les chiens. Elle appelle le *Times.* Son interlocuteur affirme que sa femme peut prédire les tremblements de terre. Elle s'appelle Dale. Elle en a annoncé un pour novembre.

Elle voit un annuaire téléphonique vieux de quatre ans qui soutient l'un des pieds du lit. Elle trouve le centre de sismologie à l'Institut de technologie. Un numéro de téléphone d'urgence. Elle le compose et attend. Pas de message préenregistré. Tant mieux. Elle continue d'attendre. Finalement, après douze sonneries, un homme hors d'âge répond. «Centre de sismologie de l'université de Californie.» La voix paraît hésitante, comme si c'était la première fois que le téléphone sonnait. L'homme semble endormi, mal assuré, peut-être surpris d'être encore en vie.

Telen explique qu'elle a besoin de savoir quel animal peut prédire les tremblements de terre. L'homme, toujours dans les vapes, l'écoute débiter sa liste d'animaux, éliminant chacun d'entre eux l'un après l'autre. Il s'imagine qu'elle veut s'acheter une bête fiable ce soir même pour se protéger d'un séisme imminent. Il va peut-être lui donner un coup de main, il est tard.

«Donc vous avez couvert à peu près tous nos animaux de compagnie.

– Oui.

– Et nos oiseaux de compagnie?

– Oui.

– Avez-vous essayé les poissons?»

Elle ressent une pointe d'excitation.

«Non.

– Eh bien, le fait est qu'il existe une espèce de poisson qui réagit fortement avant les séismes. C'est absolument incroyable. Ils se mettent à nager bizarrement, on croirait qu'ils sont devenus dingues...

– Quel poisson?

– ... il faut vraiment le voir pour le croire. Je vous assure. »

Il se tait, ricane doucement.

« Quel poisson ? S'il vous plaît.

– N'importe quel poisson de l'ordre des ostariophysaires. »

Elle est découragée. *Il me faut douze caractères au maximum.*

« Je n'ai jamais entendu parler des ostriophysaires...

– O*sta*riophysaires. Vous connaissez les poissons-chats ?

– Oui.

– C'est pareil. »

Telen est traversée par un frisson, elle le remercie et raccroche.

Douze caractères. Elle saisit *poisson-chat.* Pas de bip. L'alerte MOT DE PASSE INCORRECT n'apparaît pas.

Ses doigts tremblent terriblement. Elle saisit le nom du fichier. Un titre apparaît :

PERSONNE NE VIT SUR LA LUNE ?

Une introduction. Douze chapitres, un par victime. Une histoire vraie. Un best-seller voulu par le public. Soudain, un nom apparaît sous ses yeux :

TOYER

Étalé à travers l'écran tel un titre de film d'horreur sur un fronton de cinéma.

Tout est là.

Elle parcourt le texte. Les informations sont exactes, il n'y a plus de doute à avoir. Ces chapitres sont plus complets que les articles parus dans la presse, plus détaillés, le style est chaotique, personnel.

Elle est paralysée, blessée. Elle examine le texte calmement, logiquement, se persuadant qu'elle savait tout depuis le début. Ce qui est sans doute vrai, mais elle ne s'en rendait tout simplement pas compte. Elle parcourt le fichier du début à la fin, relevant au passage des noms familiers.

Elle lit :

> *Le docteur Garance avait raison à cent pour cent. Elle a dit que tout ce que j'avais à faire, c'était détruire la chose qui faisait de moi Toyer. Eh bien, c'est ce que j'ai fait. Elaine est morte comme elle a vécu, sans le savoir. Je ne peux pas éprouver de culpabilité car c'est ma chance de vivre une vie normale avec la femme que j'aime. Et c'est ce que j'ai l'intention de faire, rien ne m'en empêchera. Nous disparaîtrons. Le pays est vaste.*
>
> *27 août*

Elle entend la voix de Peter tout en lisant ces mots. Il y a une semaine, le 27 août.

Elle fait défiler le texte, certains mots s'imprimant sur sa rétine au passage. Elle parcourt le texte jusqu'au bout. Les noms familiers, désormais célèbres, légendaires, défilent les uns après les autres en tête de chaque chapitre : Virginia Sapen. Gwyneth Freeman. Luisa Cooke. Karen Beck. Lydia Snow Lavin. Nina Voelker. Melissa Crewe. Les noms les plus jolis auxquels leurs parents ont pensé au moment de leur naissance, des hommages rendus à leurs filles au moment où l'espoir et la vie étaient à leur comble.

Nauséeuse, Telen s'arrête après la page 321. Chapitre 12, *Felicity Padewicz.* Le dernier chapitre. Après ça, écran vierge. La fin du livre. Plus de surprises. Jusqu'à une lettre :

James O'Land
Consortium des éditeurs
Los Angeles Herald
1 Herald Square
Los Angeles, Californie 90019

Cher Monsieur O'Land,
Nous sommes aujourd'hui mercredi. Mercredi PROCHAIN je vous enverrai le livre complet. Il y a un chapitre 13. Je ne l'ai pas encore rédigé car je n'ai pas encore rencontré mon sujet. Mais si tout se passe comme prévu, vous recevrez ce livre la semaine prochaine.

Je m'aperçois que nous n'avons pas de contrat. Nous avons au mieux un accord verbal. Mon représentant légal est M. Buck Wassitch de Wassitch, Lordell & Paine. Je lui ai expliqué mes besoins par téléphone. Il comprend que le Consortium ne prélèvera que les sommes destinées à couvrir ses frais et que le reste des profits ira aux familles des *douze* femmes. Pas à celle de la *treizième.* Rien ne sera versé ni à elle ni à son administrateur.

Je suis fier de faire cela. Ces douze femmes constituent ce qu'il y a de mieux dans l'Amérique telle que je la connais. Je ne les considère pas comme des victimes. Elles sont mes bénéficiaires. Grâce aux ventes de ce livre, non seulement ici, mais à Paris, Moscou, Sydney, Singapour, Mexico, Buenos Aires, Toronto, elles et leurs familles deviendront riches.

La lettre est signée *Toyer*, datée du 29 août.

La force rageuse des mots la frappe en plein visage. Elle se sent engourdie, n'arrive plus à réfléchir. Quand elle retrouve ses esprits, elle comprend. Il n'a pas fini. *Il a pris sa lampe torche, il porte son blouson de cuir. Il remet ça, en ce moment même.* Elle se sent stupide. Il n'y a pas d'autre femme, il ne lui est pas infidèle. *Ce n'est pas une maîtresse, c'est une nouvelle victime, pour l'amour de Dieu.*

Telen est assise en sous-vêtements, blême de peur. La peur d'aimer un homme capable d'ôter la vie. *La réponse est devant moi. Tout dépend de moi.* Ses tremblements sont désormais visibles. *Tout sera ma faute.* Il faut le retrouver.

Elle enfonce la touche de défilement, une fois, deux fois, les mots grimpent le long de l'écran : *Chapitre 13.* Le chapitre est vierge, il n'est pas encore rédigé. Il saura quoi écrire demain matin.

La bouche de Telen s'ouvre, elle sent sa tête basculer, plonger en avant, tente de se rattraper, s'évanouit sur l'écran. Sa fossette heurte le coin du bureau tandis qu'elle s'écroule par terre. Elle gît immobile pendant une trentaine de secondes, rampe jusqu'à la salle de bains, passe la tête par-dessus le bord de la baignoire mais n'arrive pas à vomir. Elle finit par se lever et se tenir face au lavabo. Sa joue saigne, une entaille vire au noir sous son œil droit. Elle se passe les mains sous l'eau froide et se rince le visage, s'essuie les yeux et la joue avec une serviette qui dégage une odeur douçâtre, une odeur de chien, une odeur qui n'est pas la sienne.

Doit-elle appeler la police ? Ou alors Sara. Quelqu'un d'autre ? Billy ?

PETER

« Un verre, chérie ? »

On dirait une scène d'une pièce de Noël Coward. Maude ne répond pas. Peter boit, il continue de dégoiser comme si la tequila était un sérum de vérité.

«Vous savez, Maude, quand une meute de chiens sauvages attrape un zèbre, l'un des chiens lui saisit le museau entre ses dents et un deuxième lui saisit la queue, et pendant ce temps les autres chiens commencent à lui manger le ventre. C'est toujours comme ça. Le zèbre se tient sur ses pattes, et ces chiens sont en train de le dévorer. On pourrait croire qu'il résisterait, non ? »

Il boit une nouvelle gorgée.

«En fait, le zèbre a fini de se battre. Il s'y attendait. Ça fait vingt millions d'années que ça lui arrive, et il ne sent rien pendant que les chiens lui déchirent le ventre. Il est déjà parti. Et vous, êtes-vous... partie ? »

Elle est avachie dans le fauteuil tandis qu'il se tient juste en face d'elle, les bras ballants. Il lui touche le sommet de la tête. Maude sursaute, serre plus fermement le coussin.

«C'est de votre vie que nous parlons, Maude, pas de celle de vos patientes. Où est votre rage ? Je veux voir vos larmes.

– Allez vous faire foutre, espèce de pervers.

– Un bon début.

– Allez. Vous. Faire. Foutre.

– Encore du jargon de médecin ?

– Vous êtes qui pour décider de la vie ou de la mort des gens ?

– Oooh ! j'adore quand vous vous enflammez. Vous aurais-je d'une manière ou d'une autre déçue ?»

La respiration de Maude est trop rapide. *J'ai tout perdu. Tout. Fini. Mon travail. Ma carrière. Elias. Tout ce que je voulais. Il a réussi. Je ne peux pas le croire. C'est fini.* Elle craque. Elle se penche en avant et sanglote, agitée par des spasmes incontrôlables. Elle rêve d'entendre une voiture, celle de Sara, d'Elias, de Mason, d'entendre des gens parler dans la rue devant la maison, un chien aboyer, de sentir un parfum de fleur, une odeur de cigare.

TELEN

L orsque vous voyez les vautours décrire des cercles au-dessus de votre tête, ça fait longtemps que eux vous observent.

Elle décide sans hésiter : *Sara*. Elle est persuadée qu'elle va la réveiller, mais au bout du compte non, le téléphone sonne jusqu'à ce que le répondeur se mette en route. Telen laisse son numéro, explique que c'est urgent. Elle attend. Dix minutes. Pas bon.

Elle l'appelle à l'*Herald*, espérant qu'elle travaille tard.

« Salle de rédaction », annonce une voix décontractée.

Les rotatives tournent, l'édition de demain est pliée.

« Sara Smith, s'il vous plaît ?

– Pas ici. Rappelez après 9 heures du matin.

– C'est urgent.

– OK. Dites-moi pourquoi. »

Telen doit lui répondre. Elle hésite, mentionne Toyer.

« Je vais lui demander de vous rappeler, mademoiselle.

– Non. Je dois lui parler maintenant, cette nuit. »

L'homme entend le ton urgent de sa voix.

« Quel est votre nom ?

– Telen, elle me connaît.

– Quel est votre numéro ?

– 555-1229. »

Il est juste assez intrigué.

« Que pouvez-vous me dire d'autre, Helen ? »

Elle répond qu'elle ne peut rien dire de plus.

« Je vais essayer de la trouver », dit-il.

Elle pose une bouilloire sur la cuisinière électrique, s'assied en attendant que l'eau arrive à ébullition, ou que Sara Smith l'appelle. L'un ou l'autre.

Le téléphone sonne. Elle décroche à la première sonnerie, ne dit rien, attend.

« Allô, Telen ? »

Une voix plaisante, calme, alerte si l'on considère l'heure qu'il est.

« Sara ?

– Oui, c'est moi. »

Sara est au lit dans le noir, le téléphone rougeoie. « Tu m'as appelée au journal, alors je suppose que c'est important. Tu as mentionné... »

Telen l'interrompt.

« Oui, en effet. »

Elle ne veut plus entendre ce nom.

« Qu'est-ce qui se passe ? »

Telen ne peut pas continuer. Elle raccroche avec le doigt jusqu'à entendre la tonalité.

SARA

Telen avait la voix rauque, cassée. Sara sait qu'elle ne retrouvera pas le sommeil tant qu'elle ne lui aura pas reparlé, tant qu'elle ne saura pas pourquoi elle l'a appelée en pleine nuit. Sara n'est pas chez elle, le rédacteur de nuit sait où la joindre en cas d'urgence. Elle reste allongée un moment dans le noir, effleurant à peine le dos de l'homme, Jim O'Land, qui est étendu à côté d'elle. *Le téléphone l'a probablement réveillé.*

«Jim? murmure-t-elle. Désolée.»

Il grommelle quelques paroles incompréhensibles. Elle lui passe la main dans les cheveux, le recoiffe. Elle n'a pas allumé la lumière.

«Rendors-toi, Jim, peut-être que ce n'est rien.»

Mais elle sait. Elle est journaliste. Il se passe quelque chose. Elle saisit le bloc-notes et le stylo qui sont posés près du téléphone. Telen avait une bonne raison de la réveiller. Sara attend trente secondes de plus, enfonce la touche «Bis» sur le cadran éclairé du téléphone. Elle va devoir y aller doucement. Telen décroche au milieu de la première sonnerie.

«Ça va, *ma petite cousine*[1]?

---

1. En français dans le texte. *(N.d.T.)*

– Oui, ça va.

– Je ne crois pas, Telen. Tu ne m'aurais pas appelée à 3 heures et quelques.

– Je suis vraiment désolée de t'avoir réveillée.

– Ce n'est pas la question, ma chère, répond-elle doucement, la question c'est : qu'est-ce qui se passe ? »

Silence. Telen n'arrive pas à parler.

O'Land change de position, histoire de mieux entendre la conversation dans son demi-sommeil.

« Tu es avec quelqu'un, Telen ?

– Non.

– Alors dis-moi.

– Ce n'est rien, vraiment, rien de concret. J'ai mes soupçons, mais ça ne va pas plus loin.

– Écoute, je reçois des appels à propos de Toyer à longueur de journée, mais jamais à cette heure et jamais à la maison. Je t'ai rappelée parce qu'un été, il y a long-temps, mon père a couché avec la sœur de ta mère. Et parce que tu as dit au rédacteur de nuit qu'il s'agissait de Toyer. Alors vas-y, Telen, je veux soit me lever, soit me rendormir.

– J'ai un véritable dilemme, Sara.

– Je m'en doute. Maintenant donne à tante Sara un fait, un indice clair.

– J'en ai un, je crois. »

La pause est trop longue pour Sara.

« OK.

– J'essaie d'accéder à ses fichiers sur son ordinateur en ce moment.

– Les fichiers de qui ?

– Tu sais. »

Elle ne peut toujours pas prononcer le nom.

« Les fichiers de Toyer ?

– C'est ça. Je touche au but. »

Sara ressent un frisson soudain. Il n'y a rien de comparable.

« Où es-tu ?

– Non.

– Dis-moi ce que tu cherches.

– Je ne sais pas vraiment, pas encore.

– Tu peux me donner un nom ?

– Non.

– Tu ne peux pas ou tu ne veux pas, Telen ?

– Les deux. S'il te plaît, laisse-moi un peu de temps. »

Telen essaie de ne pas pleurer.

« Non, Telen.

– Si.

– Combien de temps ?

– Jusqu'à demain matin.

– Quelle heure demain matin ?

– Sara...

– OK. Tu as des problèmes, je peux attendre jusqu'à 9 heures. Appelle-moi au journal à 9 heures. Mais donne-moi quelque chose maintenant, un détail sérieux. Donne-moi quelque chose de spécifique pour que je puisse me rendormir.

– OK. »

Sara marque une pause, réfléchit.

« Qu'est-ce qui te fait croire que c'est lui ? demande-t-elle.

– Je crois qu'il a accroché tous tes articles à un mur. Il a tué sa femme parce que Maude Garance lui a dit de le faire.»

Silence.

«Elle lui a dit dans une lettre de tuer la chose qui le poussait à faire ce qu'il faisait. Eh bien, il s'avérait que c'était sa femme.»

Je me demande combien de femmes sont mortes à cause de cette lettre.

«Je n'arrive pas à réfléchir clairement, Sara.

– Je sais. Mais une dernière chose. Est-ce que tu peux me le décrire?»

Finalement, Telen se met à pleurer.

«Je sais que c'est dur pour toi, mais à quoi ressemble-t-il? S'il te plaît, essaie de me répondre.»

Sara attend, elle écoute le silence au bout du fil. Peut-être qu'elle va allumer la lumière. Elle entend Telen prendre une inspiration.

«Il est beau garçon, déclare lentement Telen, d'une voix à peine audible, cheveux clairs, presque blonds, menton puissant, yeux bleu foncé, nez long et droit, il est mince, athlétique, intelligent. Il mesure un mètre quatre-vingt-sept et pèse environ soixante-quinze kilos.»

En entendant cette description Sara se redresse, puis se lève. Elle est abasourdie. Elle se tient pieds nus près du lit dans le noir, écoutant, frissonnant de la tête aux pieds. La description de Telen colle avec celle de Melissa, il n'y a aucune contradiction. Sara peine à respirer, mais elle conserve une voix ferme:

«OK.» Elle est désormais dans la salle de bains, en train de s'habiller dans le noir. «Dis-moi son nom.

– Peter.

– Son nom de famille ? »

Telen ne peut pas répondre.

« Tu le connais ? »

Elle allume la lumière au-dessus du lavabo.

« Oui.

– C'est juste une hypothèse, Telen, pardonne-moi, mais l'homme dont tu parles, ce ne serait pas *ton* Peter ? »

Telen hésite.

« C'était. »

Incroyable. Reste calme.

« Vous avez rompu ?

– Comment tu le sais ?

– Tu as parlé au passé.

– J'ai rompu parce que c'est ce que Maude m'a dit de faire.

– Donc tu crois être la femme à qui cette lettre était adressée ?

– Oui.

– Je vois ton dilemme.

– Il est quelque part, Sara, je crois qu'il est... en train de faire quelque chose.

– Est-ce que tu sais où ?

– Il pourrait être à Sondelius.

– Cette petite ville sur la route d'Ojai ? Pourquoi irait-il là-bas ?

– Il y a une maison qui appartient à la mère de sa femme.

– Sa femme ?

– Elle est morte, je te l'ai dit.

– Peut-être que sa mère sait où il est.

– Possible.

– Quel est son numéro de téléphone ?

– Elle n'a pas le téléphone, tu vas devoir te déplacer. Le trajet prend moins d'une heure à cette heure-ci.

– Est-ce qu'elle est au courant pour lui ?

– Eh bien, elle m'a dit qu'elle le soupçonnait, mais lui ne se doute de rien.

– Donc elle ne court probablement aucun risque, et puis ce n'est pas le seul témoin vivant.

– Il ne va pas la tuer, si c'est ce que tu veux dire.

– Oui. OK, quel est son nom et comment je me rends là-bas ? »

Telen lui donne l'adresse, lui explique comment trouver la maison d'Ann.

« Parle-lui, je sais qu'elle voudra te parler, elle sait tout.

– OK.

– Son nom est Ann, ajoute Telen. Demande-lui de te montrer la chambre d'Elaine, c'est sa fille. C'est là que je crois avoir vu tes articles. C'est comme un sanctuaire à sa mémoire. Tu dois le voir de tes yeux.

– OK, Telen, merci. Je parie que je peux y arriver en trente ou quarante minutes, j'ai une carte de presse. Bon, c'est quoi ce numéro auquel je t'ai appelée ?

– Le numéro de chez lui.

– Et s'il revient ?

– Pas de problème, Sara, il est amoureux de moi. »

Un amour vache.

« Est-ce que tu y seras encore vers 4 heures et demie ? J'aimerais te rappeler.

– Oui, probablement.

– Tu ferais mieux de me donner son adresse.»

Elle lui donne l'adresse de Peter, lui explique qu'elle devra refermer la porte d'entrée de l'immeuble très doucement et monter en silence jusqu'au dernier étage, l'appartement sous les combles. Sara se souvient des lieux.

«OK, Telen, merci, sois prudente. Je te rappellerai de Sondelius quand j'aurai parlé à Ann. Avant 4 heures et demie.»

Telen raccroche. Il est 3 h 25. Le silence envahit la maison.

PETER

Peter s'attarde derrière Maude, où elle ne peut le voir, il pose son verre au milieu d'une flaque d'alcool sur la table à plateau de verre. Il l'observe quelque temps avec un plaisir de connaisseur. Elle est si manifestement vaincue.

Il se penche en avant derrière elle, lui effleure les épaules. Un frémissement. Il parle.

« OK, Maude, OK. Ça suffit. Maude. Vous m'entendez ? »

Elle ne répond pas, semble être dans un état catatonique.

« Ohé ! Maude, vous m'entendez ? Écoutez-moi, j'ai une bonne nouvelle. »

Maude retient son souffle entre ses sanglots mais ne parvient pas à lever les yeux vers lui.

« J'ai fait quelque chose d'assez moche. On va voir si vous pouvez me pardonner. Maude, vous allez faire toutes ces choses agréables que vous comptiez faire demain. Vous comprenez ? Déjeuner avec votre ami, visiter vos patientes, *et cætera*, foutre une nouvelle raclée au tennis à ce pauvre toubib. Ce que vous voudrez. Tout sera normal demain. » Il est fou de joie, lui touche l'épaule. « Vous allez rester exactement comme vous êtes. »

Maude garde la tête baissée, elle ne réagit pas. *Quoi ?*

«Maude. J'ai un cadeau pour vous. J'habite au numéro 8280. En bas de la colline. Je suis pour ainsi dire votre voisin, je vous vois passer chaque jour en voiture. Vous avez gagné.»

Maude le regarde, les yeux rougis. *J'ai gagné quoi ?*

«Je ne comptais pas pousser les choses aussi loin. Je faisais un numéro d'acteur avec vous, mais je me suis laissé emporter. Je m'en veux vraiment, je suis sincèrement désolé.

– Quoi ?»

Est-ce que je rêve ?

Peter sourit, soulagé.

«Maude, je suis désolé. Rien de tout ça n'est vrai.

– Qu'est-ce qui n'est pas vrai ?

– Tout, rien, je suis un acteur.»

Maude répète ses mots d'une voix morne :

«Un acteur.

– Un acteur professionnel. Peter Matson. L'acteur. Vous avez assisté à une représentation de l'Actors Group, j'interprétais le vieil homme allongé sur son lit qui passait son temps à râler dans la pièce de Telen Gacey. Je ne quittais jamais mon lit. Je portais une perruque. C'était moi, vous vous souvenez ?»

Oui.

«Enfin bref, ne me détestez pas, j'essayais quelque chose, une improvisation. Sara Smith vous a-t-elle parlé de nos improvisations ? Celle du bègue ?»

Oui. L'un des amis de Sara.

«Je ne voulais pas aller si loin, mais ça marchait tellement bien que c'était...» Il s'interrompt avant de dire *marrant.* « Je me suis simplement laissé emporter, mais croyez-moi, j'ai tout inventé, absolument tout. »

Il est euphorique.

« Je hais les acteurs.

– Bien entendu. »

Puis, spontanément :

« Je peux dire quelque chose ?

– Sortez.

– Je peux dire quelque chose ? S'il vous plaît ? Je peux dire quelque chose ? »

Réfléchis vite.

« Anna, Anna Blouse, et vous vous souvenez de cet excellent acteur, Billy Waterland, ce sont eux qui m'ont dit de créer un personnage ; complexe, crédible, un personnage vivant, vous saisissez ? Ils m'ont dit de devenir ce personnage et de le tester sur un inconnu. J'ai choisi d'interpréter Toyer. »

C'est ce que Sara a dit.

Maude lève les yeux, le regarde, ahurie. Peter papillonne à travers la pièce comme une hôtesse lors d'une réception.

Elle le regarde avec des yeux délavés, demande :

« Pourquoi ?

– J'ai passé ma semaine à penser à Toyer. À sa façon de se tenir, de marcher, de parler, à ce qui le fout en rogne, ce qui le pousse à faire ce qu'il fait. Je me suis même servi d'une des lettres que vous lui avez envoyées. Finalement, j'ai cru en mon personnage. Maintenant, tout ce qui me restait à faire, c'était vous faire croire en lui. Vous plus que tout autre. Le docteur Maude Garance. Et vous avez mordu à l'hameçon. Quand je vous ai rencontrée sur le parking, je me suis dit : *c'est le moment.* Une sacrée décision. Je devais vous faire croire à mon personnage. Le test ultime pour ma performance. Si vous n'y aviez pas cru...» Il claque des doigts. «... pas de scène. Et nous avons eu une scène. »

Il jubile.

«Oui, répond Maude d'une voix épaisse, nous avons eu une scène.

– Vraiment ?

– Vraiment.

– Qu'est-ce que je peux vous dire ? Vous m'avez laissé faire, vous comprenez ? Vous êtes tellement obsédée par cette histoire de Toyer que vous étiez prête à me croire sur parole. Vous vous y attendiez ! J'ai juste dit ce que vous vouliez entendre. »

Elle parle d'une voix morne.

«Vous n'avez pas trafiqué ma voiture ?

– Non, non, non, pas du tout.

– Comment savez-vous toutes ces choses sur moi ?

– Vous êtes médecin, vous n'allez pas avoir une armoire à pharmacie en désordre. »

Puis, d'un air satisfait :

«N'importe qui peut le deviner.

– Et Mason ?

– Sa photo est à l'envers dans la commode. Qu'est-ce que je suis censé penser ?

– Le pistolet ?

– J'ai fouiné.

– J'essaie de comprendre ce que tout ça peut bien vous rapporter.

– Je vous ai dit, travail d'acteur. Sara Smith vous a parlé du groupe, elle écrit un article sur nous. »

Maude, toujours un peu en état de choc, prend soudain conscience qu'elle va s'en tirer.

Peter, qui a baissé la garde, tourne pour la première fois le dos à Maude. Il est détendu, grisé, se remet lentement de sa plus grande performance d'acteur, encore meilleure que la scène du bègue.

« Jouer la comédie m'a fait un bien fou. J'ai gagné en maturité. J'ai défini mes priorités. Je sais qui je suis. Je m'apprécie. Je crois en moi.

– Oui, vous croyez en vous. »

Je suis en train d'assister à l'éclosion d'un ego d'acteur, du bourgeon à la fleur.

« Et moi ? Vous avez cru en moi ?

– Bien sûr, répond-il avec ravissement. Mais c'est surtout vous qui avez cru en moi, que j'étais ce Toyer qui a tué, excusez-moi, rendu invalides toutes ces filles.

– Avez-vous perdu la tête ?

– Je ne crois pas, non, répond-il judicieusement.

– Moi, je crois que si. Vous êtes fou, je le devine rien qu'à vous entendre.

– Soit, si c'est ça être *fou*, alors je suis *fou*. » Peter est piqué au vif. « N'êtes-vous pas censée utiliser le mot *psychopathe* ? »

Il se rend au coin cuisine.

« Je m'en sers un autre, OK ?

– Oh ! c'est ça, servez-vous un verre. Commandez un repas chinois tant que vous y êtes. Ou mieux, pourquoi vous ne foutriez pas le camp d'ici ?

– Je m'en vais, Maude, mais j'ai d'abord besoin d'un petit verre.

– Il y a un robinet juste au-dessus de l'évier. »

Peter ouvre le réfrigérateur, s'accroupit, saisit une poignée de glaçons.

« Qu'est-ce que vous voulez, gin tonic ? » Il repère une demi-bouteille de gin dans le freezer, la sort, fait le tour de la cuisine en battant des bras telle une mouette, agitant la bouteille. « Un petit dernier pour la route ? »

C'est fini. Elle sourit. *C'est fini. Oui, pourquoi pas ? Un petit dernier pour la route.*

« Gin tonic.

– Gin tonic. Bien. Si c'est ça être fou, alors je suis fou. On ne peut pas être compris par tout le monde.

– Comme c'est vrai, convient Maude. Vous devez toujours vous méfier de nous. »

C'est le moment crucial de la soirée, le tournant à partir duquel tout va se jouer.

SARA

La lumière de la salle de bains est allumée, la porte est fermée. Sara s'habille, enfile un jean.

Pauvre Telen. Je ne peux pas imaginer ce qu'elle vit. Elle l'aime, c'est un monstre, elle doit le livrer à la police. Quelle histoire. Bon Dieu, ça ne pourrait pas être pire.

Elle scrute rapidement son visage dans le miroir. *Méchant miroir.* Ses épaules fines, sa poitrine. Elle lève le menton. Elle est électrique, extatique, elle sent que la matinée va la mener à Toyer. *Il n'y a qu'un seul moment,* murmure-t-elle en direction de son reflet. *Je croyais qu'il était arrivé hier.* Elle voit l'excitation dans les yeux qui lui retournent son regard.

Elle écrit un mot à l'attention de Jim, éteint les lumières. Elle agit posément, sans précipitation. Ça plairait à Jim. Elle lui laisse l'adresse de la maison à Sondelius, le nom d'Ann. Son numéro d'immatriculation au cas où elle aurait un accident. Le numéro de téléphone de Telen au cas où elle n'aurait pas donné de nouvelles avant 8 heures. Et même le numéro de l'appartement de Peter.

Et Maude ? Faut-il l'avertir ? À 3 heures et demie ? Pourquoi pas ? Elle sera si excitée.

Mais la ligne téléphonique de Maude est en dérangement.

TELEN

Juste après avoir raccroché le téléphone, Telen s'évanouit de nouveau. Elle ne sait pas combien de temps elle reste inconsciente, peut-être seulement quelques instants. Lorsqu'elle reprend ses esprits, elle est de nouveau saisie par l'horreur de sa situation. Tout lui revient soudain, ses rêves ont viré au cauchemar. Elle se rend à la salle de bains, s'agenouille, attend d'avoir vomi avant de se relever. Puis elle se rince la bouche à l'eau, s'essuie les yeux avec une serviette, puis la langue.

Chapitre 13 ? Il lui a dit qu'il en avait fini, mais il a menti. Elle ne peut pas rester une minute de plus dans son appartement. Elle en sait trop, beaucoup plus qu'elle ne le voudrait. La seule chose qu'elle ignore, c'est le titre du chapitre. Quel nom figurera sous le nombre 13 ?

Un coup léger retentit à la porte, mais il n'y a pas un bruit dans le couloir, comme si quelqu'un écoutait de l'autre côté depuis un moment. Telen se fige, aussi immobile qu'un cerf dans la forêt.

Bien sûr, ça ne peut pas être Peter. Il ne revient pas pour elle, sa frayeur est irrationnelle. Pourtant, son cœur cogne dans sa poitrine et dans ses bras, elle ne sent plus ses doigts, elle a les jambes en coton, elle n'a jamais eu aussi peur de sa vie.

Un nouveau coup léger. Elle se rend à la porte sur la pointe des pieds.

«Oui ?

– Est-ce que tout va bien ?»

C'est une voix âgée, la voix de quelqu'un qui n'arrive pas à dormir et qui espère qu'il y a un problème.

«Oui, bien sûr, pourquoi ?

– Je suis monsieur Fuotto. J'habite en dessous.»

Cet homme horrible qui dort dans un cendrier et essaie de regarder sous ma robe chaque fois que je monte l'escalier.

«Eh bien, je suis désolée, Peter est absent, monsieur Fuotto.

– Je le sais.»

C'est trop intime. *Il sait.*

«Eh bien, merci d'être venu, monsieur Fuotto, tout va bien.»

Il sait que je suis seule dans l'appartement. Il m'a probablement vue en train de faire l'amour avec Peter dans l'escalier l'autre jour.

Il n'y a aucun bruit derrière la porte, l'homme est toujours là.

«Au fait, monsieur Fuotto, savez-vous à quelle heure Peter est sorti ?

– Il est sorti un peu avant 18 heures.

– Merci beaucoup, monsieur Fuotto.»

Après une demi-minute, elle entend un bruit de pas traînants dans l'escalier.

PETER

Leurs verres sont vides, les glaçons à moitié fondus ont des formes ovoïdales. Peter porte celui de Maude à la cuisine.

« Vous étiez très belle, dit-il. Je suis désolé, mais c'est vrai. »

Il la regarde avec admiration. Il continue de faire le beau. Elle n'en a plus rien à faire.

Peter lui apporte un doigt de gin avec un peu d'eau. Elle le boit. D'un trait. Elle repose le verre. Il le saisit, retourne d'un pas nonchalant à la cuisine, le remplit avec des gestes de barman. *Elle commence à être éméchée.*

« Je sais que vous ne jouiez pas un rôle, mais vos choix de comportement étaient justes.

– Partez. »

Elle se sent trop faible pour le mettre dehors.

« Partez.

– Vous vous sentez toujours mal ? Allons ! »

Peter lui tend le verre. Il s'assied sur le divan à côté d'elle, pas trop près.

« Bon, bien sûr, vous devez redescendre sur terre. Moi aussi. »

Redescendre sur terre.

« Vous n'avez donc jamais honte de rien ? » demande-t-elle. Soudain elle éclate de rire, se surprenant elle-même.

C'était un jeu, rien de plus. «Partez, je vais m'en remettre.»

Elle parvient à peine à s'exprimer, tout ce qu'elle arrive à faire, c'est rire.

Il acquiesce et se penche brusquement en avant, les coudes sur les genoux, regardant au loin.

«Attendez, attendez, attendez, je veux dire quelque chose. D'accord? Vous feriez une sacrée actrice, Maude. Ne me frappez pas. Enfin, moi je m'en fous, c'est pour vous que je dis ça. Ça vous plairait peut-être comme hobby. Vous et Sara pourriez venir à la séance du groupe samedi matin, à vous de voir. Nous pourrions jouer une scène. Vous adoreriez ça, nous pourrions jouer *cette* scène. Exactement la même scène. Je pourrais même la taper à la machine.» Il lève la main comme pour prêter solennellement serment. «Je jure qu'il n'y aurait rien de honteux à ça.

– Cette scène? Encore?

– Vous avez une présence, une profondeur. En plus, vous y croyez vraiment.

– Je me demande bien pourquoi.

– OK. Venez juste nous regarder. Sans vous approcher de la scène.»

Encore son bla-bla d'acteur.

«Non. Partez, j'ai la nausée.

– Songerez-vous à devenir actrice?

– Oui-oui-oui. Maintenant partez, qui que vous soyez.

– Vous ne vous souvenez pas de moi?»

Maude ne se souvient pas de lui.

«Non?» Il marque une pause. «Peut-être que je ferais mieux de rester.

– Pourquoi ?

– Juste pour vous montrer combien tout ça est innocent. »

Il hausse gentiment les épaules.

« Pour vous montrer que je suis votre voisin et que je suis un ami de Sara Smith, c'est tout.

– Non ! Fermez-la. Écoutez, je me fous de savoir ce qu'il faut croire, de savoir qui vous êtes, je me fous de tout. »

Peter marche jusqu'à la porte, défait la chaînette de sûreté, l'entrouvre légèrement.

« J'ai mes papiers sur ma moto, d'accord ? Je reviens tout de suite, ça vous rassurera peut-être. »

Il est parti. Maude regarde fixement la porte, piquant légèrement du nez à cause du gin. Quelques instants plus tard, il pousse la porte, passe la tête à l'intérieur, sourit.

« Vous vous souvenez, j'ai dit que j'avais coupé votre ligne téléphonique ? Essayez-la. Voyez si elle fonctionne. Ça devrait vous rassurer. »

Il disparaît. Encore une fois, il laisse la porte entrouverte. Maude, seule, se tourne vers le téléphone posé sur la commode. Elle a honte de ses doutes. Après un long moment, elle se lève et marche jusqu'au téléphone. Elle le décroche et écoute. Elle penche la tête, se couvre l'oreille, essaie d'entendre la tonalité. Elle appuie sur le bouton de connexion, continue d'écouter. Il n'y a pas de tonalité. La ligne a été coupée. Pas de téléphone. Sa gorge se noue.

Elle le sent derrière elle, se retourne. Il se tient dans l'entrebâillement de la porte. Il n'est pas parti. Il sourit gentiment, hausse les épaules.

« Je vous aime », dit-il.

TELEN

Dans la salle de bains, encore en train de pisser, ses mains tremblent tellement qu'elle agrippe le porte-serviette comme si les toilettes étaient un toboggan. Personne ne sait où elle est cette nuit. À part Sara Smith, et M. Fuotto. Si Peter débarque maintenant, elle n'aura aucune chance, autant sauter par la fenêtre. Elle sait ce qu'il lui fera.

Elle éteint l'ordinateur en laissant les fichiers tels quels, le referme sèchement, le laisse en évidence sur le lit.

Je dois d'abord parler à Billy.

Après quatre sonneries, elle entend son annonce préenregistrée, le chasseur de la nuit traquant sa proie. «Je suis absent d'accord? Mais votre message est important pour moi...»

«Billy, il est 3 h 45, si tu rentres chez toi dans les deux prochaines minutes, appelle-moi, je suis chez Peter mais je suis sur le point de partir. S'il te plaît, s'il te plaît, c'est très urgent.»

Je dois montrer à Billy quelque chose de concret, je ne peux pas juste lui annoncer ça de but en blanc, il ne me croira pas, il me faut une copie d'un chapitre. Il doit y avoir une imprimante quelque part.

Et il y en a une en effet, une petite imprimante, elle la trouve dans le placard, moins bien cachée que l'ordinateur, dans un sac de toile. Il n'a fait aucun effort pour la dissimuler, il n'y a pas de mal à posséder une imprimante.

Elle rouvre l'ordinateur, le pose sur le bureau, connecte l'imprimante, imprime deux pages du chapitre sur Felicity Padewicz. Elle s'habille rapidement pendant que l'imprimante tourne, plie les pages et les glisse à l'arrière de sa culotte.

Elle écrit une note à l'attention de Sara.

Sara,

Désolée de ne pas avoir pu rester. L'ordinateur sur le bureau est allumé, le fichier du livre est ouvert. Au cas où tu le fermerais, le mot de passe pour y accéder est POISSON-CHAT. Je t'appelle plus tard.

Telen

Elle va attendre Billy chez lui. Elle éteint les ventilateurs, refait le lit comme il était à son arrivée. Elle quitte l'appartement sans fermer la porte à clé.

Elle ôte ses chaussures pour ne pas alerter M. Fuotto, son admirateur du deuxième étage, descend sur la pointe des pieds les marches en bois jusqu'au rez-de-chaussée de la funeste maison.

Elle court jusqu'à sa voiture comme si elle était poursuivie par des démons, s'enferme à l'intérieur, roule quelques dizaines de mètres, se gare.

Il nous a tués tous les deux. Elle se répète cette phrase encore et encore. *Je l'aime et il nous a tués tous les deux.* Elle ne peut retenir ses violents sanglots. De l'autre côté de la rue, à trois mètres d'elle, le néon cramoisi dessinant le contour d'une main, le mot *voyance*, les inscriptions au crayon rouge en dessous. Elle est effrayée lorsqu'elle songe que la *señora* Maldonado a tout compris dès le début.

MAUDE

Maude agrippe le téléphone silencieux. Elle le repose au ralenti, hébétée, pas sur son support, ça n'a plus d'importance. Elle n'est plus ivre, ses paupières tremblotent. Peter referme la porte, insère la chaînette dans la rainure, fait un pas vers elle. Il parle gentiment, comme pour faire une révélation.

«Je vous aime, Maude.» Il fait un autre pas, puis un autre. Il s'arrête au milieu de la pièce. «Je vous aime.»

Il se tient immobile, mains tendues, paumes vers elle. L'Annonciation, il est Gabriel.

Maude se sent mal, elle pose un coude sur le comptoir de la cuisine pour se soutenir, tend l'autre main vers le mur près de l'alcôve. Tout en s'appuyant sur son coude, elle glisse la main sous le comptoir et enfonce les interrupteurs qui commandent les lumières.

La maison est plongée dans le noir.

Peter reste un moment figé, puis il retourne à la porte d'entrée, les yeux grands ouverts, alerte, il cherche à tâtons un interrupteur, appuie dessus. La lumière jaune du perron s'allume. Il trouve un autre interrupteur. Rien ne se passe. Le circuit électrique est ancien. L'interrupteur est mort.

«Je plaisante, Maude, dit-il d'un ton enjoué. Le jeu est terminé.»

Maude, accroupie dans l'obscurité, tend la main vers le râtelier fixé au mur, saisit un large couteau à légumes Sabatier. *Je vais le tuer.*

« Allumez la lumière, Maude. » Peter se tient à la porte, parlant continuellement, écoutant, cherchant à tâtons un interrupteur. « Maude, je plaisantais simplement, je le jure, je suis un acteur, un acteur minable, pour l'amour de Dieu, c'est juste un stupide jeu d'acteur. Laissez-moi vous expliquer. »

Maude est recroquevillée sur elle-même sous le comptoir, aussi immobile qu'un lapin.

« D'accord, j'ai perdu. » Peter fait un pas en avant, puis un autre. « Allez. Vous avez gagné. C'est fini. »

Il écoute, fait un nouveau pas en direction du coin cuisine. Il écoute, pas un bruit. Maude jette son carnet d'adresses contre le mur derrière Peter. Il se retourne.

« Maude. Un jeu d'acteur. »

Ne respire pas. Attends qu'il vienne à toi. Elle attend.

Il n'y a pas de lune. Dehors, sur la colline, le ciel bleu nuit s'étire au-dessus des villages de pacotille en contrebas.

Peter enfonce la main dans la poche de son blouson, en tire sa petite lampe halogène, fait courir son mince faisceau à travers la pièce.

« Maude, s'il vous plaît, écoutez-moi. C'est fini. »

La lumière passe rapidement sur elle.

Elle quitte furtivement sa cachette, va se tapir dans la chambre. Elle attend.

« Maude, nom de Dieu, vous devez savoir que je plaisantais. »

Il balaie la chambre avec sa lampe. Elle est derrière la porte, il n'entre pas complètement.

« Vous êtes une fille intelligente, Maude, allez, arrêtez de me faire marcher. »

Elle est debout, tient le couteau droit devant elle. Elle essaie de respirer silencieusement, ouvrant la bouche comme un poisson. *Il sait que je peux le tuer.*

« Maude ? Laissez tomber, tout est pardonné. C'est juste un jeu, promis. »

Peter regagne la cuisine, éteint sa lampe. Les pièces sont plongées dans le noir. *Il sait que c'est lui qui est en danger, pas moi.*

Elle ne le voit pas. Elle se glisse de la chambre à la salle de bains, de la salle de bains au salon. Elle atteint la porte d'entrée. Elle respire en ouvrant grand la bouche pour ne pas faire de bruit.

Il enfonce alors l'interrupteur sous le comptoir. La lumière inonde la cuisine, le salon. Maude est debout à la porte, tenant le large couteau contre son flanc. Elle lui fait face.

Il tend les bras vers elle tout en tenant sa lampe torche, paumes en avant, doigts écartés.

« Amis ? »

Il s'approche d'elle, souriant, marche d'un pas léger. Il n'a pas vu le couteau. Il forme une cible sombre.

Maintenant. Sans réfléchir, poussée par l'instinct, elle fait trois pas rapides, droit sur lui, entraînée par la large lame du couteau qui est pointé sur son entrejambe.

La surprise est totale. Il est piégé. Décontenancé. Il ne peut qu'esquiver sur le côté en se retournant à demi, perdant l'équilibre. *Ça va passer très près.*

Le couteau de Maude s'élève soudain, décrivant un arc vers le plafond. La lame atteint Peter, traversant la manche de cuir pour s'enfoncer dans la chair de son bras. Il hurle, recule en titubant, trébuche, tombe sur le divan. La petite lampe s'envole de sa main en direction du plafond, puis retombe bruyamment sur la table de verre.

Maude se tient au-dessus de lui, haletante, en sueur, le couteau prêt à frapper de nouveau, pointé sur son ventre. Peter est étendu sur le divan, prêt à mourir. Elle l'a atteint à travers la manche de cuir, et il serre fermement son bras. Il y a du sang.

« Pas un geste. »

Peter a l'air malade. *Elle va te tuer. Tire-toi de ce mauvais pas, espèce de connard.*

Maude place la pointe du couteau sous la gorge de Peter, tout contre son larynx. Un long moment s'écoule, elle a le regard vitreux. Peter est figé, immobile, à bout de souffle. Il est à court d'idées. Cloué sur place.

Maude n'a pas bougé. Elle a déjà essayé de le tuer sur la plage. Elle ressent le même élan qu'alors. Elle est hébétée, incapable de lui enfoncer la lame dans la gorge ni de la retirer.

Peter essaie de ravaler sa salive, détourne la tête. Le couteau lui entaille légèrement la peau.

Soudain il se met à délirer.

« Appelez un médecin ! Pour l'amour de Dieu, appelez un médecin ! Le téléphone. Branchez-le. »

Il désigne de la tête la prise du téléphone sur le mur derrière la commode. Elle détourne un instant les yeux.

Le câble est débranché. Elle regarde fixement Peter d'un air absent. Il est près de la crise d'hystérie. Elle reconnaît les symptômes. Il ignore Maude, uniquement préoccupé par sa blessure.

« Appelez un médecin, vous travaillez au Kipness, vous devez connaître un médecin.

– Je *suis* médecin. »

Elle n'a pas bougé, le couteau non plus, il est toujours là, pointé sur Peter.

« Un vrai médecin, vous êtes psychiatre. Je peux porter plainte contre vous.

– N'en rajoutez pas. »

Maude est en train de retrouver ses esprits, elle a la situation en main.

« Je suis sérieux. On a bu un verre, on s'est engueulés, vous avez essayé de me tuer.

– Je devrais vous couper la langue. »

Elle fait courir le couteau sur la poitrine de Peter, la pointe effleure une nouvelle fois sa gorge.

« D'ailleurs, c'est peut-être ce que je vais faire, Peter, vous savez que j'en suis capable. Un jour, j'ai égorgé un homme.

– Je ne vous ai pas touchée, d'accord ? Je ne suis pas votre putain de Toyer. Je suis peut-être, en revanche, un vrai con de m'être fourré dans ce merdier. »

Il a probablement raison, les personnes psychotiques ne font généralement de mal à personne à part à elles-mêmes.

« Est-ce que vous pourriez, s'il vous plaît, ôter ce couteau ? »

Elle ne le fait pas. Elle se tient au-dessus de lui, l'observe attentivement.

« Je suis sincèrement désolé, Maude. OK ? Maintenant soyez gentille et appelez un foutu médecin, sur ce téléphone, maintenant, avant que je me vide de mon sang sur votre canapé.

– C'est si sérieux que ça, Peter ? »

Il tente d'examiner sa blessure, essaie de retrousser sa manche.

« Sérieux ? Oui, c'est sérieux. Très sérieux. C'est horrible !

– Une simple égratignure.

– C'est rouge et c'est profond et c'est long et c'est vous qui l'avez fait. Vous avez peur d'appeler un vrai médecin parce que vous m'avez poignardé. Je ne dirai rien, ne vous en faites pas, je leur dirai qu'on faisait la fête, n'importe quoi, que la bouteille de champagne a explosé.

– Je peux soigner les égratignures, Peter, neuf ans d'études, six de pratique.

– Vous étiez *forcée* de me poignarder, hein ? Vous ne pouviez pas voir que c'était un jeu. OK, OK, peut-être que je vous ai fait marcher. Mais je ne me servais pas d'un couteau de cuisine, si ? Je me servais de mon cerveau. Et je croyais que vous vous serviez du vôtre. Les gens comme vous sont censés être intelligents, mais de toute évidence je me suis trompé sur votre compte, me filer un coup de couteau était idiot. »

Il se met à sangloter.

« Fermez-la et enlevez votre chemise.

– Pourquoi ne la lacérez-vous pas avec votre couteau ? »

Il ôte péniblement son blouson, le laisse tomber par terre, puis sa chemise.

«Bon Dieu, je déteste le sang. Surtout le mien.

– L'extérieur du bras n'est pas une région vasculaire. C'est le muscle qui est coupé, c'est pour ça que ça saigne. Mais il n'y a pas d'artère.»

Peter est torse nu. Maude voit qu'il est puissant, aussi souple qu'un ressort. Un beau spécimen de mâle adulte. Le soleil a dessiné le contour d'un maillot de corps sur sa poitrine et ses épaules.

Tenant le couteau dans sa main droite, elle passe les doigts de sa main gauche sur son bras, ils rougissent au contact du sang. Elle n'arrive pas à s'ôter la plage de la tête. Le sang dans ses cheveux, sur sa poitrine. Elle le mène à l'évier et se rince les mains. Elle est horrifiée, regarde le tourbillon rouge disparaître dans l'écoulement.

«Passez votre blessure sous l'eau.

– Non, je ne peux pas.

– Faites-le.»

Il se penche vivement au-dessus de l'évier, vomit, s'asperge la bouche d'eau, allume le broyeur de déchets. Elle attend, lui passe la plaie directement sous l'eau. Il se tortille de douleur. Pendant un instant, ils ressemblent à deux enfants qui auraient poussé leur jeu trop loin, blessant l'un d'eux.

«Combien de points de suture? Bon Dieu de merde!

– Pas de points de suture, Peter. Je commence à en avoir ma claque de vous.»

Je ne le considère pas comme dangereux : narcissisme, complexe de castration, faiblesses féminines.

«Attendez-moi ici.»

Elle se rend à la salle de bains.

Putain, qu'est-ce que je fous ici ? se demande Peter lorsqu'il est seul.

Maude revient avec un flacon d'eau oxygénée et une bande. Elle les pose sur le comptoir.

« Alors, on imite Toyer ?

– C'était vraiment une idée débile.

– Pas seulement débile, répréhensible. Je regrette de ne pas avoir été juste un peu plus rapide.

– Vous avez absolument raison.

– Ne soyez pas d'accord avec tout ce que je dis.

– C'est ce que je fais ? »

Elle ignore la question, applique de l'eau oxygénée sur l'entaille.

Je veux que tu me désires, que tu te soumettes entièrement, de ton plein gré, je veux te sentir dans ma bouche, te sentir écartée sous moi, ouverte.

TELEN

Telen redémarre, longe un pâté de maisons jusqu'à Sunset Boulevard, tourne et se gare. Elle n'y voit plus rien, ses yeux la brûlent, elle a la gorge serrée. Incapable de conduire, elle attend que les vagues de nausée s'estompent.

Elle aime toujours Peter. Mais les quelques espoirs qu'elle entretenait de vivre avec lui ont été anéantis par les petites lumières vertes clignotant sur l'écran d'ordinateur. Elle attend. Pour la première fois de sa vie elle voudrait être quelqu'un d'autre, une personne plus âgée, vivant ailleurs, pas à Los Angeles, dans une maison neuve au milieu d'un quartier neuf, avec des enfants, un mari bordélique. Elle se demande si son piano est toujours au garde-meuble. Elle veut être célèbre. Elle veut aller se coucher.

Telen Gacey n'a aucunes ressources. Elle vient d'une petite ville où les hommes murmuraient dans son dos. Quand elle avait 6 ans, sa mère lui a dit qu'elle avait une jolie voix. Au lycée, elle a chanté pendant trois années consécutives l'hymne national avant le match de football de Thanksgiving. Aucun autre élève du lycée n'a égalé ce record, ni avant ni après.

Elle aperçoit la lumière vague d'une cabine téléphonique à moitié éclairée plus loin dans la rue.

MAUDE

Des quartiers entiers sont assoupis, les télévisions sont froides, elles se reposent pour la longue journée qui les attend. Un coyote passe à proximité de la maison, des ratons laveurs, des opossums, des chouettes, des souris. C'est leur heure. Les chevreuils somnolent. Un peu plus tôt, Peter a allumé la chaîne stéréo, à bas volume. Une musique à peine audible agrémente la nuit.

Son bras est pansé. Maude n'a toujours pas posé le couteau. Elle l'agite. Elle est terriblement bouleversée, soulagée. Elle ne l'a pas tué, mais elle sait qu'il s'en est fallu d'un rien. Une fois de plus.

« Mon métier, c'est soigner les gens, pas les assassiner.

– Un acteur de moins, c'est pas la fin du monde. »

Son rire est faible, plutôt un gémissement.

« Je suis vraiment désolée.

– Pas la peine. Vous vous excusez d'avoir sauvé votre vie.

– J'ai essayé de vous infliger une blessure généralement mortelle. J'ai vu des victimes de coups de couteau arriver aux urgences. Tout est sorti, l'estomac, les reins, les intestins, parfois les poumons. Aucune chance. L'hémorragie est fatale. Alors que quand vous tirez sur quelqu'un, c'est un simple impact.

– Eh bien, si ça peut vous consoler, vous avez aussi essayé de me tirer dessus. » Il tend la main vers elle. « Allez, Maude, n'importe qui peut tuer. »

Elle ignore sa main, continue de visualiser ce qui a failli arriver.

« Un petit verre ? »

Il fait une mimique de singe, agite les glaçons dans son verre.

Elle laisse passer un instant, puis lui adresse soudain un superbe sourire.

« Pourquoi pas ? » Elle attrape son verre et commence à se diriger vers la cuisine. « Bon sang, pourquoi pas ? »

Peter bondit sur ses pieds.

« Non, non, non, laissez-moi faire. »

Il est livide et tient à peine sur ses jambes, mais il prend le verre des mains de Maude et marche jusqu'au comptoir de la cuisine. De sa main valide, il sert deux gins avec des glaçons, revient, tend son verre à Maude.

« Amis », dit-il en portant un toast.

Maude l'ignore.

« Si au moins vous pouviez arrêter d'agiter ce couteau dans ma direction, d'accord ? »

Elle boit, repose son verre et s'étire, tenant toujours son couteau dans sa main, loin derrière sa tête.

« Je m'en remettrai, dit-elle.

– Moi aussi. »

Peter tient son bras blessé.

« Vous devez être soulagée.

– C'est vous qui devez être soulagé. Vous avez failli y laisser votre peau.

– Oui, en effet. »

J'ai besoin de m'introduire en toi, de te plier autour de moi, de pénétrer ton intelligence, chambouler ton esprit et le fermer à jamais.

Elle se raidit, fait de petits étirements de chat.

« Je me sens un peu fatiguée.

– Mais euphorique. »

C'est vrai. Elle sourit presque. Leurs regards se croisent furtivement. Il lui fait un clin d'œil. Tout est bien qui finit bien. Elle n'est pas une meurtrière, il n'est pas un cadavre.

Dehors, une chouette effraie pousse un cri, une autre lui répond au loin. *Quel son incroyablement beau.*

La toile lavande de la ville endormie se dissout dans un murmure. Les doigts de Maude se relâchent autour du couteau de cuisine. Elle le pose sur la table de verre à côté des trois cailloux polis. Ensemble, ils forment un arrangement paisible, les cailloux, le verre, la lame de vingt-cinq centimètres.

Quoi qu'il soit, c'est un homme extraordinaire.

BILLY

Mais il n'y a pas de combiné dans la cabine téléphonique. Telen parcourt les alentours à la recherche d'un téléphone en état de fonctionnement, mais tous les combinés ont été arrachés. Finalement, elle rappelle Billy depuis une station-service.

« Je t'en prie, décroche. »

Ce qu'il fait après quatre sonneries, à l'instant même où son répondeur se met en route.

Il est endormi, le téléphone est chaud contre son cou et l'oreiller.

« S'il te plaît Billy c'est Telen s'il te plaît Billy réveille-toi Billy s'il te plaît. »

Elle s'en fout s'il est avec une fille. Il est seul.

« Telen ? » Puis, d'une voix ensommeillée : « Je te rappelle demain... promis juré.

– Non, Billy, maintenant, réveille-toi ! J'arrive. Laisse-moi venir. »

Billy rêve de divertissements avec Telen.

« Pourquoi ?

– Parce que ça ne peut pas attendre, Billy.

– Tu pleures ?

– Oui. Et toi aussi, tu vas pleurer. »

Billy est soudain réveillé.

« C'est Peter ?

– Oui.

– *Quoi ?*

– Il faut que je te voie.

– Dis-moi.

– Non, pas au téléphone. »

Ils se retrouveront chez Ruben's dans vingt minutes. *Billy Billy Billy.* Telen reste quelques minutes de plus dans sa voiture à côté de la cabine téléphonique de la station-service de Sunset Boulevard, se demandant si elle doit appeler la police. Elle est désormais en état de conduire. Elle démarre.

Il est 4 h 25, la nuit met longtemps à s'achever. Il est un moment splendide dans la vaste ville : quand les boulevards épuisés par le soleil sont déserts et, malgré l'absence de vie, annoncent un nouveau jour.

MAUDE

Ils finissent leurs verres. Peter les ramasse, se rend à la cuisine, verse une nouvelle tournée, les rapporte.

« Est-ce que ça va laisser une cicatrice ?

– Ça m'étonnerait.

– J'aimerais que ça en laisse une. Le tournant de ma vie. »

Il lève son verre.

« Fini pour moi de jouer avec les grandes filles.

– Pour autant que vous ayez jamais joué avec elles. »

Maude le regarde dans les yeux, lève son verre.

« Quelle sensation incroyable.

– Votre premier crime passionnel, mam'zelle ? » lance Peter avec un accent français.

Il éclate de rire.

« C'est drôle, on m'a dit que je manquais de passion.

– Ah oui ? Eh bien, je peux vous assurer du contraire. La haine et la passion sont deux choses très proches, elles sont côte à côte dans le cerveau.

– Ne commencez pas. »

Elle rit à son tour.

« Il n'y a pas grand-chose que j'ignore sur l'amour et la haine et vous ne faites que débiter des clichés du *Time*

Magazine. Je savais exactement ce que je faisais à chaque instant. Qu'est-ce que vous croyez que j'ai ressenti ?

– Pour une personne rationnelle habituée à résoudre les problèmes logiquement ? Ça a dû être instructif.

– Oui, c'est toujours agréable de grandir. »

Elle tend son verre, il retourne à la cuisine, lui sert un nouveau gin avec des glaçons.

« Pourquoi, Peter ?

– J'aime ça. La femme aime ça. Tout le monde est content.

– C'est un sport, n'est-ce pas ? Et à quel poste jouez-vous ? Laissez-moi deviner : au poste de Dieu. »

Maude boit. Elle ressent une ivresse grisante.

Il est debout, l'observe depuis la cuisine. *Elle a raison.*

« Un sport », répète-t-il à haute voix.

Mais un sentiment d'euphorie que le sport ne procure jamais.

« Les femmes. Nous avons toutes une telle trouille, pas vrai ? Prononcez le mot *viol* et si nous ne pouvons pas nous enfuir, nous devenons malléables.

Malléables, j'aime ce mot. Peter lui tend son verre. *Tu vas bientôt être malléable, Maude.*

Maude lève vers lui des yeux rougis.

« Pourquoi avez-vous fait ça ?

– La vérité ?

– Oh ! pourquoi pas ? »

Dis-lui.

« C'est quelque chose de viscéral.

– Quelque chose de sexuel ? C'était censé m'exciter ?

– Les femmes adorent ça, qu'est-ce que je peux vous dire ? »

Cartes sur table.

« C'est un renversement total.

– La proximité de la mort ? Un aphrodisiaque ?

– Vous vous abandonnez à moi, je vous balade un peu, je vous montre l'autre côté. Enfin quoi, vous avez marché. »

Il est sérieux.

« Mon Dieu, mon Dieu, le pouvoir absolu que vous avez sur moi est censé agir comme une drogue. Et la proximité de la mort, m'exciter au point que nous finissons dans mon lit ?

– Quelque chose comme ça.

– Il ne s'agit que de ça ? De baiser ? »

Elle observe les proportions de son corps.

« Vous n'êtes qu'un violeur ?

– Eh bien, un violeur qui prend son temps.

– Et ça fonctionne ? »

Bien sûr que ça fonctionne.

« Maude, ça m'ennuie vraiment de dire ça, mais vous n'aviez qu'une seule envie, faire l'amour avec moi d'une manière ou d'une autre.

– Vous méritez d'être enfermé.

– Oui. »

Sourire contrit.

« Salaud.

– Salope. »

Sourire radieux.

« Bon Dieu, vous êtes quoi, exactement ?

– Je suis un acteur, Maude, je peux être tout ce que vous voulez que je sois.

– Personne n'a encore essayé de vous tuer ?

– Il faut toujours être sur ses gardes.

– Mais vous considérez que ça fait partie du jeu ?

– Tout à fait. J'adore être à la limite.

– Vous savez pourquoi je vous déteste ? Parce que vous m'avez fait croire que j'étais sur le point de mourir juste pour que je dise toutes ces... choses.

– Exact. La mort a le don d'ouvrir de nouvelles perspectives, pas vrai ?

– C'est une expérience franchement humiliante. J'aurais fait n'importe quoi pour vous. »

Elle se radoucit, elle commence à jouer.

« Comme quoi ?

– Trop tard. » Maude éclate soudain de rire. « Alors arrêtez d'avoir cet air stupide. J'aurais fait tout ce que vous vouliez. » Elle ajoute, sans sourire : « Avec plaisir, juste pour rester en vie.

– Une bonne raison.

– Alors, qu'est-ce qui se passe maintenant ?

– Peu importe.

– Peu importe ?

– On verra bien. »

Loin des doutes de Maude, la ville respire à peine. Dans les cafés ouverts toute la nuit, des hommes bouffis mangent leur soupe. Une petite femme avec des chaussures sexy vient d'être assassinée par un homme qu'elle connaissait à peine, derrière une voiture garée dans une allée où les gens urinent.

TELEN

S unset Boulevard est la plus longue
artère urbaine du monde. Les numéros
d'adresses dépassent les vingt mille, à Malibu, à côté
de Pacific Ocean. Telen roule comme en rêve, peut-être
qu'elle ira jusqu'à la mer. En chemin, elle passe devant
les stands de burritos de Silverlake, puis les piscines
croupies de Los Feliz où des stars du cinéma mortes
nagent au son de 78 tours d'Enrico Caruso. Elle n'est
pas pressée. Elle a toujours aimé la façon dont Sunset
Boulevard grimpe à travers Hollywood, célébrant
son déclin au milieu des panneaux d'affichage, puis
le rêve pur de Beverly Hills où les palais extravagants
s'accrochent à leurs terrains comme des clichés, les
maisons sans terre de Brentwood, Bel Air, bâti pour
se protéger de saisons qui n'arriveront jamais, jusqu'à
Pacific Palisades dont les falaises terreuses meurent au
bord du vaste et modeste océan.

Elle entend un bruit sourd, un bruit agréable. Telen
a percuté quelque chose de mou. Une personne gît sur
la chaussée devant la voiture. Sur la droite, par-dessus
son capot, elle distingue les restes d'un pardessus. C'est
un homme, peut-être mort. Un congénère humain.
Elle reste dans la voiture arrêtée, tenant le volant, tête
baissée, yeux clos.

L'homme qu'elle a percuté s'est soulevé sur un coude. Il a jailli du trottoir de droite. Telen avait ralenti pour un feu rouge, mais elle continuait de rouler sans regarder. L'homme blessé rampe désormais en direction du trottoir, regardant Telen par-dessus son épaule. Il avance de biais comme un mendiant, comme quelqu'un qui vit près du sol. Telen a peur des mendiants, elle n'aime pas sentir les yeux de l'homme sur elle. Elle voudrait le saluer de la main et repartir, mais elle se gare. Il est assis par terre. *S'il vous plaît, faites qu'il ne soit pas blessé.* Plus tôt dans la soirée, Telen a rêvé de la mort, maintenant elle espère qu'un mendiant ne va pas mourir. Il est assis droit au bord du trottoir. Il a l'air bien où il est, il a l'air d'être chez lui.

Des gens observent la scène. Elle se tient à côté de lui sur le trottoir dans sa petite robe, penchée en avant. Il a une magnifique peau luisante, tannée par le soleil et la pluie. Il a la plus belle chevelure qu'elle ait jamais vue, elle rougeoie par vagues. Il a des dents de star du cinéma. Il a pissé dans son froc plus tôt dans la semaine. Telen sent sur ses vêtements l'odeur de son histoire récente : urine, vomi, fumée. Son haleine empeste la vodka et les intestins pourris. Il est soûl.

Plusieurs Hispaniques regardent Telen. *¿ Que tal señorita ?* Ils conservent leurs distances, craignant qu'elle se précipite dans sa voiture et les broie sous ses roues.

Le mendiant a une voix riche, gutturale.

« Quel est votre nom ? »

Elle lui répond.

« Vous m'avez renversé avec votre voiture, Helen. »

Ce n'est pas une accusation, c'est une simple expression de son émerveillement. *Renversé par une voiture. Imaginez ça. Une jolie nana. Bon Dieu. Et me voici. Vivant. Putain, elle est pas belle la vie ?*

« C'est bon, c'était juste ma caboche. »

L'agréable bruit sourd que Telen a entendu a été produit par sa tête heurtant le capot comme si c'était une timbale.

« Je suis vraiment désolée, dit-elle.

– Hé ! moi aussi, je suis désolé, je vous ai pas vue arriver.

– Vous allez bien, monsieur ?

– Ouais, ça va, mais vous devriez me donner quelque chose.

– Que voulez-vous ? »

Je vous donnerai n'importe quoi.

« Vous avez quoi ?

– Eh bien, j'ai un peu d'argent. Qu'est-ce que vous en pensez ? »

Donne-lui quelques jolis billets.

« Dans ce sac à main ?

– Oui. »

Elle serre son sac contre elle.

« Eh bien, écoutez, donnez-moi ce que vous avez mais je veux pas qu'ils le voient. »

Il désigne avec sa tête amochée les Mexicains aux yeux de hyène qui se tiennent devant un restaurant italien fermé.

Telen acquiesce, va à sa voiture et vide son sac. Il y a peut-être cent dollars. *Bien.* Elle les enroule dans un mouchoir, revient vers l'homme, se sert du mouchoir pour lui essuyer le front, puis le lui place dans la main. *Il saisit le message.* Sa magnifique peau est comme du cuir de cheval.

« Merci. Maintenant foutez le camp, je veux pas voir les flics ce soir.

– Au revoir. Je suis sincèrement désolée.

– Amusez-vous bien. » Puis, après avoir jeté un coup d'œil à la liasse de billets : « Vous pouvez me renverser quand vous voulez, ma petite dame. »

Elle s'éloigne, agite la main. Elle se voit faisant l'amour avec Peter en haut de l'escalier par un chaud après-midi, leurs vêtements éparpillés autour d'eux, leurs peaux pures s'unissant. Elle se souvient de chaque instant passé avec lui. Où va-t-elle ? Elle se souvient qu'elle attend de mourir.

MAUDE

La nuit, grise comme un éléphant, descend lourdement le long des collines.

Jimmy G, orange pâle avec un ventre blanchâtre, s'agite dans son sommeil sur la banquette près de la fenêtre, ses pattes sont croisées comme s'il s'était assoupi en lisant. Il est tard, très tard.

Peter ramasse leurs verres sur la table basse, les porte jusqu'à la cuisine. Le bruit des verres réveille Jimmy G, qui bâille généreusement et observe la scène. Ne voyant rien qui vaille d'être vu, il referme les yeux. Maude a une jambe sur le divan. Abandon désinvolte.

« Bien sûr, observe-t-elle, je suis censée réagir autrement, vous remercier calmement de m'avoir laissé la vie sauve.

– Vous êtes libre de réagir comme vous le sentez, répond Peter tout en inspectant le contenu du congélateur.

– Étant donné les circonstances, je vais m'abstenir. »

Elle a envie de se foutre de lui.

Penses-y, Maude, j'ai besoin de te goûter, de m'introduire en toi, de te plier autour de moi, de pénétrer ton intelligence, de chambouler ton esprit et le fermer à jamais.

« Pourquoi m'avoir dit que vous étiez gay ?

– Je méprise ce petit adjectif joyeux, pas vous ?

– Mais pourquoi ?

– Je n'ai jamais dit que je l'étais, Maude. »

Il boit une gorgée de gin. Elle laisse passer une pause, acquiesce.

« Pour que j'ouvre la porte. »

Peter sourit.

« Pour que vous ouvriez la porte. »

La lumière de la cuisine est éteinte. La chambre est plongée dans l'obscurité.

« Au fait, c'était quoi tout ce baratin sur les zèbres ou les zébus ? C'est vous qui avez inventé ça ?

– Rien que pour vous. Vous avez le choix entre la fin du gin et le début de la tequila, propose-t-il.

– Gin », répond-elle en pointant le doigt.

Il vide le reste du gin dans un verre, jette la bouteille dans la corbeille en osier.

« La fin du gin. » Les glaçons craquent. Il lui tend le verre transparent, garde celui qui contient une double dose de tequila supérieure parmi des icebergs translucides. « La tequila a refusé de se mélanger avec la liqueur de café. Elle est tombée au fond du verre et s'est mise à chanter. »

Maude ignore ses élucubrations, reprend le fil de la conversation :

« Et ça a marché, je vous ai ouvert la porte, pas vrai ? »

Ça, on peut le dire.

Jimmy G n'arrive pas à dormir, il s'approche d'eux, il est trop tard pour regarder des humains. Il s'assied. C'est une nuit très étrange pour un chat.

« Pourquoi moi ?

– Vous êtes une femme extraordinaire, Maude, voilà pourquoi. »

Le compliment lui passe au-dessus de la tête.

« Ah oui ?

– Dites-moi une chose, reprend Peter. Pourquoi vous êtes-vous coupé les cheveux si court ? »

C'était l'année dernière. Maintenant ils sont plus longs de cinq centimètres, toujours coupés à la garçonne, de la couleur du lait quand on y ajoute une touche de whiskey dans un verre.

Mes cheveux.

« Avant, j'avais une vraie crinière. Si épaisse que quand j'allais nager, les racines étaient encore sèches quand je sortais de l'eau. » Une semaine après l'arrivée de Virginia Sapen elle les a fait couper à ras. Elle appelait ça sa coupe Auschwitz. « Je les ai coupés à cause de Toyer. Un syndrome qui s'appelle empathie. »

Seule la lampe en forme de pyramide est allumée, projetant des spectres au plafond. Il y a eu de la musique tout au long de leur conversation ; en ce moment, un morceau de jazz paisible et tortueux. Ils ont chacun leur verre à la main. Maude est sur le divan, elle ressent un étourdissement agréable, juste derrière les yeux. Elle est soulagée, délivrée de la mort. *Mon diastrophisme interne.* Elle est libre, plus forte que n'importe qui.

Peter se tient au-dessus d'elle et tend la main, ouverte, légèrement incurvée. L'Homme de Michel-Ange tendant la main vers Dieu. Magnifique. Elle ne la saisit pas, l'admire. *Je te vois, tes hanches, ta taille.* Maude examine Peter, les marques laissées sur son visage par la longue soirée et la longue nuit. Elle le regarde avec des yeux francs, vulnérables, directs. Elle baisse les yeux vers sa propre main, vers le liquide translucide dans son verre.

Elle le pose trop brutalement, verre sur verre, un tinte-
ment sec de clochette.

Elle sent une de ses mains se lever, se tendre vers
celle de Peter. Main dans la main. Ça ne peut vouloir
dire qu'une chose, ils sont arrivés. Il la tire sur ses pieds,
tension parfaite, près de lui mais sans le toucher. Elle
sent sa force. Un trait de lumière irrégulier les sépare
momentanément, puis elle est contre lui. Il y a une
douce humidité lorsqu'ils se touchent. La pièce est floue,
elle tourne doucement autour de Maude.

Des phrases naissent sans qu'elle s'en rende compte,
des mots qu'elle garde au fond d'elle depuis des années,
coulant de ses lèvres aux oreilles de Peter.

« Je sens que tout s'évapore autour de moi, Peter.
Je tourbillonne à travers le plancher, à travers le ciel.
Est-ce que tu le sens ? Je ne sais pas depuis combien
de temps nous nous connaissons. Est-ce que ça fait
longtemps ?

– Oui. »

Peter se positionne confortablement entre ses jambes.

Elle tourne, tourne.

« Combien de temps, Peter ?

– Longtemps.

– J'ai laissé mes clés quelque part, dans un tiroir.
Personne n'a appelé et je n'ai rien à faire cette nuit, ni
n'importe quelle nuit, et personne sauf toi ne sait que
j'existe. Et je veux que tu me voies... »

Elle tourne, tourne.

Peter passe la main sur elle, elle passe légèrement la
main sur lui. Ils s'embrassent magnifiquement, dansent,
comme sur une photo célèbre.

« ... ôter mes habits... tissu, soie... me montrer à toi. Découvrir ce que c'est, si je te conviens. Si je suis ici pour ça. »

La musique flotte au-dessus des danseurs, elle est ivre, le plafond se mêle aux étoiles.

« Quoi qu'il y ait entre nous, je t'en prie, je t'en prie, ne le laisse jamais se détériorer en amitié. »

Elle tourne, tourne. Il est acteur, Sara m'a parlé de son acteur. Si elle peut le faire, je peux le faire, je peux avoir un acteur dans mon lit pour une nuit.

Ils dansent. Il lui déboutonne son chemisier de la main gauche. Elle ne remarque rien. Les minutes passent comme des planètes.

« Peter, tu as été incroyable. »

Une fois de plus, le chemisier de Maude tombe en ondulant à ses pieds. Sa jupe portefeuille se détache aisément. La pièce tourne, ils dansent à peine, bougent à peine. Tout leur appartient, et c'est tout ce qu'elle veut. Elle défait le ceinturon de Peter, ouvre son pantalon. Il lui tient les hanches à deux mains, la pousse doucement en arrière, l'abaisse sur le divan, lui écarte les jambes. Il s'agenouille par terre devant elle, entre ses jambes, et, après la longue attente, il la remplit, la pénètre avec trop de force ; toute la rage douce que l'acte d'amour peut représenter pour une femme, une femme dont le corps entier est ouvert, comme si tout était concentré dans ce moment.

Ailleurs dans la vaste ville, des hommes s'habillent dans la noirceur de chambres inconnues, debout sur une jambe. Des femmes s'essuient le vagin avec des mouchoirs en papier, roulent sur le flanc.

SARA

S ondelius. 4 h 50. C'est une ville sans réverbères. Il y a une lune, les ombres des arbres sont plus fortes que les arbres eux-mêmes. Sara n'a pas besoin de sa lampe torche pour lire les numéros sur les boîtes aux lettres.

La voici, *471*.

Après un moment, Ann se tient dans l'entrebâillement de la porte ouverte. Elle n'attend rien. Elle n'a plus peur, son visage est impassible. Elle porte un peignoir par-dessus son pyjama.

« Oui, mademoiselle ?

– Je suis Sara Smith, une amie de Peter.

– Oh ! Est-ce qu'il y a un problème ?

– Non, pas de problème, je suis simplement venue parce qu'une de nos connaissances communes, Telen Gacey, m'a demandé de le faire. Je suis désolée de débarquer à une telle heure mais elle m'a dit quelque chose... »

Sara explique qu'elle aurait téléphoné. Mais Ann n'a pas de téléphone, pas d'amis. Celle-ci sourit. Elle ne trouve le sommeil qu'au petit matin, devant la télé allumée, après le lever du soleil. Ann sait tout.

« Êtes-vous la mère d'Elaine ? »

Elles sont assises dans la cuisine telles deux personnes en deuil. Ann n'a aucune raison de vivre. Pas de projets.

Elles parlent de jardinage. Il reste moins d'une heure avant le lever du soleil, bientôt Sara saura ce qu'il y a à savoir. Elle est alerte, au comble de l'excitation.

Elles se rendent maintenant à la chambre d'Elaine. Ann entre la première, allume une lampe. Le fauteuil roulant a été repoussé dans un coin, replié. C'est une chambre étonnante, des murs couverts de panneaux bon marché. La tombe où une morte a vécu chaque jour pendant un an et demi. Il y a un vase en verre avec un bouquet de roses mortes dans une eau noirâtre. Il y a l'horloge en argent cassée que Telen a évoquée. Ann va tout lui dire.

Sur la commode, une photo de Peter souriant timidement. Il porte un pantalon ample, un pull en coton tricoté noué autour du cou, il est appuyé contre un bateau à voile, pas le sien, sur une plage. L'image de ce jeune homme détendu, les cheveux voletant au vent, semble décupler l'horreur de ses atrocités.

Les voici. Tous ses articles, fixés côte à côte le long du mur. Il y en a tant. Sara parcourt les titres, fébrile. Aucun effort n'a été fait pour les préserver, ils sont là, jaunis, gondolés, dans le désordre, fixés aux panneaux de contreplaqué au moyen de punaises rouges.

Ann va lui dire pourquoi.

« Il aimait tant ma fille.

– Il devait. »

C'est tout ce que Sara parvient à dire. Elle note discrètement ses observations au stylo-bille dans un carnet fin.

Après quoi elles retournent s'asseoir dans la cuisine.

« Parlez-moi de lui, Ann.

– Il lui apportait des roses chaque fois qu'il venait, il m'apportait des plantes pour mon jardin. Un jour, il m'a apporté deux colombes blanches, elles symbolisent le Saint-Esprit, vous savez ? Je les appelle Titi et Coco. C'était un garçon merveilleux. »

Ann s'affaire nerveusement dans la cuisine tandis qu'elles discutent. Elle mélange du café instantané dans une casserole d'eau chaude, a sorti une demi-tarte aux cerises achetée au supermarché. Sara accepte les deux.

« Et les articles de presse accrochés au mur ?

– Il les lui apportait.

– Mais elle ne pouvait pas lire.

– Je crois qu'il les lui lisait à haute voix.

– Quand les apportait-il ?

– Toujours le jour de leur parution.

– Lui avez-vous jamais demandé pourquoi ?

– Non.

– Vous êtes-vous posé la question ?

– Seulement au début. Je croyais alors qu'il essayait de lui montrer qu'il y avait d'autres personnes aussi malheureuses qu'elle.

– Croyez-vous que ce soit la véritable raison ? »

Après un moment, Ann répond :

« C'est une bonne raison. »

La tarte aux cerises n'est pas fraîche, la gelée magenta a durci au réfrigérateur, elle a coulé sur le plateau en aluminium et s'est solidifiée. Ann ne veut pas que Sara s'en aille, c'est comme si elle comprenait, comme si elle était une amie.

« Parlez-moi d'Elaine.

– C'était sa femme. »

Ann raconte à Sara ce qui s'est passé sur le parking le soir de leur mariage.

« Et lui, que lui est-il arrivé ?

– Quand les policiers sont arrivés le matin, Elaine baignait dans son sang. Ils ont cru que Peter était mort, mais il était seulement inconscient. Quand il a repris connaissance, il ne savait plus où il était, il s'est jeté sur les policiers. Il était devenu fou. Ils ont dû le ligoter sur une civière. Il ne reconnaissait plus Elaine non plus. Il a été placé en observation à Bellevue pendant six mois et ne s'est jamais complètement remis. Vous voyez, mademoiselle Smith, Peter et Elaine ne s'étaient jamais touchés avant leur mariage, ils étaient très croyants, ils étaient l'un de ces rares couples qui décident d'attendre jusqu'à leur nuit de noces.

– C'est très inhabituel.

– Mais il est devenu de plus en plus étrange, c'est pourquoi je ne lui ai jamais posé de questions.

– Vous aviez peur de lui ?

– Disons que je l'appréciais toujours, mais que je ne l'ai plus jamais vu comme auparavant.

– Les violeurs ont-ils été arrêtés ?

– Oh ! non. Non, c'est une si grande ville.

– Donc vous êtes venus vivre ici ?

– Oui, ça doit faire à peu près deux ans. Peut-être moins. L'hôtel nous a donné de l'argent. »

C'est alors que tout a commencé. Sara commence à y voir plus clair. *Peut-être mes articles sur le mur constituent-ils une sorte de réparation, un hommage continu à Elaine. A-t-il sacrifié chaque femme pour elle ? Pour lui prouver son amour ?*

Sara ne tient plus en place, elle doit téléphoner à O'Land, elle va avoir besoin d'un photographe ici plus tard dans la journée. Elle a jusqu'à ce soir pour rédiger son article, mais toute cette histoire ne lui sera d'aucune utilité tant qu'il n'y aura pas eu d'arrestation.

« Quel est le nom de famille de Peter ?

– Vous ne savez pas ? Je croyais que vous le connaissiez.

– Oui, je le connais, mais je ne connais simplement pas son nom de famille. »

Ann est soudain alarmée. Sara a commis une faute professionnelle, elle ne lui a pas dit qu'elle était journaliste.

« Je crois que vous ne le connaissez pas.

– Si. »

Nous avons dansé ensemble.

« Je suis ici parce que Telen Gacey le cherche.

– C'est la jeune femme qu'il a amenée à l'enterrement.

– Elle se fait beaucoup de souci pour Peter.

– Alors pourquoi n'est-elle pas venue avec vous ?

– Elle le cherche à Los Angeles.

– Je ne vous crois pas. »

Ann est une petite femme. Dans la faible lumière ambrée, elle a soudain pris vie.

« J'aime beaucoup Helen.

– Pourquoi ne l'appellerions-nous pas ?

– Je n'ai pas le téléphone.

– Moi, si, dans ma voiture, je peux aller le chercher.

– Je crois que vous êtes reporter. »

Cette interview est terminée.

« Ai-je raison ?

– Oui, Ann, c'est moi qui ai écrit ces articles sur le mur. »

Silence. Ann est abasourdie, effrayée. Elle se lève en s'appuyant sur la table, traverse la cuisine jusqu'à la porte de derrière.

« Pourquoi êtes-vous venue ici ?

– Je dois écrire un article sur Peter.

– C'est lui ? »

Les yeux d'Ann sont pleins de larmes, de minuscules diamants.

« C'est lui, n'est-ce pas ?

– Je crois.

– Laissez-moi. »

Elle pousse la porte grillagée, la tient ouverte jusqu'à ce que Sara l'ait franchie. Elle n'a plus rien à lui dire. Elle referme la porte.

« Je suis désolée, Ann », dit Sara à travers la porte grillagée.

Elle appellera Telen depuis sa voiture.

MAUDE

Maude est nue, endormie sur le divan, éclairée par les faibles lueurs de la chaîne stéréo. Les phrases musicales infinies tournent en boucle.

Peter est allongé sur le tapis, son pantalon autour des genoux. Il se réveille, remonte lentement son pantalon, se lève progressivement. Il observe Maude. Il lui couvre les cuisses avec son chemisier, la porte endormie jusqu'à la chambre. Il la couche sur le lit, sous le drap. Jimmy G ne se réveille pas.

« Quelle heure est-il ? murmure-t-elle, souriante, le visage enveloppé de sommeil.

– Je ne sais pas. Il fait nuit. »

Il retourne au salon, s'assied, ôte ses chaussures, puis son pantalon, qu'il pose sur le divan. À l'intérieur de son mollet, attaché au moyen de ruban adhésif, se trouve un trocart scintillant. Il le détache, le soulève à bout de bras au-dessus de sa tête, le pose doucement au-dessus du montant de la porte de la chambre. Il saisit le verre de Maude, boit une gorgée de gin tiède, fait la grimace.

« Où es-tu ? demande Maude d'une voix épaisse depuis la chambre.

– J'arrive. »

Elle oscille dans l'entrebâillement de la porte. S'appuyant d'un côté puis de l'autre. Le trocart est posé en équilibre une trentaine de centimètres au-dessus de sa tête. Peter allume une bougie.

« Allonge-toi. »

Elle obéit.

Dans la chambre, Peter, à peine habillé, regarde à la lueur de la bougie Maude couchée en chien de fusil sur le lit. Il pose la bougie par terre, s'agenouille sur le lit à côté de Maude, la retourne, écarte ses cuisses sous lui. À travers le mur, un jazz d'autrefois interprété par des musiciens fantômes continue de passer, à bas volume. Maude gémit.

SARA

Sara appelle O'Land depuis sa voiture après s'être éloignée de la maison de Sondelius.

« Debout, Jim, je sais tout. »

O'Land est déjà réveillé.

« Je suis debout, bon sang, j'attendais. Tu as une bonne nouvelle, n'est-ce pas ?

– Nous tenons presque Toyer, Jim, je ne plaisante pas.

– Comment ça ?

– Mais il y a un petit souci.

– Qui est-il et où est-il ?

– J'appelle de Sondelius. J'étais chez sa belle-mère. Il correspond à la description de Melissa. Son nom est Peter, il travaille en tant que couvreur et occasionnellement en tant qu'acteur.

– Tu as une photo ?

– Oui. »

Elle glisse le cliché de Peter dans son sac à main.

« OK, nous savons *qui, quoi, quand.*

– Le problème, c'est *où.* »

Elle s'engage sur l'autoroute déserte en direction du sud.

« OK. Et si on appelait les flics ?

– Pas encore. Je peux me débrouiller. J'ai besoin d'une heure de plus.

– Il est dangereux, Sara. »

Il n'ajoute rien. Il ne dit pas : *S'il te plaît, fais attention à toi, Sara Smith, s'il t'arrivait quelque chose je serais anéanti.* Il vient de prendre conscience qu'elle était plus importante à ses yeux que toute cette histoire.

« J'appelle sa petite amie dès que j'aurai raccroché, elle est dans son appartement à Silverlake. Il est sorti, je vais la retrouver là-bas, elle a trouvé son ordinateur caché dans un mur avec le texte intégral de *Personne ne vit sur la Lune ?* Je veux cette disquette.

– Ça ressemble à une pièce à conviction.

– Oui, n'est-ce pas ?

– Appelle les flics. Nous avons suffisamment d'infos pour écrire un article.

– Je vais le faire, je vais le faire, Jim. Mais laisse-moi finir ça. Il me faut juste une copie de cette disquette. Si je ne le fais pas maintenant, nous ne la verrons jamais. Le procureur la confisquera pendant des années.

– Si ce Peter est appréhendé.

– Il le sera, Jim, ce soir ou demain, je le sais. Lui et sa belle-mère possèdent une maison à Sondelius. Je viens de passer une demi-heure avec elle, je sais tout. Et je crois comprendre. Il a probablement fait tout ça pour sa femme. C'est une histoire très triste.

– Et une histoire géniale.

– Oui, géniale. OK, faut que je te laisse et que j'appelle sa petite amie. Je crois que nous le tenons presque.

– Tu veux que je te retrouve ?

– Question suivante.

– Tiens-moi au courant dès que tu auras du neuf.

– Au cas où je me perdrais, la petite amie s'appelle Telen Gacey, elle vit dans un appartement à Hollywood, au 1311 Larrabee. Je la connais. »

Elle lui communique aussi l'adresse de Peter.

Après avoir raccroché, elle appelle Telen chez Peter. Celle-ci ne répond pas. Sara roule à cent trente à l'heure sur l'autoroute, elle sera chez Peter dans vingt minutes.

BILLY

Billy attend dans le box des Incastables. Telen est en retard. Dès qu'il la voit, il sait que Peter lui a fait quelque chose, quelque chose d'effroyable. Billy veut instinctivement la protéger, il la considère comme une personne fragile, peut-être trop bonne pour Peter, peut-être trop bonne pour lui aussi. La petite coupure sur sa fossette. Il se penche en avant, lui touche le bras au-dessus du coude.

« Qu'est-ce qu'il t'a fait ? »

Elle ne répond pas. Elle allume une cigarette aussi fine qu'une baguette chinoise. Telen a l'air ravagée, pâle. Le rêve de Billy a toujours été que Telen lui prépare un énorme petit déjeuner après une nuit d'amour, qu'elle choisisse ses chemises à sa place.

« Comment t'es-tu blessée ? Dis-moi.

– Je suis tombée.

– OK. Ne me dis pas. »

Il est nerveux, en colère.

« C'est pour ça que tu m'as réveillé ? Pour ne pas me dire ?

– Je suis vraiment tombée, Billy, j'ai eu une sorte d'évanouissement. Tout ça, ça fait partie d'un tout.

– Et c'est de ça que tu ne pouvais pas me parler au téléphone ? »

La serveuse arrive avec deux tasses et une cafetière en forme de globe de verre, elle les sert, repart. Telen se penche en avant et murmure, bougeant les lèvres de façon si prononcée qu'on pourrait lire ses paroles depuis l'autre côté de la rue.

«Peter est Toyer.»

Billy a un mouvement de recul.

«D'accord!» Il se lève d'un bond, effectue une petite pirouette, pivotant comiquement sur lui-même. «Fous. Toi. De ma gueule.» Il marque une pause, s'affale sur la banquette, la regarde avec un dégoût exagéré. «Arrête ces conneries. Ne me tire pas du lit à 4 heures du matin pour me raconter ces conneries, Telen.

– C'est vrai.»

Elle murmure.

«Écoute, Billy, crois-moi, tout est vrai. *Essaie de comprendre ce que je te dis.*

– C'est comme si tu me racontais des saloperies sur mon frère.»

Il s'étend sur la banquette, les bras autour de la tête. Il se sent écorché.

À travers la vitre, Telen voit la nuit, d'un noir pourpre et immuable, qui les entoure comme un océan. C'est le fond que Van Gogh a peint juste avant sa mort. Elle n'en revient pas de voir ce que les Incastables sont devenus, ce qui leur est arrivé. Elle parle à Billy de l'ordinateur, du mot de passe, du fichier nommé *Toyer*, du livre avec treize chapitres.

Billy se sent engourdi.

«Attends une minute, attends une minute, je ne te crois pas. Ce n'est pas Peter, OK? Ça ne constitue même pas une preuve. C'est autre chose, un simple détail.

– Tu ne veux pas me croire.

– Je me demande pourquoi. »

Il est debout, le visage de Telen est si près qu'il pourrait l'embrasser. Elle passe une main derrière sa nuque, l'attire vers elle, l'embrasse sur la bouche. Il sent sa langue puissante, pointue. *C'est dingue.*

« Est-ce que tu m'aimes, Billy ?

– Oui, je t'aime, tu peux compter sur moi.

– Ça me fait plaisir.

– À ton service. »

C'est tout ce qu'il parvient à dire. Il s'assied, reprend son souffle. Il est brisé.

« Bon sang. C'est Peter.

– Si tu m'aimes, Billy, peux-tu essayer de me croire ? »

Il ne peut plus se défiler.

« OK.

– Il est marié, il ne nous l'avait pas dit. »

Billy secoue la tête, répète les mots, « Peter est marié ». Il a les traits tirés.

« Où est sa femme ? »

Il y a des voix partout. Deux fêtards en train de dessoûler devant des tasses de café discutent d'un match de base-ball sur lequel ils ont parié et perdu, le chef avec sa toque blanche raconte une plaisanterie à la caissière.

Telen saisit la main de Billy par-dessus la table, murmure d'une voix entrecoupée :

« Son nom est Elaine, elle est devenue invalide le soir de leur nuit de noces. Ils n'ont jamais fait l'amour. Ils étaient à New York, il l'a vue se faire violer par trois hommes. Elle est tombée dans le coma. Elle vivait au nord d'ici avec sa mère. C'était un légume. Il l'aimait. Il allait la voir tout le temps. Il ne s'en est jamais remis. »

Billy l'observe, il a l'impression que son propre visage n'a plus de forme, qu'il n'est qu'une tache pâle. Il pleure, ses larmes coulent sans qu'il s'en rende compte. Billy pleure beaucoup, autant qu'une femme.

« Où est-elle ?

– Elle est morte la semaine dernière.

– Combien de temps depuis le viol ?

– Deux ans.

– Toyer n'a commencé que l'année dernière.

– Il a passé quelque temps à Bellevue après le viol.

– C'est quoi, Bellevue ?

– Un hôpital psychiatrique à New York, en observation. »

Ils se tiennent la main par-dessus la table, elle tremble. Elle lui explique que Peter a commencé à se comporter différemment avec elle le jour où Elaine est morte, qu'il était libre. Elle ne mentionne pas sa capacité soudaine à lui faire l'amour, sa force renaissante, elle lui dit seulement qu'un fardeau a été ôté de ses épaules et qu'il lui a demandé de l'épouser le jour même de sa mort.

Elle allume une cigarette, dissipe la fumée en agitant la main en l'air. *Bon sang, elle fume magnifiquement.*

« Mon propre frère. »

C'est ce que Marlon Brando dit à Rod Steiger dans *Sur les quais*. Billy aime s'appuyer sur les répliques de cinéma. Sa voix a changé, elle est plus douce, ne dissimule rien.

« Je ne le reconnais plus, Billy.

– Tu ne l'aimes plus, si ? »

Viens vivre avec moi jusqu'à ce que tout ça soit fini. Tu regarderas la télévision. Tu te baladeras nue dans le salon. Tu pourras fumer au lit.

« Si ?

– Non. » Ce matin elle n'aurait jamais imaginé dire ça. « Billy, comment pourrais-je encore l'aimer ? »

Maintenant Billy se remet à pleurer, à gros sanglots. Telen pleure aussi, doucement. Ils sont tous les deux effrayés, en larmes. Ils restent assis là, face à face, à chialer comme des Madeleine. Les gens cessent de parler autour d'eux, les regardent timidement, tout le monde se demande qui est mort. Billy se glisse à côté d'elle. Il s'essuie les yeux, puis essuie ceux de Telen, il se tient la tête à dix doigts.

« Je n'ai jamais cessé de t'aimer », dit-il.

Elle place un bras autour de lui.

« Écoute, Billy, nous n'avons pas vraiment le temps pour ça. Peter est un... tu le comprends, n'est-ce pas ? J'ai eu peur, je me suis enfuie. »

Il est désormais 5 heures passées. Devant le restaurant, l'océan nocturne n'est plus sombre comme du vin, il est vert-de-gris, entre chien et loup. Deux Noirs qui sortent de boîte de nuit passent en se dandinant près du box, reluquent Telen.

Puis la serveuse pâle est de retour, esquissant un gentil sourire tordu, tenant son globe de café au bout de son bras squelettique.

« Quelqu'un en reveut ? » Elle semble trop jeune pour travailler si tard. Elle remplit leurs tasses, se penche en avant, murmure : «Vous ne connaissez pas réellement Toyer ? »

On dirait qu'elle parle du président. Elle a entendu le nom Toyer, et ça lui suffit. Le nom.

Billy lève les yeux vers elle. Elle est là, prête à croire n'importe quoi. Elle a quitté l'Ontario pour venir à Los Angeles. Ses dents auront toujours besoin d'être redressées. Elle murmure une fois de plus le nom, comme si Billy ne l'avait pas entendue. C'est un nom célèbre. Billy connaît-il réellement Toyer ?

« Je n'ai pas dit Toyer, j'ai dit *tailleur.* »

Elle est censée collectionner les autographes.

« Connaissez-vous *qui que ce soit* ?

– Désolé, non. »

Elle repart avec son globe de café noir.

Billy gémit. Ça semble impossible, après avoir connu Peter pendant tout ce temps, absolument impossible.

Il retient son souffle, tentant de mourir, regardant les minuscules lacs de café sur la nappe. C'est Peter qui a payé pour le sortir de prison, Peter qui lui a écrit son monologue comique, qui l'a forcé à le jouer. Peter qui lui a trouvé son agent. Peter qui lui a donné confiance, qui a changé sa vie, qui lui a trouvé sa voie : les talk-shows, les spectacles de comédie. La table nue rougeoie entre eux comme un désert sous la lune.

« Tu ne comptais rien me dire de tout ça, pas vrai ? Tu comptais quitter la ville comme ça ? »

Elle acquiesce.

« Je t'aurais probablement juste dit au revoir.

– Alors, qu'est-ce qui t'a fait changer d'avis ?

– Tu as lu l'article de Maude Garance hier ?

– Bien sûr.

– Elle l'a écrit pour moi. Elle m'a dit qu'il ne changerait jamais, quoi qu'il arrive, et qu'un jour il me ferait la même chose.

– Bon sang, Telen. À toi.

– Oui. La lettre m'était adressée. »

Elle allume sa troisième cigarette, froisse le paquet.

« Je ne suis toujours pas convaincu, déclare-t-il brusquement, espérant que tout va se dissiper.

– J'ai vécu avec ça.

– Combien de temps ?

– Je l'ai aimé. »

Au passé.

« Depuis combien de temps es-tu au courant ?

– Ne m'accuse pas. Je n'ai pendant longtemps rien su, puis j'ai pris peur mais je n'étais sûre de rien, et ce soir j'ai eu la certitude.

– Comment as-tu pu rester avec lui ?

– *Je ne savais pas*, Billy !

– Pas la peine de brailler.

– Je te l'ai dit, je l'aimais, ne comprends-tu pas ? »
Elle prononce le verbe *aimer* comme si c'était un virus.
« Nous sommes allés dans une église. Il voulait que je sache, mais il n'arrivait pas à me le dire. »

Billy ne l'écoute plus.

« Il m'a trahi, dit-il. C'est comme si c'était un espion, mais en pire.

– Mais même si c'était vrai, je me disais qu'il pourrait changer.

– Comment peux-tu croire que quelqu'un va changer après avoir fait une chose pareille ?

– Je le croyais. »

Elle pleure. Ses paroles se font plus dures. « Nous allions nous marier. »

Dures comme du ciment.

« Comment ? Comment auriez-vous fait ?

– Nous serions partis d'ici, pour toujours. Tu te souviens du jour où nous avons parlé d'aller à Portland. Je suis capable de pardonner le passé.

– Mais il était déjà marié, non ? »

Billy semble désespéré.

« Non, elle est morte la veille.

– Je le connais. Peter ? Pas possible. Plus j'y réfléchis, plus je sais que ce n'est pas possible. Comment une telle chose serait possible ? »

Billy est absolument anéanti. Il comprend ce qu'il leur reste à faire.

« Tu sais ce que nous devons faire, Telen. »

Il est des acteurs qui ne sont pas faits pour la tragédie mais qui se retrouvent tout de même pris dedans, des acteurs embauchés pour lire leurs répliques et suivre les indications du metteur en scène. Des acteurs par accident qui n'ont pas lu la pièce et ne veulent pas connaître la fin, les conséquences de leurs actes.

Elle lui touche le bras, désigne un box de la tête. Deux agents de police, tête nue, sont en train de commander du café. Ils sont frais et dispos, prêts pour la journée. Leur service vient de commencer.

Billy marche jusqu'à leur box, attire leur attention.

« Pourrions-nous vous parler, messieurs ? »

Après tout, il est écrit *Protéger et Servir* sur leur voiture.

Les deux agents lèvent poliment la tête vers lui. Il pourrait être n'importe qui. Mais les mots ne sortent pas.

«Je trouve que vous faites un boulot fabuleux, déclare finalement Billy. Je suis sérieux, c'est tout ce que je voulais vous dire.»

Ils ne savent que penser.

«Merci», répond l'un d'eux.

L'autre acquiesce, reprend la conversation, Billy rejoint Telen.

«Bien essayé, dit-elle en l'embrassant sur la joue. Qu'est-ce que tu vas faire?

– Je dois voir une preuve avant d'aller plus loin.»

Elle glisse la main sous sa robe, l'enfonce à l'arrière de sa culotte. Elle en tire deux pages incurvées et froissées, les aplatit sur la nappe. Felicity Padewicz dans la maison de ses parents. Billy y jette un coup d'œil. Ce qu'il lit le paralyse.

«Ça vient de son ordinateur? Comment pouvait-il avoir un ordinateur? Je n'en ai pas, toi non plus, qu'est-ce qu'il fabrique avec un ordinateur?

– C'est une petite machine. Il la planque dans le mur derrière son miroir.

– Tu l'as remis en place?

– Non, je l'ai laissé sorti.

– Donc il saura que tu es allée là-bas et il va essayer de te retrouver.

– Ça n'a plus d'importance.

– Non?»

Elle l'entend à peine, il se tient la tête entre les mains.

«Nous devrions vraiment parler à ces flics, Billy.»

Il sait que ça va être à lui de le faire, pas à elle, mais qu'importe, il est prêt.

Ils se lèvent. Il y a un bûcher de mégots fumants dans le cendrier entre eux. Billy pose un billet généreux, cinq dollars, sur la table.

«Je ne savais pas que tu fumais.

– Je sais, ça me tuera.»

Lorsqu'ils se retournent, les policiers sont partis.

«Je vais appeler de la cabine dehors.»

MAUDE

Ils dorment. Avant de se rendormir, il lui a fait l'amour comme s'il avait passé trop de mois en mer à rêver d'elle, à craindre de la perdre.

Elle sait. Ce n'est pas Toyer. Impossible. Toyer ne fait jamais l'amour à ses victimes.

Quand il s'est écarté d'elle, quand elle a cru que c'était fini, il a recommencé, insatiable. Elle a été stupéfiée par son désir. C'était comme si faire l'amour était la chose la plus cruciale à ses yeux, et il a fait en sorte qu'il en soit de même pour elle, s'attardant longuement sur son corps comme s'il craignait d'en négliger une partie, si complètement qu'elle avait l'impression d'être allongée sur une table d'autopsie, jusqu'à l'orgasme final, quand son corps était si sensible à son toucher et qu'elle a cherché en vain à s'écarter de ses doigts, de sa langue, de son pénis. Quand elle l'a finalement poussé hors du lit, il lui a enfoncé le visage dans l'oreiller, la noyant presque, la clouant sur place avec ses jambes tel un boa constrictor. Il y avait de la cruauté dans ses gestes, de la haine même. Et lorsque les gémissements de Maude se sont transformés en cris étouffés, il lui a murmuré à l'oreille que la cruauté pendant l'amour ne laissait jamais de traces.

Elle a sombré dans un sommeil profond, comme une chute à travers la galaxie. Maintenant, elle rêve. Elle se tient de nouveau dans le couloir souillé de l'immeuble étroit où vivent les femmes qui ne parlent jamais. Il se tient près d'elle, lui murmure à l'oreille. Que dit-il ? Qu'elle vivra ici avec les autres locataires, qu'elle sera une de ses femmes. Les femmes silencieuses vêtues de blanc. Ils sont au dernier étage, regardent vers le bas, elle croit poser la main sur le noyau du mince escalier, mais c'est autre chose. Elle sent qu'il la soulève dans ses bras, elle est nue, sa robe s'est volatilisée. Et contre la rambarde de l'escalier étroit, il la prend. Elle voit alors son visage, c'est Peter.

O'LAND

*B**on sang!* Il se tient face au miroir de la salle de bains, se savonnant le visage. Il tue le temps, faute de mieux. Il est 5 heures passées de vingt-cinq minutes. Il adore la traque. Sara Smith est seule, avec des kilomètres d'avance sur tout le monde. *Le scoop de l'année, et il est à moi, rien qu'à moi.* Il parle tout seul. Il vit seul. C'est une de ses petites manies, et il y excelle, parfois la conversation est bonne, parfois non. *Une femme bien,* ajoute-t-il.

Comme toujours, il composera la une du journal à 11 heures, mais il ne peut rien faire pour le moment. Il a un photographe prêt à partir pour Sondelius, mais il ne peut pas y aller sans elle, il doit attendre que Sara l'appelle. Tout ce qu'il peut faire, c'est lui réserver un espace en première page. Elle l'informera dès qu'elle en saura plus.

Tu as jusqu'à 6 h 30, mon adorable Sara Smith, et après ça, c'est moi qui irai te chercher. Tout dépend de toi. Il se regarde dans le miroir, un homme seul qui se rase lentement, qui parle tout seul. *Doux Jésus, je confesse une certaine excentricité, mon côté loup alpha, mais tu sais, Sara, la nature d'un homme se voit dans les petites choses, dans sa générosité, son silence, son humour, sa force, ses décisions rapides et fermes, sa nature batailleuse.* Il se sourit à travers la mousse, éclate soudain de rire en voyant son propre visage. *Qu'est-ce que je raconte comme conneries ?* Il nettoie son rasoir, s'asperge le visage d'eau. *Mon adorable Sara Smith.*

Personne ne le sait, mais Jim O'Land a peur des femmes, de leur pouvoir inné, de leur magie, de leur sang. C'est son secret.

Bon, Sara, la femme moyenne a peur des araignées, des serpents, mais rien de ce qui est intime ne la dégoûte, elle a une véritable machine à féconder en elle, et elle est plus intelligente que nous autres.

Sara Smith est sur le plus gros scoop de l'année, elle mène la traque, analyse la situation, rassemble les informations, mène l'ogre à l'échafaud. Ce sont ces moments qui nous différencient des employés qui vendent des saloperies dont personne ne veut, les croque-morts, les banquiers, les agents de change. Des vies par procuration passées à courir après le fric sans preuve qu'on existe vraiment. Ça n'arrive qu'une fois, mon pote, pour certains ça n'arrive jamais, ils glissent à travers la vie mort-nés. Le journalisme. L'histoire qui se développe, l'attente, la découverte, l'analyse, l'aspect de la page, la corbeille à papier.

Bon sang. Dépêche-toi, Sara Smith. Dépêche. Toi.

SARA

L'autoroute est déserte. Le tableau de bord est sombre. De tous côtés, l'impossibilité muette des étoiles. Elle conduit vite sur la voie de droite, franchisant Northridge à cent quarante à l'heure. Parfois le compteur frôle les cent cinquante, elle atteindra le centre-ville dans moins de dix minutes. Elle compose le numéro de Peter sur son téléphone. Toujours pas de réponse. Telen a pourtant dit qu'elle attendrait son coup de fil. Sara allume la veilleuse, trouve le numéro de l'appartement de Telen, l'appelle chez elle. Pas de réponse non plus. Pour le moment, elle fonce sur l'auto-route. Elle aimerait parler à Telen, mais ça ne sera peut-être pas nécessaire cette nuit. Elle devine ce qu'elle va faire maintenant, mais lui, que va-t-il faire ? Peter est-il rentré chez lui ? Faut-il appeler les flics ? Il est très en colère.

Elle voit le panneau, lève le pied, glisse vers la sortie d'East Hollywood, ralentit.

TELEN

Depuis la cabine téléphonique à l'extérieur du restaurant, Telen appelle la police. Billy fait les cent pas. Elle est mise en relation avec le commissariat de West Hollywood. Une femme prend l'appel.

« J'appelle au sujet de Toyer, annonce brusquement Telen, désormais incapable de réfléchir.

– Restez en ligne, s'il vous plaît, mademoiselle, répond la voix léthargique, je vous passe un inspecteur. »

Il est 5 h 40. Après une série de clics, un homme répond, une voix vive de ténor :

« Inspecteur Nathan Smith.

– Je connais l'identité de Toyer.

– Oui, madame. Quel est votre nom ?

– Telen, avec un T, Gacey, G-A-C-E-Y. J'habite au 1311 Larrabee Street. »

Une pause.

« Votre numéro de téléphone est le 555-3236.

– Vous ne perdez pas de temps.

– Donc qu'avez-vous dit à propos de Toyer ?

– Je sais qui il est, je connais son identité.

– Vraiment ? Et qu'est-ce qui vous fait croire qu'il s'agit de Toyer ?

– J'ai sous les yeux un texte qu'il a rédigé à propos de Felicity Padewicz.

– Donnez-moi son nom. »

L'inspecteur Smith n'a pas l'air convaincu.

« Il s'appelle Peter Matson.

– Madison ?

– Matson, M-A-T-S-O-N.

– De quel numéro appelez-vous ?

– Je ne peux pas vous le dire. »

Comme s'il ne le savait pas, il a déjà envoyé une voiture.

« Aimeriez-vous vous présenter au commissariat, mademoiselle Gacey, et nous parler ? »

Telen raccroche.

« Je ne peux pas, Billy.

– Tu vois ? »

Il sourit pour la première fois.

« Pas si facile que ça, hein ?

– Partons d'ici, ils savent que j'ai appelé depuis cette cabine.

– Allons dans ma voiture. »

Billy a acheté à crédit une voiture japonaise blanche et ovale qui aurait plutôt sa place dans un porte-savon. Sa première voiture neuve.

« Interdiction de fumer dans la voiture. »

Mais c'est autorisé chez moi.

Telen écrase sa cigarette sur le trottoir. Billy commence à croire que c'est possible, que bien qu'elle ait perdu Peter, Telen est venue à lui et lui retournera peut-être son amour. Il imagine leur maison, il l'imagine accouchant.

PETER

Sans toucher Maude, il soulève et retrousse le drap. Il la sent tout entière, nue, l'instrument de sa perte. Il reste moins d'une heure avant le lever du jour, il fera suffisamment clair pour lui apporter le petit déjeuner au lit. Il la regarde rêver, il aimerait lui écraser la tête comme on écrase un œuf.

Il est agité, sent la haine monter en lui. La nuit a été formidable, aujourd'hui sera encore mieux. La nuit a été difficile, érotique, dangereuse, il aurait par moments facilement pu perdre patience et avoir recours à des méthodes plus viles. Dieu sait qu'il en a eu envie. Mais aujourd'hui est un autre jour.

BILLY

Ne sachant que faire d'autre, ils roulent lentement en direction du commissariat de West Hollywood. Il fait toujours chaud, ils sont enfermés dans la voiture, la climatisation souffle un air sec et glacial. Billy a les oreilles qui sifflent, il entend à peine Telen murmurer.

« Billy, j'ai tellement peur. »

Elle est venue tenter sa chance dans la grande ville. Seule.

« Sois triste, Telen, mais n'aie pas peur.

– Ce n'est pas pour moi que j'ai peur, c'est pour quelqu'un d'autre. Quelque chose est en train de se produire en ce moment même, il est avec quelqu'un. Il est parti sur cette horrible moto.

– Où ?

– Aucune idée. Je sais exactement ce qu'il porte. »

Ils sont arrêtés à un feu rouge. Il lui saisit la main, pose les yeux sur elle. C'est Peter qui l'a aidé à abandonner le métier de couvreur, qui a amené un agent à son spectacle, qui a payé sa caution, qui l'a constamment stimulé, qui l'a sauvé de lui-même. Peter lui a tout donné, sans lui il n'aurait pas cette nouvelle voiture.

Telen porte la main inerte de Billy à sa bouche, l'embrasse.

«Je t'aime vraiment, tu sais.»

Maintenant il lui donne Telen.

MAUDE

De la vapeur s'élève comme de la fumée du toit. L'aube dessine le contour des collines. Des vêtements partout. La chaîne stéréo est allumée, des nombres à affichage numérique, station, volume, heure. Les meubles ne sont que des formes, noir et gris, incolores avant le lever du soleil. La chambre en désordre. Maude s'est rendormie, en partie couverte par le drap. Conscience. Elle remue. Léger mouvement de la jambe, les doigts se contractent. Elle n'arrive pas à sortir de son rêve. Elle regarde Mason. Il est vivant, ne gît plus dans une boîte. Elle se tient sur un quai de gare dans un pays où elle n'est jamais allée. L'Italie ? Le train aux nombreux compartiments va partir, le quai est bondé. Voici Mason au loin. Il a les cheveux coupés, peignés. Il est vêtu d'un costume qu'elle n'a jamais vu, un costume en tweed, et porte deux valises anglaises. Il monte à bord du train, Maude marche rapidement, tentant de le rattraper, mais elle est bousculée, ralentie par la foule. Le train se met lentement en branle. Mason se penche à une fenêtre, la voit, lui fait signe de la main. Elle se met à courir, jouant des coudes à travers la foule. Un chef de gare la retient par le bras, demande à voir son billet, elle ouvre son sac à main. Son contenu se vide sur le quai, les gens piétinent son passeport, son rouge à lèvres, quelqu'un donne un coup de pied dans son peigne, le train s'éloigne, de plus en plus vite, Mason lui dit au revoir de la main, elle jure au chef de gare qu'elle a acheté un billet, elle lui dit même le prix, elle l'implore, mais il ne veut rien savoir, alors Maude le pousse, passe en se baissant sous son bras, court après le train, mais le dernier wagon a déjà quitté le quai, elle le voit glisser sur les rails vers le soleil. Un nouveau rêve, un nouveau jour.

« Rebonjour, ne touche pas à ce cadran, mon enfant, ce n'est que moi[1]*, ton papa, monsieur Matin... »*

Dans le salon, la musique à bas volume a laissé place à la voix trop intime de l'animateur radio qui arrache Maude à son sommeil avec ses radotages stupides.

Jimmy G se réveille, s'étire sur la banquette près de la fenêtre, se rend à pas feutrés à sa litière sous le lavabo de la salle de bains.

Les yeux de Maude se sont légèrement entrouverts, endormis, ils fixent le plafond, l'obscurité qui se dissipe. *Doux Jésus, quelle nuit.* La chambre scintille, elle se sent purgée, renouvelée, incomparable, furieuse. Elle se remémore, récoltant les détails des étranges heures passées, comme si elle reconstituait l'énigme d'un film qu'elle aurait vu la veille. Les événements dans le désordre, les jeux, la peur, l'exultation, Peter et elle enroulés l'un à l'autre, le sexe intense, le soulagement. Mais il y a aussi eu du sang.

« ... donc je suis ici pour vous dire que ça va être encore un lundi ensoleillé banalement fabuleux, et si ça ne vous suffit pas, les choses s'annoncent bien et on dirait que la vague de chaleur

---

1. En français dans le texte. *(N.d.T.)*

va faire une petite pause et que les températures vont descendre en dessous des trente degrés, mes bons amis... »

La vague de chaleur est passée.

« Tu n'es pas mon bon ami, monsieur Matin, gronde Peter, le visage enfoncé dans l'oreiller. Va-t'en. Je t'en supplie, monsieur Matin, ferme ta gueule. »

Il y a quelque chose dans la voix de Peter qu'elle n'a pas remarqué la nuit dernière, un mépris métallique, un ton coupant. En songeant que cette voix aurait pu lui faire faire n'importe quoi, ses souvenirs de la nuit s'assombrissent. Elle est troublée par son étrangeté, elle sent la gêne la gagner. À un moment... quand ?... elle se souvient d'avoir été brutalement réveillée, serrant son visage entre ses mains tandis qu'il se frayait de force un chemin entre ses fesses, là où elle s'était juré de ne jamais être pénétrée, la douleur, le dégoût, les larmes dans l'oreiller, les spasmes impuissants, l'oubli.

Comment ai-je pu ? Certains fragments de la nuit lui reviennent, à son horreur elle sent la force de la vérité. Il l'a manipulée encore et encore, l'a dominée, le bon Samaritain qui a réparé sa voiture, l'homo qui admirait son goût, le voyeur qui l'a fait se déshabiller, *se déshabiller pour de vrai*, devant lui, la voix qui a dit : « Je vous aime », pas une fois mais trois, et elle se souvient de chacune d'entre elles, debout à la porte : « Je vous aime, Maude. » Avec son charisme effroyable, il l'a convaincue qu'il était Toyer, puis il l'a convaincue que non, qu'il n'était qu'un acteur improvisant un rôle sans costume ni accessoires, puis soudain il est redevenu Toyer, puis de nouveau un acteur.

Il y a eu du sang. Et après il était comme un nouveau-né vomissant qu'elle serrait entre ses bras. Puis il est devenu un amant, et un amant extraordinaire, le meilleur qu'elle ait jamais connu.

Le couteau. Elle ouvre les yeux, lève la tête pour voir la cicatrice sur le bras de Peter. *Oui.* Des traces bordeaux sur le drap. Des traînées de sang ici et là.

La voix insupportable à la radio. «... *OK, alors où est ma maman ? Doux Jésus, elle vient d'entrer dans le studio et elle a vraiment une sale tête...* »

Dehors, la brume s'élève au-dessus des collines, le soleil frais, d'un gris blanchâtre.

Et maintenant ?

Je ne veux pas de lui chez moi. Il prend une douche et il fout le camp.

SARA

Chaque ville est belle juste avant le lever du soleil. Il va encore faire chaud aujourd'hui, il y a une légère brume. La maison est comme toutes les maisons de Silverlake qui ont encore un toit en pente, des corniches, des fleurons, des corbeaux, des pignons, des avant-toits, des lucarnes, des vérandas. Elle a été bâtie à une époque où les maisons étaient des vivariums pour familles nombreuses et a survécu près d'un siècle sans entretien.

Il commence à faire jour tandis qu'elle gravit les larges marches jusqu'au portique. La porte d'entrée s'ouvre aisément, alourdie par les vitres de verre émaillé. La maison dort. L'air rance à l'intérieur est frais. Un vitrail en forme de trèfle projette sa lumière rouge depuis le palier du premier étage. En haut de l'escalier, une odeur de bois séché. Au troisième étage, elle entend des bruits de conversation, sent une odeur de café, les arômes du matin.

L'escalier étroit qui mène aux combles de Peter. Elle s'attend à tout, tient dans sa main gauche une petite bombe lacrymogène qu'elle n'a jamais eu l'occasion d'utiliser, et dans sa main droite, le butoir de porte qu'elle a ramassé en entrant dans l'immeuble, une brique couverte de shantung. *Mieux que ma chaussure pour assommer quelqu'un.*

Une plaque de métal peinte portant le numéro 8 est clouée à la porte de l'appartement de Peter. Elle est déjà venue ici.

Elle hésite.

En chemin, elle s'est imaginé le scénario. Elle va frapper. Peter ouvrira la porte. Elle dira : « Tu te souviens de moi ? », lui aspergera les yeux de lacrymo. Aveuglé, il titubera en arrière, et elle l'assommera avec la brique. Telen sortira alors d'un pas chancelant de la chambre. Sara appellera la police, les flics arriveront dix minutes plus tard et trouveront Toyer ligoté comme un dindon et Telen disposée à tout leur raconter. Son article pour l'*Herald*, rédigé à la première personne, sera bref, palpitant, modeste.

Sara frappe doucement, attend, frappe encore. Elle tient la bombe lacrymogène devant elle. Le verrou n'est pas mis, la poignée tourne, la porte s'ouvre, l'appartement est tel que Telen l'a quitté il y a une heure. Le mot qu'elle a laissé pour Sara est sur le lit. L'ordinateur est sur la table, diffusant une lueur verte.

Le jour est complètement levé sur Silverlake. Les fenêtres de Peter sont lumineuses, les ventilateurs sifflent, leurs axes sont en feu. Des geais bleus papotent dans l'arbre juste devant la fenêtre ouverte.

Le téléphone est dans la cuisine, elle appelle Jim.

« Jim, j'y suis. » Elle lui donne l'adresse de Peter et son numéro de téléphone. « Il n'y a personne. Je vois un ordinateur. Un portable. Je vois la disquette. Je vois l'imprimante. Je n'ai encore touché à rien. » Elle parle à voix basse. « Quoi qu'il arrive, tout est ici. Je ne vais pas

rester longtemps, pas une seconde de plus que nécessaire, je suis un peu nerveuse, tu comprends.

– De combien de temps as-tu besoin ?

– Quelques minutes, histoire de fouiner un peu. Puis
je prends la disquette et je fiche le camp. Au cas où je
n'arriverais pas à la lire, j'emporterai aussi l'ordinateur
et je le ferai fonctionner sur sa batterie.

– C'est une pièce à conviction, Sara.

– Oui, et je l'apporterai au commissariat de West
Hollywood après en avoir imprimé le contenu chez moi.

– J'ai horreur de dire ça, Sara, mais c'est une entrave
à la justice.

– Je sais, Jim, ça me rend malade.

– Appelle la police, Sara, le moment est venu.

– Non, pas encore, quand ils auront la disquette tout
sera fini, et puis ils merderont. Jim, laisse-moi faire les
choses à ma manière. Sa petite amie sait qu'il est avec
quelqu'un, mais elle ne sait naturellement pas qui.
La disquette est précieuse en ce moment, demain je ne
sais pas si elle vaudra quoi que ce soit.

– J'arrive.

– Je serai partie bien avant ton arrivée, Jim.

– OK. Alors active-toi et fous le camp.

– Ne t'en fais pas », dit-elle, et elle raccroche.

O'Land reste planté avec le téléphone dans la main.
*Je suis fier de toi, Sara Smith. Regarde-nous. Nous avons échangé
nos places.*

Sara s'assied sur le lit, tire l'ordinateur vers elle de
sorte à voir la porte d'entrée au cas où Peter l'ouvri-
rait. Elle parcourt le répertoire, trouve des douzaines

de fichiers, de chapitres, de sujets, chacun avec un nom propre.

Un fichier nommé « *Livre* ». Elle l'ouvre : « *Personne ne vit sur la lune ?* » Un fichier nommé « DocteurMG » attire son regard, elle le lance, attend que le petit ordinateur travaille, un bip retentit. Puis, tout d'un coup :

WORD:\LIVRE\PERSONNE\DOCTEUR.DOC
CHAPITRE 13
DOCTEUR MAUDE GARANCE

MaudeGaranceMaudeGaranceMaudeGaranceMaude-
GaranceMaudeGaranceMaudeGaranceMaudeGarance-
MaudeGaranceMaudeGaranceMaudeGaranceMaude-
GaranceMaudeGaranceMaudeGaranceMaudeGarance-
MaudeGaranceMaudeGaranceMaudeGaranceMaude-
GaranceMaudeGaranceMaudeGaranceMaudeGarance-
MaudeGaranceMaudeGaranceMaudeGaranceMaude-
GaranceMaudeGaranceMaudeGaranceMaudeGarance-
MaudeGaranceMaudeGaranceMaudeGaranceMaude-
GaranceMaudeGaranceMaudeGaranceMaudeGarance-
MaudeGaranceMaudeGaranceMaudeGaranceMaude-
GaranceMaudeGaranceMaudeGaranceMaudeGarance-
MaudeGaranceMaudeGaranceMaudeGaranceMaude-
GaranceMaudeGaranceMaudeGaranceMaudeGarance-
MaudeGaranceMaudeGaranceMaudeGaranceMaude-
GaranceMaudeGaranceMaudeGaranceMaudeGarance-
MaudeGaranceMaudeGaranceMaudeGaranceMaude-
GaranceMaudeGaranceMaudeGaranceMaudeGarance-
MaudeGaranceMaudeGaranceMaudeGaranceMaude-

GaranceMaudeGaranceMaudeGaranceMaudeGarance-
MaudeGaranceMaudeGaranceMaudeGaranceMaude-
GaranceMaudeGaranceMaudeGaranceMaudeGarance-
MaudeGaranceMaudeGaranceMaudeGaranceMaude-
GaranceMaudeGaranceMaudeGaranceMaudeGarance-
MaudeGaranceMaudeGaranceMaudeGaranceMaude-
GaranceMaudeGaranceMaudeGaranceMaudeGarance-
MaudeGaranceMaudeGaranceMaudeGaranceMaude-
GaranceMaudeGaranceMaudeGaranceMaudeGarance-
MaudeGaranceMaudeGaranceMaudeGarance

Un jaillissement soudain de lettres vertes, défilant de
haut en bas, plein écran, à l'infini, des centaines de pages
stockées dans la banque noire de la mémoire de l'ordinateur. *Il a dû taper son nom, appuyer sur la touche « Insérer »
et la maintenir enfoncée, répétant ainsi le nom des milliers de
fois. Pas besoin d'être psychologue pour identifier un trouble
obsessionnel.*

Chapitre 13. Maude.

Il est avec Maude ! Presque inconsciemment, elle compose
le numéro de la police. Elle est aussitôt mise en relation
avec le commissariat de West Hollywood. On lui passe
l'inspecteur Nathan Smith, qui prend l'appel au sérieux.

« Inspecteur, Sara Smith à l'appareil, du *Los Angeles
Herald.* Je sais où est Toyer. Je pense qu'il est au 8201
Tigertail Road. Cette maison appartient au docteur
Maude Garance. Il y est en ce moment même.

– C'est noté », répond-il.

Elle raccroche, compose le numéro de Maude.
Occupé. Elle réessaie, espérant avoir composé un
mauvais numéro. *À qui peut-elle bien parler à 6 heures du
matin ?*

Occupé. Elle compose le 0, attend qu'un opérateur réponde.

« Allô, ici Sara Smith du *Los Angeles Herald*, il s'agit d'une urgence absolue, s'il vous plaît, aidez-moi. Je dois savoir immédiatement si cette ligne est occupée ou hors service ou décrochée. C'est une question de vie ou de mort. »

Face à une telle requête, l'opérateur hésite, lui passe le superviseur. Sara révèle à ce dernier aussi peu de détails que possible, apprend que le téléphone de Maude est en effet hors service, que le signal informatique n'a pu remonter que jusqu'au boîtier situé à l'extérieur de la maison. Le téléphone n'est pas décroché, le problème se trouve à l'extérieur de la maison. *Le signal n'atteint même pas le boîtier.* Veut-elle un réparateur ? Ils peuvent programmer un rendez-vous pour demain. Elle raccroche. Elle a perdu cinq minutes. Elle dévale en courant l'escalier de bois, réveillant toute la maisonnée. La disquette est dans son sac à main.

TELEN

L'excitation règne au commissariat de police de West Hollywood. On dirait un exercice d'évacuation sur un petit paquebot. L'inspecteur Smith est au téléphone.

«Ed, envoyez-moi Perrino tout de suite ! Nous avons du neuf sur Tango Oscar Yankee Echo Romeo, et un témoin visuel digne de confiance.»

Il écoute.

«Je m'en fous, envoyez-le-moi tout de suite !»

Un message informatique a été adressé à tous les commissariats et à toutes les voitures. Il comprend une description de Peter, des vêtements qu'il porte, de la moto noire.

SARA

E lle roule trop vite, grille un feu rouge sur
Sunset Boulevard, puis un autre, espérant
attirer une voiture de police qui l'escortera jusqu'à chez
Maude. Elle accroche un véhicule stationné, poursuit
son chemin. Lorsqu'elle a retrouvé le contrôle de sa
voiture, elle appelle O'Land. Elle sanglote.

« Jim, écoute, ça va mal. C'est Maude. Il est chez
Maude. Il y est en ce moment même. Tu comprends ?
Toyer est chez Maude. Tu m'entends ?

– Il est chez Maude. Je comprends. Tu as appelé la
police ?

– Oui, mais rappelle-les quand j'aurai raccroché
et dis-leur qui tu es, juste histoire d'enfoncer le clou.
Commissariat de West Hollywood. Demande Nathan
Smith. Envoie-les au 8201 Tigertail Road. Le téléphone
est en dérangement. »

Elle répète l'adresse.

« Bon sang, Maude Garance. Je croyais qu'il l'aimait
bien.

– Jusqu'à un certain point. Je suis tellement idiote.
Telen m'a dit – c'est la petite amie de Toyer – qu'elle
avait rompu à cause de la lettre de Maude parue dans
l'*Herald*. Tu te souviens de ce qu'elle disait ? Elle disait
à Telen de s'enfuir, et c'est ce qu'elle a fait. C'était elle

la femme que Toyer aimait. Maude a fait sortir Toyer de sa retraite. »

Elle raccroche.

Sara est coincée dans sa voiture, à vingt minutes de chez Maude, Santa Monica Boulevard est complètement bloqué, elle attend de passer Highland Boulevard. La police arrivera avant elle.

MAUDE

Peter est allongé sans drap pour le recouvrir, le visage enfoncé dans l'oreiller, ses énormes paumes tournées vers le plafond.

La voix trop intime de la radio persiste : « *... et voici un p'tit morceau de shock'n roll matinal pour soulager la douleur, bonne journée, Los Angeles !* » La voix s'estompe, se fond dans une mélodie basique au rythme vif et entraînant, suffisamment inoffensive pour que Maude n'éteigne pas la radio. Monsieur Matin est entré dans sa maison, dans sa chambre, il est aussi proche que son chat.

« Maude. Fais-le taire ! »

Elle remue, pose un pied par terre, puis l'autre, se glisse nue hors du lit, parvient à se redresser en s'appuyant contre le mur.

« Je vais mettre de la vraie musique.

– Pas d'opéra, s'il te plaît. »

Elle fait un détour par la salle de bains pour pisser, ressort par l'autre côté. Elle s'appuie contre le montant de la porte, comme si la maison bougeait. *La nuit la plus improbable de ma vie.* Vêtue de son peignoir, elle pénètre dans le salon, scrute le divan à la recherche de traces de sang, n'en voit aucune, coupe la voix matinale à l'instant où celle-ci s'insinue de nouveau dans leur vie, insère un CD de musique de cabaret, un jeune homme *soigné*[1] qui interprète des chansons de Cole Porter, des gens de Park Avenue portant exclusivement cravate et queue-de-pie blanches, la haute société s'encanaillant à Harlem en 1935 quand personne n'avait jamais entendu parler de lutte des classes. La musique est aussi étrange que la lumière aveuglante du soleil levant dans la pièce, aussi étrange que la nuit dernière et que ce matin. Aussi étrange que Jimmy G.

Très loin de ces lords et de ces ladies en goguette, les veinardes du Kipness, Felicity, Lydia et Nina, sont également réveillées, leurs sondes de nuit sont ôtées, remplacées par les sondes du petit déjeuner. Maude voit le visage de chacune bouger dans ses rideaux, attendant de parler.

Jimmy G observe Maude depuis la porte, attendant qu'elle lui sorte quelque chose du réfrigérateur, la partie de la maison qu'il préfère. N'importe quoi.

Elle se rend à la cuisine, toujours à moitié endormie, tiraillée par le doute, pose la bouilloire sur la cuisinière. Jimmy G marche comme s'il faisait des pointes, étirant finement ses tendons, la queue dressée, levant vers Maude son visage plat. Elle lui donne un reste de poulet, un animal inférieur. Elle trouve du jus d'orange, une banane, les pose sur le comptoir. Soudain elle se rappelle sa voix intérieure. *Où est-elle ?* Elle ne lui a pas parlé de la nuit, pas depuis que Peter est dans la maison.

« C'est l'heure de se lever ! » lance-t-elle, tentant d'avoir l'air enjouée. Elle l'entend grogner, retourne dans la

---

1. En français dans le texte. *(N.d.T.)*

chambre et se tient au-dessus de lui. « Allez, Peter. Debout debout debout ! »

Il l'attire à lui, elle tombe lourdement sur le lit, rebondit telle une enfant. Elle essaie de ne pas le toucher, en vain. Les yeux de Peter sont toujours fermés. La nuit ne sera pas finie tant qu'il ne sera pas parti.

« Faut vraiment que tu partes maintenant, Peter, et moi aussi je dois partir.

– Il fait encore nuit.

– Si tu ouvrais les yeux, tu verrais qu'il fait jour. »

Il se penche, la retourne sur le ventre, soulève son peignoir autour de sa taille, embrasse le bas de son dos juste au-dessus de ses fesses. Elle frémit. Il procède calmement, yeux fermés, trouve son visage à tâtons, lui embrasse le cou.

Non.

« Je veux que tu te lèves et que tu partes, Peter. »

Il garde les yeux fermés.

Il roule sur le dos, l'attire à lui, resserre son étreinte autour d'elle. Il est prêt pour elle.

« Considère-moi comme un étalon que tu es sur le point de monter et sur lequel tu galoperas à travers le matin. »

Qu'est-ce que je fabrique ?

Ce n'est ni la nuit improbable ni la honte qui s'est ensuivie qui la mettent mal à l'aise, c'est la présence de Peter chez elle.

« J'ai dit non, Peter, je ne plaisante pas. »

Elle se libère, se rend à la salle de bains. Peter sort du lit en poussant un long soupir et en haussant les épaules, enfile son caleçon. Après un moment, il entend le jet de la douche cogner contre le mur. Il est groggy, sa cicatrice le brûle, elle ressemble à deux lèvres fines. Il va à la cuisine, réunit tout ce qu'il trouve : banane, jus d'orange, miel, céleri, œuf cru. Il balance le tout dans un blender, met l'appareil en route. Il goûte sa mixture, l'assaisonne avec un soupçon de poivre de Cayenne finement moulu. Puis il dévisse sa petite lampe torche halogène, laisse tomber les piles dans sa paume, ainsi qu'une petite capsule en plastique. Il en découpe la partie supérieure, verse le fluide clair qu'elle contient dans le blender.

Maude est sortie de la douche, laissant l'eau couler, et est retournée dans la chambre pour y chercher du shampooing. Entre deux portes, elle aperçoit Peter. Il est concentré sur quelque chose. *Quoi ?* Elle ne voit pas ce qu'il fait, il est trop immobile, lui tourne le dos. Sans regarder, il remet adroitement les piles en place, revisse la lampe torche. Elle l'observe, transie, frissonne, soudain sur le qui-vive. *Quelque chose cloche sérieusement.*

Une minute plus tard, elle sort de nouveau de la salle de bains, son corps mince enveloppé dans son peignoir, une serviette enroulée autour de ses cheveux façon Néfertiti. L'eau chaude a rendu sa peau rayonnante.

« Ha, ha ! lance Peter, essaie ça ! » Il lui apporte le verre rempli d'un liquide ensoleillé, légèrement mousseux sur le dessus. « Ça va t'aider à démarrer au quart de tour. »

L'eau scintille sur sa peau, ses mamelons sont fermes. Elle tend la main. Ses doigts sont encore humides, elle se sent propre.

« Je crois que je vais appeler ça la Surprise de Peter », ajoute-t-il avec un grand sourire.

Maude, de retour parmi les vivants, lève son verre en direction de Peter. Elle goûte, effleurant à peine la mousse, se passe la langue sur les lèvres, avale. *Un goût de menthe.*

Elle dissimule son effroi. *Il cherche à me droguer.* Elle sourit d'un air approbateur.

« Ça a un goût de menthe.

– Un goût de menthe ? Il n'y a pas de menthe là-dedans. »

Mais le goût est bel et bien présent. Menthe signifie Xylazine.

La bouilloire se met à hurler.

« Ça te rappelle quelqu'un ? » demande-t-il en souriant. Il se précipite derrière le comptoir et éteint la cuisinière. Il lève son verre dans sa direction, porte un toast. « Les hurlements sont toujours plus plaisants au petit déjeuner.

– Toujours. »

C'est lui. Mais comment est-ce possible ? Il a couché avec moi. Toyer ne couche jamais avec ses victimes.

COMMISSARIAT
DE WEST HOLLYWOOD

L'aube. Commissariat de police de West Hollywood.

Billy et Telen sont assis près du bureau de l'inspecteur I. Perrino, les stars du jour hébétées attendant l'arrivée de la voiture du procureur.

Un capitaine, un sergent et deux inspecteurs de l'Unité spéciale de West Los Angeles, qui suivent l'affaire Toyer depuis le début, sont en route pour le commissariat. Ils rencontreront Billy et Telen et enverront un expert en informatique à l'appartement de Silverlake. Billy et Telen ont reçu une promesse de protection.

Il y a un Peter Matson dans l'annuaire téléphonique du comté de Los Angeles, un prof de lutte qui se rappellera toujours avoir été arraché à son sommeil juste avant l'aube par un mégaphone prononçant son nom de travers et par une unité d'intervention défonçant sa porte. Le Peter Matson de Telen, l'acteur-couvreur, ne figure pas dans l'annuaire.

Billy murmure à l'oreille de Telen : « Est-ce qu'il s'est foutu de nous depuis le début ? »

PETER

*M*on Dieu. C'est lui. Maude trempe une nouvelle fois les lèvres, sent le goût de la Xylazine. Elle réfléchit aussi vite qu'elle peut. Elle est coincée. *Il a toujours été là. Toute la nuit, à m'observer, à me baiser, et maintenant il veut le reste.*

Elle contracte la gorge, tentant de ne pas avaler. Elle lui fait un sourire radieux, se glisse dans la salle de bains, serrant la gorge, recrache discrètement dans le lavabo, vide le verre.

Elle retient son souffle une minute entière, s'agrippant au lavabo à deux mains, penchant la tête en avant jusqu'à ce que son front touche le miroir. Elle retient son souffle une fois de plus, peut-être plus longtemps cette fois. Trop étourdie pour se tenir debout, elle s'assied sur la cuvette des toilettes, la tête entre les genoux. Sa main s'approche du robinet. *Fais couler de l'eau. Fais du bruit, fais-lui croire que tu es occupée.* Une brosse à cheveux tombe bruyamment sur le carrelage.

Elle regarde d'un air hébété son reflet dans le miroir. Ses yeux sont enflammés, ses fossettes, saillantes, sa bouche, tombante. Elle distingue le contour de son crâne, son cadavre momifié. La salle de bains sera sa tombe. *L'ami de Sara, celui qui lui a placé un sac sur la tête et ne l'a pas violée.*

Il se tient juste de l'autre côté de la porte de la salle de bains, il l'attend. Elle se regarde : blafarde, lasse, fébrile. Elle a un visage de poupée, une céramique pâle avec des yeux trop précis. *Je peux sortir par la fenêtre, appeler la police depuis une maison en bas de la colline. Je suis en peignoir. Je suis encore trempée.*

Ses orteils sont transis sur le carrelage. Elle les regarde, ils ressemblent à des pattes blanches de rongeur. Ses mains tremblent. Elle se retient au lavabo pour ne pas tomber.

Sors. La fenêtre. Fais couler la douche, fais du bruit. Il ne m'entendra pas ouvrir la fenêtre. Il ne sait pas que je sais. J'ai l'avantage. J'aurai une bonne longueur d'avance. Il cognera à la porte de la salle de bains. Il la défoncera. Je serai partie. Il ne saura pas où.

Reste. La voix intérieure est revenue. *Reste.*

Elle se passe les doigts dans les cheveux, s'observe dans le miroir, plonge le regard dans ses propres yeux. Œil pour œil. Elle voit les larmes troubler ses yeux tandis qu'elle se tire les cheveux par la racine.

Sa voix intérieure la relance, stridente, un murmure terrible : *Tue-le tue-le tue-le.*

« Non ! »

Tue-le tue-le tue-le...

« Non ! » Elle se couvre les oreilles, se concentre sur sa propre image. « Non ! Non !

– Maude ?

– J'arrive. »

Fais-le fais-le fais-le fais-le.

« Tais-toi tais-toi tais-toi ! »

– Quoi ? » lance-t-il à travers la porte.

Il sait que j'ai cinq minutes avant de m'évanouir. Ces cinq minutes m'appartiennent. Je peux m'enfuir, mais si je m'enfuis, il s'échappera, il sera libre. Il est trop intelligent pour eux.

Elle regarde fixement son reflet. Plutôt mourir.

Je ne m'enfuirai pas.

Elle se penche en avant, touche le miroir avec son front.

« Moi. » Elle s'embrasse sur la bouche. « Je t'aime. »

Cinq minutes.

Elle attrape sa trousse à pharmacie sous le lavabo, marque une pause le temps de se ressaisir, compte cinq comprimés de Mépéridine, des comprimés pas plus gros que des pois, enrobés de rouge, la couleur dont les reptiles dangereux se servent pour mettre en garde, les enfonce dans la poche de son peignoir, tire la chasse d'eau, réapparaît dans le salon en s'essuyant la bouche. Son verre est vide, elle sourit joyeusement.

« Exquis. » Elle pose le verre sur le comptoir à côté de celui de Peter. « J'en reveux. »

Il lui sourit.

« Qu'est-ce que tu racontais là-dedans ?

– Prières du matin. »

Elle entreprend de remettre le salon en ordre, ramasse les détritus de la nuit, les verres, les écharpes, retourne les coussins sur le divan où il lui a fait l'amour. Elle s'active, tête baissée, récupérant les vêtements et tapant sur les coussins, jusqu'à ce qu'elle parvienne à contrôler suffisamment sa voix pour parler normalement.

« Va prendre une douche, Peter, lave-toi. » Elle sourit. « Tu empestes. Mon odeur.

– Oui. Et c'est pour ça que je ne me laverai plus jamais.

– Fais-le pour le voisinage. Il y a des coyotes en chaleur dans le coin.»

Il lâche un éclat de rire fluide.

Quatre minutes.

«Je vais préparer du café, poursuit-elle. Tu bois du café, non?»

Peter se rend à la salle de bains, ferme la porte, extraordinairement excité par la naïveté de Maude. Il y est presque. Son cœur bat à toute allure. Une femme si intelligente. Si impuissante. Il se tient sous le jet frais de la douche, détendu, son bras entaillé au-dessus de sa tête, laissant l'eau lui mitrailler les aisselles, l'entrejambe. Il ne s'est jamais senti plus nu, sa nervosité le quitte, son cœur ralentit.

Trois minutes.

Maude verse l'eau bouillante dans le filtre à café directement au-dessus de sa tasse. Elle ajoute un, deux, trois, quatre, cinq comprimés de Mépéridine. Minuscules, d'un rouge redoutable. Elle regarde une mousse se former, puis disparaître.

«Comment tu l'aimes?» lance-t-elle.

La voix de Peter par-dessus le bruit de l'eau :

«La meilleure douche que j'aie prise de ma vie.»

Il ouvre le robinet d'eau chaude.

«Ton café, Peter, pas la douche.

– Oh! Avec de la crème, si tu en as. Ou du lait.»

Deux minutes.

Peter se masse les cheveux avec du savon doux. Bientôt l'apothéose. Et c'en sera fini du docteur Maude

Garance, un anéantissement physique, sexuel, mental. Il est calme, sa colère est ailleurs. Il coupe l'eau chaude pour se rafraîchir.

Elle lui apporte une tasse de café dans la salle de bains. Lui fait un sourire aguicheur. Il se tient devant elle, nu comme un ver, saisit la tasse.

« Sens-moi. Tu vois ? L'odeur est partie.

— Tu dégoulines partout.

— Je suis désolé pour hier soir.

— Ne t'excuse pas, j'ai adoré ça, vraiment. J'ai toujours secrètement voulu tuer un acteur. »

Maude lâche un éclat de rire radieux, regagne le salon et s'assied sur le divan. Elle sirote son café.

« Je sais que ça a l'air idiot, mais j'ai grandi la nuit dernière.

— Vraiment ? »

Peter la rejoint tout en s'essuyant avec une serviette.

« Je n'étais pas sûre de pouvoir prendre du plaisir à tuer quelqu'un. Maintenant je sais. Je voulais te tuer, et c'était agréable. Merci.

— J'espère que l'envie t'a passé.

— Bois ton café.

— Il est excellent.

— Oui, en effet, n'est-ce pas ? »

Une minute.

SARA

O'Land appelle Sara sur son téléphone portable.

« Le commissariat de West Hollywood envoie deux voitures chez Maude, elles sont en route. Et maintenant, Sara Smith ?

– OK, Jim. Appelle le docteur Tredescant au Kipness, elle tient beaucoup à lui. Je n'ai pas son numéro personnel, mais on te le donnera. Sois prudent quand tu lui expliqueras la situation ; Dieu sait ce qu'il fera, il est amoureux d'elle. »

Il y a beaucoup de circulation, des hommes seuls dans leur voiture.

« Je suis encore à dix minutes de chez elle. Je ne peux pas faire plus vite.

– N'écrase personne. À plus tard et sois prudente. Bon boulot. »

COMMISSARIAT DE WEST HOLLYWOOD

La journée commence mal. Deux voitures ont été dépêchées chez Maude, sirènes hurlantes pour se frayer un chemin à travers la circulation. Pin. Pon. Juste les gyrophares, pas de sirènes, pendant les trois derniers kilomètres. Elles devraient arriver dans dix minutes.

Telen est toujours assise face au bureau de l'inspecteur I. Perrino, Billy la tient entre ses bras. Ils sont profondément déprimés. Dehors, le matin sans vie, les extrémités brûlées des arbres qui se détachent sur le ciel ; s'il y a un soleil, il n'a pas de corps.

Ils sont désormais onze dans la pièce, pour la plupart debout, huit hommes et trois femmes, simples agents, inspecteurs, un lieutenant. Les premières chaleurs de la journée. Certains s'essuient déjà le visage. Quelque chose en eux indique que tout sera fini dans la matinée. L'assassin de Nina Voelker. Car c'est de ça qu'il s'agit, tonne Meyerson, d'un meurtre ! Ils sont tous d'accord. Toyer leur a mis un coup au moral en s'attaquant à l'une des leurs. Pour un flic, il n'y a rien de plus satisfaisant que de choper un tueur de flic.

Telen sent leur attention portée sur elle, leur euphorie professionnelle, leur profond soulagement. Elle a fait ce qu'il fallait, elle leur a offert Toyer sur un plateau.

Elle leur a donné l'adresse de Peter, a murmuré le mot de passe, *poisson-chat*, comme si c'était un funeste augure. Le mot de passe a été respectueusement communiqué par téléphone à la voiture stationnée devant l'immeuble de Silverlake, un agent l'a transmis au technicien informatique qui analysera l'ordinateur dans l'appartement.

À un kilomètre et demi du commissariat, un juge en peignoir signe sur sa table de cuisine le mandat de perquisition de l'appartement de Peter.

Des inspecteurs sont déjà sur place, attendant d'entrer, de fouiller dans les tiroirs, les poches, d'ouvrir les bocaux, d'étaler les sous-vêtements sur le lit, de déchirer les enveloppes.

Elle a donné à la police sa seule photo de Peter – une petite photo sur papier brillant salement abîmée –, sa description, celle de la Harley-Davidson, de la tenue qu'il porte. Les flics en savent désormais autant qu'elle. Mais ces informations sont inutiles, ce n'est plus qu'une question de minutes avant que la première voiture arrive chez Maude.

« Il est vraiment très vulnérable », a-t-elle dit plus tôt au mauvais agent. Celui-ci n'a rien répondu. « Il a ses bons côtés. »

Billy a expliqué au petit auditoire que Peter l'a aidé à trouver du travail.

« Il a vécu tant de bouleversements », a ajouté Telen.

Ils ont regardé ses lèvres.

« Sa femme est morte la semaine dernière, a surenchéri Billy.

– C'est lui qui l'a tuée ? » a demandé un agent.

Billy est assis là, inutile, se contentant de corroborer les affirmations de Telen.

« Il n'est pas si bon acteur que ça », déclare-t-il.

Mais bien sûr, c'est faux.

PETER

Les cinq minutes sont écoulées.
Maude connaît la Xylazine, ses symptômes rapides et indécelables, elle sait précisément comment se comporter pour lui faire croire que la drogue fait effet. Elle va attendre quelques secondes de plus, puis, quand elle essaiera de se lever du divan, elle fera semblant de tomber en arrière. D'ici là, la dose de Mépéridine aura commencé à paralyser les muscles de Peter. Il s'en rendra à peine compte.

Tandis que Peter l'observe, elle se lève. Elle fait un petit pas, agite les bras pour retrouver sa stabilité, son équilibre. En vain. Malgré ses efforts, elle retombe sans un mot sur le divan. Peter détourne le regard, ouvre le réfrigérateur.

« Tu as du pain pour faire des toasts ? »

Maude commence à répondre, les mots ne sortent pas.

Peter, toujours à demi nu, marche jusqu'au divan, se tient au-dessus d'elle, s'essuyant le visage. *Enfin.*

« Ça va ? » demande-t-il avec compassion.

Elle le fixe longuement du regard d'un air innocemment perplexe. Elle parle avec effort.

« Tout s'embrouille dans ma tête. »

Son impuissance excite Peter, il est soudain d'humeur bavarde.

« Est-ce que tu ressens des picotements au visage ? »

Il s'essuie les oreilles avec la serviette.

Maude se touche le visage, ses doigts sont comme du plomb.

« Pourquoi est-ce que je ressentirais des picotements ?

– Simple curiosité. »

Maladroitement, elle tend la main vers son verre vide.

« Et mes bras ne m'obéissent plus, dit-elle, peinant à articuler.

– Peut-être que c'est ta tringle d'accélérateur.

– Comment ça... ma tringle d'accélérateur ? »

Silence. Maude fait soudain mine de comprendre qui est vraiment Peter. Elle lève les yeux.

« Mon Dieu.

– Y a pas d'Dieu ici c'matin, mam'zelle Maude », lance-t-il avec un accent du Sud.

Il fait un grand sourire.

« Mais s'il y en avait un... il t'arracherait les couilles. »

Il rit avec ravissement. *C'est trop drôle.*

« Et ne va pas croire que je sois vexé que tu ne m'aies pas reconnu après notre rencontre à l'hôpital. »

Maude ne dit rien.

« J'étais dans la chambre de Melissa Crewe, assis derrière toi. »

Je n'ai pas vu son visage.

« Tu sais pourquoi je suis ici ? »

Maude ne répond pas.

« Tu veux savoir pourquoi je suis ici ? C'est toi qui m'as invité. Tu lui as écrit cette putain de lettre. J'en avais fini avec tout ça, je n'aurais jamais recommencé, j'allais finir d'écrire mon stupide bouquin et disparaître avec elle en Oregon. Mais tu m'as forcé à revenir, Maude, tu m'as forcé à écrire le treizième chapitre. Tu m'entends ? Je suis ici à cause de toi, ce n'est pas le hasard comme les fois précédentes, tu m'as envoyé une invitation, et je me dois d'y répondre. Voilà pourquoi je suis ici. Tu as foutu ma vie en l'air. Tu es une salope cruelle. »

Maude le regarde stupidement dans les yeux, attendant que la Mépéridine commence à faire effet. *Il lui reste une minute.*

« J'ai toujours su... que tu étais un... psychopathe, dit-elle d'une voix somnolente.

– Eh bien, les fous ne savent pas qu'ils sont fous. N'est-ce pas aux autres d'en décider ? Si j'étais assez sain d'esprit pour savoir que je suis fou, comment pourrais-je être fou ?

– Tu ne l'es pas, ne t'en fais pas... tu es juste un cas limite, comme moi. »

Il devrait tomber maintenant.

« Mais si jamais on m'arrête un jour, je serai naturellement un patient modèle. Avec toutes mes – comment appellerais-tu ça ? – mes inventions inhumaines, on me déclarera forcément fou. »

Pourquoi tient-il encore debout ?

« On ne me punira pas, on m'étudiera. J'ai été très, très méchant, alors on sera très, très gentil avec moi. »

Peter se tient de nouveau au-dessus d'elle, sa serviette autour des hanches. Il a trouvé un crayon gras noir. Poliment, il incline la tête de Maude en avant, compte quatre vertèbres cervicales sur sa nuque, trace un minuscule rectangle vertical autour de la quatrième, en haut de la colonne vertébrale de Maude, à la base de son crâne. Il marque l'endroit de l'incision. Il lui relève la tête, s'écarte d'elle.

« Tu sais, j'ai eu une idée formidable la nuit dernière pendant que nous dansions. Est-ce que tu te rends compte que ton nom dans mon livre va faire exploser les ventes ? Et tout cet argent supplémentaire ira à tes patientes. Maintenant implore.

– Quoi ?

– Supplie-moi : implore. » Peter désigne le sol. « À genoux, implore-moi de te laisser la vie sauve. »

Maude prononce en silence les mots *va te faire foutre*.

Il saisit le bras de Maude, prend son pouls, lâche son bras.

« Ton système résiste bien pour le moment. »

Il marche impatiemment autour de la pièce, attendant qu'elle tombe. Il serre un poing, grimpe sur la banquette sous la fenêtre et laisse une empreinte en haut de la vitre. La marque habituelle.

« Mon sens de la continuité. Fair-play, je suppose. »

« Comme au cricket », murmure Maude. Peter ne l'entend pas, il est agité, il l'attend.

« J'ai touché à sept choses dans cette pièce : verres, bouteille, téléphone, pistolet, poignées de porte, ça et ça. Quoi d'autre ? Toi. »

Il rince les verres, la bouteille, remplit une casserole d'eau et la place sur la cuisinière.

De la doublure de son blouson il tire un petit scalpel et une seringue hypodermique. Elle le regarde tendre la main vers le haut du montant de la porte de la chambre, saisir le trocart. Elle n'en a pas vu depuis le premier matin, après la longue nuit avec Victoria Sapen, quand elle a compris le mode opératoire. Aussi simple qu'un pic à glace, la lame triangulaire reflète la lumière. Il le place dans la casserole.

Le peignoir de Maude s'est entrouvert. Elle roule sur le flanc, tentant de le refermer.

« Je n'aime pas trop ta capacité à résister à des drogues puissantes. »

Ni moi la tienne. Peut-être que sa surprise ralentit les effets de la Mépéridine. Certains psychotiques ont une tolérance surhumaine.

Maude l'observe à travers ses yeux presque clos, avachie sur le flanc, son peignoir ouvert. Elle ne fait aucun effort pour se couvrir. Il fait couler de l'eau chaude, trouve un rouleau de papier essuie-tout, se lave les mains et les bras comme s'il se préparait à effectuer une intervention bénigne.

Pourquoi n'ai-je pas forcé sur la dose ?

Il revient vers elle. Il lui ôte son peignoir, glisse un bras sous ses cuisses, la soulève, la porte jusqu'à la chambre et l'étend sur le lit, genoux écartés.

« Tu m'as demandé dans ta lettre comment une femme pouvait vouloir me toucher. Je vais te montrer. »

Tu vas me baiser une fois de plus, espèce de salopard nécrophile.

« Ça t'a plu la nuit dernière, Maude ? » Il la tire par les chevilles jusqu'au bord du lit. Ses orteils touchent le sol. Elle a l'impression d'être une proie morte. « Ou est-ce que tu as simulé tous ces orgasmes ? »

Tu ne devrais même pas être en état de parler, encore moins de me baiser.

« Es-tu prête pour moi, Maude ? »

Oh! oui, je suis prête. Plus que prête.

Elle voit que sa stupeur feinte l'excite. Il laisse tomber sa serviette, s'agenouille devant elle. Elle sent son érection effleurer sa cuisse.

Tombe, connard, tombe.

Soudain il chancelle, se relève péniblement, recule en titubant jusqu'au mur. Il regarde Maude en silence, stupéfait.

« Qu'est-ce... qui... se... passe ? »

Il bute sur les mots. *Où sont mes jambes ?* Il agrippe les rideaux, se rattrape contre le mur. Il est soudain pris d'un vertige violent, retrouve ses esprits. Il ne peut pas bouger. Sa tête va exploser. Il ne contrôle plus rien.

TELEN

Elle tient un gobelet en polystyrène coincé entre ses dents, il pendouille depuis sa bouche, couvre son menton. Elle a essayé d'aider les flics. Ils ne lui ont pas dit que Peter était chez Maude. Ils ne lui ont pas dit ce qu'ils allaient faire. Elle n'est qu'un témoin.

C'est une procédure pénible, beaucoup moins huilée qu'à la télévision, ils sont en réalité froids et déterminés, nerveux, imperturbables, simples, efficaces, reconnaissants.

Ils surveillent l'appartement de Silverlake depuis le toit de l'autre côté de la petite allée, un agent en civil observe le bâtiment depuis l'autre côté de la rue. Quand le mandat arrivera, un inspecteur fouillera l'appartement. Il trouvera l'ordinateur, mais pas la disquette.

Telen essaie de se comporter normalement, elle fait tout son possible pour ne pas craquer, serre les doigts d'une de ses mains entre ses cuisses. Elle n'a pas demandé ce qui arrivera à Peter, ni où il est, ni où est la police, ni comment tout ça se terminera. Elle n'a pas demandé s'ils l'abattront.

Elle prend une décision. Aujourd'hui elle ira voir sa mère à Lake Stern. Madeleine Gacey lui a écrit que son condominium était rose, qu'il se trouvait à cinq kilomètres du lac. Qu'il y avait de nombreux bateaux avec des noms joyeux.

DOCTEUR T

Le docteur T appelle le commissariat de West Hollywood. L'inspecteur Perrino prend son appel.

« Est-ce que vous pourriez me dire ce qui se passe, s'il vous plaît ?

– Nous avons la situation bien en main, monsieur.

– De quoi parlez-vous, quelle situation ? Qu'est-ce qui se passe ?

– Êtes-vous un membre de la famille ?

– Je suis son mari. »

Enfin pas exactement, peut-être un jour.

« D'où appelez-vous, monsieur ?

– Du Kipness, son lieu de travail.

– C'est au nord de Malibu.

– En effet. »

Le scanner confirme la provenance de l'appel. *Il est suffisamment loin de la scène.*

« Monsieur, nous avons des raisons de croire que votre femme a été prise en otage. Nous avons dépêché une équipe spéciale, elle est en route vers la scène en ce moment même.

– Quelle scène ?

– Sa maison.

– Prise en otage par qui ?

– Nous pensons qu'il peut s'agir de Toyer, monsieur.»

Le docteur T ressent la terrible impuissance du badaud qui assiste à un meurtre dans la rue.

«Que faites-vous pour la libérer?

– Une équipe spéciale devrait arriver dans quelques minutes, monsieur, ne vous en faites pas. Nous pouvons gérer la situation.»

Le docteur T raccroche, demande à Chleo d'appeler tous ses patients et d'annuler toutes ses opérations du jour, il se précipite vers l'ascenseur, laissant tomber sa blouse blanche sur le sol ciré derrière lui.

MAUDE

Peter s'est affalé sur la chaise en bois adossée au mur de la chambre. Il dévisage Maude tel un taureau hébété lardé de banderilles. Il essaie de lui lancer un regard noir, mais son visage s'affaisse.

Ma tête s'envole à travers le plafond. Il se lève, ses jambes se défilent de nouveau sous lui, il se rassied lourdement sur la chaise, maladroitement. Il tente de se lever une fois de plus en usant de toute sa force, en vain. *Bon Dieu, qu'est-ce qui se passe ?*

Maude se redresse aisément, s'étire, fait le dos rond comme Jimmy G, qui vient la rejoindre, sautant doucement sur le lit, s'approchant fièrement, queue dressée. Il pose les pattes sur ses cuisses.

Elle se lève d'un bond, emportant Jimmy G avec elle, ouvre le tiroir inférieur de la commode et en tire quelques écharpes de soie aux couleurs vives.

« Qu'est-ce que tu fais, Maude ? »

Il ne peut pas bouger.

Avec les écharpes, elle lui attache les poignets et les bras à la chaise en bois, lui ligote les chevilles ensemble. Elle passe une écharpe par-dessus son torse, sous ses bras, derrière le dossier de la chaise. Tous deux sont presque nus.

Elle se penche au-dessus de lui et lui soulève habile-
ment une paupière avec un coton-tige. Peter se tortille
sans force.

« Dis-moi ce que tu m'as fait. »

Maude sourit.

« Mille milligrammes de Mépéridine, répond-elle,
avant d'ajouter gaiement : j'espère que tu ne vas pas
mourir.

– En... moi ?

– Tu baignes dedans, chéri.

– Quand... ? »

Elle se rend à la cuisine, met la cafetière à réchauffer
sur la cuisinière, rapporte sa petite trousse à pharmacie
de la salle de bains, attache une serviette autour du
cou de Peter comme si c'était un bavoir.

« Dis-moi une chose, Peter, regrettes-tu d'avoir écrit
cette lettre ?

– Quoi ?...

– Cette première lettre à propos de Marla.

– Je devais l'envoyer.

– Je sais, tu avais peur de ce que les gens pouvaient
croire, mais est-ce que tu le regrettes maintenant, en
y repensant ?

– Tu veux dire... l'enchaînement des événements, je
ne serais pas ici si je ne l'avais pas écrite ?

– C'est un fait, non ? »

Il sait que sans cette première lettre il n'aurait jamais
tué Elaine, jamais vécu son histoire d'amour avec Telen,
que Maude n'aurait jamais monté cette dernière contre
lui. Il ressent une rage impuissante. Il peut à peine
parler, s'affale un peu plus sur sa chaise.

« Est-ce que tu es en train de ressasser le passé ? demande-t-elle.

– Je suppose qu'on pourrait dire ça. »

Elle sauve le café juste avant qu'il ne se mette à bouillir, se verse une tasse parfaite. Le café l'envahit de la tête aux pieds tel un sérum miraculeux, elle se sent d'une humeur légère, est au comble du bonheur. Jimmy G lui donne un petit coup de tête dans la jambe, il apprécie le spectacle. Elle s'assied, le soulève, le pose sur ses cuisses, sent les vibrations de son ronronnement à travers son poitrail et son ventre.

« Chaque chose en entraîne une autre, Peter, jusqu'au moment présent. »

Elle repose Jimmy G, verse un peu de lait dans son bol. Elle insère un CD de Giacomo Puccini dans le lecteur.

« Qu'est-ce... que tu... fais ?

– J'écoute *Madame Butterfly*. »

Elle sourit, sourit, sourit.

TELEN

Il y a eu une fuite. Une équipe de Channel 5 débarque au commissariat de West Hollywood, il y a des taupes partout.

Telen et Billy se tiennent désormais la main, se balançant légèrement. Elle appellera sa mère à la première occasion, lui expliquera tout. Elle demandera à Billy s'il veut l'accompagner, elle ne veut pas être seule en ce moment. Ce sera juste pour quelques jours. Il acceptera. Sa mère leur louera une voiture, ils se rendront ensemble à Lake Stern. Ils se soutiendront mutuellement. Telen n'a toujours pas les oreilles percées.

Une autre équipe de journalistes arrive. Le redoublement d'activité sur le parking est manifeste. Ce sont désormais quatre chaînes de télé qui ont garé leurs camionnettes devant le commissariat de West Hollywood. Les reporters ont été informés qu'un homme soupçonné d'être Toyer risquait d'être arrêté et placé en garde à vue dans la matinée. Le lieutenant de police ne peut pas donner plus de détails avant 8 heures. Devant le commissariat, sur le parking, une journaliste équipée d'une oreillette attend de parler à la caméra devant un petit mur de projecteurs. Non loin, un autre présentateur a déjà commencé son compte-rendu devant deux autres projecteurs. C'est un *flash spécial*, ce qu'on fait de mieux à la télé. Les programmes matinaux sont interrompus.

Billy a expliqué à Telen plus tôt dans la matinée que l'astuce pour reconnaître l'homme idéal, c'était qu'au début il ressemblait à tout sauf à l'homme idéal.

Personne ne fait attention quand Telen et Billy quittent en douce le commissariat, toujours en se tenant la main. Ils grimpent dans la voiture de Billy et prennent la direction du sud, vers l'aéroport. Ils s'achèteront des billets pour Madison et prendront leur petit déjeuner à dix mille mètres d'altitude, où la température est de moins cinquante. Ils passeront quelques jours dans le Wisconsin. Ils y deviendront amants. C'est la meilleure saison, presque l'automne.

MAUDE

L'aria de Butterfly, *Un bel di*, emplit la petite maison.

Peter commence à prendre conscience de ce que Maude pourrait lui faire. Il est terrifié, la fixe avec des yeux hagards, flottant sous l'effet de la drogue.

La voix intérieure de Maude la guide, lui chuchote à l'oreille : *Fais-le. Tu peux le faire. Tu peux le faire. Tu peux le faire. Fais-le fais-le fais-le.*

« Tu devrais vraiment appeler la police, Maude, je ne leur dirai pas que nous avons couché ensemble... je le jure... pas un mot sur le scalpel. Ne crains rien. S'il te plaît. Je le jure.

– Non. »

Elle est maladivement vigilante.

« Je fais ça parce que tu m'as dit que nous tournerions la page et je ne veux pas tourner la page. Tu te souviens ? Le vrai crime n'est pas ce qui se produit, le vrai crime, c'est que nous savons ce qui se passe, et que nous continuons de tourner la page.

– Oh ! bon Dieu. »

Elle trouve au bas de la bibliothèque un manuel bordeaux à la reliure abîmée et aux pages marquées par des trombones. Elle le pose sur la table basse en verre, en appui sur les cailloux polis, maintenu en bas par le couteau à légumes. Elle feuillette rapidement des procédures illustrées, trouve la section intitulée «Lobotomie», lit à voix haute :

«Lobotomie. Spinale. Lobotomie. Cervicale. Perte de toutes les fonctions motrices et sensorielles, nerfs phréniques.» Elle se tourne vers Peter. «Ça, c'est ta spécialité, la cordotomie spinale.»

Peter tente de parler.

«Comment as-tu découvert ça ? Je suis curieuse.»

Mon été à Cornell.

Maude étudie la procédure, faisant à peine attention à lui.

«Ça devrait être une petite intervention toute simple.»

Elle continue de parler toute seule, lisant à voix haute.

«Ou si on essayait ça ? Lobotomie, préfrontale. Lobotomie préfrontale ? Une opération tellement archaïque. Ça dit ici 1936. C'est historiquement obsolète, mais ça permettra de conserver tes fonctions motrices et sensorielles avec seulement une perte de ta personnalité et de ta capacité à raisonner. Ça n'a pas l'air de faire trop de dégâts. Tu restes conscient de ce qui se passe autour de toi mais tu ne peux rien y faire.» Elle continue de lire. «Oui, c'est la bonne. D'accord ? On va faire celle-là. Et si quelqu'un me demande pourquoi, je répondrai juste que la procédure était basée sur mon diagnostic ; que ça semblait une bonne idée sur le coup.»

Peter se tortille, essayant de garder l'équilibre, de parler. Impossible. Il a fini de parler.

Arrête, arrête, je t'en supplie.

Elle place les pouces au-dessus de ses orbites oculaires, palpe ses os.

« Ces os sont très, très fins. »

Portant elle-même toujours la marque qu'il a tracée au crayon sur sa nuque, elle localise le point d'entrée et dessine des marques grossières sur son front, au-dessus de son nez et de ses sourcils, entre ses yeux.

« Là. Ça n'est pas très précis, mais ça fera l'affaire. On pénètre ici, on remonte dans l'encéphale et on sectionne quelques fibres. D'accord ? Tu sais ce que ça signifie, Peter ? Ce sont des termes médicaux. J'ai toujours supposé que tu étais autodidacte, je me trompe ? »

Il essaie de secouer la tête. *Bon Dieu, elle est complètement dingue. Au secours. Empêchez-la de faire ça.*

« J'espère que tu approuves, Peter, je risque d'être un peu rouillée, j'ai moins d'entraînement que toi. Mais je veux que tu sois fier de moi, même si c'est absolument immoral. »

L'eau bout depuis un moment. Elle va à la cuisine, ôte la casserole de la cuisinière, saisit le trocart avec une pince de cuisine, regagne la chambre. Elle approche le trocart du visage de Peter.

« Est-ce que je peux l'utiliser ? » Elle retourne à la cuisine, passe le trocart sous l'eau froide. « J'ai horreur d'emprunter des instruments, mais j'ai égaré le mien. »

Peter regarde Maude, à peine conscient, terrifié, tentant de ne pas perdre connaissance. Il essaie de parler.

« Maude... je... t'aime.

– Ce n'est simplement pas le genre d'amour que je recherche, Peter. »

Elle sourit.

Il l'implore avec des yeux de poisson depuis le fond de son aquarium. *S'il te plaît, Maude, s'il te plaît, s'il te plaît, s'il te plaît.*

Elle lui palpe le front, tentant de se souvenir, se référant au manuel.

« Plus personne n'effectue cette intervention, Peter. » Elle se penche et lui chuchote tendrement à l'oreille. « Sauf moi. »

Peter est mort de trouille. Des larmes coulent sur ses joues. Il veut parler. Il sent une chaleur moite entre ses jambes, la serviette sous lui est humide. *Je suis en train de me pisser dessus.*

Une odeur de vinaigre d'orange. Elle voit son urine goutter, couler le long des pieds de la chaise en bois, imprégner son tapis de laine couleur crème. Elle lui donne un coup de pied dans le tibia.

« Espèce de porc ! »

Maintenant elle entend le murmure solennel qui l'exhorte doucement. *Fais-le fais-le fais-le...* Elle replace le scalpel dans l'eau, l'agite dans la casserole. Elle sent l'excitation jusqu'au bout de ses doigts.

Elle saisit un petit paquet dans sa trousse à pharmacie, en tire une paire de gants en latex transparent, les enfile. Elle prend une inspiration. Attend un moment. Elle attrape le scalpel avec la pince, le laisse refroidir, essuie la lame, le saisit entre ses doigts comme un crayon. Elle va se poster devant Peter et applique le scalpel contre son front pour l'incision initiale. Un filet de sang se met à couler le long de son nez, sur sa lèvre supérieure, dans sa bouche.

Maude s'arrête. Elle recule, essuie le scalpel avec une compresse, retourne à la cuisine et replace le scalpel dans la casserole. Elle pose bruyamment le trocart sur la table. Peter l'observe, parvenant à peine à la suivre du regard. Elle se tourne vers la fenêtre. Sa voix intérieure murmure d'une voix stridente, *N'arrête pas! Continue continue. N'arrête pas.*

«Ferme-la!» Elle tourne violemment la tête. «Est-ce que tu vas fermer ta gueule?»

Elle se plaque les mains sur les oreilles. Peter l'observe. *À qui parle-t-elle?*

Elle ôte un de ses gants.

«Je n'ai plus de mots pour te décrire. Alors je vais simplement t'appeler Peter. Je crois que je vais peut-être t'épargner au bout du compte, Peter.»

Dieu merci. Oh! Dieu merci.

La voix continue de hurler. *Non! Tu ne peux pas t'arrêter! Pas maintenant. Tu ne peux pas t'arrêter. Nina, Virginia, Melissa, Felicity, Lydia, Gwyneth, Paula, Luisa, Karen, Carol...*

«Tais-toi! Je ne t'écoute plus.»

Elle s'appuie à la commode, la tête inclinée sur le côté. Elle attend une minute, le temps que la voix se dissipe.

«Je ne peux pas, Peter. Je voulais te lobotomiser, je ne voulais pas que des médecins professionnels s'occupent de toi. Je n'ai jamais voulu te voir libre. Je croyais pouvoir le faire, mais je ne peux pas.»

Peter l'entend vaguement. *Elle n'est pas folle. Elle n'est pas folle au bout du compte.*

«Je ne suis pas comme toi.»

Elle ramasse ses gants et les jette dans la corbeille. Elle regarde Peter, ligoté, penché en avant sur la chaise.

«Je vais appeler la police. Vite avant de changer d'avis. Je vais leur dire que leur cher Toyer est ici chez moi. Je vais te laisser profiter de la gloire que tu mérites tant, et des meilleurs soins disponibles. Mais je suis toujours à cran, Peter, alors tant que les flics ne seront pas là... fais très attention. »

Il observe vaguement ses mouvements.

Elle se rend au salon, décroche le téléphone, écoute. Pas de tonalité. Elle suit des yeux le câble jusqu'à la prise près du sol. Il est débranché. Elle rampe à quatre pattes sous la table, le rebranche. Elle soulève le combiné avec un visage impassible. Toujours pas de tonalité.

Elle suit le câble du téléphone qui court le long du sol puis disparaît dans le mur. Elle ouvre la fenêtre, regarde dehors, voit le câble ressortir du mur. Il pénètre dans un boîtier gris, en ressort de l'autre côté et forme un U noir. Elle voit une section nette, diagonale, les fils de cuivre qui scintillent, de minuscules taches de couleur. Silence, c'est un matin paisible. Sa voix intérieure résonne au fond de ses oreilles comme un acouphène. Les feuilles des arbustes sont immobiles, couvertes de rosée. Il y a un colibri, tel un évêque minuscule perché dans les airs, habillé pour Pâques. Une fourmi pressée traverse trop vite le rebord de fenêtre. Jimmy G continue de dormir. Silence.

Elle sent un reste de vent nocturne grimper depuis le bas de la colline et pénétrer par la fenêtre ouverte. À l'intérieur, il fera frais pendant encore une heure, jusqu'à ce que survienne les vraies chaleurs. Le colibri disparaît. Elle referme la fenêtre. Un nouveau jour.

Elle s'assied à côté de Jimmy G au bord de la banquette. Il ne se réveille pas. Elle écoute le bourdonnement de son sang coulant dans ses veines, les battements fluides d'un hélicoptère au loin.

Elle entend sa propre voix, s'aperçoit qu'elle parle tout haut.

« J'ai rencontré une fille nommée Felicity Padewicz, mais je ne la connaissais pas vraiment... » Elle fond soudain en larmes. « Je n'ai vraiment connu aucune d'entre elles. »

Elle retourne dans la chambre, Peter a les yeux ouverts, la tête gonflée. Maude renforce ses liens avec deux écharpes supplémentaires, même si c'est inutile, il sera paralysé pendant encore quatre heures, conscient de tout ce qui l'entoure.

« Je vais sortir un moment, ne fais pas de bêtises. »

Elle tire du placard plusieurs chemisiers de coton suspendus à des cintres et les étale sur le lit.

« Qu'est-ce qu'on est censé porter pour livrer Toyer à la police ? Des perles ? Un ensemble en jean tout simple ? Un pantalon et un chemisier ? » Elle lui montre deux chemisiers, l'un est bleu. « Lequel ? Peut-être pas le bleu ? » Son peignoir glisse jusqu'au sol, elle se tient nue face à lui. « Je crois que je vais opter pour celui couleur crème, qu'est-ce que tu en dis ? Je serai plus crédible. »

Son excitation est retombée. Elle s'assied puis s'étend sur le lit, nue.

« Tu veux que je te raconte une histoire, Peter ? » Elle sait qu'il l'entend, n'attend pas de réponse. « Oh ! pourquoi pas, puisque tu es assis là. Quand j'avais 11 ans, une petite fille que je détestais n'est pas venue à une fête que nous avions organisée après l'école. Nicole Klein. Nous l'avions déposée chez elle pour qu'elle récupère du ruban, mais elle n'est pas revenue. En ne la voyant pas revenir, nous avons tout de suite compris, même si nous ne savions pas exactement ce qui s'était passé. Tout le monde revient toujours. Enfin bref, il s'est avéré qu'un détraqué avait abusé d'elle et avait balancé son corps dans les bois le soir même. Les flics ont mis un an à la retrouver. Et quand ils l'ont retrouvée, les bestioles avaient éparpillé ses restes, il y avait des os sur un rayon de quatre cents mètres parce qu'elles avaient emmené dans leurs terriers ce qu'elles n'avaient pas pu manger sur place. Le plus dur à manger, c'est la tête, alors les renards l'emportent. Celle de Nicole Klein n'a jamais été retrouvée. J'étais encore gamine et j'avais du mal à suivre ce qui se passait. Après ça, on nous a interdit de faire un certain nombre de choses. Sans nous expliquer pourquoi. Ils ont fini par retrouver le détraqué et ils l'ont interné dans un hôpital, mais nous n'avions pas le droit de savoir. Nous avons entendu dire qu'il n'avait pas été puni. Il y avait des types plus âgés qui regardaient sous nos jupes à l'arrêt de bus, alors nous jouions à un jeu, Arrête-le-Détraqué, et nous ricanions quand nous en repérions un. Des cinglés comme toi. Je viens d'en repérer un chez moi. »

Maude ricane.

Elle se lève du lit, nue, ouvre un tiroir, sort un soutien-gorge blanc, l'enfile puis le laisse retomber sur le lit. Elle reste un moment debout à réfléchir.

« Je suis un peu confuse ces temps-ci, je suis obligée de réfléchir. Peut-être que je ne vais pas aller chez les flics après tout. Peut-être que je les appellerai demain à la place. » Elle a cessé de s'habiller. « Ne va pas croire que ça ait quoi que ce soit à voir avec Nicole Klein, c'était une sale gamine, la chouchoute du prof. »

Peter la regarde, il bave.

« Tu vois, je ressemble beaucoup à ces petites bestioles de la forêt, un opossum ou une marmotte qui reste assis là à manger des baies toute sa vie, puis qui un jour fait un bond de cinq mètres de haut. Personne ne savait qu'il pouvait faire ça, mais il peut. Moi aussi. Merci de m'avoir montré tout ce que je pouvais faire, Peter. »

Il y a un cinglé dans ma chambre. Il va être interné. Il va être réhabilité, soigné, réintégré dans la société. Maude regarde fixement Peter, le matin est toujours devant elle. Elle saisit une brosse sur la commode et se coiffe rapidement, une douzaine de coups de brosse.

« Si seulement je savais quoi faire. Peut-être que je pourrais aller vite fait au supermarché et appeler la police depuis là-bas au lieu de continuer à me torturer les méninges. Je ne vais pas le faire depuis chez un voisin, je ne veux pas qu'on se mette à jaser. » Elle soulève son soutien-gorge au bout d'un doigt. « Alors, qu'est-ce que je fais, Peter ? Je téléphone ou j'incise ? Fais-moi un signe. »

Peter cligne deux fois des yeux.

« Je suppose que ça veut dire que je téléphone. »

Il n'y a pas de tension. L'homme sur la chaise ne bouge pas. La femme lui tourne le dos, s'habille. Elle enfile son soutien-gorge, l'attache derrière son dos. C'est une scène paisible, un homme à demi conscient vautré sur une chaise, une jolie femme en train de s'habiller. Lautrec. Elle enfile une chemise bleue en coton, la boutonne soigneusement. Il n'y a pas d'horloge. Le temps est uniquement rythmé par la respiration de la femme.

Un bruit derrière elle, un petit bruit de zoo. La femme sursaute, se retourne. Jimmy G s'est approché de la porte. Il s'est réveillé et est venu à elle. Il a émis un bruit, un petit bruit, mi-fredonnement, mi-grognement. Un tchrrrr sinistre. Il n'y a en soi rien de remarquable là-dedans, sauf qu'il n'a jamais émis le moindre son et sait à peine miauler. Il se tient désormais dans l'entre-bâillement de la porte de la chambre, face à l'homme affalé sur la chaise. Ses oreilles sont dressées, ses moustaches déployées.

Jimmy G est d'ordinaire silencieux, inexpressif. Depuis le jour où il est arrivé à la maison il y a deux ans, il a rarement montré autre chose que de l'amour.

La femme continue de s'habiller, elle enfile un jean, des chaussures à talons bas. Elle saisit un sac à main, ses clés de voiture sur la coiffeuse, s'apprête à quitter la pièce.

Jimmy G est assis devant elle, au beau milieu de la porte. Il bloque le passage. Il ne regarde pas Maude mais Peter, qu'il fixe avec de grands yeux. Sa queue remue comme un serpent blessé, cognant contre le montant de la porte, contre le sol : boum, boum.

Jimmy G empêche Maude de passer. C'est tout à fait inhabituel.

Elle recule, le regarde avec fascination, laisse tomber son sac à main sur le lit et s'assied, sidérée par l'attitude de Jimmy G, un petit animal qu'elle connaît si bien. Il regarde Peter d'un air mauvais. Ses poils se sont dressés sur son dos, le faisant paraître plus gros, il se tient fermement dans l'entrebâillement de la porte, le dos droit, occupant un petit cercle sur le sol, ses pattes antérieures jointes, telle Bastet, la déesse égyptienne qui affronte le serpent qui essaie d'empêcher le soleil de tourner autour de la terre.

Ses yeux semblent différents. Ses pupilles ont toujours été dorées, une xanthochromie. *Ont-elles une nuance verdâtre, un reflet vert ?*

Il émet de nouveau le même bruit distinct, mi-fredonnement, mi-grondement. Il a le regard mauvais. Ses incroyables yeux dorés ne se sont pas détachés de l'homme sur la chaise. Maude ne comprend pas ce qui se passe.

Essaie-t-il de m'empêcher d'appeler la police ? Elle a le sentiment que si elle le laissait seul dans la maison, il grimperait sur les épaules de Peter et se mettrait à lui ronger la nuque, comme si c'était un rat, pour lui arracher la tête et la donner en offrande à Maude.

Il pèse quatre kilos.

C'est un chat. Est-ce que je vais laisser un chat me donner des ordres ?

En tant que chat, Jimmy G ne songe jamais à la mort ; en tant que chat, il vit dans le temps présent. Il ne commet pas d'erreurs, il est certain des rares décisions qu'il prend. Depuis hier soir, tout ce qu'il a vu, c'est un intrus qui a essayé de détruire la personne qu'il admire le plus au monde. Le comprend-il ?

Conneries. Attrape ton sac et tire-toi d'ici. Substitution interespèces, distorsion parataxique. Tu es complètement à côté de la plaque. Vas-y !

Mais Maude ne bouge pas, elle n'y arrive pas. Jimmy G lui apparaît tel un être primordial, elle sent la rage émaner de son petit corps de chat, imprégner tout autour de lui. Une rage de la nuit des temps. Sa puissance invisible, sa substance, sa pureté, son sens du territoire, sa loyauté aveugle le font sembler plus gros. Ses règles sont naturelles, elles remontent à un temps bien antérieur à celui de nos inventions.

Quand Jimmy G est entré dans la vie de Maude, n'a-t-elle pas eu le sentiment qu'il était le chat parfait, qu'il venait à elle avec une mission ? Il est apparu peu après la mort de Mason, pour assister à sa souffrance, partager ses longues nuits et son lait. Le premier jour, il lui a donné un petit coup avec le front : *famille*. Depuis elle a pris sa présence pour argent comptant, dormi avec lui des centaines de fois. Elle le considère comme son côté masculin. Jimmy G a été à ses côtés durant son année en enfer. Et tout ce qu'il lui a montré, c'est un besoin de nourriture et d'amour.

Mais maintenant c'est différent, ce qu'il lui montre est d'une autre nature. Elle n'a jamais vu ce regard étrange chez un animal.

Elle ne sait pas qui est Jimmy G, mais elle éprouve un certain soulagement en sa présence, comme si une décision effroyable avait été prise à sa place, comme si c'était lui qui lui disait quoi faire. C'est tout ce dont elle a besoin.

« Il faut que je le fasse. » Elle se tourne vers l'homme sur la chaise. « Suis-je psychotique ? Oh ! mon Dieu, j'espère que non. »

Elle hausse les épaules, se lève, marche jusqu'à la poubelle, récupère les gants roulés en boule, essaie en vain de les enfiler. Elle les jette de nouveau, attrape une paire neuve.

Elle rouvre son manuel bordeaux, marque la page avec l'un des vieux trombones. Elle se lave les mains, les sèche avec des essuie-tout.

«Je ne peux pas risquer une infection.»

Elle est calme. Sûre d'elle.

«Il y a eu un déclic dans ma tête.» Elle regarde Peter. «Je crois que tu m'as rendue comme toi.»

Il parvient à comprendre. Jimmy G n'a pas bougé de l'entrebâillement de la porte.

Maude enfile les gants neufs, les fait claquer sur ses doigts. Elle regarde par la fenêtre les petites feuilles mouchetées de lumière. Elle marque une longue pause, saisit le trocart et touche le front de Peter. Jimmy G bondit alors sur le lit, s'installe sur l'oreiller, observe les mains de Maude.

«Je suis désolée pour toi, Peter, maintenant, à cet instant précis, désolée pour ce que je suis sur le point de te faire.»

Doucement, doucement, le printemps monte en elle comme le soleil d'un nouveau jour.

REMERCIEMENTS

Respectueusement, merci à Roger Jellineck, le bon pasteur, et à Roger Donald, le champion.

À Mike Mattil, le chic type. Et à Diane Van Slyke, George McPheeters, Brian Madigan, Dura Temple. Au Corner Cafe.

Mis en pages par DV Arts Graphiques à La Rochelle
Imprimé en France par Normandie Roto Impression s.a.s.
Dépôt légal : juin 2011
N° d'édition : 2049 – N° d'impression : 112167
ISBN 978-2-7491-2049-2